풍산자 필수유형

미적분

엄선된 필수 유형 학습으로

실력을 올리고 상위권으로 도약하는

〈풍산자 필수유형〉입니다.

멋진 미래는 자신의 꿈의 아름다움을 믿는 이들에게 주어진다.

- Anna Eleanor Roosevelt -

엄선된 유형을 한 권에 가득, **필수 유형서**

풍산자 필수유형

교재 활용 로드맵

중단원별 꼭 알아야 할 개념을 **쉽고 명쾌하게 요약한 내용 정리**

유형별 필수 문제의 중요도와 난이도를 제시한 **실력을 기르는 유형**

핵심적이고 출제 빈도 높은 문제로 구성된 **내신을 꽉 잡는 서술형**

출제 비중이 높은 사고력과 응용력 문제인 **고득점을 향한 도약**

출제 의도와 다양한 해결 방법을 이해할 수 있는 **친절하고 자세한 풀이**

꼭 알아야 할 중단원별 개념 정리와 설명	핵심 내용과 문제 해결의 활용 요소를 풍쌤 비법으로 제시
엄선된 문제들의 중요도, 난이도 제시	내신 및 평가원, 교육청 기출 문제를 포함한 엄선된 필수 문제 구성
서술형과 고득점 문항으로 최종 점검	완벽한 시험 대비를 위한 서술형 문항, 사고력과 응용력 강화 문제 제시

머리말

고등학교 수학의 내신이나 수능 기출 문제는 무척 많지만 모두 교과 과정의 개념에서 파생된 문제입니다. 문제를 척 보면 아하! 이것은 무엇을 묻는 문제이구나! 하고 간파할 수 있을까요?

그럴 수 있어야 합니다.

고등학교 수학 문제는 수없이 많지만 그 기저에는 뼈대가 되는 기본 문제 유형이 있습니다. 이 기본 문제 유형을 정복하는 것이 수학 문제 정복의 열쇠입니다.

- 어려운 문제처럼 보이지만 한 단계만 해결하면 쉬운 문제로 변신하는 문제가 있습니다.
- 낯선 문제처럼 보이지만 한 꺼풀만 벗기면 익숙한 문제로 바뀌는 문제가 있습니다.
- 겉모양은 전혀 다른데 본질을 파악하면 사실상 동일한 문제가 있습니다.

가면을 쓰고 다른 문제인 척 가장할 때 속아 넘어 가지 않으려면 어떻게 해야 할까요?

풍산자 필수유형은 어려운 문제를 쉬운 문제로, 낯선 문제를 익숙한 문제로 바꾸는 능력을 기를 수 있도록 구성된 문제기본서입니다. 세상의 모든 수학 문제를 유형별로 정리하고 분석하여 그 뼈대가 되는 문제들로 구성하였습니다.

몇 천 문항씩 되는 많은 문제를 두서없이 풀기보다는 뼈대 문제를 완벽히 이해한다면 어떠한 수학 문제를 만나도 당당하게 맞서는 수학의 고수로 다시 태어날 것입니다.

구성 과 특징

꼭 필요한 유형으로만 꽉 채운

풍산자 필수유형!

핵심 내용 요약 정리

중단원별로 꼭 알아야 하는 개념을 간단하고 명쾌하게 요약하였으며, 예, 참고, 주의 등으로 개념을 쉽게 이해할 수 있도록 하였습니다.

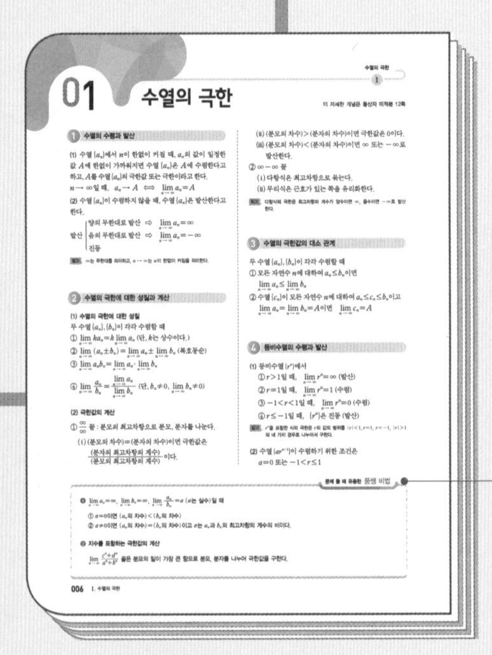

실력을 기르는 유형

학습에 필요한 문제들을 유형별로 나누고 유형별 중요도와 문항별 난이도를 제시하여 학습 수준에 맞추어 충분한 연습이 될 수 있도록 구성하였습니다.

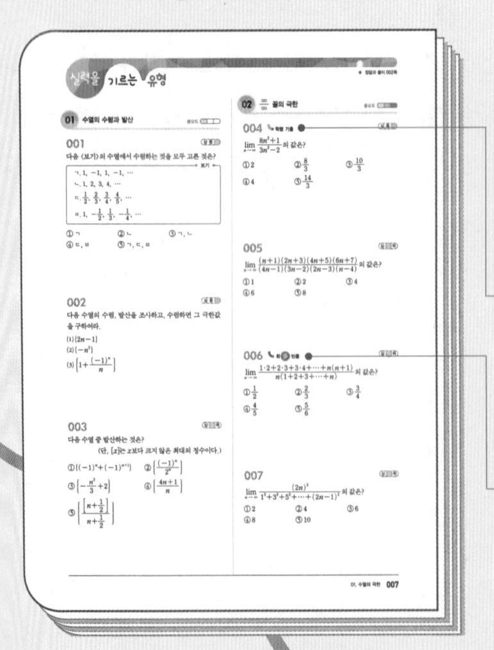

문제 풀 때 유용한 풍쌤 비법

핵심 내용과 연계되어 문제 풀이에 자주 이용되는 개념, 개념을 문제에 적용하는 방법 등을 소개하고 이를 활용할 수 있도록 하였습니다.

학평 기출

평가원, 교육청의 학력평가 기출 문제 중 자주 출제되는 유형의 문제입니다.

최多빈출

자주 출제되는 유형 중 가장 출제 비중이 높은 문제입니다.

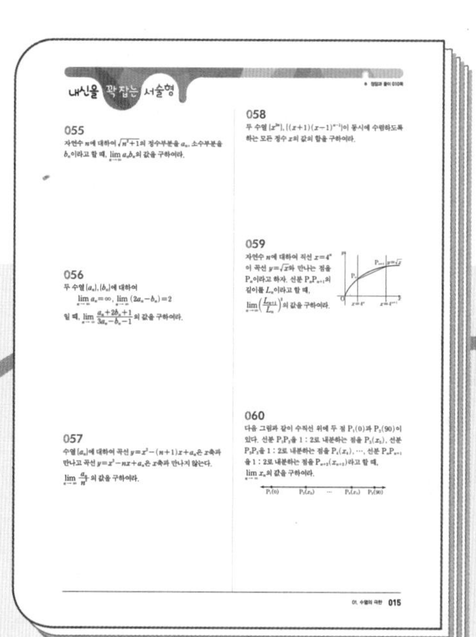

내신을 꽉 잡는 서술형

핵심적이고 출제 빈도가 높은 서술형 기출 문제로 구성하여 강화된 서술형 평가에 대비할 수 있도록 하였습니다.

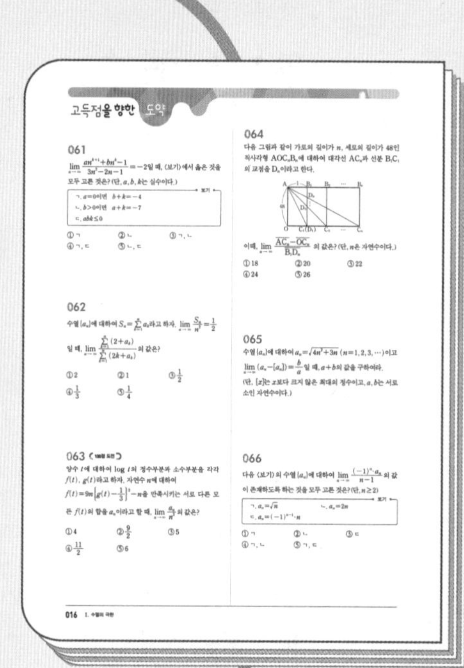

고득점을 향한 도약

난이도가 높고, 출제 비중이 높은 문제로 구성하여 수학적 사고력과 응용력을 기를 수 있도록 하였습니다.

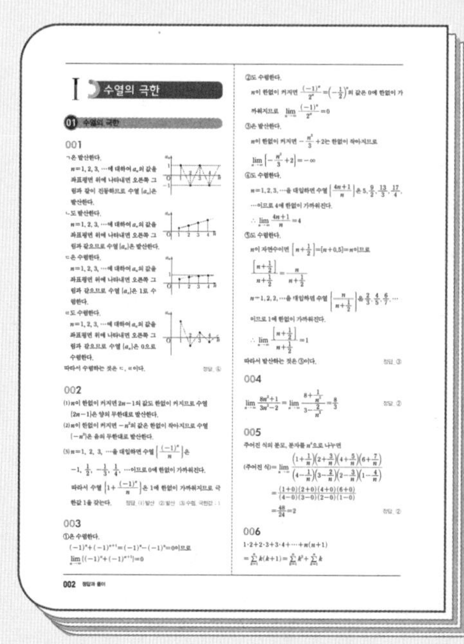

풀이

자세하고 친절한 풀이와 다른 풀이로 문제의 출제 의도와 다양한 해결 방향을 이해할 수 있도록 하였습니다.

차례

Ⅰ 수열의 극한

Ⅱ 미분법

Ⅲ 적분법

I

수열의 극한

01 수열의 극한

더 자세한 개념은 풍산자 미적분 12쪽

1 수열의 수렴과 발산

(1) 수열 $\{a_n\}$에서 n이 한없이 커질 때, a_n의 값이 일정한 값 A에 한없이 가까워지면 수열 $\{a_n\}$은 A에 수렴한다고 하고, A를 수열 $\{a_n\}$의 극한값 또는 극한이라고 한다.

$n \to \infty$일 때, $a_n \to A \iff \lim_{n\to\infty} a_n = A$

(2) 수열 $\{a_n\}$이 수렴하지 않을 때, 수열 $\{a_n\}$은 발산한다고 한다.

발산
- 양의 무한대로 발산 ⇨ $\lim_{n\to\infty} a_n = \infty$
- 음의 무한대로 발산 ⇨ $\lim_{n\to\infty} a_n = -\infty$
- 진동

참고 ∞는 무한대를 의미하고, $n \to \infty$는 n이 한없이 커짐을 의미한다.

2 수열의 극한에 대한 성질과 계산

(1) 수열의 극한에 대한 성질

두 수열 $\{a_n\}, \{b_n\}$이 각각 수렴할 때

① $\lim_{n\to\infty} ka_n = k\lim_{n\to\infty} a_n$ (단, k는 상수이다.)

② $\lim_{n\to\infty} (a_n \pm b_n) = \lim_{n\to\infty} a_n \pm \lim_{n\to\infty} b_n$ (복호동순)

③ $\lim_{n\to\infty} a_n b_n = \lim_{n\to\infty} a_n \cdot \lim_{n\to\infty} b_n$

④ $\lim_{n\to\infty} \frac{a_n}{b_n} = \frac{\lim_{n\to\infty} a_n}{\lim_{n\to\infty} b_n}$ (단, $b_n \neq 0$, $\lim_{n\to\infty} b_n \neq 0$)

(2) 극한값의 계산

① $\frac{\infty}{\infty}$ 꼴 : 분모의 최고차항으로 분모, 분자를 나눈다.

(i) (분모의 차수)=(분자의 차수)이면 극한값은 $\frac{(\text{분자의 최고차항의 계수})}{(\text{분모의 최고차항의 계수})}$이다.

(ii) (분모의 차수)>(분자의 차수)이면 극한값은 0이다.

(iii) (분모의 차수)<(분자의 차수)이면 ∞ 또는 $-\infty$로 발산한다.

② $\infty - \infty$ 꼴

(i) 다항식은 최고차항으로 묶는다.

(ii) 무리식은 근호가 있는 쪽을 유리화한다.

참고 다항식의 극한은 최고차항의 계수가 양수이면 ∞, 음수이면 $-\infty$로 발산한다.

3 수열의 극한값의 대소 관계

두 수열 $\{a_n\}, \{b_n\}$이 각각 수렴할 때

① 모든 자연수 n에 대하여 $a_n \le b_n$이면

$\lim_{n\to\infty} a_n \le \lim_{n\to\infty} b_n$

② 수열 $\{c_n\}$이 모든 자연수 n에 대하여 $a_n \le c_n \le b_n$이고

$\lim_{n\to\infty} a_n = \lim_{n\to\infty} b_n = A$이면 $\lim_{n\to\infty} c_n = A$

4 등비수열의 수렴과 발산

(1) 등비수열 $\{r^n\}$에서

① $r>1$일 때, $\lim_{n\to\infty} r^n = \infty$ (발산)

② $r=1$일 때, $\lim_{n\to\infty} r^n = 1$ (수렴)

③ $-1<r<1$일 때, $\lim_{n\to\infty} r^n = 0$ (수렴)

④ $r \le -1$일 때, $\{r^n\}$은 진동 (발산)

참고 r^n을 포함한 식의 극한은 r의 값의 범위를 $|r|<1$, $r=1$, $r=-1$, $|r|>1$의 네 가지 경우로 나누어서 구한다.

(2) 수열 $\{ar^{n-1}\}$이 수렴하기 위한 조건은

$a=0$ 또는 $-1<r \le 1$

문제 풀 때 유용한 풍쌤 비법

❶ $\lim_{n\to\infty} a_n = \infty$, $\lim_{n\to\infty} b_n = \infty$, $\lim_{n\to\infty} \frac{a_n}{b_n} = \alpha$ (α는 실수)일 때

① $\alpha=0$이면 (a_n의 차수)<(b_n의 차수)

② $\alpha \neq 0$이면 (a_n의 차수)=(b_n의 차수)이고 α는 a_n과 b_n의 최고차항의 계수의 비이다.

❷ **지수를 포함하는 극한값의 계산**

$\lim_{n\to\infty} \frac{c^n+d^n}{a^n+b^n}$ 꼴은 분모의 밑이 가장 큰 항으로 분모, 분자를 나누어 극한값을 구한다.

● 정답과 풀이 002쪽

01 수열의 수렴과 발산

중요도

001

상 중 하

다음 〈보기〉의 수열에서 수렴하는 것을 모두 고른 것은?

보기

ㄱ. $1,\ -1,\ 1,\ -1,\ \cdots$

ㄴ. $1,\ 2,\ 3,\ 4,\ \cdots$

ㄷ. $\frac{1}{2},\ \frac{2}{3},\ \frac{3}{4},\ \frac{4}{5},\ \cdots$

ㄹ. $1,\ -\frac{1}{2},\ \frac{1}{3},\ -\frac{1}{4},\ \cdots$

① ㄱ ② ㄴ ③ ㄱ, ㄴ
④ ㄷ, ㄹ ⑤ ㄱ, ㄷ, ㄹ

002

상 중 하

다음 수열의 수렴, 발산을 조사하고, 수렴하면 그 극한값을 구하여라.

(1) $\{2n-1\}$

(2) $\{-n^2\}$

(3) $\left\{1+\frac{(-1)^n}{n}\right\}$

003

상 중 하

다음 수열 중 발산하는 것은?
(단, $[x]$는 x보다 크지 않은 최대의 정수이다.)

① $\{(-1)^n+(-1)^{n+1}\}$ ② $\left\{\frac{(-1)^n}{2^n}\right\}$

③ $\left\{-\frac{n^2}{3}+2\right\}$ ④ $\left\{\frac{4n+1}{n}\right\}$

⑤ $\left\{\frac{\left[n+\frac{1}{2}\right]}{n+\frac{1}{2}}\right\}$

02 $\frac{\infty}{\infty}$ 꼴의 극한

중요도

004 학평 기출

상 중 하

$\lim_{n\to\infty}\frac{8n^2+1}{3n^2-2}$의 값은?

① 2 ② $\frac{8}{3}$ ③ $\frac{10}{3}$
④ 4 ⑤ $\frac{14}{3}$

005

상 중 하

$\lim_{n\to\infty}\frac{(n+1)(2n+3)(4n+5)(6n+7)}{(4n-1)(3n-2)(2n-3)(n-4)}$의 값은?

① 1 ② 2 ③ 4
④ 6 ⑤ 8

006 최多빈출

상 중 하

$\lim_{n\to\infty}\frac{1\cdot2+2\cdot3+3\cdot4+\cdots+n(n+1)}{n(1+2+3+\cdots+n)}$의 값은?

① $\frac{1}{2}$ ② $\frac{2}{3}$ ③ $\frac{3}{4}$
④ $\frac{4}{5}$ ⑤ $\frac{5}{6}$

007

상 중 하

$\lim_{n\to\infty}\frac{(2n)^3}{1^2+3^2+5^2+\cdots+(2n-1)^2}$의 값은?

① 2 ② 4 ③ 6
④ 8 ⑤ 10

008
(상중하)

수열 $\frac{1}{1^2}, \frac{1+2}{2^2}, \frac{1+2+3}{3^2}, \frac{1+2+3+4}{4^2}, \cdots$의 극한값은?

① $\frac{1}{3}$ ② $\frac{1}{2}$ ③ 1
④ 2 ⑤ 3

009
(상중하)

$\lim_{n\to\infty} \frac{n^2+3n}{\left\{\left(1+\frac{1}{2}\right)\left(1+\frac{1}{3}\right)\left(1+\frac{1}{4}\right)\cdots\left(1+\frac{1}{n}\right)\right\}^2}$의 값은?

① $\frac{1}{4}$ ② $\frac{1}{2}$ ③ 1
④ 2 ⑤ 4

010 학평 기출
(상중하)

모든 항이 양수인 수열 $\{a_n\}$에 대하여 $\frac{1+a_n}{a_n}=n^2+2$가 성립할 때, $\lim_{n\to\infty} n^2a_n$의 값은?

① 1 ② 2 ③ 3
④ 4 ⑤ 5

011
(상중하)

수열 $\{a_n\}$의 일반항이 $a_n=1-\frac{1}{n^2}$일 때, $\lim_{n\to\infty}(a_2a_3a_4\cdots a_n)$의 값은?

① $\frac{3}{8}$ ② $\frac{1}{2}$ ③ 1
④ $\frac{4}{3}$ ⑤ 2

012
(상중하)

수열 $\log_2 2-\log_2 3$, $\log_2 3-\log_2 5$, $\log_2 4-\log_2 7$, $\log_2 5-\log_2 9$, $\cdots$의 극한값은?

① -2 ② -1 ③ 0
④ 1 ⑤ 2

013
(상중하)

$\lim_{n\to\infty} \frac{2n}{\sqrt{9n^2+3}+\sqrt{n^2-7}}$의 값은?

① $\frac{1}{4}$ ② $\frac{1}{3}$ ③ $\frac{1}{2}$
④ $\frac{3}{4}$ ⑤ $\frac{3}{2}$

014 최多빈출
(상중하)

$\lim_{n\to\infty}\{\log_2(\sqrt{4n-1}+\sqrt{4n+1})-\log_2\sqrt{n}\}$의 값은?

① 1 ② 2 ③ 3
④ 4 ⑤ 5

● 정답과 풀이 003쪽

015 학평 기출

상 중 하

이차함수 $f(x)=3x^2$의 그래프 위의 두 점 $P(n,\ f(n))$과 $Q(n+1,\ f(n+1))$ 사이의 거리를 a_n이라고 할 때, $\lim_{n\to\infty}\frac{a_n}{n}$의 값은? (단, n은 자연수이다.)

① 9 ② 8 ③ 7 ④ 6 ⑤ 5

016

상 중 하

수열 $\{a_n\}$의 첫째항부터 제n항까지의 합 S_n이 $S_n=n\cdot3^n$일 때, $\lim_{n\to\infty}\frac{S_n}{a_n}$의 값은?

① $\frac{1}{2}$ ② 1 ③ $\frac{3}{2}$ ④ 2 ⑤ $\frac{5}{2}$

017

상 중 하

수열 $\{a_n\}$의 첫째항부터 제n항까지의 합 S_n이 $S_n=3n^2-4n$일 때, $\lim_{n\to\infty}\frac{S_n}{(5n+2)a_n}$의 값은?

① $\frac{1}{10}$ ② $\frac{1}{5}$ ③ $\frac{3}{10}$ ④ $\frac{2}{5}$ ⑤ $\frac{1}{2}$

018 최多빈출 풍쌤 비법 ❶

상 중 하

$\lim_{n\to\infty}\frac{an^2+bn+5}{\sqrt{4n^2-1}}=7$일 때, $a+b$의 값은?

(단, a, b는 상수이다.)

① 10 ② 12 ③ 14 ④ 16 ⑤ 18

019

상 중 하

$\lim_{n\to\infty}\frac{an^2-6n+6}{bn^2+3n-3}=2$일 때, $\lim_{n\to\infty}\frac{bn-a}{an+b}$의 값은?

(단, a, b는 상수이다.)

① -1 ② $-\frac{1}{2}$ ③ $\frac{1}{2}$ ④ 1 ⑤ 2

03 $\infty-\infty$ 꼴의 극한

중요도

020

상 중 하

다음 극한값을 구하여라.

(1) $\lim_{n\to\infty}(\sqrt{4n^2-8n}-2n)$

(2) $\lim_{n\to\infty}\sqrt{n}(\sqrt{n+3}-\sqrt{n-3})$

(3) $\lim_{n\to\infty}\frac{2}{\sqrt{n^2+2n}-\sqrt{n^2-2n}}$

021

상 중 하

첫째항이 6, 공차가 2인 등차수열 $\{a_n\}$의 첫째항부터 제n항까지의 합을 S_n이라고 할 때, $\lim_{n\to\infty}(\sqrt{S_{n+1}}-\sqrt{S_n})$의 값은?

① 1 ② 2 ③ 3 ④ 4 ⑤ 5

022 (상중하)

서로 다른 두 실수 α, β에 대하여 $\alpha+\beta=1$일 때, $\lim_{n\to\infty}\frac{\sqrt{n+\alpha^2}-\sqrt{n+\beta^2}}{\sqrt{4n+\alpha}-\sqrt{4n+\beta}}$의 값은?

① $\frac{1}{4}$　② $\frac{1}{2}$　③ 1
④ 2　⑤ 4

023 최多빈출 (상중하)

$\lim_{n\to\infty}\frac{\sqrt{kn+1}}{n(\sqrt{n+1}-\sqrt{n-1})}=5$일 때, 상수 k의 값은?

① 5　② 10　③ 15
④ 20　⑤ 25

024 (상중하)

$\lim_{n\to\infty}\frac{1}{n^a}\left\{\left(n+\frac{1}{n}\right)^{20}-\frac{1}{n^{20}}\right\}$이 수렴하도록 하는 자연수 a의 최솟값은?

① 17　② 18　③ 19
④ 20　⑤ 21

025 (상중하)

수렴하는 수열 $\{a_n\}$의 일반항이 $a_n=\sqrt{(n+3)(4n-1)}-kn$일 때, $\lim_{n\to\infty}a_n$의 값을 구하여라. (단, k는 상수이다.)

026 학평 기출 (상중하)

함수 $f(x)$는 $f(x)=(x-3)^2$이고 함수 $f(x)$의 그래프는 오른쪽 그림과 같다. 자연수 n에 대하여 방정식 $f(x)=n$의 두 근이 α, β일 때, $h(n)=|\alpha-\beta|$라고 하자. $\lim_{n\to\infty}\sqrt{n}\{h(n+1)-h(n)\}$의 값은?

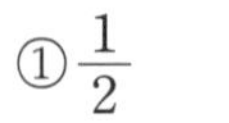

① $\frac{1}{2}$　② 1　③ $\frac{3}{2}$
④ 2　⑤ $\frac{5}{2}$

027 (상중하)

이차방정식 $x^2-2nx+n=0$ (n은 자연수)의 두 근 중에서 작지 않은 근을 a_n이라 하고, a_n의 정수 부분을 $f(n)$이라고 하자. 이때, $\lim_{n\to\infty}\{a_n-f(n)\}$의 값은?

① $\frac{1}{2}$　② 1　③ $\frac{3}{2}$
④ 2　⑤ $\frac{5}{2}$

04 수열의 극한에 대한 성질

중요도

028 (상중하)

수렴하는 두 수열 $\{a_n\}, \{b_n\}$에 대하여

$$\lim_{n\to\infty}(a_n-b_n)=5,\ \lim_{n\to\infty}a_nb_n=3$$

일 때, $\lim_{n\to\infty}(a_n^2+b_n^2)$의 값은?

① 19　② 23　③ 27
④ 31　⑤ 35

029

상중하

두 수열 $\{a_n\}$, $\{b_n\}$에 대하여 $\lim_{n\to\infty} a_n=3$, $\lim_{n\to\infty} b_n=\alpha$이고 $\lim_{n\to\infty} \frac{a_nb_n-2}{a_n+3b_n}=2$가 성립할 때, 상수 α의 값은?

① -3　② $-\frac{8}{3}$　③ $-\frac{7}{3}$
④ -2　⑤ $-\frac{5}{3}$

030 학평 기출

상중하

수열 $\{a_n\}$과 $\{b_n\}$이

$$\lim_{n\to\infty} (n+1)a_n=2,\ \lim_{n\to\infty} (n^2+1)b_n=7$$

을 만족시킬 때, $\lim_{n\to\infty} \frac{(10n+1)b_n}{a_n}$의 값을 구하여라.

(단, $a_n\neq0$)

031

상중하

수열 $\{a_n\}$에 대하여 $\lim_{n\to\infty} \frac{na_n}{2n^2+1}=3$일 때, $\lim_{n\to\infty} \frac{n(a_n+a_{n+1})}{n^2+1}$의 값은?

① 3　② 6　③ 9
④ 12　⑤ 15

032 최多 빈출

상중하

두 수열 $\{a_n\}$, $\{b_n\}$에 대하여 〈보기〉에서 옳은 것을 모두 고른 것은?

보기

ㄱ. $a_n<b_n$이고 $\lim_{n\to\infty} a_n=\infty$이면 $\lim_{n\to\infty} b_n=\infty$
ㄴ. 두 수열 $\{a_n\}$, $\{b_n\}$이 수렴할 때, $a_n<b_n$이면 $\lim_{n\to\infty} a_n<\lim_{n\to\infty} b_n$
ㄷ. $\lim_{n\to\infty} a_nb_n=0$이면 $\lim_{n\to\infty} a_n=0$ 또는 $\lim_{n\to\infty} b_n=0$

① ㄱ　② ㄴ　③ ㄷ
④ ㄱ, ㄴ　⑤ ㄱ, ㄷ

05 수열의 극한값의 대소 관계

중요도

033

상중하

수열 $\{a_n\}$이 모든 자연수 n에 대하여

$$4n^2-3n-2<a_n<4n^2+n+2$$

를 만족시킬 때, $\lim_{n\to\infty} \frac{a_n}{2n^2+3n+4}$의 값은?

① 1　② 2　③ 3
④ 4　⑤ 5

034

상중하

수열 $\{a_n\}$이 모든 자연수 n에 대하여

$$(n-3)(4n^2+1)<2n^2a_n<2n^2(2n+3)$$

을 만족시킬 때, $\lim_{n\to\infty} \frac{a_n}{n}$의 값은?

① -1　② 0　③ 1
④ 2　⑤ 3

035 상중하

수열 $\{a_n\}$이 모든 자연수 n에 대하여

$\frac{-n}{2n-1} < a_n < \frac{n}{2n+1}$을 만족시킬 때, 〈보기〉에서 옳은 것을 모두 고른 것은?

보기

ㄱ. $\lim_{n \to \infty} a_n = 0$

ㄴ. $\lim_{n \to \infty} \frac{a_n}{n} = 0$

ㄷ. $\lim_{n \to \infty} \frac{na_n}{n^2+1} = 0$

① ㄴ ② ㄷ ③ ㄱ, ㄴ
④ ㄱ, ㄷ ⑤ ㄴ, ㄷ

06 등비수열의 수렴과 발산

중요도

036 상중하

다음 등비수열 중 수렴하는 것은?

① $\left\{\left(-\frac{2}{\sqrt{3}}\right)^n\right\}$ ② $\left\{\left(\log \frac{1}{10}\right)^n\right\}$
③ $\{1.01^n\}$ ④ $\left\{\frac{-5^n}{9 \cdot 4^n}\right\}$
⑤ $\{(\sqrt{2}-1)^n\}$

037 최多빈출 상중하

수열 $\left\{\left(\frac{3x-5}{6}\right)^n\right\}$이 수렴하기 위한 정수 x의 개수는?

① 1 ② 2 ③ 3
④ 4 ⑤ 5

038 상중하

수열 $\{(x^2-5x+7)^n\}$이 0이 아닌 값에 수렴하도록 하는 모든 실수 x의 값의 곱은?

① 4 ② 5 ③ 6
④ 7 ⑤ 8

039 학평 기출 상중하

등비수열 $\{r^n\}$이 수렴할 때, 다음 〈보기〉의 수열에서 수렴하는 것을 모두 고른 것은?

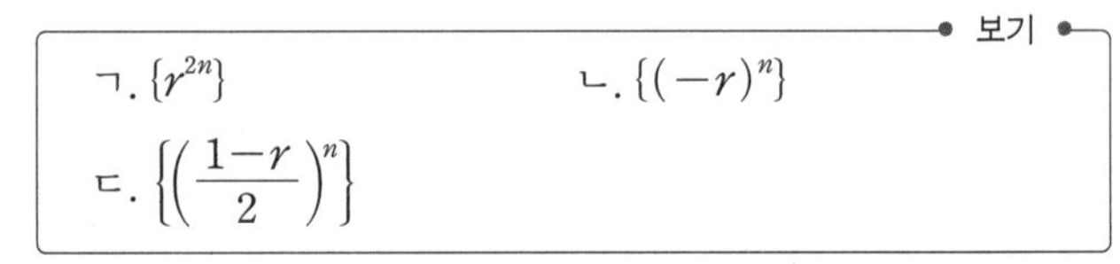

보기

ㄱ. $\{r^{2n}\}$

ㄴ. $\{(-r)^n\}$

ㄷ. $\left\{\left(\frac{1-r}{2}\right)^n\right\}$

① ㄱ ② ㄱ, ㄴ ③ ㄱ, ㄷ
④ ㄴ, ㄷ ⑤ ㄱ, ㄴ, ㄷ

07 등비수열의 극한

중요도

040 풍쌤 비법 ❷ 상중하

$\lim_{n \to \infty} \frac{5 \cdot 3^{n+1} - 2^{n+1}}{3^n + 2^n}$의 값은?

① 11 ② 12 ③ 13
④ 14 ⑤ 15

041 상중하

첫째항이 5이고 공비가 5인 등비수열 $\{a_n\}$에 대하여

$\lim_{n \to \infty} \frac{5^{n+1}-7}{a_n}$의 값은?

① 1 ② 2 ③ 3
④ 4 ⑤ 5

042

상 중 하

수열 $\{a_n\}$은 첫째항이 3, 공비가 2인 등비수열이고, 수열 $\{b_n\}$은 첫째항이 5, 공비가 6인 등비수열일 때, $\lim_{n\to\infty} \log_{a_n} b_n$의 값은?

① $\log_2 3$　② $2\log_3 2$　③ 2
④ $1+\log_3 2$　⑤ $1+\log_2 3$

043

상 중 하

$\lim_{n\to\infty}\left(9+\frac{1}{3^n}\right)\left(a+\frac{1}{2^n}\right)=45$일 때, 상수 a의 값은?

① 1　② 2　③ 3
④ 4　⑤ 5

044

최多빈출

상 중 하

$\lim_{n\to\infty}\frac{3^{n+1}}{a\cdot 3^n-3^{n-1}}=6$을 만족시키는 상수 a에 대하여 $\lim_{n\to\infty}\frac{5a^n+4}{2a^n+7}$의 값은?

① $\frac{3}{7}$　② $\frac{4}{7}$　③ $\frac{5}{7}$
④ $\frac{6}{7}$　⑤ 1

045

상 중 하

수열 $\{a_n\}$이 모든 자연수 n에 대하여 $a_n>0$, $\frac{a_{n+1}}{a_n}\le\frac{3}{4}$을 만족시킬 때, $\lim_{n\to\infty}\frac{2^{2n-1}+8-3a_n}{6a_n-4^n+2}$의 값은?

① $-\frac{1}{2}$　② $-\frac{1}{4}$　③ $\frac{1}{4}$
④ $\frac{1}{2}$　⑤ $\frac{3}{4}$

046

학평 기출

상 중 하

오른쪽 그림과 같이 곡선 $y=f(x)$와 직선 $y=g(x)$가 원점과 점 $(3, 3)$에서 만난다.

$h(x)$

$=\lim_{n\to\infty}\frac{\{f(x)\}^{n+1}+5\{g(x)\}^n}{\{f(x)\}^n+\{g(x)\}^n}$

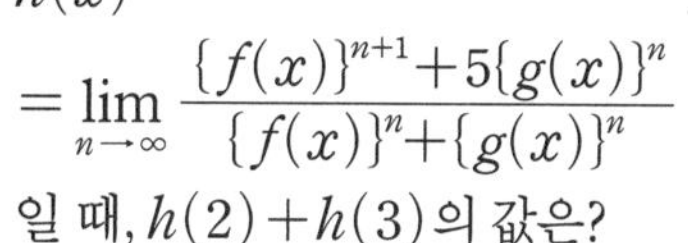

일 때, $h(2)+h(3)$의 값은?

① 6　② 7　③ 8
④ 9　⑤ 10

08 r^n을 포함한 수열의 극한

중요도

047

상 중 하

$\lim_{n\to\infty}\frac{r^{n-1}-r+2}{r^n+1}$ $(r\ne-1)$에 대하여 〈보기〉에서 옳은 것을 모두 고른 것은?

보기

ㄱ. $|r|>1$일 때, 극한값은 존재하지 않는다.
ㄴ. $r=1$일 때, 극한값은 1이다.
ㄷ. $|r|<1$일 때, 극한값은 $2-r$이다.

① ㄱ　② ㄴ　③ ㄱ, ㄷ
④ ㄴ, ㄷ　⑤ ㄱ, ㄴ, ㄷ

048

상 중 하

수열 $\left\{\frac{r^{2n-1}+2}{r^{2n}+1}\right\}$이 수렴할 때, 다음 중 그 극한값이 될 수 없는 것은?

① $-\frac{1}{3}$　② $\frac{1}{2}$　③ $\frac{3}{2}$
④ 2　⑤ 3

049
(상 중 하)

$\lim_{n\to\infty}\frac{r^{n+1}}{r^n-2010}=\alpha$일 때, 다음 중 상수 α의 값이 될 수 없는 것은?

① -2010 ② $-\frac{1}{2009}$ ③ 0
④ $\frac{1}{2009}$ ⑤ 2010

09 x^n을 포함한 함수
중요도

050
(상 중 하)

함수 $f(x)$를 $f(x)=\lim_{n\to\infty}\frac{x^{n+1}+5}{x^n+2}$로 정의할 때, $f(-2)+f\left(\frac{1}{2}\right)+f(1)$의 값은?

① 2 ② $\frac{5}{2}$ ③ 3
④ $\frac{7}{2}$ ⑤ 4

051
(상 중 하)

$x>0$에서 정의된 함수 $f(x)=\lim_{n\to\infty}\frac{x^{n+1}+1}{x^n+x}$에 대하여 다음 중 함수 $f(x)$의 그래프의 개형으로 알맞은 것은?

①
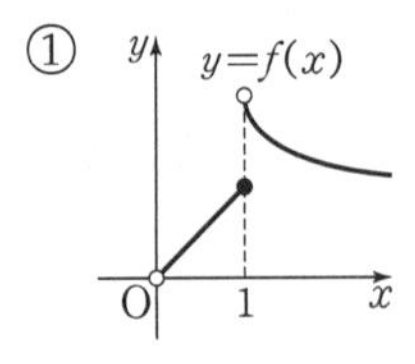

②
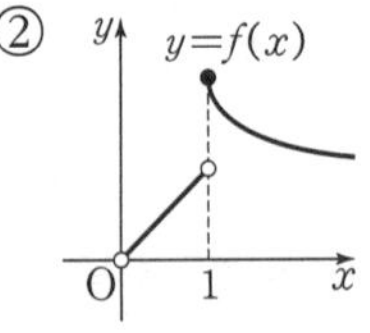

③
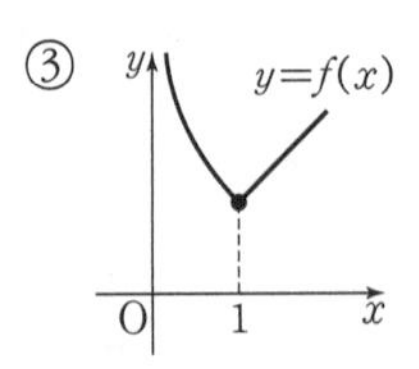

④
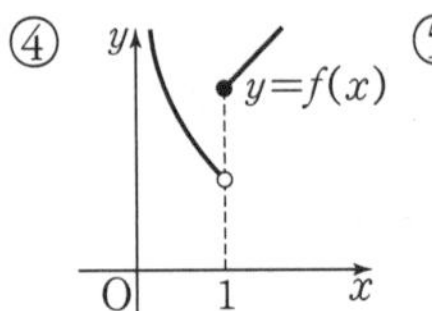

⑤
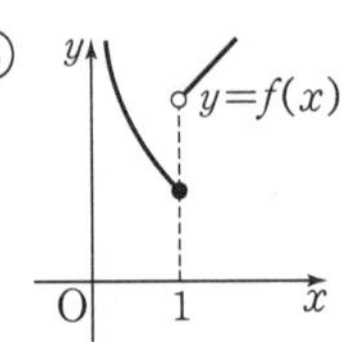

10 귀납적으로 정의된 수열의 극한
중요도

052 최多 빈출
(상 중 하)

수렴하는 수열 $\{a_n\}$이

$a_1=1,\ a_{n+1}=\sqrt{2a_n+3}\ (n=1, 2, 3, \cdots)$

을 만족시킬 때, $\lim_{n\to\infty}a_n$의 값은?

① 1 ② 2 ③ 3
④ 4 ⑤ 5

053
(상 중 하)

어느 달팽이는 낮에 2 m씩 벽을 타고 올라갔다가 밤에는 그날 낮에 도달한 최고 높이의 $\frac{1}{4}$만큼을 미끄러져 내려온다고 한다. 이와 같은 과정을 한없이 반복하며 벽을 오를 때, 이 달팽이가 도달할 수 있는 최고 높이는 몇 m에 한없이 가까워지는가?

① 4 m ② 8 m ③ 12 m
④ 16 m ⑤ 20 m

054 학평 기출
(상 중 하)

오른쪽 그림은 함수 $f(x)=\sqrt{x+2}$의 그래프와 직선 $y=x$를 나타낸 것이다. 수열 $\{a_n\}$을 $a_1=f(0)$, $a_2=f(a_1)$, $\cdots$, $a_{n+1}=f(a_n)$으로 정의할 때, $\lim_{n\to\infty}a_n$의 값은?

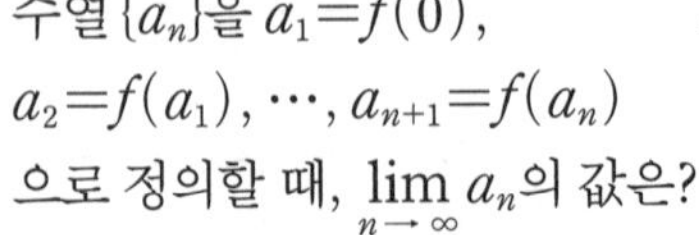

① 0 ② $\frac{1}{2}$ ③ 1
④ $\frac{3}{2}$ ⑤ 2

055

자연수 n에 대하여 $\sqrt{n^2+1}$의 정수부분을 a_n, 소수부분을 b_n이라고 할 때, $\lim_{n\to\infty} a_nb_n$의 값을 구하여라.

056

두 수열 $\{a_n\}$, $\{b_n\}$에 대하여

$$\lim_{n\to\infty} a_n=\infty,\ \lim_{n\to\infty}(2a_n-b_n)=2$$

일 때, $\lim_{n\to\infty}\frac{a_n+2b_n+1}{3a_n-b_n-1}$의 값을 구하여라.

057

수열 $\{a_n\}$에 대하여 곡선 $y=x^2-(n+1)x+a_n$은 x축과 만나고 곡선 $y=x^2-nx+a_n$은 x축과 만나지 않는다. $\lim_{n\to\infty}\frac{a_n}{n^2}$의 값을 구하여라.

058

두 수열 $\{x^{2n}\}$, $\{(x+1)(x-1)^{n-1}\}$이 동시에 수렴하도록 하는 모든 정수 x의 값의 합을 구하여라.

059

자연수 n에 대하여 직선 $x=4^n$이 곡선 $y=\sqrt{x}$와 만나는 점을 P_n이라고 하자. 선분 P_nP_{n+1}의 길이를 L_n이라고 할 때, $\lim_{n\to\infty}\left(\frac{L_{n+1}}{L_n}\right)^2$의 값을 구하여라.

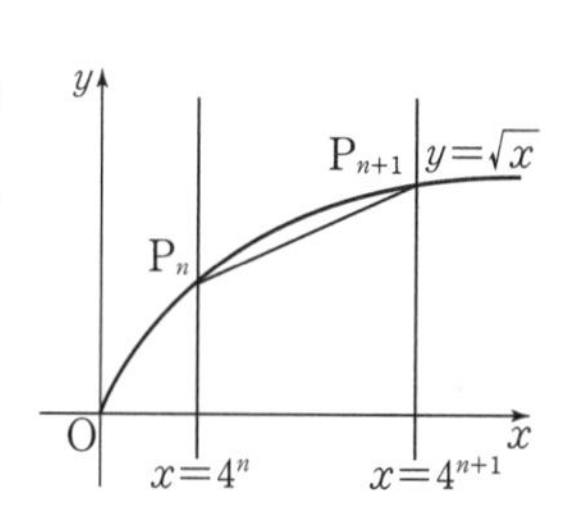

060

다음 그림과 같이 수직선 위에 두 점 $P_1(0)$과 $P_2(90)$이 있다. 선분 P_1P_2을 1 : 2로 내분하는 점을 $P_3(x_3)$, 선분 P_2P_3을 1 : 2로 내분하는 점을 $P_4(x_4)$, $\cdots$, 선분 P_nP_{n+1}을 1 : 2로 내분하는 점을 $P_{n+2}(x_{n+2})$라고 할 때, $\lim_{n\to\infty} x_n$의 값을 구하여라.

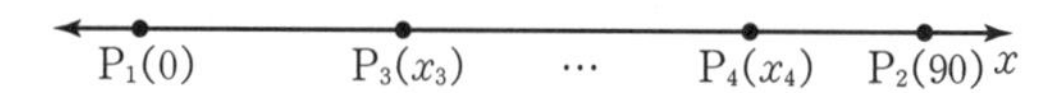

고득점을 향한 도약

061

$\lim_{n\to\infty}\frac{an^{k+1}+bn^k-1}{3n^2-2n-1}=-2$일 때, 〈보기〉에서 옳은 것을 모두 고른 것은? (단, a, b, k는 실수이다.)

보기

ㄱ. $a=0$이면 $b+k=-4$

ㄴ. $b>0$이면 $a+k=-7$

ㄷ. $abk\le 0$

① ㄱ ② ㄴ ③ ㄱ, ㄴ
④ ㄱ, ㄷ ⑤ ㄴ, ㄷ

062

수열 $\{a_n\}$에 대하여 $S_n=\sum_{k=1}^{n}a_k$라고 하자. $\lim_{n\to\infty}\frac{S_n}{n^2}=\frac{1}{2}$ 일 때, $\lim_{n\to\infty}\frac{\sum_{k=1}^{n}(2+a_k)}{\sum_{k=1}^{n}(2k+a_k)}$의 값은?

① 2 ② 1 ③ $\frac{1}{2}$
④ $\frac{1}{3}$ ⑤ $\frac{1}{4}$

063 100점 도전

양수 t에 대하여 $\log t$의 정수부분과 소수부분을 각각 $f(t)$, $g(t)$라고 하자. 자연수 n에 대하여 $f(t)=9n\left\{g(t)-\frac{1}{3}\right\}^2-n$을 만족시키는 서로 다른 모든 $f(t)$의 합을 a_n이라고 할 때, $\lim_{n\to\infty}\frac{a_n}{n^2}$의 값은?

① 4 ② $\frac{9}{2}$ ③ 5
④ $\frac{11}{2}$ ⑤ 6

064

다음 그림과 같이 가로의 길이가 n, 세로의 길이가 48인 직사각형 AOC_nB_n에 대하여 대각선 AC_n과 선분 B_1C_1의 교점을 D_n이라고 한다.

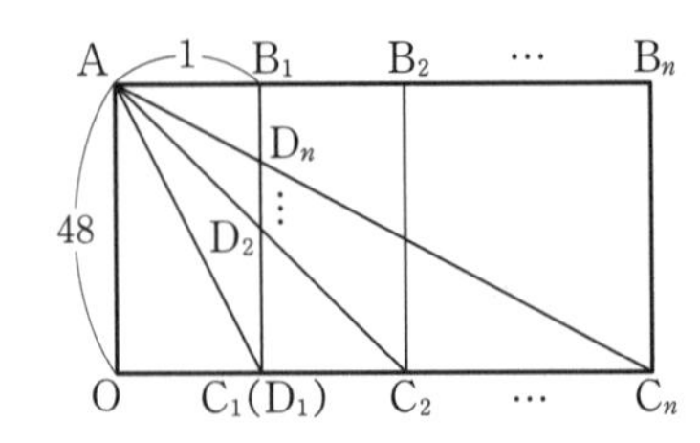

이때, $\lim_{n\to\infty}\frac{\overline{AC_n}-\overline{OC_n}}{\overline{B_1D_n}}$의 값은? (단, n은 자연수이다.)

① 18 ② 20 ③ 22
④ 24 ⑤ 26

065

수열 $\{a_n\}$에 대하여 $a_n=\sqrt{4n^2+3n}$ $(n=1, 2, 3, \cdots)$이고 $\lim_{n\to\infty}(a_n-[a_n])=\frac{b}{a}$일 때, $a+b$의 값을 구하여라.
(단, $[x]$는 x보다 크지 않은 최대의 정수이고, a, b는 서로소인 자연수이다.)

066

다음 〈보기〉의 수열 $\{a_n\}$에 대하여 $\lim_{n\to\infty}\frac{(-1)^n\cdot a_n}{n-1}$의 값이 존재하도록 하는 것을 모두 고른 것은? (단, $n\ge 2$)

보기

ㄱ. $a_n=\sqrt{n}$ ㄴ. $a_n=2n$

ㄷ. $a_n=(-1)^{n-1}\cdot n$

① ㄱ ② ㄴ ③ ㄷ
④ ㄱ, ㄴ ⑤ ㄱ, ㄷ

● 정답과 풀이 012쪽

067

다음 〈보기〉에서 수열 $\{a_n\}$에 대하여 $\lim_{n\to\infty} a_n=\alpha$인 상수 α의 값이 항상 존재하도록 하는 것을 모두 고른 것은?

보기

ㄱ. $3^n a_n < 2^n$

ㄴ. $\dfrac{|a_n|}{100} < \left(\dfrac{9}{10}\right)^n$

ㄷ. $\left(\dfrac{1}{2}\right)^{n+1} + \dfrac{n}{n+1} < a_n < \left(\dfrac{1}{2}\right)^n + \dfrac{n+1}{n}$

① ㄱ　② ㄴ　③ ㄱ, ㄴ
④ ㄴ, ㄷ　⑤ ㄱ, ㄴ, ㄷ

068

양의 정수 n에 대하여 6^n의 양의 약수의 총합을 $T(n)$이라고 할 때, $\lim_{n\to\infty} \dfrac{6^n}{T(n)}$의 값은?

① $\dfrac{1}{2}$　② $\dfrac{1}{3}$　③ $\dfrac{1}{6}$
④ $\dfrac{1}{12}$　⑤ $\dfrac{1}{18}$

069

$n\ge 2$인 자연수 n에 대하여 x^n을 x^2-3x+2로 나누었을 때의 나머지를 $R(x)$라고 할 때, $\lim_{n\to\infty} \dfrac{R(-1)}{R(0)}$의 값을 구하여라.

070 (100점 도전)

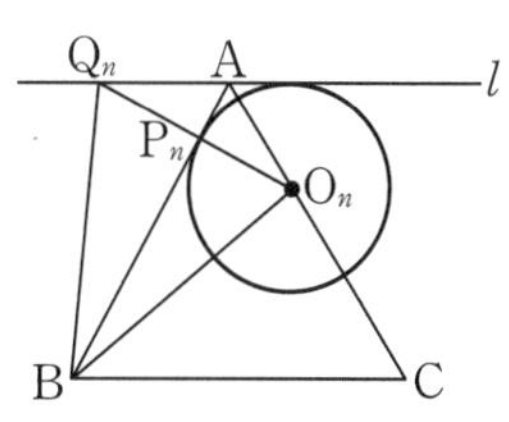

오른쪽 그림과 같이 한 변의 길이가 4인 정삼각형 ABC와 점 A를 지나고 직선 BC와 평행한 직선 l이 있다. 자연수 n에 대하여 중심 O_n이 변 AC 위에 있고 반지름의 길이가 $\sqrt{3}\cdot\left(\dfrac{1}{2}\right)^{n-1}$인 원이 직선 AB와 직선 l에 모두 접한다. 이 원과 직선 AB가 접하는 점을 P_n, 직선 $\mathrm{O}_n\mathrm{P}_n$과 직선 l이 만나는 점을 Q_n이라고 하자. 삼각형 $\mathrm{BO}_n\mathrm{Q}_n$의 넓이를 S_n이라고 할 때, $\lim_{n\to\infty} 2^n S_n = k$이다. k^2의 값을 구하여라.

071

자동차보험을 취급하는 두 회사 A, B가 있다. 해마다 자동차보험을 계약할 때, A사 고객의 6 %는 B사로, B사 고객의 2 %는 A사로 옮겨간다. 해마다 같은 비율로 이동하여 오랜 세월이 흐른 후 각 회사의 고객 수가 일정해진다고 할 때, A사와 B사의 고객 수의 비를 가장 간단한 자연수의 비로 나타내어라.

(단, 전체 고객 수는 변함이 없다.)

02 급수

더 자세한 개념은 풍산자 미적분 31쪽

1 급수의 수렴과 발산

(1) 급수

① 수열 $\{a_n\}$의 각 항을 덧셈 기호 +로 연결한 식

$$a_1+a_2+a_3+\cdots+a_n+\cdots=\sum_{n=1}^{\infty}a_n$$

을 급수라고 한다.

② 급수 $\sum_{n=1}^{\infty}a_n$에서 첫째항부터 제n항까지의 합

$$S_n=a_1+a_2+a_3+\cdots+a_n=\sum_{k=1}^{n}a_k$$

를 이 급수의 제n항까지의 부분합이라고 한다.

(2) 급수의 수렴과 발산

급수의 합을 구하려면 먼저 부분합 S_n을 구한 후 $\lim_{n\to\infty}$를 취하면 된다.

① 부분합의 수열 $\{S_n\}$이 S에 수렴하면 급수 $\sum_{n=1}^{\infty}a_n$은 S에 수렴한다고 하며, S를 이 급수의 합이라고 한다.

$$\sum_{n=1}^{\infty}a_n=\lim_{n\to\infty}\sum_{k=1}^{n}a_k=\lim_{n\to\infty}S_n=S$$

② 부분합의 수열 $\{S_n\}$이 발산하면 급수는 발산한다고 한다.

급수가 발산하면 급수의 합은 생각하지 않는다.

2 급수와 수열의 극한 사이의 관계

(1) 급수 $\sum_{n=1}^{\infty}a_n$이 수렴하면 $\lim_{n\to\infty}a_n=0$이다.

(2) $\lim_{n\to\infty}a_n\neq0$이면 급수 $\sum_{n=1}^{\infty}a_n$은 발산한다.

대우

참고 (1)의 역 '$\lim_{n\to\infty}a_n=0$이면 급수 $\sum_{n=1}^{\infty}a_n$은 수렴한다.'는 성립하지 않는다.

예를 들어 $a_n=\frac{1}{n}$일 때, $\lim_{n\to\infty}\frac{1}{n}=0$이지만 급수 $\sum_{n=1}^{\infty}\frac{1}{n}$은 발산한다.

3 급수의 성질

두 급수 $\sum_{n=1}^{\infty}a_n$, $\sum_{n=1}^{\infty}b_n$이 각각 수렴할 때

① $\sum_{n=1}^{\infty}(a_n+b_n)=\sum_{n=1}^{\infty}a_n+\sum_{n=1}^{\infty}b_n$

② $\sum_{n=1}^{\infty}(a_n-b_n)=\sum_{n=1}^{\infty}a_n-\sum_{n=1}^{\infty}b_n$

③ $\sum_{n=1}^{\infty}ka_n=k\sum_{n=1}^{\infty}a_n$ (단, k는 상수이다.)

참고 $\sum_{n=1}^{\infty}a_nb_n\neq\sum_{n=1}^{\infty}a_n\sum_{n=1}^{\infty}b_n$, $\sum_{n=1}^{\infty}\frac{a_n}{b_n}\neq\frac{\sum_{n=1}^{\infty}a_n}{\sum_{n=1}^{\infty}b_n}$, $\sum_{n=1}^{\infty}a_n^2\neq\left(\sum_{n=1}^{\infty}a_n\right)^2$

4 등비급수의 수렴과 발산

(1) 등비급수

첫째항이 $a(a\neq0)$, 공비가 r인 등비수열 $\{ar^{n-1}\}$의 각 항을 덧셈 기호 +로 연결한 급수

$$\sum_{n=1}^{\infty}ar^{n-1}=a+ar+ar^2+\cdots+ar^{n-1}+\cdots$$

을 첫째항이 a, 공비가 r인 등비급수라고 한다.

(2) 등비급수의 수렴과 발산

등비급수 $\sum_{n=1}^{\infty}ar^{n-1}(a\neq0)$에 대하여 다음이 성립한다.

① $|r|<1$일 때, 수렴하고 그 합은 $\frac{a}{1-r}$이다.

② $|r|\geq1$일 때, 발산한다.

문제 풀 때 유용한 풍쌤 비법

❶ $\frac{1}{AB}$ 꼴의 급수의 합은 부분분수를 이용한다.

⇨ $\frac{1}{AB}=\frac{1}{B-A}\left(\frac{1}{A}-\frac{1}{B}\right)$을 이용하여 부분합 S_n을 구한 후 $\lim_{n\to\infty}S_n$을 구한다.

❷ 급수 $\sum_{n=1}^{\infty}\log a_n$의 합은 로그의 성질을 이용한다.

⇨ $\sum_{n=1}^{\infty}\log a_n=\lim_{n\to\infty}\sum_{k=1}^{n}\log a_k=\lim_{n\to\infty}(\log a_1+\log a_2+\log a_3+\cdots+\log a_n)=\lim_{n\to\infty}\log a_1a_2a_3\cdots a_n$

❸ 등비수열과 등비급수의 수렴 조건

① 등비수열 $\{ar^{n-1}\}$의 수렴 조건은 $a=0$ 또는 $-1<r\leq1$이다.

② 등비급수 $\sum_{n=1}^{\infty}ar^{n-1}$의 수렴 조건은 $a=0$ 또는 $-1<r<1$이다.

실력을 기르는 유형

● 정답과 풀이 014쪽

01 부분분수, 로그의 성질을 이용하는 급수 중요도

072

상중하

다음 급수의 수렴, 발산을 조사하고, 수렴하면 그 합을 구하여라.

(1) $\sum_{n=1}^{\infty} \frac{1}{n(n+2)}$

(2) $\sum_{n=1}^{\infty} \frac{1}{\sqrt{n+1}+\sqrt{n}}$

(3) $\sum_{n=1}^{\infty} \log \frac{n+1}{n}$

073 풍쌤 비법 ❶

상중하

급수 $\sum_{n=1}^{\infty} \frac{1}{(3n-1)(3n+2)}$의 합은?

① $\frac{1}{2}$　② $\frac{1}{3}$　③ $\frac{1}{4}$　④ $\frac{1}{5}$　⑤ $\frac{1}{6}$

074 최多빈출

상중하

급수 $1+\frac{1}{1+2}+\frac{1}{1+2+3}+\frac{1}{1+2+3+4}+\cdots$의 합은?

① $\frac{1}{4}$　② $\frac{1}{2}$　③ 1　④ 2　⑤ 4

075

상중하

x에 대한 이차방정식 $x^2-4x+n^2+n=0$의 두 근을 α_n, β_n이라고 할 때, 급수 $\sum_{n=1}^{\infty}\left(\frac{1}{\alpha_n}+\frac{1}{\beta_n}\right)$의 합을 구하여라.

(단, n은 자연수이다.)

076 학평 기출

상중하

등차수열 $\{a_n\}$에 대하여 $a_1=4$, $a_4-a_2=4$일 때, 급수 $\sum_{n=1}^{\infty} \frac{2}{na_n}$의 합은?

① 1　② $\frac{3}{2}$　③ 2　④ $\frac{5}{2}$　⑤ 3

077

상중하

급수 $\sum_{n=2}^{\infty} \log_2\left(1-\frac{1}{n^2}\right)$의 합은?

① $-\log_2 3$　② -1　③ 0　④ 1　⑤ $\log_2 3$

078 풍쌤 비법 ❷ (상중하)

수열 $\{a_n\}$에 대하여

$$a_1a_2a_3\cdots a_n=\frac{8n}{n+8}\ (n=1, 2, 3, \cdots)$$

이 성립할 때, 급수 $\sum_{n=1}^{\infty}\log_2 a_n$의 합은?

① -2　② -1　③ 1　④ 2　⑤ 3

02 항의 부호가 교대로 바뀌는 급수

중요도

079 (상중하)

다음 급수의 수렴, 발산을 조사하고, 수렴하면 그 합을 구하여라.

(1) $1-1+1-1+\cdots+(-1)^{n-1}+\cdots$

(2) $(1-1)+(1-1)+\cdots+(1-1)+\cdots$

080 (상중하)

다음 〈보기〉의 급수 중 수렴하는 것의 개수는?

보기

ㄱ. $\left(\frac{1}{2}-\frac{1}{3}\right)+\left(\frac{1}{3}-\frac{1}{4}\right)+\left(\frac{1}{4}-\frac{1}{5}\right)+\cdots$

ㄴ. $\frac{1}{2}-\frac{1}{3}+\frac{1}{3}-\frac{1}{4}+\frac{1}{4}-\frac{1}{5}+\cdots$

ㄷ. $\left(\frac{1}{2}-\frac{2}{3}\right)+\left(\frac{2}{3}-\frac{3}{4}\right)+\left(\frac{3}{4}-\frac{4}{5}\right)+\cdots$

ㄹ. $\frac{1}{2}-\frac{2}{3}+\frac{2}{3}-\frac{3}{4}+\frac{3}{4}-\frac{4}{5}+\cdots$

① 4　② 3　③ 2　④ 1　⑤ 0

03 부분합을 이용하는 급수

중요도

081 최多빈출 (상중하)

수열 $\{a_n\}$의 첫째항부터 제n항까지의 합 S_n이

$$S_n=\frac{8}{1^2+2}+\frac{8}{2^2+4}+\frac{8}{3^2+6}+\cdots+\frac{8}{n^2+2n}$$

일 때, 급수 $\sum_{n=1}^{\infty}a_n$의 합은?

① 2　② 4　③ 6　④ 8　⑤ 10

082 (상중하)

수열 $\{a_n\}$의 첫째항부터 제n항까지의 합 S_n이 $S_n=\frac{n^2+3n}{2n^2+2}$일 때, 수열 $\{a_n\}$의 제2항부터의 급수 $\sum_{n=2}^{\infty}a_n$의 합은?

① $-\frac{1}{12}$　② $-\frac{1}{8}$　③ $-\frac{1}{6}$　④ $-\frac{1}{2}$　⑤ -1

083 학평 기출 (상중하)

수열 $\{a_n\}$의 첫째항부터 제n항까지의 합 S_n이 $S_n=n^2+2n$일 때, 급수 $\sum_{n=1}^{\infty}\frac{2}{a_na_{n+1}}$의 합은?

① $\frac{1}{3}$　② $\frac{1}{4}$　③ $\frac{1}{5}$　④ $\frac{1}{6}$　⑤ $\frac{1}{7}$

04 수열의 극한과 급수의 관계

중요도

084

상 중 하

다음 급수가 발산함을 보여라.

(1) $\sum_{n=1}^{\infty} \frac{n}{2n+1}$

(2) $\sum_{n=1}^{\infty} \frac{(2n+1)(3n+1)}{(4n-1)(5n-1)}$

085

상 중 하

급수 $\sum_{n=1}^{\infty} \frac{a_n}{n}$이 수렴할 때, $\lim_{n\to\infty} \frac{a_n-3n-1}{2a_n+2n+1}$의 값은?

① $-\frac{5}{2}$　② $-\frac{3}{2}$　③ $-\frac{1}{2}$
④ $\frac{1}{2}$　⑤ $\frac{3}{2}$

086 최多빈출

상 중 하

수열 $\{a_n\}$에 대하여 $\sum_{n=1}^{\infty}\left(4a_n-\frac{1}{5}\right)=3$일 때, $\lim_{n\to\infty} a_n$의 값은?

① $\frac{1}{16}$　② $\frac{1}{17}$　③ $\frac{1}{18}$
④ $\frac{1}{19}$　⑤ $\frac{1}{20}$

087

상 중 하

수열 $\{a_n\}$에 대하여 급수

$$\left(a_1-\frac{2}{2^2}\right)+\left(a_2-\frac{2+4}{4^2}\right)+\left(a_3-\frac{2+4+6}{6^2}\right)$$
$$+\cdots+\left\{a_n-\frac{2+4+6+\cdots+2n}{(2n)^2}\right\}+\cdots$$

이 수렴할 때, $\lim_{n\to\infty} a_n$의 값은?

① 0　② $\frac{1}{8}$　③ $\frac{1}{4}$
④ $\frac{1}{2}$　⑤ 1

088

상 중 하

수열 $\{a_n\}$의 첫째항부터 제n항까지의 합을 S_n이라고 하자. $\sum_{n=1}^{\infty} a_n=1$일 때, $\lim_{n\to\infty} \frac{3S_{n+1}+2a_n}{S_n-a_{n-1}}$의 값은?

① 1　② 2　③ 3
④ 4　⑤ 5

089 학평 기출

상 중 하

두 수열 $\{a_n\}$, $\{b_n\}$에 대하여

$$a_n+b_n=2+\frac{1}{n}\ (n=1, 2, 3, \cdots)$$

일 때, 〈보기〉에서 옳은 것을 모두 고른 것은?

보기
ㄱ. $\lim_{n\to\infty}(a_n+b_n)=2$
ㄴ. 수열 $\{a_n\}$이 수렴하면 수열 $\{b_n\}$도 수렴한다.
ㄷ. $\sum_{n=1}^{\infty} a_n$이 수렴하면 $\sum_{n=1}^{\infty} b_n$도 수렴한다.

① ㄱ　② ㄱ, ㄴ　③ ㄱ, ㄷ
④ ㄴ, ㄷ　⑤ ㄱ, ㄴ, ㄷ

05 급수의 성질

중요도

090

상 중 하

다음 급수의 합을 구하여라.

(1) $\sum_{n=1}^{\infty}\left\{2\cdot\left(\frac{1}{3}\right)^n+\left(\frac{1}{2}\right)^n\right\}$ (2) $\sum_{n=1}^{\infty}\left(\frac{2}{5^n}-\frac{1}{2^n}\right)$

(3) $\sum_{n=1}^{\infty}\frac{2^n+3^n}{4^n}$ (4) $\sum_{n=1}^{\infty}\frac{3^n+(-1)^n}{6^n}$

091 최多빈출

상 중 하

두 급수 $\sum_{n=1}^{\infty}a_n$, $\sum_{n=1}^{\infty}b_n$에 대하여 $\sum_{n=1}^{\infty}b_n=-2$, $\sum_{n=1}^{\infty}(3a_n-2b_n)=10$일 때, 급수 $\sum_{n=1}^{\infty}a_n$의 합은?

① 1 ② 2 ③ 3
④ 4 ⑤ 5

092

상 중 하

두 수열 $\{a_n\}$, $\{b_n\}$에 대하여 〈보기〉에서 옳은 것을 모두 고른 것은?

보기

ㄱ. $\sum_{n=1}^{\infty}a_n$과 $\sum_{n=1}^{\infty}(a_n+b_n)$이 수렴하면 $\sum_{n=1}^{\infty}b_n$도 수렴한다.

ㄴ. $\sum_{n=1}^{\infty}a_n$과 $\sum_{n=1}^{\infty}b_n$이 수렴하면 $\lim_{n\to\infty}a_nb_n=0$

ㄷ. $\sum_{n=1}^{\infty}a_nb_n$이 수렴하고 $\lim_{n\to\infty}a_n\neq0$이면 $\lim_{n\to\infty}b_n=0$

① ㄱ ② ㄱ, ㄴ ③ ㄱ, ㄷ
④ ㄴ, ㄷ ⑤ ㄱ, ㄴ, ㄷ

093

상 중 하

두 수열 $\{a_n\}$, $\{b_n\}$에 대하여 〈보기〉에서 옳은 것을 모두 고른 것은? (단, α, β는 실수이다.)

보기

ㄱ. $a_n>b_n$이고 $\lim_{n\to\infty}a_n=\alpha$, $\lim_{n\to\infty}b_n=\beta$이면 $\alpha>\beta$

ㄴ. $a_n>b_n$이고 $\sum_{n=1}^{\infty}a_n=\alpha$, $\sum_{n=1}^{\infty}b_n=\beta$이면 $\alpha>\beta$

ㄷ. $\sum_{n=1}^{\infty}a_n=\alpha$, $\sum_{n=1}^{\infty}b_n=\beta$이고 $\alpha>\beta$이면 $\lim_{n\to\infty}a_n>\lim_{n\to\infty}b_n$

① ㄱ ② ㄴ ③ ㄷ
④ ㄴ, ㄷ ⑤ ㄱ, ㄴ, ㄷ

06 등비급수의 합

중요도

094

상 중 하

수열 $\{a_n\}$의 일반항이 $a_n=\sqrt{2^{-n}}$일 때, 급수 $\sum_{n=1}^{\infty}a_{2n-1}$의 합은?

① $\frac{\sqrt{2}}{2}$ ② $\sqrt{2}$ ③ 2
④ $2\sqrt{2}$ ⑤ $4\sqrt{2}$

095 학평 기출

상 중 하

등비수열 $\{a_n\}$에 대하여 $a_1=3$, $a_2=1$일 때, 급수 $\sum_{n=1}^{\infty}(a_n)^2$의 합은?

① $\frac{81}{8}$ ② $\frac{83}{8}$ ③ $\frac{85}{8}$
④ $\frac{87}{8}$ ⑤ $\frac{89}{8}$

096
(상중하)

급수 $\sum_{n=1}^{\infty} \frac{2^{2n}+(-3)^{n+1}}{5^n}$의 합은?

① $\frac{41}{8}$ ② $\frac{43}{8}$ ③ $\frac{45}{8}$
④ $\frac{47}{8}$ ⑤ $\frac{49}{8}$

097 최多빈출
(상중하)

급수

$$1\cdot\frac{1}{3}+2\cdot\frac{1}{3^2}+1\cdot\frac{1}{3^4}+2\cdot\frac{1}{3^5}+1\cdot\frac{1}{3^7}+2\cdot\frac{1}{3^8}+\cdots$$

의 합은?

① $\frac{3}{13}$ ② $\frac{9}{26}$ ③ $\frac{6}{13}$
④ $\frac{15}{26}$ ⑤ $\frac{9}{13}$

098
(상중하)

급수

$$1-\frac{1}{3}x+\frac{1}{9}x^2-\frac{1}{27}x^3+\cdots$$

의 합이 6일 때, 실수 x의 값은?

① -3 ② $-\frac{5}{2}$ ③ -2
④ $\frac{5}{2}$ ⑤ 2

099
(상중하)

등비수열 $\{a_n\}$에 대하여 $\sum_{n=1}^{\infty} a_n=1$, $\sum_{n=1}^{\infty} {a_n}^2=3$일 때, 급수 $\sum_{n=1}^{\infty} {a_n}^3$의 합을 구하여라.

100
(상중하)

자연수 n을 2로 나누었을 때의 나머지를 a_n이라고 할 때, $\sum_{n=1}^{\infty} \frac{a_n}{5^n}$의 합은?

① $\frac{1}{24}$ ② $\frac{5}{24}$ ③ $\frac{3}{8}$
④ $\frac{13}{24}$ ⑤ $\frac{17}{24}$

101
(상중하)

자연수 n에 대하여 9^n의 일의 자리의 숫자를 a_n이라고 할 때, 급수 $\sum_{n=1}^{\infty} \frac{a_n}{2^n}$의 합을 $\frac{q}{p}$라고 하자. 이때, $p+q$의 값은?

(단, p, q는 서로소인 자연수이다.)

① 21 ② 22 ③ 23
④ 24 ⑤ 25

07 등비급수의 수렴 조건

중요도

102 풍쌤 비법 ❸
(상중하)

급수

$$x+x\left(\frac{x-2}{2}\right)+x\left(\frac{x-2}{2}\right)^2+x\left(\frac{x-2}{2}\right)^3+\cdots$$

이 수렴하도록 하는 정수 x의 개수는?

① 1 ② 2 ③ 3
④ 4 ⑤ 5

103 학평 기출

상중하

등비수열 $\left\{\left(\frac{r-2}{3}\right)^{2n}\right\}$과 등비급수 $\sum_{n=1}^{\infty}\left(\frac{r+5}{9}\right)^{2n}$이 모두 수렴하도록 하는 정수 r의 개수는?

① 1 ② 2 ③ 3
④ 4 ⑤ 5

104

상중하

등비급수 $\sum_{n=1}^{\infty} r^n$이 수렴할 때, 다음 중 반드시 수렴한다고 볼 수 없는 것은?

① $\sum_{n=1}^{\infty}(r^n+r^{2n})$
② $\sum_{n=1}^{\infty}\{r^n-2\cdot(-r)^{2n}\}$
③ $\sum_{n=1}^{\infty}\frac{r^n+(-r)^n}{2}$
④ $\sum_{n=1}^{\infty}\left(\frac{r-1}{2}\right)^n$
⑤ $\sum_{n=1}^{\infty}\left(\frac{r}{2}-1\right)^n$

105

상중하

등비급수 $\sum_{n=1}^{\infty} ar^{n-1}$의 합이 -1일 때, 다음 중 상수 a의 값이 될 수 있는 것은?

① $-\frac{7}{2}$ ② $-\frac{5}{2}$ ③ $-\frac{3}{2}$
④ $\frac{1}{2}$ ⑤ $\frac{3}{2}$

106

상중하

급수

$$1+(x+1)+(x+1)^2+\cdots+(x+1)^{n-1}+\cdots$$

이 수렴할 때, 그 합을 $f(x)$라고 하자. 이때, $y=f(x)$의 그래프는?

①
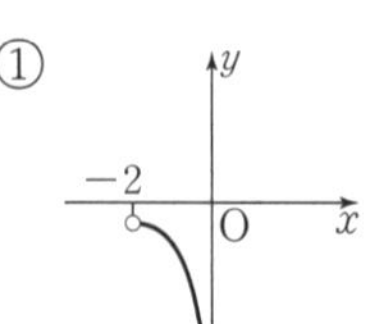

②
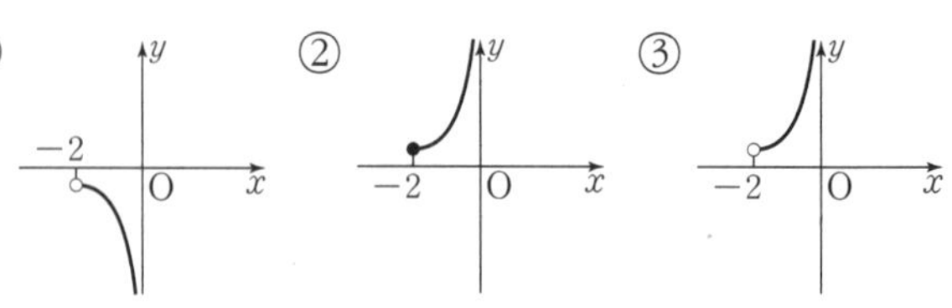

③
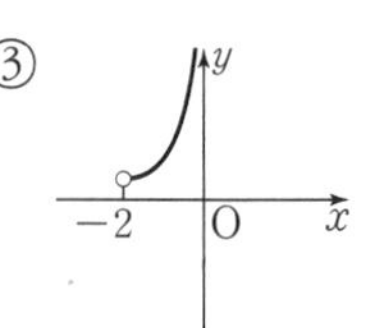

④
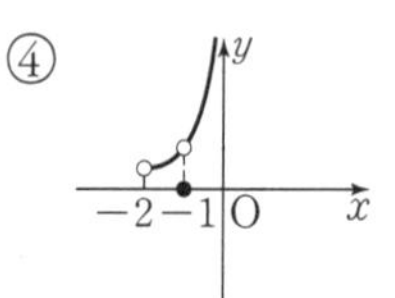

⑤
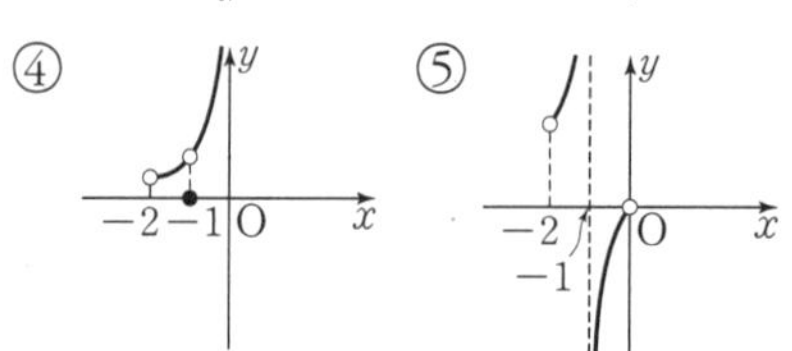

08 여러 가지 급수

중요도

107 학평 기출

상중하

수열 $\{a_n\}$이 $a_1=1$이고 $2a_{n+1}=7a_n$ $(n\geq1)$을 만족시킬 때, 급수 $\sum_{n=1}^{\infty}\frac{10}{a_n}$의 합은?

① 11 ② 12 ③ 13
④ 14 ⑤ 15

108

상중하

$a_1=1,\ a_{n+1}=a_n+n+1(n=1,\ 2,\ 3,\ \cdots)$로 정의되는 수열 $\{a_n\}$에 대하여 급수 $\sum_{n=1}^{\infty}\frac{1}{a_n}$의 합은?

① 1 ② 2 ③ 3
④ 4 ⑤ 5

109 최多빈출

상중하

수열 $\{a_n\}$의 첫째항부터 제n항까지의 합 S_n이 $S_n=2\left\{1-\left(\frac{1}{2}\right)^n\right\}$일 때, 급수 $\sum_{n=1}^{\infty} a_{2n-1}$의 합은?

① $\frac{1}{3}$ ② $\frac{2}{3}$ ③ 1
④ $\frac{4}{3}$ ⑤ $\frac{5}{3}$

110

상중하

급수

$$1+\frac{2}{3}+\frac{3}{3^2}+\frac{4}{3^3}+\frac{5}{3^4}+\cdots$$

의 합은?

① $\frac{3}{2}$ ② $\frac{7}{4}$ ③ 2
④ $\frac{9}{4}$ ⑤ $\frac{5}{2}$

111

상중하

수열 $\{a_n\}$에 대하여

$$a_1=1,\ a_na_{n+1}=\left(\frac{1}{4}\right)^n\ (n=1, 2, 3, \cdots)$$

일 때, 급수 $\sum_{n=1}^{\infty} a_{2n}$의 합은?

① $\frac{1}{12}$ ② $\frac{1}{6}$ ③ $\frac{1}{4}$
④ $\frac{1}{3}$ ⑤ $\frac{5}{12}$

09 등비급수의 활용

중요도

112

상중하

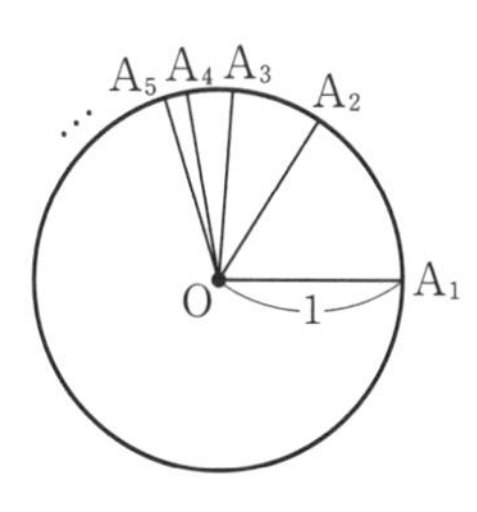

오른쪽 그림과 같이 반지름의 길이가 1인 원 O 위에 한 점 A_1을 잡고, $\widehat{A_1A_2}=1$, $\widehat{A_2A_3}=\frac{1}{2}$,

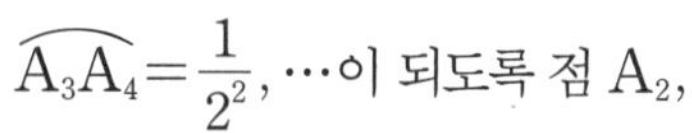

$\widehat{A_3A_4}=\frac{1}{2^2}$, $\cdots$이 되도록 점 A_2, A_3, A_4, $\cdots$를 시계 반대 방향으로 잡아 나간다. 이와 같은 과정을 계속하여 얻어진 부채꼴 OA_nA_{n+1}의 넓이를 S_n이라고 할 때, $\sum_{n=1}^{\infty} S_n$의 값은?

① 1 ② $\frac{\pi}{2}$ ③ 2
④ 3 ⑤ π

113

상중하

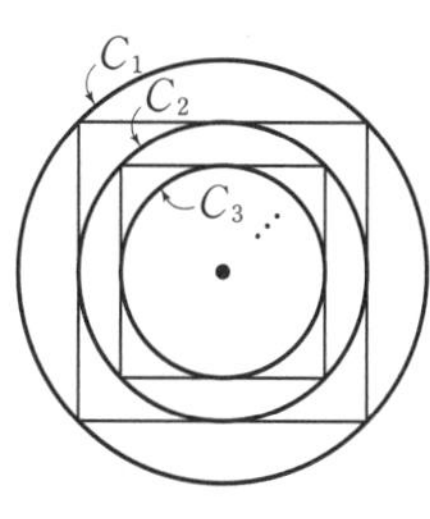

오른쪽 그림과 같이 넓이가 4π인 원 C_1에 내접하는 정사각형을 그리고, 이 정사각형에 내접하는 원 C_2를 그린다. 다시 원 C_2에 내접하는 정사각형을 그리고, 이 정사각형에 내접하는 원 C_3을 그린다.
이와 같이 계속하여 원과 정사각형을 그려 나갈 때, 원 $C_n(n=1, 2, 3, \cdots)$의 둘레의 길이를 l_n이라고 하자. 이때, $\sum_{n=1}^{\infty} l_n$의 값은?

① $2(2-\sqrt{2})\pi$ ② $4(2-\sqrt{2})\pi$
③ $(2+\sqrt{2})\pi$ ④ $2(2+\sqrt{2})\pi$
⑤ $4(2+\sqrt{2})\pi$

114 학평 기출

상 중 하

아래 그림과 같이 한 변의 길이가 1인 정사각형 $A_1B_1C_1D_1$ 안에 꼭짓점 A_1, C_1을 중심으로 하고 선분 A_1B_1, C_1D_1을 반지름으로 하는 사분원을 각각 그린다. 선분 A_1C_1이 두 사분원과 만나는 점 중 점 A_1과 가까운 점을 A_2, 점 C_1과 가까운 점을 C_2라고 하자. 선분 A_1D_1에 평행하고 점 A_2를 지나는 직선이 선분 A_1B_1과 만나는 점을 E_1, 선분 B_1C_1에 평행하고 점 C_2를 지나는 직선이 선분 C_1D_1과 만나는 점을 F_1이라고 하자. 삼각형 $A_1E_1A_2$와 삼각형 $C_1F_1C_2$를 그린 후 두 삼각형의 내부에 속하는 영역을 색칠하여 얻은 그림을 R_1이라 하자. 그림 R_1에 선분 A_2C_2를 대각선으로 하는 정사각형을 그리고, 새로 그려진 정사각형 안에 그림 R_1을 얻는 것과 같은 방법으로 두 개의 사분원과 두 개의 삼각형을 그리고 두 삼각형의 내부에 속하는 영역을 색칠하여 얻은 그림을 R_2라고 하자. 이와 같은 과정을 계속하여 n번째 얻은 그림 R_n에 색칠되어 있는 부분의 넓이를 S_n이라고 할 때, $\lim_{n\to\infty} S_n$의 값은?

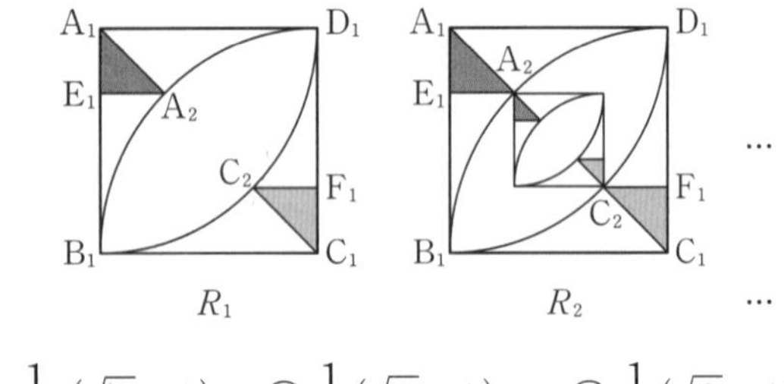

① $\frac{1}{12}(\sqrt{2}-1)$ ② $\frac{1}{6}(\sqrt{2}-1)$ ③ $\frac{1}{4}(\sqrt{2}-1)$
④ $\frac{1}{3}(\sqrt{2}-1)$ ⑤ $\frac{5}{12}(\sqrt{2}-1)$

115 최多빈출

상 중 하

낙하한 거리의 $\frac{1}{2}$만큼 튀어오르는 공이 있다. 이 공을 오른쪽 그림과 같이 지면으로부터 10 m 높이에 있는 지점에서 수직으로 떨어뜨렸을 때, 공이 정지할 때까지 움직인 거리의 총합은?

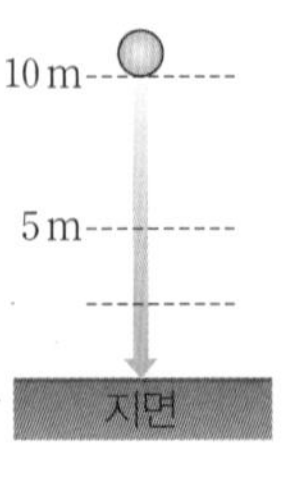

① 24 m ② 30 m ③ 36 m
④ 42 m ⑤ 48 m

116

상 중 하

오른쪽 그림과 같이 줄의 길이가 5 m인 그네가 처음 위치 P_1에서 P_2까지 움직일 때, 만들어지는 부채꼴의 중심각의 크기가 60°이고, 그 다음부터 만들어지는 중심각의 크기는 $\frac{1}{3}$배씩 작아진다. 이때, 그네가 정지할 때까지 움직인 거리의 총합은? (단, 그네의 크기는 생각하지 않는다.)

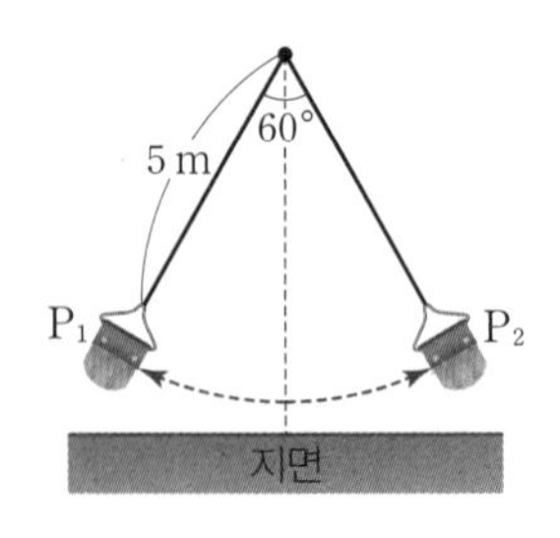

① π m ② 2π m ③ 3π m
④ 4π m ⑤ 5π m

117

상 중 하

아래 그림과 같이 좌표평면 위에서 원점 O를 출발한 점 P가 P_1, P_2, P_3, …으로 움직인다.

$$\overline{OP_1}=1,\ \overline{P_1P_2}=\frac{1}{3}\overline{OP_1},\ \overline{P_2P_3}=\frac{1}{3}\overline{P_1P_2},\ \cdots$$

일 때, n이 한없이 커지면 점 P_n은 어떤 점에 한없이 가까워진다. 이 점의 좌표는?

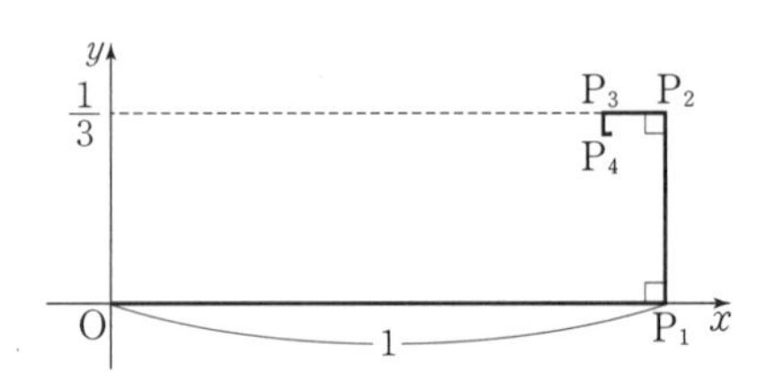

① $\left(\frac{3}{10}, \frac{9}{10}\right)$ ② $\left(\frac{1}{3}, \frac{1}{3}\right)$
③ $\left(\frac{4}{5}, \frac{2}{5}\right)$ ④ $\left(\frac{9}{10}, \frac{3}{10}\right)$
⑤ $\left(\frac{9}{10}, \frac{9}{10}\right)$

118

상 중 하

오른쪽 그림과 같이 좌표평면 위에서 점 P가 원점을 출발하여 x축과 45°의 각을 이루면서 P_1, P_2, P_3, $\cdots$으로 움직인다.

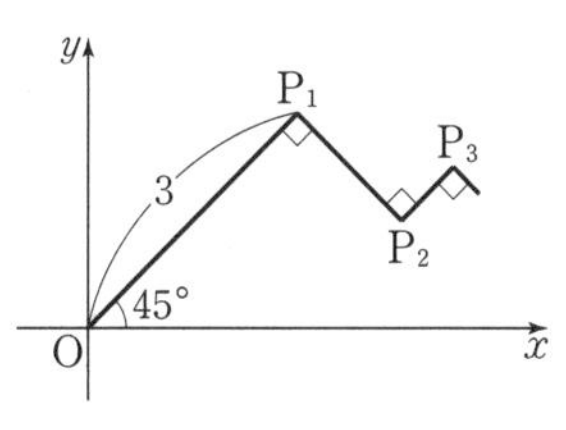

$$\overline{OP_1}=3,\ \overline{P_1P_2}=\frac{1}{2}\overline{OP_1},\ \overline{P_2P_3}=\frac{1}{2}\overline{P_1P_2},\ \cdots$$

일 때, 점 P가 한없이 가까워지는 점의 좌표를 $(a,\ b)$라고 하자. 이때, ab의 값은?

① 4 ② 6 ③ 8
④ 10 ⑤ 12

119

학평 기출

상 중 하

자연수 n에 대하여 직선 $y=\left(\frac{1}{2}\right)^{n-1}(x-1)$과 이차함수 $y=3x(x-1)$의 그래프가 만나는 두 점을 $A(1,0)$과 P_n이라고 하자. 점 P_n에서 x축에 내린 수선의 발을 H_n이라고 할 때, $\sum_{n=1}^{\infty}\overline{P_nH_n}$의 값은?

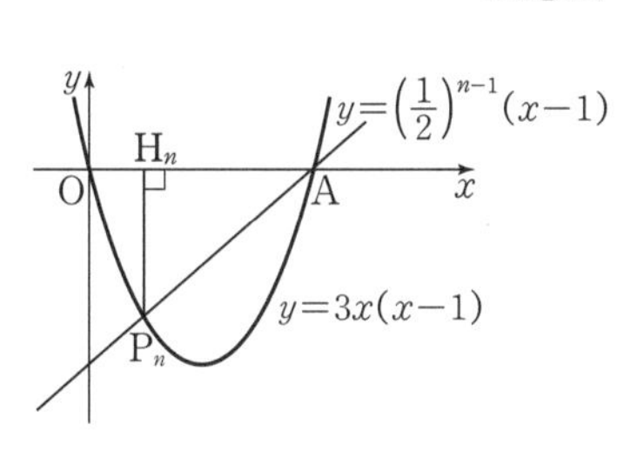

① $\frac{3}{2}$ ② $\frac{14}{9}$ ③ $\frac{29}{18}$
④ $\frac{5}{3}$ ⑤ $\frac{31}{18}$

120

상 중 하

어느 회사는 생산된 종이의 80 %를 폐지로 수거하고, 그 중 75 %를 종이로 재생산한다고 한다. 이와 같은 수거와 재생산의 과정을 한없이 반복할 때, 10 t의 종이로부터 재생산되는 종이의 양의 합은?

① 5 t ② 10 t ③ 15 t
④ 20 t ⑤ 25 t

10 등비급수와 순환소수

중요도

121

최多빈출

상 중 하

각 항이 양수인 등비수열 $\{a_n\}$에 대하여 $a_1=0.\dot{2}$, $a_3=0.00\dot{8}$일 때, $\sum_{n=1}^{\infty}a_n$의 값은?

① $\frac{1}{9}$ ② $\frac{1}{6}$ ③ $\frac{2}{9}$
④ $\frac{5}{18}$ ⑤ $\frac{1}{3}$

122

상 중 하

$\frac{124}{999}$를 순환소수로 나타낼 때, 소수점 아래 n번째 자리의 숫자를 a_n이라고 하자. 이때, 수열 $\{a_n\}$에 대하여 $\sum_{n=1}^{\infty}\frac{a_n}{2^n}$의 값은?

① $\frac{8}{7}$ ② $\frac{9}{7}$ ③ $\frac{10}{7}$
④ $\frac{11}{7}$ ⑤ $\frac{12}{7}$

● 정답과 풀이 023쪽

123

수열 $\{a_n\}$에 대하여 다항식 $f(x)=a_nx^2+2a_nx+1$을 $x-n$으로 나눈 나머지가 10일 때, 급수 $\sum_{n=1}^{\infty}a_n$의 합을 구하여라.

124

두 수열 $\{a_n\}$, $\{b_n\}$이 다음 조건을 만족시킬 때, $\lim_{n\to\infty}a_n$의 값을 구하여라.

> (가) $\dfrac{2n^3+3}{1^2+2^2+3^2+\cdots+n^2}<a_n<2b_n$ $(n=1, 2, 3, \cdots)$
>
> (나) $\sum_{n=1}^{\infty}(b_n-3)=2$

125

두 등비수열 $\{a_n\}$, $\{b_n\}$에 대하여

$$a_1=1,\ b_1=1,\ \sum_{n=1}^{\infty}a_n=2,\ \sum_{n=1}^{\infty}b_n=3$$

일 때, 급수 $15\sum_{n=1}^{\infty}(a_n+b_n)^2$의 합을 구하여라.

126

오른쪽 그림과 같이 $\overline{AB}=4$, $\overline{AC}=2$인 직각삼각형 ABC의 내부에 한 변이 변 AB 위에 있고, 한 꼭짓점이 빗변 CB 위에 있는 정사각형 D_1, D_2, D_3, $\cdots$을 한없이 만들 때, 모든 정사각형의 넓이의 합을 구하여라.

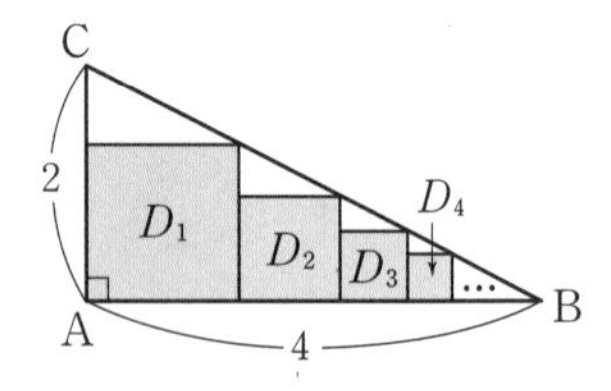

127

오른쪽 그림과 같이 길이가 2인 선분 A_1A_2를 1 : 2로 내분하는 점을 A_3, 선분 A_2A_3을 1 : 2로 내분하는 점을 A_4라고 한다. 이와 같이 계속하여 점 A_n을 잡고, 선분 A_nA_{n+1}을 지름으로 하는 반원의 호의 길이를 l_n이라고 할 때, $\sum_{n=1}^{\infty}l_n$의 값을 구하여라.

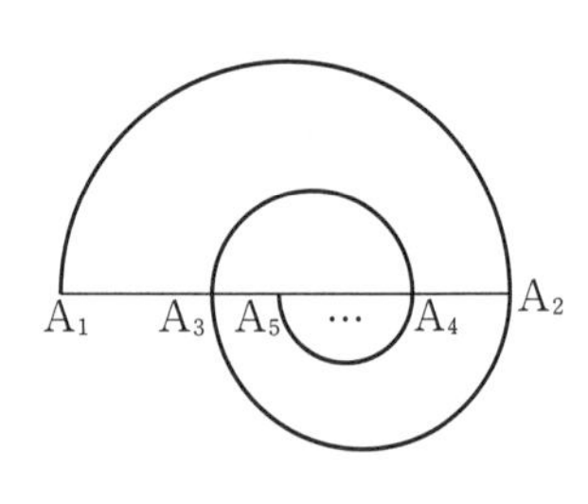

128

$1<a<b<c<9$인 세 정수 a, b, c에 대하여 수열 $0.\dot{a}$, $0.0\dot{b}$, $0.00\dot{c}$는 이 순서로 등비수열을 이룬다.
이때, $a+b+c$의 값을 구하여라.

129

등비수열 $\{a_n\}$에 대하여 〈보기〉에서 옳은 것을 모두 고른 것은?

보기

ㄱ. 등비급수 $\sum_{n=1}^{\infty} a_n$이 수렴하면 $\sum_{n=1}^{\infty} a_{2n}$도 수렴한다.

ㄴ. 등비급수 $\sum_{n=1}^{\infty} a_n$이 발산하면 $\sum_{n=1}^{\infty} a_{2n}$도 발산한다.

ㄷ. 등비급수 $\sum_{n=1}^{\infty} a_n$이 수렴하면 $\sum_{n=1}^{\infty} \left(a_n+\frac{1}{2}\right)$도 수렴한다.

① ㄱ ② ㄴ ③ ㄱ, ㄴ
④ ㄱ, ㄷ ⑤ ㄱ, ㄴ, ㄷ

130

수열 $\{a_n\}$이

$$a_1=1,\ a_2=2,\ a_{n+2}=a_{n+1}+a_n\ (n=1,\ 2,\ 3,\ \cdots)$$

을 만족시킬 때, 급수 $\sum_{n=1}^{\infty} \frac{a_n}{a_{n+1}a_{n+2}}$의 합은?

① $\frac{1}{2}$ ② 1 ③ $\frac{3}{2}$
④ 2 ⑤ 3

131

좌표평면에서 직선 $x-3y+3=0$ 위에 있는 점 중에서 x좌표와 y좌표가 모두 자연수인 점의 좌표를 각각 $(a_1,\ b_1),\ (a_2,\ b_2),\ \cdots,\ (a_n,\ b_n),\ \cdots$이라고 할 때, 급수 $\sum_{n=1}^{\infty} \frac{1}{a_nb_n}$의 합은? (단, $a_1<a_2<\cdots<a_n<\cdots$)

① 1 ② $\frac{1}{2}$ ③ $\frac{1}{3}$
④ $\frac{1}{4}$ ⑤ $\frac{1}{5}$

132

$\frac{\pi}{2}<x<\pi$일 때,

$$\cos^2 x+\cos^2 x\sin x+\cos^2 x\sin^2 x+\cdots=\frac{3}{2}$$

을 만족시키는 x의 값을 구하여라.

133 학평 기출

아래 그림과 같이 한 변의 길이가 6인 정삼각형 ABC가 있다. 정삼각형 ABC의 외심을 O라고 할 때, 중심이 A이고 반지름의 길이가 $\overline{AO}$인 원을 O_A, 중심이 B이고 반지름의 길이가 $\overline{BO}$인 원을 O_B, 중심이 C이고 반지름의 길이가 $\overline{CO}$인 원을 O_C라고 하자. 원 O_A와 원 O_B의 내부 공통부분, 원 O_A와 원 O_C의 내부의 공통부분, 원 O_B와 원 O_C의 내부의 공통부분 중 삼각형 ABC의 내부에 있는 ✿ 모양의 도형에 색칠하여 얻은 그림을 R_1이라고 하자. 그림 R_1에 원 O_A가 두 선분 AB, AC와 만나는 점을 각각 D, E, 원 O_B가 두 선분 AB, BC와 만나는 점을 각각 F, G, 원 O_C가 두 선분 BC, AC와 만나는 점을 각각 H, I라 하고, 세 정삼각형 AFI, BHD, CEG에서 R_1을 얻는 과정과 같은 방법으로 각각 만들어지는 ✿ 모양의 도형 3개에 색칠하여 얻은 그림을 R_2라고 하자. 그림 R_2에 새로 만들어진 세 개의 정삼각형에 각각 R_1에서 R_2를 얻는 과정과 같은 방법으로 만들어지는 ✿ 모양의 도형 9개에 색칠하여 얻은 그림을 R_3이라고 하자. 이와 같은 과정을 계속하여 n번째 얻은 그림 R_n에 색칠되어 있는 부분의 넓이를 S_n이라고 할 때, $\lim_{n\to\infty} S_n$의 값은?

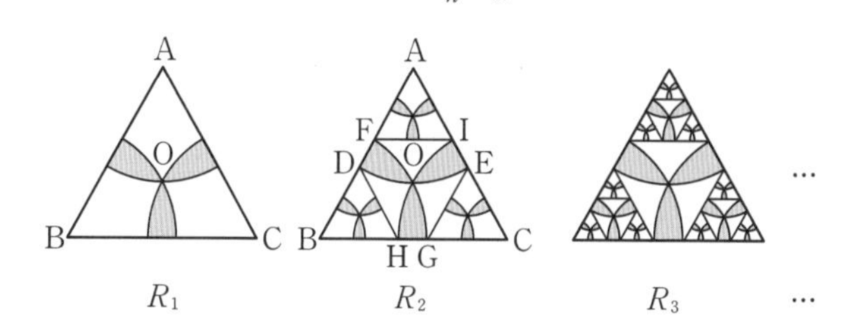

① $(2\pi-3\sqrt{3})(\sqrt{3}+3)$ ② $(\pi-\sqrt{3})(\sqrt{3}+3)$
③ $(2\pi-3\sqrt{3})(2\sqrt{3}+3)$ ④ $(\pi-\sqrt{3})(2\sqrt{3}+3)$
⑤ $(2\pi-2\sqrt{3})(\sqrt{3}+3)$

134

좌표평면 위의 두 점 A(0, 0), B(5, 0)과 1보다 큰 자연수 n에 대하여 $\overline{AP}:\overline{PB}=1:n$을 만족시키는 점 P($x$, y)들의 집합을 T_n이라고 하자. 집합 T_n의 임의의 두 원소 P, Q에 대하여 $\overline{PQ}$의 최댓값을 $M(n)$이라고 할 때, $\sum_{n=2}^{\infty}\frac{10M(n)}{n}$의 값을 구하여라.

135 (100점 도전)

아래 그림과 같이 원 $C_n(n=1,\ 2,\ 3,\ \cdots)$의 중심이 모두 직선 l 위에 있고, 두 원 C_n, C_{n+1}은 서로 외접한다. 원 C_{n+1}의 넓이가 원 C_n의 넓이의 r배이고 $\lim_{n\to\infty}\overline{C_1C_n}=5$일 때, 원 C_n의 넓이 S_n에 대하여 $\sum_{n=1}^{\infty}S_n$의 값은? (단, $S_1=\pi$)

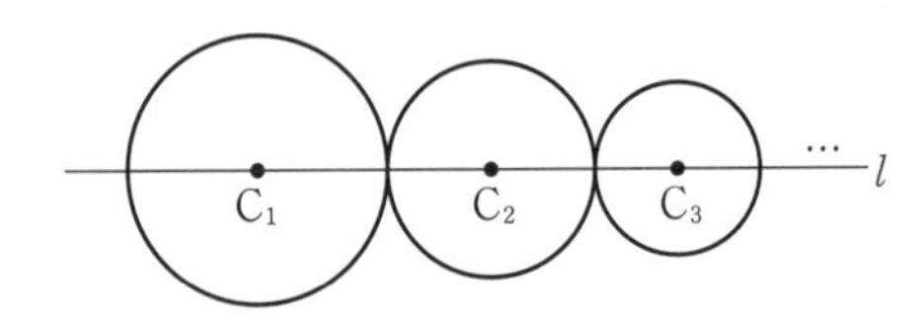

① $\frac{3}{5}\pi$ ② $\frac{9}{5}\pi$ ③ $\frac{7}{4}\pi$
④ $\frac{9}{4}\pi$ ⑤ 3π

136

어느 주유소에서는 휘발유를 주유할 때마다 1000원당 50원의 적립금을 준다. 이 적립금은 현금과 마찬가지로 사용되어 휘발유를 주유하는 데 쓸 수 있으며, 이 경우에도 같은 비율로 적립금을 준다고 한다. 이때, 다음 중 40000원어치의 휘발유를 주유하고 받는 적립금의 실제 가치에 가장 가까운 것은?

① 2050원 ② 2100원 ③ 2150원
④ 2200원 ⑤ 2250원

137

다음과 같이 나열된 수를 모두 더하면?

		9		
	0.9		0.9	
0.09		0.09		0.09
0.009	0.009		0.009	0.009
0.0009	0.0009	0.0009	0.0009	0.0009
⋮		⋮		⋮

① $\frac{98}{9}$ ② 11 ③ $\frac{100}{9}$
④ $\frac{101}{9}$ ⑤ $\frac{34}{3}$

138

순환소수로 이루어진 수열 $\{a_n\}$의 각 항이

$a_1=0.\dot{1},\ a_2=0.\dot{1}\dot{0},\ a_3=0.\dot{1}0\dot{0},\ \cdots,\ a_n=0.\dot{1}00\cdots0\dot{0},\ \cdots$

일 때, $\sum_{n=1}^{\infty}\left(\frac{1}{a_{n+1}}-\frac{1}{a_n}\right)$의 값은?

① $\frac{2}{3}$ ② 1 ③ $\frac{4}{3}$
④ $\frac{5}{3}$ ⑤ 2

II

미분법

03 지수함수와 로그함수의 미분

더 자세한 개념은 풍산자 미적분 54쪽

1 지수 · 로그함수의 극한

(1) 지수함수 $y=a^x$ $(a>0,\ a\neq 1)$의 극한

① $a>1$일 때, $\lim_{x\to\infty} a^x=\infty$, $\lim_{x\to-\infty} a^x=0$

② $0<a<1$일 때, $\lim_{x\to\infty} a^x=0$, $\lim_{x\to-\infty} a^x=\infty$

(2) 로그함수 $y=\log_a x$ $(a>0,\ a\neq 1)$의 극한

① $a>1$일 때,

$\lim_{x\to 0+} \log_a x=-\infty$, $\lim_{x\to\infty} \log_a x=\infty$

② $0<a<1$일 때,

$\lim_{x\to 0+} \log_a x=\infty$, $\lim_{x\to\infty} \log_a x=-\infty$

참고 지수 · 로그함수의 극한은 그래프를 이용하면 쉽게 알 수 있다.

2 무리수 e와 자연로그

(1) 무리수 e의 정의

$$e=\lim_{x\to\infty}\left(1+\frac{1}{x}\right)^x=\lim_{x\to 0}(1+x)^{\frac{1}{x}}$$

(단, $e=2.71828182845904\cdots$)

(2) 무리수 e를 밑으로 하는 로그 $\log_e x$를 x의 자연로그라 하고, 간단히 $\ln x$와 같이 나타낸다.

(3) 무리수 e를 밑으로 하는 지수함수를 $y=e^x$으로 나타낸다.

3 무리수 e의 정의를 이용한 극한

(1) $\lim_{x\to 0}\frac{\ln(1+x)}{x}=1$

(2) $\lim_{x\to 0}\frac{\log_a(1+x)}{x}=\frac{1}{\ln a}$ $(a>0,\ a\neq 1)$

(3) $\lim_{x\to 0}\frac{e^x-1}{x}=1$

(4) $\lim_{x\to 0}\frac{a^x-1}{x}=\ln a$ $(a>0,\ a\neq 1)$

참고 (3) $e^x-1=t$라고 하면 $e=t+1$, $x=\ln(t+1)$

$\lim_{t\to 0}=\frac{t}{\ln(t+1)}=1$

(4)도 마찬가지 방법으로 확인할 수 있다.

4 지수 · 로그함수의 도함수

(1) $y=e^x$ ⇨ $y'=e^x$

(2) $y=a^x$ ⇨ $y'=a^x\ln a$ $(a>0,\ a\neq 1)$

(3) $y=\ln x$ ⇨ $y'=\frac{1}{x}$ $(x>0)$

(4) $y=\log_a x$ ⇨ $y=\frac{1}{x\ln a}$ $(x>0,\ a>0,\ a\neq 1)$

예 ① $y=7^x$이면 $y'=7^x\ln 7$

② $y=\log_5 x$이면 $y'=\frac{1}{x\ln 5}$

참고 두 지수함수 또는 로그함수 $y=f(x)$, $y=g(x)$에 대하여

① $y=kf(x)$이면 $y'=kf'(x)$ (단, k는 상수이다.)

② $y=f(x)\pm g(x)$이면 $y'=f'(x)\pm g'(x)$ (복호동순)

③ $y=f(x)g(x)$이면 $y'=f'(x)g(x)+f(x)g'(x)$

문제 풀 때 유용한 풍쌤 비법

❶ **지수함수의 극한**

① $\frac{\infty}{\infty}$ 꼴 : 분모에서 밑이 가장 큰 항으로 분모, 분자를 각각 나눈다.

② $\infty-\infty$ 꼴 : 밑이 가장 큰 항으로 묶는다.

❷ **로그함수의 극한** : 로그의 성질을 이용하여 2개의 항을 하나의 항으로 변형한다.

❸ □ 안의 식이 동일한 형태일 때,

$\lim_{\square\to 0}(1+\square)^{\frac{1}{\square}}=e$, $\lim_{\square\to\infty}\left(1+\frac{1}{\square}\right)^{\square}=e$, $\lim_{\square\to 0}\frac{\ln(1+\square)}{\square}=1$, $\lim_{\square\to 0}\frac{\log_a(1+\square)}{\square}=\frac{1}{\ln a}$, $\lim_{\square\to 0}\frac{e^{\square}-1}{\square}=1$,

$\lim_{\square\to 0}\frac{a^{\square}-1}{\square}=\ln a$가 성립한다.

실력을 기르는 유형

● 정답과 풀이 027쪽

01 지수함수의 극한

중요도

139

상 중 하

다음 극한을 구하여라.

(1) $\lim_{x\to -1}\left\{\left(\frac{2}{3}\right)^x+2^x\right\}$ (2) $\lim_{x\to 0}\frac{2^{x+1}-3^x}{4^x}$

(3) $\lim_{x\to -\infty}\frac{4^x+1}{4^x-1}$ (4) $\lim_{x\to \infty}\frac{5^x}{3^x-5^x}$

140

최多빈출 풍쌤 비법 ❶

상 중 하

$\lim_{x\to \infty}\frac{a\cdot 3^{x+1}+2^x}{3^x-2^x}=18$일 때, 상수 a의 값은?

① 6 ② 7 ③ 8
④ 9 ⑤ 10

141

상 중 하

$\lim_{x\to -\infty}\frac{2^{x+2}+3^{x+3}}{2^x-3^x}$ 의 값은?

① 1 ② 2 ③ 3
④ 4 ⑤ 5

142

상 중 하

$\lim_{x\to 0+}\frac{3-2^{\frac{1}{x}}}{1+2^{\frac{1}{x}}}+\lim_{x\to 0-}\frac{3-2^{\frac{1}{x}}}{1+2^{\frac{1}{x}}}$ 의 값은?

① 1 ② 2 ③ 3
④ 4 ⑤ 5

02 로그함수의 극한

중요도

143

상 중 하

다음 극한을 구하여라.

(1) $\lim_{x\to 5}\log_3(3x-6)$ (2) $\lim_{x\to 3}\log_{\frac{1}{2}}(x+1)$

(3) $\lim_{x\to \infty}\frac{1}{1+\log x}$ (4) $\lim_{x\to \infty}\log_2\frac{2x+1}{x+2}$

144

상 중 하

다음 극한을 구하여라.

(1) $\lim_{x\to 2+}\log_2(x-2)$ (2) $\lim_{x\to 3-}\log_{\frac{1}{2}}(3-x)$

145

풍쌤 비법 ❷

상 중 하

$\lim_{x\to \infty}\{\log_5(ax-3)-\log_5(x+4)\}=2$일 때, 상수 a의 값은?

① 10 ② 15 ③ 20
④ 25 ⑤ 30

146

상 중 하

$\lim_{x\to \infty}\frac{\log_2(2x+3)}{\log_2(4x+5)}$ 의 값은?

① $\frac{1}{3}$ ② $\frac{1}{2}$ ③ $\frac{3}{5}$
④ 1 ⑤ 2

03 $(a^x+b^x)^{\frac{1}{x}}$ 꼴의 극한

중요도

147 풍쌤 비법 ❶

상중하

$\lim_{x\to\infty}(\pi^{2x}+2^{2x})^{\frac{1}{x}}$의 값은?

① 1 ② 2 ③ π
④ 4 ⑤ π^2

148

상중하

$\lim_{x\to\infty}\frac{1}{x}\log_8(3^x+4^x)$의 값은?

① 0 ② $\frac{2}{3}$ ③ 1
④ $\frac{3}{2}$ ⑤ 2

149

상중하

$\lim_{x\to0+}\{(0.3)^{\frac{1}{x}}-(0.2)^{\frac{1}{x}}\}^x$의 값은?

① 0.2 ② 0.3 ③ 0.6
④ 0.8 ⑤ 0.9

04 극한으로 정의된 무리수 e

중요도

150

상중하

다음 극한을 구하여라.

(1) $\lim_{x\to0}(1+x)^{\frac{2}{x}}$ (2) $\lim_{x\to0}(1+2x)^{\frac{5}{x}}$

(3) $\lim_{x\to\infty}\left(1+\frac{3}{x}\right)^x$ (4) $\lim_{x\to\infty}\left(1+\frac{1}{3x}\right)^x$

151

상중하

$\lim_{x\to\infty}\left\{\left(1+\frac{1}{2x}\right)\left(1-\frac{1}{4x}\right)\right\}^x$의 값은?

① $e^{\frac{1}{4}}$ ② $e^{\frac{1}{2}}$ ③ e
④ e^2 ⑤ e^4

152 풍쌤 비법 ❸

상중하

$\lim_{x\to2}(x-1)^{\frac{2}{2-x}}$의 값은?

① $\frac{1}{e^2}$ ② $\frac{1}{e}$ ③ 1
④ e ⑤ e^2

153 최多빈출

상중하

$\lim_{x\to\infty}\left(\frac{x}{x-a}\right)^x=\sqrt{e}$일 때, 상수 a의 값은?

① $\frac{1}{3}$ ② $\frac{1}{2}$ ③ 1
④ $\sqrt{2}$ ⑤ $\sqrt{3}$

154 학평 기출

상중하

$\lim_{n\to\infty}\left\{\frac{1}{2}\left(1+\frac{1}{n}\right)\left(1+\frac{1}{n+1}\right)\left(1+\frac{1}{n+2}\right)\cdots\left(1+\frac{1}{2n}\right)\right\}^n$
의 값은?

① $\frac{1}{e}$ ② $\frac{1}{\sqrt{e}}$ ③ $\sqrt{e}$
④ e ⑤ e^2

05 $\lim_{\square \to 0} \frac{\ln(1+\square)}{\square}$, $\lim_{\square \to 0} \frac{\log_a(1+\square)}{\square}$ 꼴의 극한 중요도

155
(상중하)

$\lim_{x \to 0} \frac{\log_3(5+x)-\log_3 5}{x}$ 의 값은?

① $-\frac{1}{4\ln 3}$　② $-\frac{1}{2\ln 3}$　③ $\frac{1}{\ln 3}$
④ $\frac{1}{3\ln 3}$　⑤ $\frac{1}{5\ln 3}$

156
(상중하)

$\lim_{x \to 0} \frac{1}{2x} \ln \frac{1+2x}{1+x}$ 의 값은?

① $\frac{1}{4}$　② $\frac{1}{2}$　③ 1
④ $\sqrt{e}$　⑤ e

157 학평 기출
(상중하)

$\lim_{x \to 1} \frac{\ln x}{x^3-1}$ 의 값은?

① $\frac{1}{3}$　② $\frac{1}{2}$　③ 1
④ $\frac{3}{2}$　⑤ 2

158
(상중하)

$\lim_{x \to 2} \frac{\log_3(x-1)}{x-2}$ 의 값은?

① $\frac{1}{3}$　② 1　③ 3
④ $\frac{1}{\ln 3}$　⑤ $\ln 3$

159 최多빈출
(상중하)

$\lim_{x \to \infty} x\{\ln(x+2)-\ln x\}$의 값은?

① 0　② 1　③ 2
④ e　⑤ e^2

160
(상중하)

$\lim_{x \to \infty} x\left\{\log_3\left(3+\frac{1}{x}\right)-1\right\}$의 값은?

① $\frac{1}{3\ln 3}$　② $\frac{1}{\ln 3}$　③ $\frac{3}{\ln 3}$
④ $\ln 3$　⑤ $3\ln 3$

06 $\lim_{\square \to 0} \frac{e^{\square}-1}{\square}$, $\lim_{\square \to 0} \frac{a^{\square}-1}{\square}$ 꼴의 극한 중요도

161
(상중하)

$\lim_{x \to 0} \frac{e^{2x}+6x-1}{x}$ 의 값을 구하여라.

162
(상중하)

$\lim_{x \to 0} \frac{e^x-1}{e^{3x}-1}$ 의 값은?

① 1　② $\frac{2}{3}$　③ $\frac{1}{2}$
④ $\frac{1}{3}$　⑤ $\frac{1}{6}$

163
(상중하)

$\lim_{x\to0}\frac{e^{8x}-1}{\ln(1+4x)}$의 값은?

① $\frac{1}{3}$ ② $\frac{1}{2}$ ③ 1
④ $\frac{3}{2}$ ⑤ 2

164 최多빈출
(상중하)

$\lim_{x\to1}\frac{e^{x-1}-1-\ln(2x-1)}{x-1}$의 값은?

① -2 ② -1 ③ 1
④ 2 ⑤ 3

165
(상중하)

$\lim_{x\to0}\frac{4^x-2^x}{x}$의 값은?

① $\frac{1}{2}$ ② 1 ③ 2
④ $\ln 2$ ⑤ $\ln 4$

166
(상중하)

1이 아닌 양수 a가 $\lim_{x\to0}\frac{(a+6)^x-a^x}{x}=\ln 3$을 만족시킬 때, a의 값은?

① 2 ② 3 ③ 4
④ 5 ⑤ 6

07 극한의 변경
중요도

167 학평 기출
(상중하)

연속함수 $f(x)$가 $\lim_{x\to0}\frac{f(x)}{\ln(1-x)}=4$를 만족시킬 때, $\lim_{x\to0}\frac{f(x)}{x}$의 값은?

① -4 ② -2 ③ 1
④ 2 ⑤ 4

168
(상중하)

$\lim_{x\to0}\frac{f(x)}{e^x-1}=3$을 만족시키는 함수 $f(x)$에 대하여 $\lim_{x\to0}\frac{f(x)}{\ln(1-2x)}$의 값은?

① $-\frac{3}{2}$ ② $-\frac{1}{2}$ ③ $\frac{1}{2}$
④ 1 ⑤ $\frac{3}{2}$

169
(상중하)

함수 $f(x)$에 대하여 $\lim_{x\to\infty}f(x)\ln\left(1+\frac{2}{x}\right)=24$일 때, $\lim_{x\to\infty}\frac{f(x)}{x}$의 값을 구하여라.

08 미정계수의 결정
중요도

170
(상중하)

$\lim_{x\to1}\frac{e^{x-1}-1}{ax+b}=\frac{1}{4}$을 만족시키는 상수 a, b에 대하여 ab의 값은?

① -16 ② -9 ③ -4
④ 0 ⑤ 4

171 최多빈출

상 중 하

두 양수 a, b가 $\lim_{x \to a} \frac{\ln(9x-10a+b)}{x-a}=a^2$을 만족시킬 때, $a+b$의 값은?

① 3 ② 4 ③ 5
④ 6 ⑤ 7

172

상 중 하

$\lim_{x \to 0} \frac{\sqrt{ax+b}-2}{e^x-1}=3$을 만족시키는 상수 a, b에 대하여 $a+b$의 값은?

① 12 ② 14 ③ 16
④ 18 ⑤ 20

09 지수 · 로그함수의 극한의 활용

중요도

173

상 중 하

오른쪽 그림과 같이 곡선 $y=\ln x$ 위를 움직이는 점 $\mathrm{P}(t,\ \ln t)$와 두 점 $\mathrm{A}(1,\ 0)$, $\mathrm{B}(e,\ 0)$에 대하여 삼각형 PAB의 넓이를 $S(t)$라고 할 때, $\lim_{t \to 1+} \frac{S(t)}{t-1}$의 값은?

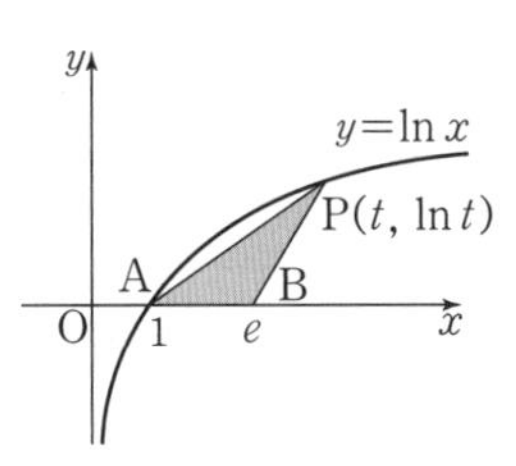

① $\frac{e-1}{2e}$ ② $\frac{e-1}{2}$ ③ $\frac{e(e-1)}{2}$
④ $e-1$ ⑤ $2(e-1)$

174 학평 기출

상 중 하

오른쪽 그림과 같이 두 함수 $f(x)=2^x$의 그래프와 $g(x)=\left(\frac{1}{2}\right)^x$의 그래프가 있다. 두 곡선 $y=f(x)$, $y=g(x)$가 직선 $x=t$ $(t>0)$와 만나는 점을 각각 A, B라고 하자. 점 A에서 y축에 내린 수선의 발을 H라고 할 때, $\lim_{t \to 0+} \frac{\overline{\mathrm{AB}}}{\overline{\mathrm{AH}}}$의 값은?

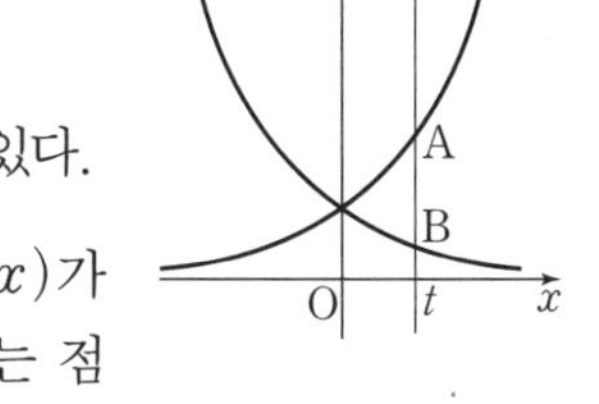

① $2\ln 2$ ② $\frac{7}{4}\ln 2$ ③ $\frac{3}{2}\ln 2$
④ $\frac{5}{4}\ln 2$ ⑤ $\ln 2$

10 지수 · 로그함수의 연속성

중요도

175

상 중 하

함수 $f(x)=\begin{cases} \frac{e^{4x}-1}{x(e^x+1)} & (x\neq0) \\ a & (x=0) \end{cases}$가 $x=0$에서 연속일 때, 상수 a의 값은?

① 1 ② $\frac{3}{2}$ ③ 2
④ $\frac{5}{2}$ ⑤ 3

176

상 중 하

$-1<x<1$에서 정의된 함수

$$f(x)=\begin{cases} \frac{e^{3x}-1}{ax} & (-1<x<0,\ 0<x<1) \\ b & (x=0) \end{cases}$$

가 $x=0$에서 연속이 되도록 하는 상수 a, b에 대하여 ab의 값은? (단, $a\neq0$)

① -3 ② -1 ③ 1
④ 3 ⑤ 5

177

상중하

함수 $f(x)=\begin{cases} \dfrac{\ln(a+2x)}{x} & (x\neq 0) \\ b & (x=0) \end{cases}$ 가 $x=0$에서 연속이 되도록 하는 상수 a, b에 대하여 $a+b$의 값은?

① 1 ② 2 ③ 3
④ 4 ⑤ 5

11 지수 · 로그함수의 도함수

중요도

178

상중하

함수 $f(x)=e^x+x^2-3x$에 대하여 $f'(0)$의 값은?

① -5 ② -4 ③ -3
④ -2 ⑤ -1

179

상중하

함수 $f(x)=x\ln x$에 대하여 $f'(e)$의 값은?

① $2e$ ② $e+1$ ③ 3
④ e ⑤ 2

180

상중하

함수 $f(x)=5^{x-1}$에 대하여 $\lim_{h\to 0}\dfrac{f(2+h)-f(2-2h)}{h}$의 값은?

① $3\ln 5$ ② $6\ln 5$ ③ $9\ln 5$
④ $12\ln 5$ ⑤ $15\ln 5$

181 학평 기출

상중하

함수 $f(x)=\log_3 x$에 대하여 $\lim_{h\to 0}\dfrac{f(3+h)-f(3-h)}{h}$의 값은?

① $\dfrac{1}{2\ln 3}$ ② $\dfrac{2}{3\ln 3}$ ③ $\dfrac{5}{6\ln 3}$
④ $\dfrac{1}{\ln 3}$ ⑤ $\dfrac{7}{6\ln 3}$

12 지수 · 로그함수의 미분가능성

중요도

182

상중하

함수 $f(x)=\begin{cases} ae^{-x} & (x\leq 1) \\ bx+1 & (x>1) \end{cases}$ 이 $x=1$에서 미분가능할 때, 상수 a, b에 대하여 $a-b$의 값은?

① $\dfrac{e-1}{2}$ ② $\dfrac{e+1}{2}$ ③ $\dfrac{e}{2}+1$
④ $e+\dfrac{1}{2}$ ⑤ $e+1$

183 최多빈출

상중하

함수 $f(x)=\begin{cases} \ln ax & (x>1) \\ be^{x+1} & (x\leq 1) \end{cases}$ 이 $x=1$에서 미분가능할 때, 상수 a, b에 대하여 a^2b의 값은?

① $-e$ ② -1 ③ 0
④ 1 ⑤ e

● 정답과 풀이 031쪽

184

함수 $f(x)$가

$$f(x)=\begin{cases} e^{x} & (x\le 0,\ x\ge 2) \\ \ln(x+1) & (0<x<2) \end{cases}$$

이고, 함수 $y=g(x)$의 그래프가 오른쪽 그림과 같다.

$\lim_{x\to 2+} f(g(x))+\lim_{x\to 0+} g(f(x))$의 값을 구하여라.

185

$\lim_{x\to -\infty}\left(1+\frac{1}{x}\right)^{x}+\lim_{x\to\infty}\left(1-\frac{1}{x}\right)^{x}$의 값을 구하여라.

186

함수 $f(x)$가 $x>-1$인 모든 실수 x에 대하여 부등식 $\ln(1+x)\le f(x)\le \frac{1}{3}(e^{3x}-1)$을 만족시킬 때,

$\lim_{x\to 0}\frac{f(4x)}{x}$의 값을 구하여라.

187

함수 $f(x)=\log_{2}(x+5)$의 역함수를 $g(x)$라고 할 때, $\lim_{x\to 0}\frac{f(x-4)}{g(x)+4}$의 값을 구하여라.

188

함수 $f(x)=\begin{cases} \frac{e^{5x}+a}{x} & (x\ne 0) \\ b & (x=0) \end{cases}$가 $x=0$에서 연속이 되도록 하는 상수 a, b에 대하여 $a+b$의 값을 구하여라.

189

모든 실수 x에 대하여 연속인 함수 $f(x)$가

$(x-2)f(x)=\frac{e^{x}-e^{2}}{e^{2}}$을 만족시킬 때, $f(2)$의 값을 구하여라.

고득점을 향한 도약

● 정답과 풀이 033쪽

190

함수 $f(x)$에 대하여 〈보기〉에서 옳은 것을 모두 고른 것은?

ㄱ. $f(x)=x^2$이면 $\lim_{x\to 0}\frac{e^{f(x)}-1}{x}=0$이다.

ㄴ. $\lim_{x\to 0}\frac{e^x-1}{f(x)}=1$이면 $\lim_{x\to 0}\frac{3^x-1}{f(x)}=\ln 3$이다.

ㄷ. $\lim_{x\to 0}f(x)=0$이면 $\lim_{x\to 0}\frac{e^{f(x)}-1}{x}$의 값이 존재한다.

① ㄱ　② ㄷ　③ ㄱ, ㄴ　④ ㄴ, ㄷ　⑤ ㄱ, ㄴ, ㄷ

191

자연수 n에 대하여

$$S_n=\frac{2}{1\cdot 3}+\frac{2}{3\cdot 5}+\frac{2}{5\cdot 7}+\cdots+\frac{2}{(2n-1)(2n+1)}$$

라고 할 때, $\lim_{n\to\infty}\left(\frac{1}{S_n}\right)^n$의 값은?

① 1　② $\sqrt{e}$　③ $\frac{e}{2}$　④ e　⑤ e^2

192

$\lim_{n\to\infty}n(\sqrt[n]{2}-1)$의 값은? (단, n은 자연수이다.)

① 0　② $\ln 2$　③ $\sqrt{e}$　④ 2　⑤ e

193 (100점 도전)

연속함수 $f(x)$에 대하여

$$\lim_{x\to 0}\frac{\ln\{1+f(2x)\}}{x}=10$$

일 때, $\lim_{x\to 0}\frac{f(x)}{x}$의 값은?

① 1　② 2　③ 3　④ 4　⑤ 5

194

오른쪽 그림과 같이 곡선 $y=\ln(x+1)$과 두 직선 $x=a$, $x=2a$ $(a>0)$가 만나는 점을 각각 A, B라고 하자.

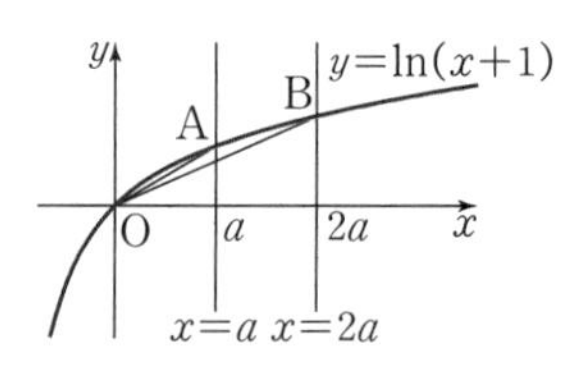

이때, $\lim_{a\to 0}\frac{\overline{OA}}{\overline{OB}}$의 값은?

① $\frac{1}{\sqrt{e}}$　② $\frac{\sqrt{3}}{3}$　③ $\frac{1}{2}$　④ $\frac{\sqrt{2}}{3}$　⑤ $\frac{1}{e}$

195

$\lim_{x\to 1}\frac{2^x+5^x-7}{x-1}=X$일 때, e^X의 값은?

① 500　② 1250　③ 2500　④ 6250　⑤ 12500

04 삼각함수의 미분

더 자세한 개념은 풍산자 미적분 68쪽

1 삼각함수 csc, sec, cot 함수

(1) $\overline{OP}=r$인 점 $P(x,\ y)$에 대하여 동경 OP가 x축의 양의 방향과 이루는 각의 크기를 θ라고 할 때, θ에 대한 삼각함수는

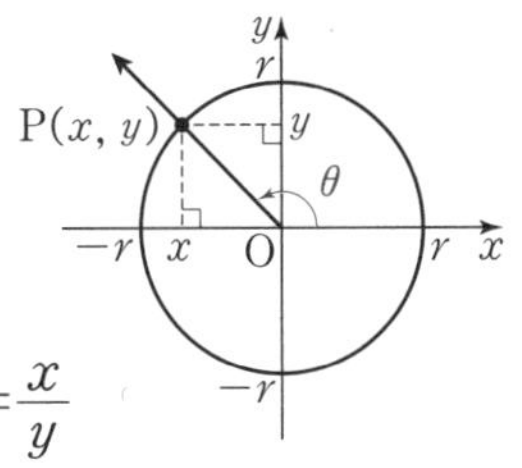

$\csc\theta=\dfrac{r}{y}$, $\sec\theta=\dfrac{r}{x}$, $\cot\theta=\dfrac{x}{y}$

(단, $x\neq0, y\neq0$)

(2) 삼각함수 사이의 관계

① $1+\tan^2 x=\sec^2 x$ ② $1+\cot^2 x=\csc^2 x$

참고 $\sin^2 x+\cos^2 x=1$로부터 위의 식을 확인할 수 있다.

2 삼각함수의 덧셈정리

(1) $\sin(\alpha+\beta)=\sin\alpha\cos\beta+\cos\alpha\sin\beta$

$\sin(\alpha-\beta)=\sin\alpha\cos\beta-\cos\alpha\sin\beta$

(2) $\cos(\alpha+\beta)=\cos\alpha\cos\beta-\sin\alpha\sin\beta$

$\cos(\alpha-\beta)=\cos\alpha\cos\beta+\sin\alpha\sin\beta$

(3) $\tan(\alpha+\beta)=\dfrac{\tan\alpha+\tan\beta}{1-\tan\alpha\tan\beta}$

$\tan(\alpha-\beta)=\dfrac{\tan\alpha-\tan\beta}{1+\tan\alpha\tan\beta}$

함수 $y=a\sin\theta+b\cos\theta$의 최댓값은 $\sqrt{a^2+b^2}$, 최솟값은 $-\sqrt{a^2+b^2}$이다.

3 삼각함수의 합성

(1) $a\sin\theta+b\cos\theta=\sqrt{a^2+b^2}\sin(\theta+\alpha)$

$\left(\text{단, }\sin\alpha=\dfrac{b}{\sqrt{a^2+b^2}}, \cos\alpha=\dfrac{a}{\sqrt{a^2+b^2}}\right)$

(2) $a\sin\theta+b\cos\theta=\sqrt{a^2+b^2}\cos(\theta-\beta)$

$\left(\text{단, }\sin\beta=\dfrac{a}{\sqrt{a^2+b^2}}, \cos\beta=\dfrac{b}{\sqrt{a^2+b^2}}\right)$

참고 $a\sin\theta+b\cos\theta$

$=\sqrt{a^2+b^2}\left(\dfrac{a}{\sqrt{a^2+b^2}}\sin\theta+\dfrac{b}{\sqrt{a^2+b^2}}\cos\theta\right)$

$=\sqrt{a^2+b^2}(\cos\alpha\sin\theta+\sin\alpha\cos\theta)$

$=\sqrt{a^2+b^2}\sin(\theta+\alpha)$

같은 방법으로

$a\sin\theta+b\cos\theta=\sqrt{a^2+b^2}\cos(\theta-\beta)$

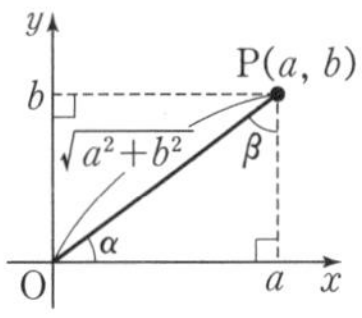

4 삼각함수의 극한

(1) 임의의 실수 a에 대하여

$\lim\limits_{x\to a}\sin x=\sin a$, $\lim\limits_{x\to a}\cos x=\cos a$

(2) $a\neq n\pi+\dfrac{\pi}{2}$ (n은 정수)인 실수 a에 대하여

$\lim\limits_{x\to a}\tan x=\tan a$

참고 $y=\sin x$, $y=\cos x$는 모든 실수에서 연속이고, $y=\tan x$는 $x\neq n\pi+\dfrac{\pi}{2}$ (n은 정수)인 모든 실수에서 연속이다.

(3) x의 단위가 라디안일 때, $\lim\limits_{x\to0}\dfrac{\sin x}{x}=1$

참고 위의 극한을 이용하면 $\lim\limits_{x\to0}\dfrac{\tan x}{x}=\lim\limits_{x\to0}\left(\dfrac{1}{\cos x}\cdot\dfrac{\sin x}{x}\right)=1\cdot1=1$

5 삼각함수의 도함수

(1) $y=\sin x$ ⇨ $y'=\cos x$

(2) $y=\cos x$ ⇨ $y'=-\sin x$

문제 풀 때 유용한 풍쌤 비법

❶ **두 직선이 이루는 각의 크기**

(1) 직선 $y=mx+n$이 x축의 양의 방향과 이루는 각의 크기를 θ라고 하면 (기울기)$=m=\tan\theta$

(2) 두 직선 $y=mx+n$, $y=m'x+n'$이 x축의 양의 방향과 이루는 각의 크기를 각각 α, β라고 하면

$\tan\alpha=m$, $\tan\beta=m'$

두 직선이 이루는 예각의 크기를 θ라고 하면 $\theta=\alpha-\beta$이므로

$\tan\theta=|\tan(\alpha-\beta)|=\left|\dfrac{\tan\alpha-\tan\beta}{1+\tan\alpha\tan\beta}\right|=\left|\dfrac{m-m'}{1+mm'}\right|$

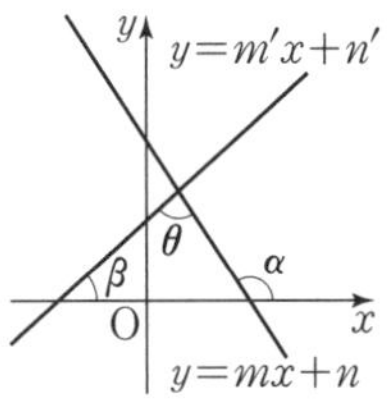

❷ $\lim\limits_{x\to0}\dfrac{\sin x}{x}=1$**에서 파생되는 여러 가지 삼각함수의 극한**

① $\lim\limits_{x\to0}\dfrac{x}{\sin x}=1$ ② $\lim\limits_{x\to0}\dfrac{x}{\tan x}=1$ ③ $\lim\limits_{x\to0}\dfrac{bx}{\sin ax}=\dfrac{b}{a}$ ④ $\lim\limits_{x\to0}\dfrac{\tan ax}{bx}=\dfrac{a}{b}$

실력을 기르는 유형

01 csc, sec, cot 함수
중요도

196
상 중 하

좌표평면 위의 원점 O와 점 P(5, 12)에 대하여 동경 OP가 나타내는 각의 크기를 θ라고 할 때, 다음 삼각함수의 값을 구하여라.

(1) $\csc\theta$　(2) $\sec\theta$　(3) $\cot\theta$

197
상 중 하

원점 O와 점 P(−4, 3)을 지나는 동경 OP가 나타내는 각의 크기를 θ라고 할 때, $3\csc\theta-8\sec\theta$의 값은?

① 11　② 12　③ 13
④ 14　⑤ 15

198
상 중 하

θ가 제3사분면의 각이고 $\sin\theta=-\frac{1}{3}$일 때, $\cot\theta+\sec\theta$의 값은?

① $-\frac{5\sqrt{2}}{4}$　② $-\frac{\sqrt{2}}{2}$　③ $\frac{\sqrt{2}}{4}$
④ $\frac{\sqrt{2}}{2}$　⑤ $\frac{5\sqrt{2}}{4}$

199
상 중 하

$\sin\theta-\cos\theta=-\frac{1}{2}$일 때, $\sec\theta-\csc\theta$의 값은?

① $-\frac{4}{3}$　② $-\frac{2}{3}$　③ $-\frac{1}{2}$
④ $-\frac{3}{7}$　⑤ $-\frac{1}{4}$

02 삼각함수의 덧셈정리
중요도

200
상 중 하

다음 삼각함수의 값을 구하여라.

(1) $\sin 105°$　(2) $\cos 15°$　(3) $\tan\frac{5}{12}\pi$

201
상 중 하

다음 식의 값을 구하여라.

(1) $\sin 85°\cos 25°-\cos 85°\sin 25°$
(2) $\cos 35°\cos 10°-\sin 35°\sin 10°$
(3) $\frac{\tan 70°-\tan 40°}{1+\tan 70°\tan 40°}$

202 학평 기출
상 중 하

$\sin\theta=\frac{\sqrt{3}}{3}$일 때, $2\sin\left(\theta-\frac{\pi}{6}\right)+\cos\theta$의 값은?

(단, $0<\theta<\frac{\pi}{2}$)

① $\frac{1}{2}$　② $\frac{\sqrt{3}}{3}$　③ 1
④ $\sqrt{3}$　⑤ 2

203 최多빈출
상 중 하

$\tan\alpha=\frac{1}{2}$, $\tan\beta=\frac{1}{3}$일 때, $\cos(\alpha+\beta)$의 값은?

(단, α, β는 예각이다.)

① $\frac{\sqrt{2}}{2}$　② $\frac{\sqrt{2}}{3}$　③ $\frac{\sqrt{3}}{3}$
④ $\frac{\sqrt{2}}{4}$　⑤ $\frac{\sqrt{3}}{4}$

204

상 중 하

$0<\alpha<\frac{\pi}{2}$, $0<\beta<\frac{\pi}{2}$이고 $\sin\alpha=\frac{11}{14}$, $\cos\beta=\frac{3\sqrt{3}}{14}$ 일 때, $\alpha+\beta$의 값은?

① $\frac{\pi}{6}$ ② $\frac{\pi}{3}$ ③ $\frac{\pi}{2}$
④ $\frac{2}{3}\pi$ ⑤ $\frac{5}{6}\pi$

205 최多빈출

상 중 하

$\sin x+\sin y=1$, $\cos x+\cos y=\frac{1}{2}$일 때, $\cos(x-y)$의 값은?

① $-\frac{5}{8}$ ② $-\frac{3}{8}$ ③ $\frac{1}{8}$
④ $\frac{3}{8}$ ⑤ $\frac{5}{8}$

206

상 중 하

$\frac{3}{2}\pi<\theta<2\pi$이고 $\cos\theta=\frac{1}{3}$일 때,
$\tan\left(\frac{\pi}{4}+\theta\right)=\frac{a\sqrt{2}-9}{7}$를 만족시키는 상수 a의 값은?

① 1 ② 2 ③ 3
④ 4 ⑤ 5

207

상 중 하

$\alpha+\beta=\frac{\pi}{4}$일 때, $(1+\tan\alpha)(1+\tan\beta)$의 값은?

① 1 ② 2 ③ 3
④ 4 ⑤ 5

03 삼각함수의 덧셈정리의 활용

중요도

208 학평 기출 풍쌤 비법 ❶

상 중 하

좌표평면에서 두 직선 $x-y-1=0$, $ax-y+1=0$이 이루는 예각의 크기를 θ라고 하자. $\tan\theta=\frac{1}{6}$일 때, 상수 a의 값은? (단, $a>1$)

① $\frac{11}{10}$ ② $\frac{6}{5}$ ③ $\frac{13}{10}$
④ $\frac{7}{5}$ ⑤ $\frac{3}{2}$

209

상 중 하

이차방정식 $4x^2-2\sqrt{6}x+1=0$의 두 근이 $\sin\alpha$, $\sin\beta$일 때, $\cos(\alpha+\beta)\cos(\alpha-\beta)$의 값을 구하여라.

210

상 중 하

$0<x<\pi$에서 정의된 함수 $f(x)=\cos x$의 역함수 $y=f^{-1}(x)$에 대하여 $f\left(f^{-1}\left(\frac{3}{5}\right)+f^{-1}\left(\frac{4}{5}\right)\right)$의 값은?

① $-\frac{1}{2}$ ② $-\frac{1}{3}$ ③ 0
④ $\frac{1}{3}$ ⑤ $\frac{1}{2}$

211

상 중 하

직선 $y=ax$를 원점을 중심으로 $45°$만큼 시계 반대 방향으로 회전하여 얻은 직선의 방정식이 $y=5x$일 때, 상수 a의 값을 구하여라.

212 학평 기출

(상중하)

오른쪽 그림과 같이 평면에 정삼각형 ABC와 $\overline{CD}=1$이고 $\angle ACD=\frac{\pi}{4}$인 점 D가 있다.

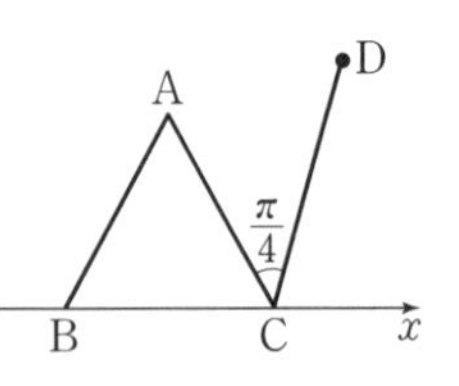

점 D와 직선 BC 사이의 거리는?

(단, 선분 CD는 삼각형 ABC의 내부를 지나지 않는다.)

① $\frac{\sqrt{6}-\sqrt{2}}{6}$ ② $\frac{\sqrt{6}-\sqrt{2}}{4}$ ③ $\frac{\sqrt{6}-\sqrt{2}}{3}$

④ $\frac{\sqrt{6}+\sqrt{2}}{6}$ ⑤ $\frac{\sqrt{6}+\sqrt{2}}{4}$

213

(상중하)

오른쪽 그림과 같이 $\overline{AB}=3$, $\overline{BC}=1$인 직각삼각형 ABC와 $\overline{AC}=\overline{CD}$인 직각이등변삼각형 ACD가 있다. $\angle DAB=\theta$일 때, $\cos\theta$의 값을 구하여라.

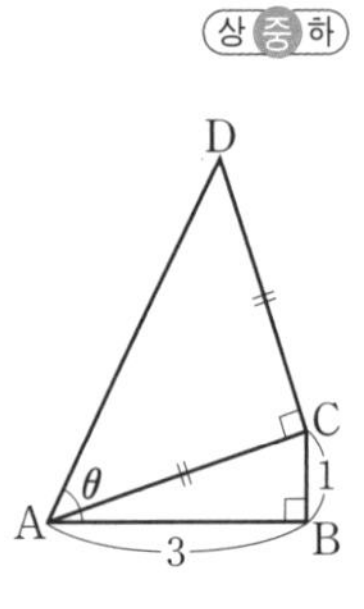

214

(상중하)

오른쪽 그림과 같이 $2\overline{AB}=\overline{AD}$인 직사각형 ABCD에서 $\overline{AD}$의 중점을 P, $\overline{CD}$의 중점을 Q라고 하자. $\angle PBQ=\theta$라고 할 때, $\tan\theta$의 값은?

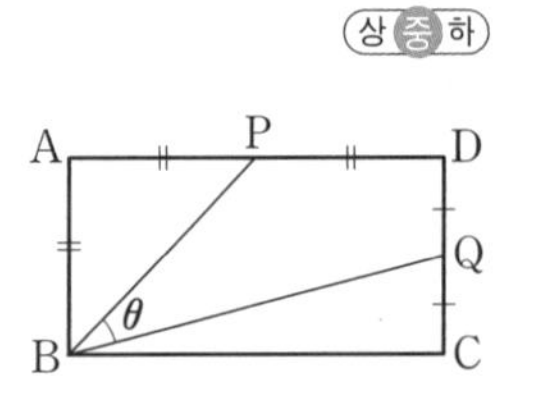

① $\frac{1}{3}$ ② $\frac{1}{2}$ ③ $\frac{3}{5}$

④ $\frac{2}{3}$ ⑤ $\frac{3}{4}$

04 삼각함수의 합성과 최대, 최소

중요도

215

(상중하)

$\sqrt{3}\sin\theta+\cos\theta=\frac{1}{3}$일 때, $\cos\left(\theta+\frac{\pi}{6}\right)$의 값은?

(단, $0<\theta<\pi$)

① $-\frac{\sqrt{35}}{6}$ ② $-\frac{\sqrt{15}}{6}$ ③ $-\frac{\sqrt{5}}{4}$

④ $\frac{1}{2}$ ⑤ $\frac{\sqrt{15}}{6}$

216

(상중하)

방정식 $\sqrt{6}\sin x-\sqrt{2}\cos x-2=0$의 모든 실근의 합을 $\frac{q}{p}\pi$라고 할 때, $p+q$의 값을 구하여라.

(단, $0\le x\le 2\pi$이고, p와 q는 서로소인 자연수이다.)

217

(상중하)

두 함수 $f(x)=x^2+2x-2$, $g(x)=\sin x-\cos x$에 대하여 합성함수 $(f\circ g)(x)$의 최댓값과 최솟값의 합은?

① $\sqrt{2}-1$ ② $\sqrt{2}$ ③ $2\sqrt{2}-3$

④ $\sqrt{2}+1$ ⑤ $2\sqrt{2}+3$

218 최多빈출

(상중하)

함수 $f(x)=a\sin x+\sqrt{13}\cos x$의 최댓값이 7일 때, 양수 a의 값은?

① 2 ② 4 ③ 6

④ 8 ⑤ 10

219
(상 중 하)

함수 $f(x)=a\sin x+b\cos x$의 최댓값이 $\sqrt{14}$이고 $f\left(\frac{\pi}{4}\right)=2$일 때, $a-b$의 값은? (단, $a>b$)

① 2 ② $\sqrt{5}$ ③ 3
④ 4 ⑤ $2\sqrt{5}$

220 학평 기출
(상 중 하)

함수 $y=\cos x+2\sin\left(x+\frac{\pi}{6}\right)$의 최댓값을 M, 최솟값을 m이라고 할 때, $M-m$의 값은?

① $\sqrt{7}$ ② $2\sqrt{7}$ ③ $3\sqrt{7}$
④ $4\sqrt{7}$ ⑤ $5\sqrt{7}$

221
(상 중 하)

$0\le x\le 2\pi$에서 함수 $f(x)=\sqrt{2}\sin\left(x-\frac{\pi}{4}\right)+4\cos x$는 $x=\theta$일 때, 최솟값 m을 갖는다. 이때, $m\tan\theta$의 값은?

① $-3\sqrt{10}$ ② $-3\sqrt{5}$ ③ $-\sqrt{3}$
④ $-\frac{\sqrt{10}}{3}$ ⑤ $-\frac{\sqrt{5}}{3}$

222 최多빈출
(상 중 하)

$0\le x\le \pi$에서 정의된 함수 $f(x)=12\sin x+5\cos x$의 최댓값과 최솟값을 각각 M, m이라고 할 때, $M-m$의 값을 구하여라.

223
(상 중 하)

오른쪽 그림과 같이 길이가 2인 선분 AB를 지름으로 하는 원이 있다. 원 위의 한 점 P에 대하여 $4\overline{AP}+\overline{BP}$의 최댓값은?

① $2\sqrt{5}$ ② $2\sqrt{15}$
③ $2\sqrt{17}$ ④ $6\sqrt{2}$
⑤ $6\sqrt{3}$

224
(상 중 하)

오른쪽 그림과 같이 $\overline{AB}=4$, $\overline{AD}=2$인 직사각형 ABCD에 외접하는 직사각형 PQRS가 있다. $\angle ADP=\theta$라고 할 때, 직사각형 PQRS의 둘레의 길이가 최대가 되도록 하는 θ의 값은?

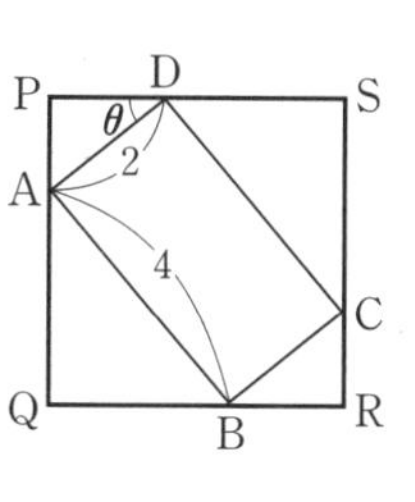

① $\frac{\pi}{4}$ ② $\frac{\pi}{2}$ ③ $\frac{3}{4}\pi$
④ π ⑤ $\frac{5}{4}\pi$

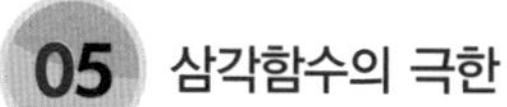

05 삼각함수의 극한

중요도

225
(상 중 하)

다음 극한을 구하여라.

(1) $\lim_{x\to 0}\frac{x}{\cos x}$ (2) $\lim_{x\to\frac{\pi}{4}}\frac{\tan x}{x}$

(3) $\lim_{x\to\frac{\pi}{2}}\frac{\cos^2 x}{1-\sin x}$ (4) $\lim_{x\to\frac{\pi}{4}}\frac{\cos x-\sin x}{1-\tan x}$

226
(상 중 하)

$\lim_{x \to \frac{3}{4}\pi} \frac{1-\tan^2 x}{\sin x + \cos x}$ 의 값은?

① $-4\sqrt{2}$ ② $-2\sqrt{2}$ ③ $-\sqrt{2}$
④ $-\frac{\sqrt{2}}{2}$ ⑤ $-\frac{\sqrt{2}}{4}$

06 $\frac{\sin x}{x}$, $\frac{\tan x}{x}$ 꼴의 극한
중요도

227
(상 중 하)

다음 극한을 구하여라.

(1) $\lim_{x \to 0} \frac{\sin 8x}{2x}$ (2) $\lim_{x \to 0} \frac{9x}{\tan 3x}$
(3) $\lim_{x \to 0} \frac{\sin x^\circ}{x}$ (4) $\lim_{x \to 0} \frac{x}{\tan x^\circ}$

228
(상 중 하)

$\lim_{x \to 0} \frac{\sin(2x^3+x^2+3x)}{5x^3+4x^2+2x}$ 의 값은?

① $\frac{1}{4}$ ② $\frac{2}{5}$ ③ $\frac{3}{2}$
④ 2 ⑤ $\frac{5}{2}$

229 학평 기출
(상 중 하)

$\lim_{x \to 0} \frac{\sin 2x - \sin x}{x}$ 의 값은?

① -2 ② -1 ③ 0
④ 1 ⑤ 2

230
(상 중 하)

$\lim_{x \to 0} \frac{\sec x - \cos x}{x^2}$ 의 값은?

① 1 ② 2 ③ 3
④ 4 ⑤ 5

231
(상 중 하)

$\lim_{x \to 0} \frac{\sin 5x - \sin 8x}{\sin 6x}$ 의 값은?

① -1 ② $-\frac{1}{2}$ ③ 0
④ $\frac{1}{2}$ ⑤ 1

232 풍쌤 비법 ❷
(상 중 하)

$\lim_{x \to 0} \frac{\tan(2x^2+x)}{\sin(x^2+2x)}$ 의 값은?

① 0 ② $\frac{1}{2}$ ③ 1
④ 2 ⑤ 4

233 최多빈출
(상 중 하)

$\lim_{x \to 0} \frac{\sin(2\sin 2x)}{x\cos x}$ 의 값은?

① 1 ② 2 ③ 3
④ 4 ⑤ 5

234

상 중 하

$\lim_{x \to 0} \frac{6x}{\tan x + \tan 2x + \tan 3x}$의 값은?

① 1 ② 2 ③ 3
④ 4 ⑤ 5

07 $1-\cos kx$가 포함된 함수의 극한

중요도

235

상 중 하

다음 극한을 구하여라.

(1) $\lim_{x \to 0} \frac{x^2}{1-\cos x}$ (2) $\lim_{x \to 0} \frac{1-\cos x}{x \sin x}$

236

최多빈출

상 중 하

$\lim_{\theta \to 0}\left(\frac{2}{\sin^2\theta} - \frac{1}{1-\cos\theta}\right)$의 값은?

① $\frac{1}{4}$ ② $\frac{1}{2}$ ③ 1
④ 2 ⑤ 4

237

상 중 하

$\lim_{x \to 0} \frac{3\cos^2 x - 2\cos x - 1}{x \sin x}$의 값은?

① -2 ② -1 ③ 0
④ 1 ⑤ 2

238

상 중 하

$\lim_{x \to 0} \frac{1-\cos kx}{\sin^2 x} = 2$를 만족시키는 양수 k의 값은?

① 1 ② 2 ③ 3
④ 4 ⑤ 5

239

학평 기출

상 중 하

함수 $f(x)$에 대하여 $\lim_{x \to 0} f(x)\left(1-\cos\frac{x}{2}\right) = \frac{1}{2}$일 때, $\lim_{x \to 0} x^2 f(x)$의 값을 구하여라.

08 치환을 이용한 삼각함수의 극한

중요도

240

상 중 하

$\lim_{x \to 1} \frac{\sin \pi x}{x-1}$의 값은?

① $-\pi$ ② -1 ③ 0
④ $\frac{1}{\pi}$ ⑤ π

241

상 중 하

$\lim_{x \to \frac{\pi}{2}}\left(x - \frac{\pi}{2}\right)\tan x$의 값은?

① -2 ② -1 ③ 0
④ 1 ⑤ 2

242 최多빈출 (상 중 하)

$\lim_{x\to-\frac{\pi}{2}}\frac{1+\sin x}{(2x+\pi)\cos x}$ 의 값은?

① $\frac{1}{4}$ ② $\frac{1}{3}$ ③ $\frac{1}{2}$
④ 1 ⑤ 2

243 (상 중 하)

$\lim_{x\to1}\frac{\sin\left(\cos\frac{\pi}{2}x\right)}{x-1}$ 의 값은?

① $-\pi$ ② $-\frac{\pi}{2}$ ③ 1
④ $\frac{\pi}{2}$ ⑤ π

244 (상 중 하)

$\lim_{x\to-\frac{\pi}{6}}\frac{\sqrt{3}\sin x+\cos x}{2x+\frac{\pi}{3}}$ 의 값은?

① 1 ② 2 ③ 3
④ 4 ⑤ 5

245 (상 중 하)

$\lim_{x\to\infty}x\tan\frac{1}{2x+1}$ 의 값은?

① -1 ② $-\frac{1}{2}$ ③ 0
④ $\frac{1}{2}$ ⑤ 1

246 학평 기출 (상 중 하)

다음 〈보기〉 중 옳은 것의 개수는?

보기

ㄱ. $\lim_{x\to0}\frac{1}{x}\sin x=1$　ㄴ. $\lim_{x\to\infty}\frac{1}{x}\sin x=0$

ㄷ. $\lim_{x\to0}x\sin\frac{1}{x}=0$　ㄹ. $\lim_{x\to\infty}x\sin\frac{1}{x}=1$

① 0 ② 1 ③ 2
④ 3 ⑤ 4

09 지수 · 로그함수와 삼각함수의 극한

중요도

247 (상 중 하)

다음 극한을 구하여라.

(1) $\lim_{x\to\infty}\frac{x\sin^2\frac{2}{x}}{\ln\left(1+\frac{1}{x}\right)}$　(2) $\lim_{x\to0}\frac{\log_2(1+2x)}{\sin 4x}$

(3) $\lim_{x\to0}\frac{e^{4x}-1}{\tan 6x}$　(4) $\lim_{x\to0}\frac{\sin x}{5^x-1}$

248 (상 중 하)

$\lim_{x\to0}\left(\frac{\cos x-\sin x}{\cos x}\right)^{\frac{\cos x}{\sin x}}$ 의 값을 구하여라.

249 (상 중 하)

$\lim_{x\to0}\frac{e^{x\sin x}+e^{x\sin 2x}-2}{x\ln(1+x)}$ 의 값은?

① 1 ② 2 ③ 3
④ 4 ⑤ 5

250

(상중하)

오른쪽 그림과 같이 $\angle A=90^\circ$인 직각삼각형 ABC의 꼭짓점 A에서 변 BC에 내린 수선의 발을 H라고 하자. $\overline{AB}=2$, $\angle ABH=\theta$일 때, $\lim_{\theta \to 0+} \frac{\overline{CH}}{\theta^2}$의 값을 구하여라.

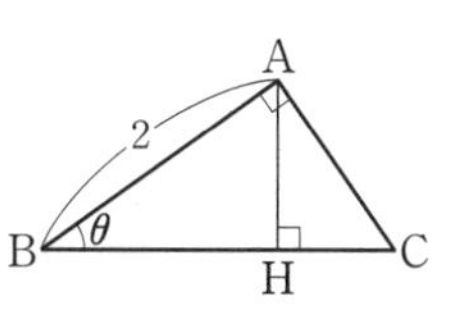

251 학평 기출

(상중하)

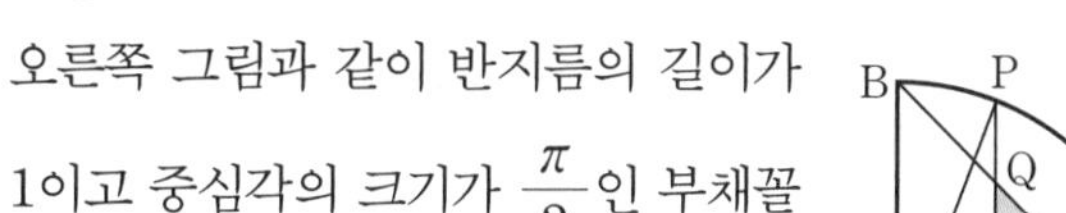

오른쪽 그림과 같이 반지름의 길이가 1이고 중심각의 크기가 $\frac{\pi}{2}$인 부채꼴 OAB가 있다. 호 AB 위의 점 P에서 선분 OA에 내린 수선의 발을 H, 선분 PH와 선분 AB의 교점을 Q라고 하자. $\angle POH=\theta$일 때, 삼각형 AQH의 넓이를 $S(\theta)$라고 하자.

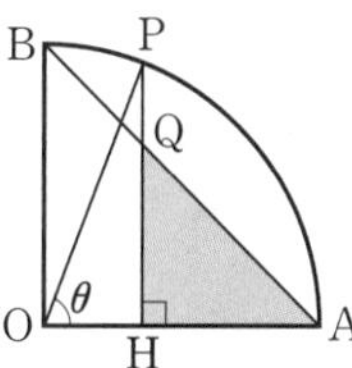

$\lim_{\theta \to 0+} \frac{S(\theta)}{\theta^4}$의 값은? $\left(단, 0<\theta<\frac{\pi}{2}\right)$

① $\frac{1}{8}$ ② $\frac{1}{4}$ ③ $\frac{3}{8}$
④ $\frac{1}{2}$ ⑤ $\frac{5}{8}$

10 미정계수의 결정

중요도

252

(상중하)

$\lim_{x \to a} \frac{b\cos x}{x-a}=1$일 때, 상수 b의 값은?

(단, $0<a<\pi, b\neq 0$)

① -2 ② -1 ③ 0
④ 1 ⑤ 2

253 최多빈출

(상중하)

$\lim_{x \to 0} \frac{\sin 3x}{\sqrt{ax+b}-1}=2$를 만족시키는 상수 a, b에 대하여 $a+b$의 값은?

① 1 ② 2 ③ 3
④ 4 ⑤ 5

254

(상중하)

$\lim_{x \to a} \frac{3^x-1}{6\sin(x-a)}=b\ln 3$을 만족시키는 상수 a, b에 대하여 $a+b$의 값을 구하여라. (단, $b\neq 0$)

255

(상중하)

$\lim_{x \to 0} \frac{e^x-a}{\tan 2x}=b$를 만족시키는 상수 a, b에 대하여 $a+b$의 값은?

① -1 ② 0 ③ 1
④ $\frac{3}{2}$ ⑤ 2

11 삼각함수의 연속

중요도

256

(상중하)

모든 실수 x에서 연속인 함수 $f(x)$가

$$x^2f(x)=1-\cos ax$$

를 만족시킨다. $f(0)=18$일 때, 양수 a의 값은?

① 3 ② 4 ③ 5
④ 6 ⑤ 7

257

(상중하)

함수 $f(x)=\begin{cases} \dfrac{e^x-\sin 3x-a}{4x} & (x\neq0) \\ b & (x=0) \end{cases}$가 $x=0$에서 연속일 때, 상수 a, b에 대하여 $a+b$의 값을 구하여라.

258

(상중하)

함수 $f(x)=\begin{cases} \dfrac{2x+\tan x}{\sin x} & (x<0) \\ a & (x=0) \\ \dfrac{\ln(1+3x)}{bx} & (x>0) \end{cases}$가 모든 실수 x에서 연속이 되도록 하는 상수 a, b에 대하여 $a+b$의 값은?

① 0　② 4　③ 6　④ 8　⑤ 10

12 삼각함수의 도함수와 미분계수

중요도

259

(상중하)

다음 함수를 미분하여라.

(1) $y=2\sin x+3\cos x$　(2) $y=x\sin x$
(3) $y=e^x\cos x$　(4) $y=3^{3x-2}\cos x$

260 최多빈출

(상중하)

$f(x)=\sin x\cos x$일 때, $f'\left(\dfrac{\pi}{3}\right)$의 값을 구하여라.

261 학평 기출

(상중하)

함수 $f(x)=\sin x+a\cos x$에 대하여 $\lim\limits_{x\to\frac{\pi}{2}}\dfrac{f(x)-1}{x-\dfrac{\pi}{2}}=3$일 때, $f\left(\dfrac{\pi}{4}\right)$의 값은? (단, a는 상수이다.)

① $-2\sqrt{2}$　② $-\sqrt{2}$　③ 0　④ $\sqrt{2}$　⑤ $2\sqrt{2}$

262

(상중하)

함수 $f(x)=\lim\limits_{h\to0}\dfrac{x\sin(x+h)-x\sin x}{h}$에 대하여 $f'\left(\dfrac{\pi}{2}\right)$의 값을 구하여라.

13 삼각함수의 미분가능성

중요도

263

(상중하)

함수 $f(x)=\begin{cases} ax+b & (-1\le x<0) \\ \sin x & (0\le x<1) \end{cases}$가 $x=0$에서 미분가능하도록 하는 상수 a, b에 대하여 $a-b$의 값을 구하여라.

264

(상중하)

함수 $f(x)=\begin{cases} -x^2+ax+b & (x<0) \\ \cos x & (x\ge0) \end{cases}$가 $x=0$에서 미분가능하도록 하는 상수 a, b에 대하여 $a+b$의 값은?

① 1　② 2　③ 3　④ 4　⑤ 5

● 정답과 풀이 043쪽

265

$0<\alpha<\frac{\pi}{2}$, $\frac{\pi}{2}<\beta<\pi$이고 $\sin\alpha=\frac{1}{\sqrt{5}}$, $\sin\beta=\frac{1}{\sqrt{10}}$ 일 때, $\sin(\alpha+\beta)$의 값을 구하여라.

266

두 직선 $3x-5y+20=0$, $ax-y-6=0$이 이루는 예각의 크기가 $\frac{\pi}{4}$가 되도록 하는 모든 상수 a의 값의 곱을 구하여라.

267

오른쪽 그림과 같이 $\overline{AC}=3$, $\overline{BC}=1$, $\angle C=90°$인 직각삼각형 ABC가 있다. 선분 AB를 4 : 1로 내분하는 점을 P, 선분 AB를 2 : 3으로 내분하는 점을 Q라고 하자. 점 P에서 선분 BC에 내린 수선의 발을 R, 점 Q에서 선분 AC에 내린 수선의 발을 S라고 하자. $\angle CPR=\alpha$, $\angle CQS=\beta$라고 할 때, $\tan(\beta-\alpha)=\frac{q}{p}$이다. $p+q$의 값을 구하여라.

(단, p와 q는 서로소인 자연수이다.)

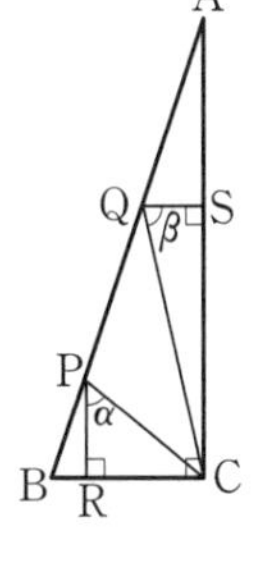

268

$\lim_{x\to0}\frac{\sin(ax+b)}{\tan x}=2$를 만족시키는 상수 a, b에 대하여 $b-a$의 값을 구하여라. $\left(단, 0\le b\le\frac{\pi}{2}\right)$

269

연속함수 $f(x)$가 $\lim_{x\to0}\frac{f(x)}{1-\cos x^2}=4$를 만족시킬 때, $\lim_{x\to0}\frac{f(x)}{x^p}=q$이다. $p+q$의 값을 구하여라.

(단, $p>0$, $q>0$)

270

함수 $f(x)=\begin{cases} e^x & (x<0) \\ a\cos x+b\sin x & (x\ge0)\end{cases}$가 $x=0$에서 미분가능하도록 하는 상수 a, b에 대하여 $a+b$의 값을 구하여라.

고득점을 향한 도약

271

오른쪽 그림과 같이 $\overline{OA}=60$, $\overline{OB}=65$, $\overline{AB}=25$인 직각삼각형 OAB와 $\overline{OC}=52$, $\overline{OD}=65$, $\overline{CD}=39$인 직각삼각형 OCD가 있다. 점 D에서 $\overline{OA}$에 내린 수선의 발을 H라고 할 때, $\overline{DH}$의 길이를 구하여라.

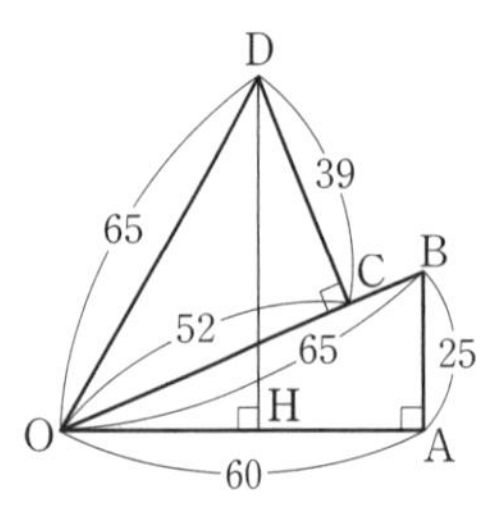

272 100점 도전

다음 그림과 같이 원점과 점 (1, 1)을 이은 선분이 x축의 양의 방향과 이루는 각의 크기를 θ_1, 원점과 점 (2, 1)을 이은 선분이 x축의 양의 방향과 이루는 각의 크기를 $\theta_2, \cdots$, 원점과 점 $(n, 1)$을 이은 선분이 x축의 양의 방향과 이루는 각의 크기를 θ_n이라고 하자.

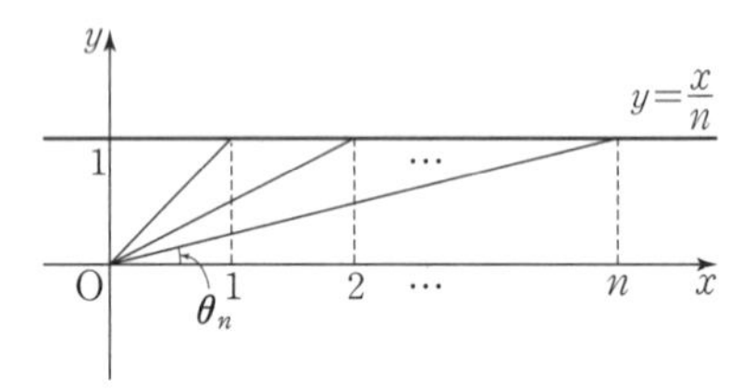

이때, $\theta_1-\theta_2=\theta_p-\theta_q$가 되도록 하는 p, q에 대하여 $p+q$의 값을 구하여라. (단, $1<p<q$이고 p, q는 자연수이다.)

273

오른쪽 그림에서 점 A의 좌표는 (1, 0)이고, $0<\theta<\frac{\pi}{2}$인 θ에 대하여 점 B의 좌표는 $(\cos\theta, \sin\theta)$이다. 사각형 OACB가 평행사변형이 되도록 하는 제1사분면 위의 점 C에 대하여 사각형 OACB의 넓이를 $f(\theta)$, 선분 OC의 길이의 제곱을 $g(\theta)$라고 하자. $f(\theta)+g(\theta)$의 최댓값을 구하여라. (단, O는 원점이다.)

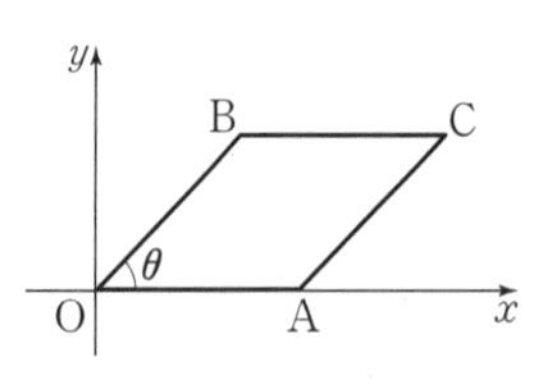

274

연립방정식 $\begin{cases}\sin x+\sin y=1\\ \cos x+\cos y=\sqrt{3}\end{cases}$의 해가 $x=\alpha$, $y=\beta$일 때, $\tan(\alpha+\beta)$의 값은? (단, $0\le x<2\pi$, $0\le y<2\pi$)

① $-\sqrt{3}$ ② $-\frac{\sqrt{3}}{3}$ ③ $\frac{\sqrt{3}}{3}$
④ 1 ⑤ $\sqrt{3}$

275

함수 $y=\tan x$의 역함수를 $y=\tan^{-1}x$라고 할 때, $\lim_{x\to 0}\frac{\tan^{-1}\frac{x}{2}}{x}$의 값은? $\left(단, -\frac{\pi}{2}<x<\frac{\pi}{2}\right)$

① $\frac{1}{4}$ ② $\frac{1}{2}$ ③ 1
④ 2 ⑤ 4

276

함수 $f(x)$에 대하여 〈보기〉에서 옳은 것을 모두 고른 것은?

보기

ㄱ. $f(x)=\sin x$이면 $\lim_{x\to 0}\frac{e^{f(x)}-1}{x}=1$이다.

ㄴ. $\lim_{x\to 0}\frac{\ln(1+x)}{f(x)}=1$이면 $\lim_{x\to 0}\frac{\log_2(1+2x)}{f(x)}=\frac{2}{\ln 2}$이다.

ㄷ. $f(x)=x$이면 $\sum_{k=1}^{10}\lim_{x\to 0}\frac{e^{f(kx)}-e^{f(x)}}{\sin(f(5x))}=10$이다.

① ㄱ ② ㄷ ③ ㄱ, ㄴ
④ ㄱ, ㄷ ⑤ ㄱ, ㄴ, ㄷ

277

오른쪽 그림과 같이 원에 내접하고 한 변의 길이가 $\sqrt{3}$인 정삼각형 ABC가 있다. 점 B를 포함하지 않는 호 AC 위의 점 P에 대하여 $\angle\mathrm{PBC}=\theta$라 하고, 선분 PC를 한 변으로 하는 정삼각형에 내접하는 원의 넓이를 $S(\theta)$라고 하자. $\lim\limits_{\theta\to0+}\dfrac{S(\theta)}{\theta^2}=a\pi$일 때, $30a$의 값을 구하여라.

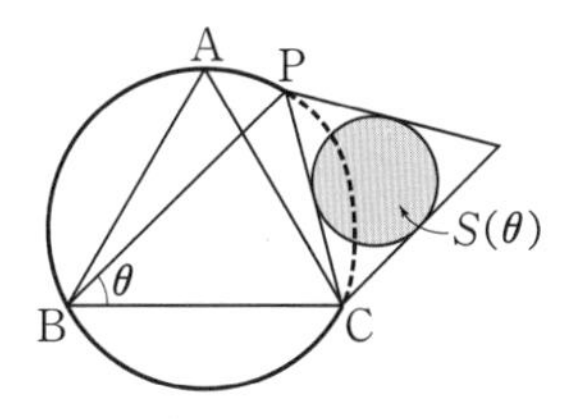

278 (100점 도전)

다음 그림과 같이 서로 외접하는 두 원 C, C_1의 중심 A, $\mathrm{A_1}$이 $\overline{\mathrm{OP}}$ 위에 있고, 두 원 위의 점 B, $\mathrm{B_1}$이 $\overline{\mathrm{OQ}}$에서 접한다.

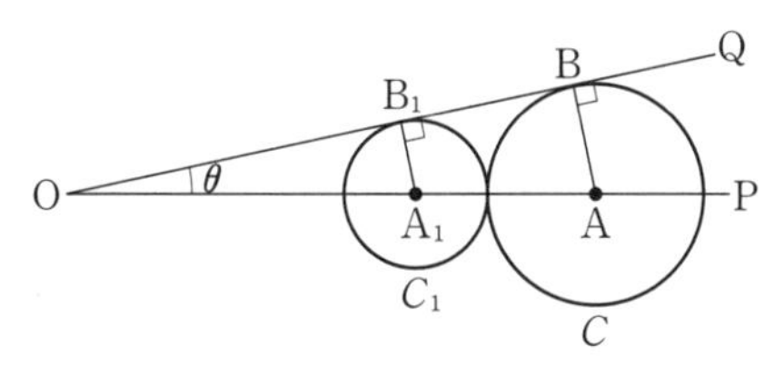

$\angle\mathrm{POQ}=\theta$라고 할 때, $\lim\limits_{\theta\to0+}\left(\dfrac{\overline{\mathrm{AB}}}{\overline{\mathrm{A_1B_1}}}\right)^{\frac{1}{\theta}}$의 값은?

① $\dfrac{2}{e^2}$　② $\dfrac{1}{e}$　③ $2e$
④ e^2　⑤ $2e^2$

279

$\lim\limits_{x\to1}\dfrac{\sin(\cos ax)}{x-1}=b$를 만족시키는 상수 a, b에 대하여 $a-b$의 값을 구하여라. $\left(\text{단, } 0\le a\le\dfrac{2}{3}\pi\right)$

280

두 함수

$$f(x)=\begin{cases}\dfrac{\sin 4x}{2x+\sin x} & (x\neq0)\\ a & (x=0)\end{cases},\quad g(x)=\begin{cases}\dfrac{\tan bx}{x} & (x\neq0)\\ a & (x=0)\end{cases}$$

가 모두 $x=0$에서 연속일 때, 상수 a, b에 대하여 $a+b$의 값은?

① $\dfrac{7}{3}$　② $\dfrac{12}{5}$　③ $\dfrac{5}{2}$
④ $\dfrac{8}{3}$　⑤ 3

281

미분가능한 두 함수 $f(x)$, $g(x)$가 등식

$$f(x)-g(x)=\sin x-\frac{1}{20}x^2$$

을 만족시킬 때, 방정식 $\dfrac{g'(x)}{f'(x)}+\dfrac{f'(x)}{g'(x)}=2$의 양의 근의 개수는? (단, $f'(x)g'(x)\neq0$)

① 1　② 2　③ 3
④ 4　⑤ 5

05 여러 가지 미분법

더 자세한 개념은 풍산자 미적분 100쪽

1 함수의 몫의 미분법

미분가능한 두 함수 $f(x)$, $g(x)(g(x)\neq0)$에 대하여

① $\left\{\dfrac{f(x)}{g(x)}\right\}'=\dfrac{f'(x)g(x)-f(x)g'(x)}{\{g(x)\}^2}$

② $\left\{\dfrac{1}{g(x)}\right\}'=-\dfrac{g'(x)}{\{g(x)\}^2}$

참고 삼각함수의 미분법
① $y=\tan x$이면 $y'=\sec^2 x$ ② $y=\sec x$이면 $y'=\sec x\tan x$
③ $y=\csc x$이면 $y'=-\csc x\cot x$ ④ $y=\cot x$이면 $y'=-\csc^2 x$

2 여러 가지 미분법

(1) 합성함수의 미분법
미분가능한 두 함수 $y=f(u)$, $u=g(x)$에 대하여 합성함수 $y=f(g(x))$는 미분가능하고, 그 도함수는

$\dfrac{dy}{dx}=\dfrac{dy}{du}\cdot\dfrac{du}{dx}$ 또는 $y'=f'(g(x))g'(x)$

(2) 절댓값이 포함된 로그함수의 미분법
① $y=\ln|x|$이면 $y'=\dfrac{1}{x}$
② $y=\log_a|x|$이면 $y'=\dfrac{1}{x\ln a}$ (단, $a>0$, $a\neq1$)

(3) 함수 $y=x^n$ (n은 실수)의 도함수
n이 실수일 때, $y=x^n$이면 $y'=nx^{n-1}$

3 매개변수로 나타낸 함수의 미분법

(1) 두 변수 x, y 사이의 관계가 변수 t를 매개로 하여
$x=f(t)$, $y=g(t)$ ……㉠
와 같이 나타낼 때, 변수 t를 매개변수라 하고, ㉠을 매개변수로 나타낸 함수라고 한다.

(2) 매개변수로 나타낸 함수의 미분법
두 함수 $x=f(t)$, $y=g(t)$가 t에 대하여 미분가능하면

$\dfrac{dy}{dx}=\dfrac{\frac{dy}{dt}}{\frac{dx}{dt}}=\dfrac{g'(t)}{f'(t)}$ (단, $f'(t)\neq0$)

4 음함수의 미분법

(1) x의 함수 y가 방정식 $f(x, y)=0$의 꼴로 주어졌을 때, y는 x의 음함수 꼴로 표현되었다고 한다.

(2) 음함수의 미분법
x의 함수 y가 음함수 $f(x, y)=0$의 꼴로 주어졌을 때, 각 항을 x에 대하여 미분하여 $\dfrac{dy}{dx}$를 구한다.

5 역함수의 미분법

미분가능한 함수 $f(x)$의 역함수 $f^{-1}(x)$가 존재하고 미분가능할 때, $y=f^{-1}(x)$의 도함수는

$\dfrac{dy}{dx}=\dfrac{1}{\frac{dx}{dy}}$, 즉 $(f^{-1})'(x)=\dfrac{1}{f'(f^{-1}(x))}$

$\left(\dfrac{dx}{dy}=\dfrac{d}{dy}f(y)=f'(y)=f'(f^{-1}(x))\right)$

6 이계도함수

미분가능한 함수 $y=f(x)$의 도함수 $f'(x)$가 미분가능할 때, $f'(x)$의 도함수

$\lim_{h\to0}\dfrac{f'(x+h)-f'(x)}{h}$

를 함수 $f(x)$의 이계도함수라 하고, 기호로

$f''(x)$, y'', $\dfrac{d^2y}{dx^2}$, $\dfrac{d^2}{dx^2}f(x)$와 같이 나타낸다.

문제 풀 때 유용한 풍쌤 비법

❶ $y=x^n$ (n은 실수)의 미분법의 응용

$\dfrac{1}{x^2}=x^{-2}$, $\sqrt[3]{x}=x^{\frac{1}{3}}$처럼 $y=x^n$일 때 $y'=nx^{n-1}$임을 이용하면 간단한 유리함수나 무리함수의 도함수를 구할 수 있다.

❷ 역함수의 미분법

함수 $f(x)$가 미분가능하고 그 역함수 $f^{-1}(x)$가 존재하며 미분가능할 때 $f^{-1}(x)=g(x)$라고 하면 $f(g(x))=x$

양변을 x에 대하여 미분하면 $f'(g(x))g'(x)=1$ $\therefore g'(x)=\dfrac{1}{f'(g(x))}$

즉, $g'(a)=\dfrac{1}{f'(g(a))}=\dfrac{1}{f'(b)}$ (단, $f(b)=a$, $g(a)=b$)

실력을 기르는 유형

● 정답과 풀이 047쪽

01 함수의 몫의 미분법

중요도

282

상 중 하

다음 함수를 미분하여라.

(1) $y=\dfrac{2x-1}{3x+1}$

(2) $y=\dfrac{1}{x^2-x+1}$

(3) $y=\dfrac{1}{e^x}$

(4) $y=\dfrac{1+\cos x}{1-\cos x}$

283

상 중 하

함수 $f(x)=\dfrac{x^3-x^2+1}{x^2-1}$에 대하여 $f'(\sqrt{2})$의 값은?

① -2 ② -1 ③ 0 ④ 1 ⑤ 2

284

상 중 하

함수 $f(x)=\dfrac{e^x}{e^x+1}$에 대하여 $f'(0)$의 값은?

① 0 ② $\dfrac{1}{4}$ ③ $\dfrac{1}{3}$ ④ $\dfrac{1}{2}$ ⑤ 1

285

상 중 하

미분가능한 함수 $f(x)$에 대하여

$f(0)=1$, $g(x)=\dfrac{x}{f(x)+2}$일 때, $g'(0)$의 값은?

① $\dfrac{1}{4}$ ② $\dfrac{1}{3}$ ③ $\dfrac{1}{2}$ ④ 1 ⑤ 2

286 최多빈출

상 중 하

함수 $f(x)=\dfrac{x+k}{3x+1}$에 대하여 $f'(0)=7$일 때, 상수 k의 값은?

① -2 ② -1 ③ 1 ④ 2 ⑤ 3

287

상 중 하

함수 $f(x)=\dfrac{ax}{x+1}$에 대하여 $f'(1)=2$일 때,

$\lim_{x\to 2}\dfrac{f(x)-f(2)}{x-2}$의 값은? (단, k는 상수이다.)

① $\dfrac{5}{9}$ ② $\dfrac{2}{3}$ ③ $\dfrac{7}{9}$ ④ $\dfrac{8}{9}$ ⑤ 1

288

(상중하)

함수 $f(x)=\dfrac{\tan x}{1+\sec x}$에 대하여 $f'(0)$의 값은?

① $\frac{1}{4}$ ② $\frac{1}{2}$ ③ $\frac{3}{4}$
④ 1 ⑤ $\frac{5}{4}$

289

(상중하)

함수 $f(x)=\begin{cases} 3\sin x+4\tan x & (x<0) \\ x^2+ax+b & (x\ge 0) \end{cases}$가 $x=0$에서 미분가능할 때, 상수 a, b에 대하여 $a+b$의 값은?

① 1 ② 3 ③ 5
④ 7 ⑤ 9

02 합성함수의 미분법

중요도

290

(상중하)

합성함수의 미분법을 이용하여 다음 함수를 미분하여라.

(1) $y=\left(x+\dfrac{1}{x}\right)^5$ (2) $y=\dfrac{1}{(3x-1)^7}$

(3) $y=e^{2x-1}$ (4) $y=\sin(\cos x)$

291

(상중하)

함수 $f(x)=\left(\dfrac{4x-3}{2x-1}\right)^5$에 대하여 $f'(1)$의 값은?

① -10 ② -5 ③ 0
④ 5 ⑤ 10

292 학평 기출

(상중하)

실수 전체의 집합에서 미분가능한 함수 $f(x)$가 모든 실수 x에 대하여 $f(2x+1)=(x^2+1)^2$을 만족시킬 때, $f'(3)$의 값은?

① 1 ② 2 ③ 3
④ 4 ⑤ 5

293 최多빈출

(상중하)

미분가능한 함수 $f(x)$에 대하여

$$f(1)=1,\ f'(1)=2,\ g(x)=\{xf(x)\}^2$$

일 때, $g'(1)$의 값은?

① 5 ② 6 ③ 7
④ 8 ⑤ 9

294

(상중하)

미분가능한 함수 $f(x)$에 대하여

$$g(x)=\frac{2x}{x^2+1},\ (f\circ g)(x)=x^2+2x$$

일 때, $f'(0)$의 값은?

① -2 ② -1 ③ 0
④ 1 ⑤ 2

295
(상중하)

미분가능한 두 함수 $f(x)$, $g(x)$에 대하여

$$\lim_{x\to1}\frac{f(x)-1}{x-1}=4,\ \lim_{x\to1}\frac{g(x)-2}{x-1}=3$$

일 때, 함수 $y=(g\circ f)(x)$의 $x=1$에서의 미분계수는?

① 11 ② 12 ③ 13
④ 14 ⑤ 15

296
(상중하)

함수 $f(x)=3\tan 2x$에 대하여 $f'\left(\frac{\pi}{6}\right)$의 값을 구하여라.

297 학평 기출
(상중하)

두 함수 $f(x)=\sin^2 x$, $g(x)=e^x$에 대하여

$\lim_{x\to\frac{\pi}{4}}\frac{g(f(x))-\sqrt{e}}{x-\frac{\pi}{4}}$의 값은?

① $\frac{1}{e}$ ② $\frac{1}{\sqrt{e}}$ ③ 1
④ $\sqrt{e}$ ⑤ e

298
(상중하)

함수 $f(x)$가

$$f(\cos x)=\sin 2x+\tan x$$

를 만족시킬 때, $f'\left(\frac{1}{2}\right)$의 값은? $\left(\text{단, } 0<x<\frac{\pi}{2}\right)$

① $-2\sqrt{3}$ ② $-\sqrt{3}$ ③ 0
④ $\sqrt{3}$ ⑤ $2\sqrt{3}$

03 로그함수의 미분법

중요도

299
(상중하)

다음 함수를 미분하여라.

(1) $y=3\ln|x|-\log_3|x|$ (2) $y=x^2\ln x$
(3) $y=\frac{\ln x}{x}$ (4) $y=\log_3(x^2+1)$

300
(상중하)

함수 $f(x)=\log_3(3x-1)^4$에 대하여 $f'(1)$의 값은?

① $\frac{1}{\ln 3}$ ② $\frac{6}{\ln 3}$ ③ $\frac{\ln 3}{2}$
④ $\ln 3$ ⑤ e

301
(상중하)

함수 $f(x)=\ln(\log_2 x)$에 대하여 $f'(e)$의 값은?

① $\frac{1}{\ln 2}$ ② $\frac{1}{e}$ ③ 1
④ e ⑤ $\ln 2$

302 최多 빈출
(상중하)

함수 $f(x)=x\ln ax+b$에 대하여 $f(1)=4$, $f'(1)=2$일 때, $f(e)$의 값은? (단, a, b는 상수이다.)

① $2e+1$ ② $2e+2$ ③ $2e+3$
④ $3e+4$ ⑤ $3e+5$

303

(상 중 하)

함수 $f(x)=\ln|3x-a|$에 대하여

$\lim_{x \to 0} \frac{f(1+x)-f(1)}{x}=2$일 때, 상수 a의 값은?

① $\frac{1}{2}$ ② 1 ③ $\frac{3}{2}$

④ 2 ⑤ $\frac{5}{2}$

304 최多빈출

(상 중 하)

함수 $f(x)=\ln|\tan x+\sec x|$에 대하여

$\lim_{h \to 0} \frac{f(2h)-f(-h)}{h}$의 값은?

① 0 ② $\sqrt{3}$ ③ 3

④ $3\sqrt{3}$ ⑤ 6

305

(상 중 하)

$\lim_{x \to 0} \frac{1}{x} \ln \frac{2^x+3^x}{a}=b$를 만족시키는 상수 a, b에 대하여 ab의 값은?

① $\ln 2$ ② $\ln 3$ ③ $2\ln 2$

④ $\ln 5$ ⑤ $\ln 6$

306

(상 중 하)

$\lim_{x \to 0} \frac{1}{x} \ln \frac{e^x+e^{2x}+\cdots+e^{9x}}{9}$의 값은?

① 0 ② 5 ③ 9

④ 10 ⑤ 45

04 복잡한 형태의 로그함수의 미분법

중요도

307

(상 중 하)

함수 $f(x)=x^{\ln x}$에 대하여 $\frac{f'(e)}{f(e)}$의 값은?

① $\frac{2}{e^2}$ ② $\frac{1}{e}$ ③ $\frac{2}{e}$

④ e ⑤ e^2

308

(상 중 하)

함수 $f(x)=(1+e^x)(1+e^{2x})(1+e^{3x})\cdots(1+e^{12x})$에 대하여 $\lim_{x \to 0} \frac{f'(x)}{f(x)}$의 값은?

① 35 ② 36 ③ 37

④ 38 ⑤ 39

309

(상 중 하)

함수 $f(x)=\frac{x(x+2)^3}{(x+1)^4}$에 대하여 $f'(0)$의 값은?

① 1 ② 2 ③ 4

④ 6 ⑤ 8

310

상중하

함수 $f(x)=\dfrac{x^4}{(x+1)(x-3)^2}$에 대하여 $f'(0)$의 값은?

① -2 ② -1 ③ 0
④ 1 ⑤ 2

311

상중하

$e^{f(x)}=\sqrt{\dfrac{1-\sin x}{1+\sin x}}$를 만족시키는 함수 $f(x)$에 대하여 $f'\left(\dfrac{2}{3}\pi\right)$의 값은?

① $\dfrac{1}{e}$ ② 1 ③ 2
④ e ⑤ e^2

312

상중하

함수 $f(x)=x^{\sin x}\ (x>0)$에 대하여 $\lim_{x\to\pi}\dfrac{f(x)-1}{x-\pi}$의 값은?

① $-2\ln\pi$ ② $-\ln\pi$ ③ $\ln\pi$
④ $2\ln\pi$ ⑤ $3\ln\pi$

05 $y=x^n$ (n은 실수)의 미분법

중요도

313 학평 기출

상중하

함수 $f(x)=3x^{-2}$일 때, $\lim_{h\to0}\dfrac{f(3+2h)-f(3)}{h}$의 값은?

① $-\dfrac{2}{3}$ ② $-\dfrac{5}{9}$ ③ $-\dfrac{4}{9}$
④ $-\dfrac{1}{3}$ ⑤ $-\dfrac{2}{9}$

314 풍쌤 비법 ❶

상중하

함수 $f(x)=\dfrac{1}{x}+\dfrac{2}{x^2}+\dfrac{3}{x^3}+\cdots+\dfrac{9}{x^9}$에 대하여 $f'(1)$의 값을 구하여라.

315

상중하

함수 $f(x)=\dfrac{1}{\sqrt[4]{x^3}}$에 대하여 $f'(\sqrt[7]{16})$의 값은?

① $-\dfrac{5}{8}$ ② $-\dfrac{1}{2}$ ③ $-\dfrac{3}{8}$
④ $-\dfrac{1}{4}$ ⑤ $-\dfrac{1}{8}$

316 최多빈출

상중하

함수 $f(x)=(\sqrt{x^2-2}+x)^5$에 대하여 $2f'(2)f'(-2)$의 값은?

① -800 ② -810 ③ -820
④ -830 ⑤ -840

06 매개변수로 나타낸 함수의 미분법

중요도

317 학평 기출

상 중 하

매개변수 t $(t>0)$으로 나타낸 함수 $x=t^2+1$, $y=\frac{2}{3}t^3+10t-1$에 대하여 $t=1$일 때의 $\frac{dy}{dx}$의 값을 구하여라.

318

상 중 하

매개변수 t로 나타낸 함수 $x=\frac{2t}{1+t^2}$, $y=\frac{1-t^2}{1+t^2}$에 대하여 $t=2$일 때의 $\frac{dy}{dx}$의 값이 $\frac{q}{p}$이다. 이때, $p+q$의 값은?

(단, p와 q는 서로소인 자연수이다.)

① 5 ② 6 ③ 7 ④ 8 ⑤ 9

319

상 중 하

매개변수 t로 나타낸 함수 $x=t-\sin t$, $y=1-\cos t$에 대하여 $t=\frac{\pi}{3}$일 때의 $\frac{dy}{dx}$의 값은?

① $\frac{1}{2}$ ② $\frac{\sqrt{3}}{3}$ ③ $\frac{\sqrt{2}}{2}$ ④ $\frac{\sqrt{3}}{2}$ ⑤ $\sqrt{3}$

320

상 중 하

매개변수 θ로 나타낸 함수 $x=\cot 2\theta$, $y=-\cot\left(\frac{\pi}{3}-2\theta\right)$에 대하여 $\frac{dy}{dx}$를 x, y에 대한 식으로 나타내면?

① $\frac{y^2}{1+x^2}$ ② $\frac{1+x^2}{1-y^2}$ ③ $\frac{1+y^2}{x^2}$ ④ $\frac{1+y^2}{1+x^2}$ ⑤ $\frac{x^2}{1+y^2}$

321

상 중 하

매개변수 t로 나타낸 함수 $x=(t^2+1)e^t$, $y=e^{3t+2}$에 대하여 $t=0$일 때의 $\frac{dy}{dx}$의 값은?

① e ② $2e$ ③ e^2 ④ $2e^2$ ⑤ $3e^2$

322 최多빈출

상 중 하

매개변수 t로 나타낸 함수 $x=t+\frac{a}{t}$, $y=t-\frac{a}{t}$에 대하여 $t=2$일 때의 $\frac{dy}{dx}$의 값이 3이 되도록 하는 상수 a의 값은?

① $\frac{9}{5}$ ② 2 ③ $\frac{11}{5}$ ④ $\frac{12}{5}$ ⑤ $\frac{13}{5}$

323

상중하

매개변수 t로 나타낸 함수 $x=t^2+\frac{1}{t}$, $y=\sqrt{t}+\frac{1}{t}$에 대하여 $\lim_{t\to0}\frac{dy}{dx}$의 값은?

① 1 ② 2 ③ 3
④ 4 ⑤ 5

324

상중하

매개변수 t로 나타낸 함수

$x=t+t^2+t^3+\cdots+t^n$,

$y=t+\frac{3}{2}t^2+\frac{5}{3}t^3+\cdots+\frac{2n-1}{n}t^n$

에 대하여 $S(n)=\lim_{t\to1}\frac{dy}{dx}$라고 할 때, $S(10)$의 값은?

(단, n은 자연수이다.)

① $\frac{14}{11}$ ② $\frac{16}{11}$ ③ $\frac{18}{11}$
④ $\frac{20}{11}$ ⑤ $\frac{22}{11}$

325

상중하

매개변수 t로 나타낸 함수 $x=t+1$, $y=-t^{-1}$에 대하여 $y=f(x)$로 나타내자. 함수 $y=g(x)$에 대하여 $g(x)=(f\circ f)(x)$라고 할 때, $g'(-1)$의 값은?

① 1 ② $\frac{1}{2}$ ③ $\frac{1}{3}$
④ $\frac{1}{4}$ ⑤ $\frac{1}{5}$

07 음함수의 미분법

중요도

326

상중하

음함수 $x^2-3xy+y^2=0$에서 $\frac{dy}{dx}$를 구하면?

① $\frac{2x-y}{x+2y}$ ② $\frac{2x+y}{x+2y}$ ③ $\frac{2x-3y}{3x-2y}$
④ $\frac{2x-3y}{3x+2y}$ ⑤ $\frac{2x+3y}{3x+2y}$

327

상중하

음함수 $e^{2x}\ln y=5$에서 $\frac{dy}{dx}$를 구하면?

① $-2y\ln y$ ② $-y\ln y$ ③ $-2x\ln x$
④ $-x\ln x$ ⑤ $\ln y$

328

상중하

음함수 $x=y^3+y-1$에 대하여 $\lim_{y\to1}\frac{dy}{dx}$의 값은?

① 1 ② $\frac{1}{2}$ ③ $\frac{1}{3}$
④ $\frac{1}{4}$ ⑤ $\frac{1}{5}$

329 최多빈출 (상중하)

음함수 $\sqrt{x}+\sqrt{y}=\sqrt{2}$에 대하여 $x=1$, $y=4$일 때의 $\frac{dy}{dx}$의 값은?

① -3 ② -2 ③ -1
④ 1 ⑤ 2

330 최多빈출 (상중하)

곡선 $x^2+y^2+axy+b=0$ 위의 점 $(1,\ 2)$에서의 $\frac{dy}{dx}$의 값이 -3일 때, 상수 a, b에 대하여 $a+b$의 값은?

① 1 ② 2 ③ 3
④ 4 ⑤ 5

331 (상중하)

곡선 $y^3=\ln(5-x^2)+xy-1$ 위의 점 $(2,\ 1)$에서의 $\frac{dy}{dx}$의 값은?

① -5 ② -4 ③ -3
④ -2 ⑤ -1

332 (상중하)

곡선 $\sin xy=x$ 위의 점 $\left(\frac{1}{2},\ \frac{\pi}{3}\right)$에서의 $\frac{dy}{dx}$의 값은?

① $\frac{\sqrt{3}-\pi}{2}$ ② $\frac{2\sqrt{3}-\pi}{2}$
③ $\frac{2\sqrt{3}-2\pi}{3}$ ④ $\frac{3\sqrt{3}-2\pi}{3}$
⑤ $\frac{4\sqrt{3}-2\pi}{3}$

08 역함수의 미분법

중요도

333 (상중하)

역함수의 미분법을 이용하여 다음에서 $\frac{dy}{dx}$를 구하여라.

(1) $x=y^3+y^2+y$ (2) $x=\sqrt{y^2+1}$

334 (상중하)

미분가능한 함수 $f(x)$의 역함수 $g(x)$에 대하여 $g(a)=b$일 때, 다음 중 $g'(a)$의 값과 같은 것은?

(단, $f'(x)>0$)

① $\frac{1}{f'(a)}$ ② $\frac{1}{f'(b)}$ ③ $-f'(a)$
④ $-\frac{1}{f'(a)}$ ⑤ $-\frac{1}{f'(b)}$

335 풍쌤 비법 ❷ (상중하)

미분가능한 함수 $f(x)$에 대하여 $f(3)=1$, $f'(3)=2$이다. $f(x)$의 역함수를 $g(x)$라고 할 때, $g'(1)$의 값은?

① $\frac{1}{3}$ ② $\frac{1}{2}$ ③ 1
④ 2 ⑤ 3

336 학평 기출
상중하

함수 $f(x)=x^3+x+1$의 역함수를 $g(x)$라고 할 때, $g'(1)$의 값은?

① $\frac{1}{5}$ ② $\frac{2}{5}$ ③ $\frac{3}{5}$
④ $\frac{4}{5}$ ⑤ 1

337
상중하

함수 $f(x)=e^{x-1}$의 역함수 $g(x)$에 대하여 $\lim_{h \to 0} \frac{g(1+h)-g(1-h)}{h}$의 값은?

① 1 ② 2 ③ 3
④ 4 ⑤ 5

338 학평 기출
상중하

$0 \le x \le \frac{\pi}{2}$에서 정의된 함수 $f(x)=2\sin x+1$의 역함수를 $g(x)$라고 할 때, $g'(2)$의 값은?

① $\frac{\sqrt{2}}{3}$ ② $\frac{1}{2}$ ③ $\frac{\sqrt{3}}{3}$
④ $\frac{\sqrt{2}}{2}$ ⑤ $\frac{\sqrt{3}}{2}$

339
상중하

함수 $f(x)=\sqrt[3]{x^3+3x+1}$의 역함수를 $g(x)$라고 할 때, $g'(1)$의 값은?

① $\frac{1}{6}$ ② $\frac{1}{3}$ ③ $\frac{1}{2}$
④ $\frac{2}{3}$ ⑤ 1

340 최多 빈출
상중하

미분가능한 함수 $f(x)$의 역함수 $g(x)$가 $\lim_{x \to 1} \frac{g(x)-2}{x-1}=3$을 만족시킬 때, $f'(2)$의 값은?

① $\frac{1}{6}$ ② $\frac{1}{4}$ ③ $\frac{1}{3}$
④ $\frac{1}{2}$ ⑤ 1

341
상중하

실수 전체의 집합에서 증가하고 미분가능한 함수 $f(x)$가 $\lim_{x \to 1} \frac{f(x)-3}{x-1}=\frac{1}{5}$을 만족시킨다. $f(x)$의 역함수를 $g(x)$라고 할 때, $g(3)+g'(3)$의 값은?

① $\frac{10}{3}$ ② 4 ③ $\frac{14}{3}$
④ $\frac{16}{3}$ ⑤ 6

342
상중하

매개변수 t로 나타낸 함수 $x=t+5$, $y=t^3-2t^2+t-9$에 대하여 $y=f(x)$로 나타낼 때, 함수 $y=f(x)$의 역함수를 $y=g(x)$라고 하자. $g'(3)$의 값은?

① $\frac{5}{16}$ ② $\frac{1}{4}$ ③ $\frac{3}{16}$
④ $\frac{1}{8}$ ⑤ $\frac{1}{16}$

09 이계도함수

중요도

343

상 중 하

다음 함수의 이계도함수를 구하여라.

(1) $y=2x^3+4x^2-5x$
(2) $y=(4x-3)^5$
(3) $y=\sqrt{x+8}$
(4) $y=e^{-2x}$
(5) $y=x\ln x$
(6) $y=x\cos x$

344 최多빈출

상 중 하

함수 $f(x)=xe^{ax+b}$에 대하여 $f'(0)=5$, $f''(0)=10$일 때, $a+e^b$의 값은? (단, a, b는 상수이다.)

① 2 ② 3 ③ 4 ④ 5 ⑤ 6

345

상 중 하

함수 $f(x)=e^{2x}\sin x$에 대하여 방정식 $f''(x)=0$의 근을 α라고 할 때, $\tan\alpha$의 값은?

① $-\frac{4}{3}$ ② -1 ③ $-\frac{3}{4}$ ④ $-\frac{1}{2}$ ⑤ $-\frac{1}{3}$

346

상 중 하

함수 $f(x)=\sqrt{x^2+3}$에 대하여 $\lim_{x\to0}\frac{f'(x)}{x}$의 값은?

① $-\frac{\sqrt{3}}{3}$ ② $-\frac{1}{2}$ ③ 0 ④ $\frac{1}{2}$ ⑤ $\frac{\sqrt{3}}{3}$

347

상 중 하

함수 $f(x)=x^2\ln x$에 대하여 등식

$$f(x)-f'(x)+f''(x)=5\ln x-x+3$$

이 성립하도록 하는 모든 x의 값의 합은?

① 2 ② 3 ③ 4 ④ 5 ⑤ 6

348

상 중 하

함수 $f(x)=\frac{3}{x^2+1}$에 대하여

$\lim_{x\to a}\frac{f'(x)-f'(a)}{x-a}=0$이 성립할 때, 양수 a의 값은?

① $\frac{1}{3}$ ② $\frac{\sqrt{3}}{3}$ ③ $\frac{\sqrt{3}}{2}$ ④ $\frac{\sqrt{6}}{2}$ ⑤ $\sqrt{3}$

349 학평 기출

상 중 하

실수 전체의 집합에서 이계도함수를 갖는 함수 $f(x)$가 다음 두 조건을 만족시킨다.

> (가) $f(1)=2$, $f'(1)=3$
> (나) $\lim_{x\to1}\frac{f'(f(x))-1}{x-1}=3$

$f''(2)$의 값은?

① 1 ② 2 ③ 3 ④ 4 ⑤ 5

● 정답과 풀이 056쪽

350

함수 $f(x)=\frac{x}{x^2+1}$에 대하여 $\lim_{x\to 1}\frac{2f(x)-1}{x^2-1}$의 값을 구하여라.

351

$\lim_{t\to 0}\frac{f(t^2+2t+2)-f(2)}{t}=6$일 때, $f'(2)$의 값을 구하여라.

352

매개변수 t로 나타낸 함수 $x=\frac{2t}{1+t}$, $y=\frac{t^2}{1+t}$에 대하여 $F(t)=\frac{dy}{dx}$라고 하자. 이때, $\sum_{t=1}^{10}\frac{2F(t)}{t}$의 값을 구하여라.

353

곡선 $x^2+axy+2y^2+b=0$ 위의 점 $(2,\ 1)$에서의 $\frac{dy}{dx}$의 값이 $-\frac{3}{4}$일 때, 상수 a, b에 대하여 $a+b$의 값을 구하여라.

354

함수 $f(x)=\frac{2x}{x+1}$의 역함수를 $g(x)$라고 할 때, $g'(1)$의 값을 구하여라. (단, $x>-1$)

355

함수 $y=e^x\sin 2x$가 모든 실수 x에 대하여 $y''+ay'+by=0$을 만족시킬 때, ab의 값을 구하여라.

(단, a, b는 상수이다.)

356

$0<x<1$에서 정의된 함수

$$f(x)=x+x(x^2-1)+x(x^2-1)^2+\cdots+x(x^2-1)^{n-1}+\cdots$$

에 대하여 $f'\left(\frac{1}{2}\right)$의 값은?

① $\frac{7}{16}$ ② $\frac{1}{2}$ ③ $\frac{13}{25}$
④ $\frac{19}{36}$ ⑤ $\frac{36}{49}$

357

함수 $g(x)=2e^{-\ln(x^2+1)}$에 대하여 함수 $f(x)$를

$$(x-1)f(x)=g(x)-g(1)$$

로 정의하자. $f(x)$가 $x=1$에서 연속일 때, $f(1)$의 값을 구하여라.

358

이차 이상의 다항함수 $f(x)$와 함수 $g(x)=e^{\tan x}$이 $(f\circ g)(0)=3$, $(f\circ g)'(0)=2$를 만족시킨다. 다항식 $f(x)$를 $(x-1)^2$으로 나눌 때의 나머지를 $R(x)$라고 할 때, $R(4)$의 값을 구하여라.

359

함수 $f(x)=\tan 2x+\cos 2x$와 미분가능한 함수 $g(x)$에 대하여 $\lim_{x\to 0}\frac{g(f(x))-g(1)}{x}=4$가 성립할 때, $g'(1)$의 값은?

① 1 ② 2 ③ 3
④ 4 ⑤ 5

360 (100점 도전)

자연수 n에 대하여

$$\lim_{x\to 0}\frac{1}{x}\ln\frac{e^x+e^{3x}+e^{5x}+\cdots+e^{(2n-1)x}}{e^{2x}+e^{4x}+e^{6x}+\cdots+e^{2nx}}$$ 의 값은?

① $-n$ ② -1 ③ 1
④ n ⑤ $2n+1$

361

$\lim_{x\to 1}\frac{f(2^{\ln x})-f(1)}{x-1}=\ln 2$를 만족시키는 함수 $f(x)$에 대하여 $f'(1)$의 값을 구하여라.

362

$\dfrac{d}{dx}\left(\dfrac{x^x}{\cos x}\right)=\dfrac{x^x}{\cos x}\{f(x)+\tan x\}$를 만족시키는 함수 $f(x)$를 구하면? (단, $x>0$)

① $\ln x-1$　② $\ln x$　③ $\ln x+1$
④ $2\ln x-1$　⑤ $2\ln x+1$

363

자연수 n에 대하여 함수 $y=f(x)$를 매개변수 t로 나타내면 $\begin{cases} x=e^t \\ y=(2t^2+nt+n)e^t \end{cases}$이고, $x\geq e^{-\frac{n}{2}}$일 때 함수 $y=f(x)$는 $x=a_n$에서 최솟값 b_n을 갖는다. $c_n=\dfrac{b_n}{a_n}$이라고 할 때, c_3+c_5의 값을 구하여라.

364

최고차항의 계수가 1인 삼차함수 $f(x)$의 역함수를 $g(x)$라고 할 때, $g(x)$가 다음 두 조건을 만족시킨다.

(가) $g(x)$는 실수 전체의 집합에서 미분가능하고 $g'(x)\leq\dfrac{1}{3}$이다.

(나) $\displaystyle\lim_{x\to3}\frac{f(x)-g(x)}{(x-3)g(x)}=\frac{8}{9}$

$f(1)$의 값은?

① -11　② -9　③ -7
④ -5　⑤ -3

365

수열 $\{a_n\}$이

$$a_n=\lim_{x\to1}\left\{\frac{d^2}{dx^2}(x^n\ln x)\right\}$$

로 정의될 때, $\displaystyle\sum_{k=1}^{10}a_k$의 값을 구하여라.

366

함수 $f(x)=e^{ax}\cos x$가 모든 실수 x에 대하여 $f''(x)-2f'(x)+2f(x)=0$을 만족시킬 때, 상수 a의 값은?

① $\dfrac{1}{2}$　② 1　③ $\dfrac{3}{2}$
④ 2　⑤ $\dfrac{5}{2}$

367 (100점 도전)

$A=1+2+\cdots+10,\ B=1^2+2^2+\cdots+10^2$이라고 할 때, 함수 $f(x)=(1+x)(1+2x)\cdots(1+10x)$에 대하여 $f''(0)$의 값을 A와 B로 나타내면?

① $A+B$　② $A-B$　③ A^2+B
④ A^2-B　⑤ A^2+B^2

06 도함수의 활용 (1)

더 자세한 개념은 풍산자 미적분 129쪽

1 접선의 방정식

(1) 접선의 기울기

곡선 $y=f(x)$ 위의 점 $\mathrm{P}(a, f(a))$에 대하여

(접선의 기울기)$=f'(a)$

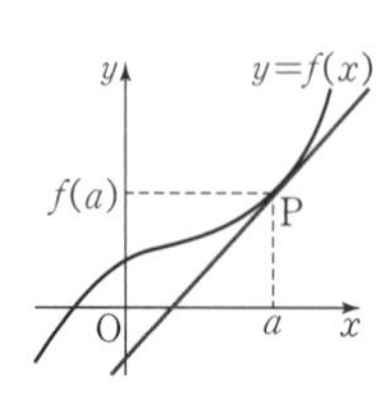

(2) 접선의 방정식

곡선 $y=f(x)$ 위의 점 $\mathrm{P}(a, f(a))$에서의 접선의 방정식은

$y-f(a)=f'(a)(x-a)$

참고 접선에 수직인 직선의 방정식
곡선 $y=f(x)$ 위의 점 $(a, f(a))$를 지나고, 이 점에서의 접선에 수직인 직선의 방정식은

$y-f(a)=-\dfrac{1}{f'(a)}(x-a)$ (단, $f'(a)\neq0$)

2 공통인 접선

두 곡선 $y=f(x)$, $y=g(x)$가 $x=a$에서 공통인 접선을 가지면

$f(a)=g(a)$, $f'(a)=g'(a)$

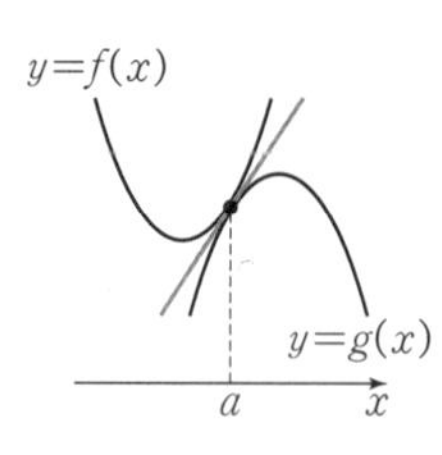

3 함수의 증가와 감소

함수 $f(x)$가 어떤 구간의 임의의 두 실수 x_1, x_2에 대하여

① $x_1<x_2$일 때 $f(x_1)<f(x_2)$이면 함수 $f(x)$는 그 구간에서 증가한다고 한다. – $f'(x)>0$이면 함수 $f(x)$는 그 구간에서 증가한다.

② $x_1<x_2$일 때 $f(x_1)>f(x_2)$이면 함수 $f(x)$는 그 구간에서 감소한다고 한다. – $f'(x)<0$이면 함수 $f(x)$는 그 구간에서 감소한다.

4 함수의 극대와 극소

(1) 함수의 극대와 극소

$x=a$를 포함하는 어떤 열린구간에 속하는 모든 x에 대하여

① $f(x)\leq f(a)$이면 함수 $f(x)$는 $x=a$에서 극대라 하고, $f(a)$를 극댓값이라고 한다.

② $f(x)\geq f(a)$이면 함수 $f(x)$는 $x=a$에서 극소라 하고, $f(a)$를 극솟값이라고 한다.

이때, 극댓값과 극솟값을 통틀어 극값이라고 한다.

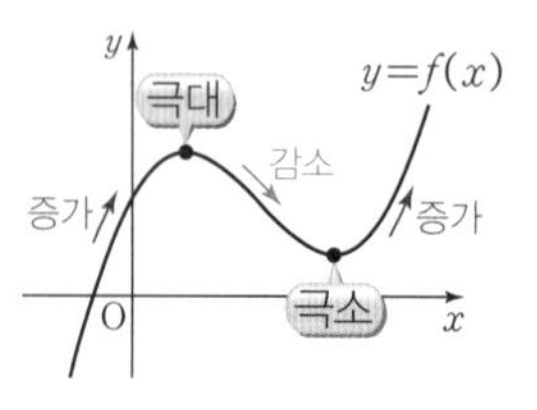

(2) 도함수를 이용한 함수의 극대와 극소의 판정

미분가능한 함수 $f(x)$에 대하여 $f'(a)=0$이고, $x=a$의 좌우에서 $f'(x)$의 부호가

① 양$(+)$에서 음$(-)$으로 바뀌면 $f(x)$는 $x=a$에서 극대이고, 극댓값은 $f(a)$이다. – $f(x)$가 연속일 때, $x=a$의 좌우에서 $f(x)$가 증가하다 감소하면 극대

② 음$(-)$에서 양$(+)$으로 바뀌면 $f(x)$는 $x=a$에서 극소이고, 극솟값은 $f(a)$이다. – $f(x)$가 연속일 때, $x=a$의 좌우에서 $f(x)$가 감소하다 증가하면 극소

참고 미분가능한 함수 $f(x)$가 $x=a$에서 극값을 가지면 $f'(a)=0$

(3) 이계도함수를 이용한 함수의 극대와 극소의 판정

이계도함수를 갖는 함수 $f(x)$에 대하여 $f'(a)=0$일 때

① $f''(a)<0$이면 $f(x)$는 $x=a$에서 극대이다. – $f(x)$는 감소, 곡선 $y=f(x)$는 위로 볼록

② $f''(a)>0$이면 $f(x)$는 $x=a$에서 극소이다. – $f(x)$는 증가, 곡선 $y=f(x)$는 아래로 볼록

주의 함수 $f(x)$가 $x=a$에서 극대 또는 극소라고 해서 항상 $f''(a)<0$ 또는 $f''(a)>0$인 것은 아니다. 예를 들어 $f(x)=x^4$은 $x=0$에서 극소이지만 $f''(0)=0$이다.

문제 풀 때 유용한 풍쌤 비법

❶ 공통인 접선

두 곡선 $y=f(x)$, $y=g(x)$가

(1) 점 (a, b)에서 접하면 $f(a)=g(a)=b$, $f'(a)=g'(a)$

(2) 점 (a, b)에서 만나고 이 점에서 두 곡선에 그은 접선이 서로 수직이면 $f(a)=g(a)=b$, $f'(a)g'(a)=-1$

❷ 함수의 증가와 감소

함수 $f(x)$가 어떤 구간에서 미분가능하고, 이 구간에서

(1) 함수 $f(x)$가 증가하면 이 구간에서 $f'(x)\geq0$

(2) 함수 $f(x)$가 감소하면 이 구간에서 $f'(x)\leq0$

실력을 기르는 유형

● 정답과 풀이 060쪽

01 접선의 기울기

중요도

368

(상 중 하)

다음 곡선 위의 주어진 점에서의 접선의 기울기를 구하여라.

(1) $y=\frac{2}{x^2+1}$ $(1,\ 1)$

(2) $y=4\sqrt{x}$ $(4,\ 8)$

(3) $y=xe^x+1$ $(0,\ 1)$

(4) $y=\ln(x+1)$ $(0,\ 0)$

369

(상 중 하)

곡선 $y=3^{2x-3}+1$ 위의 점 $\left(1,\ \frac{4}{3}\right)$에서의 접선의 기울기는?

① $\frac{1}{3}\ln 3$ ② $\frac{2}{3}\ln 3$ ③ $\ln 3$
④ $\frac{4}{3}\ln 3$ ⑤ $\frac{5}{3}\ln 3$

370

(상 중 하)

매개변수 t로 나타낸 곡선 $x=\frac{at}{1+t^2}$, $y=\frac{1-t^2}{1+t^2}$에 대하여 $t=2$에 대응하는 점에서의 접선의 기울기가 $\frac{1}{3}$일 때, 상수 a의 값은? (단, $a\neq0$)

① 5 ② 6 ③ 7
④ 8 ⑤ 9

371

(상 중 하)

미분가능한 함수 $f(x)$에 대하여 $f'(1)=2$일 때, 곡선 $y^2+yf(2x-1)+2=0$ 위의 점 $(1,\ 2)$에서의 접선의 기울기는?

① -10 ② -8 ③ -6
④ -4 ⑤ -2

372

(상 중 하)

함수 $f(x)=3x+\sin x$의 역함수를 $g(x)$라고 할 때, 곡선 $y=g(x)$ 위의 점 $(6\pi,\ 2\pi)$에서의 접선의 기울기는 $\frac{q}{p}$이다. $p+q$의 값을 구하여라.

(단, p와 q는 서로소인 자연수이다.)

373 학평 기출

(상 중 하)

$0<x<\frac{\pi}{4}$인 모든 x에 대하여 부등식 $\tan 2x>ax$를 만족시키는 상수 a의 최댓값은?

① $\frac{1}{2}$ ② 1 ③ $\frac{3}{2}$
④ 2 ⑤ $\frac{5}{2}$

02 곡선 위의 점에서의 접선의 방정식

중요도

374 최多빈출

(상 중 하)

곡선 $y=\sqrt{1+\sin\pi x}$ 위의 점 $(1,\ 1)$에서의 접선의 방정식이 $y=ax+b$일 때, $a-b$의 값은? (단, a, b는 상수이다.)

① $-\pi-1$ ② -1 ③ 0
④ 1 ⑤ $\pi+1$

375 학평 기출 (상중하)

함수 $f(x)=x\ln x$에 대하여 곡선 $y=f(x)$ 위의 점 $(a,\ a)$에서의 접선의 y절편은?

① $-e$ ② -1 ③ 1
④ e ⑤ $2e$

376 (상중하)

곡선 $y=5e^{x-1}$ 위의 점 A에서의 접선이 원점 O를 지날 때, 선분 OA의 길이는?

① $\sqrt{22}$ ② $\sqrt{23}$ ③ $2\sqrt{6}$
④ 5 ⑤ $\sqrt{26}$

377 (상중하)

매개변수 t로 나타낸 곡선 $x=t^3$, $y=t-t^2$에 대하여 $t=1$에 대응하는 점에서의 접선의 방정식을 $y=f(x)$라고 하자. $f(4)$의 값은?

① -5 ② -4 ③ -3
④ -2 ⑤ -1

378 (상중하)

곡선 $\sqrt{x}+\sqrt{y}=1$ $(x>0,\ y>0)$ 위의 점 $(a,\ b)$에서의 접선이 x축, y축과 만나는 점을 각각 A, B라고 할 때, 삼각형 OAB의 넓이의 최댓값은? (단, O는 원점이다.)

① 1 ② $\frac{1}{2}$ ③ $\frac{1}{4}$
④ $\frac{1}{6}$ ⑤ $\frac{1}{8}$

03 접선과 수직인 직선의 방정식

중요도

379 (상중하)

곡선 $y=\frac{3}{1+x}$ 위의 점 $(0,\ 3)$을 지나고, 이 점에서의 접선에 수직인 직선의 방정식은?

① $y=-\frac{1}{3}x-1$ ② $y=-\frac{1}{3}x+2$
③ $y=\frac{1}{3}x+1$ ④ $y=\frac{1}{3}x+2$
⑤ $y=\frac{1}{3}x+3$

380 최多빈출 (상중하)

곡선 $y=e^{x-1}$ 위의 점 $(2,\ e)$를 지나고, 이 점에서의 접선에 수직인 직선의 y절편은?

① $-\frac{2}{e}+e$ ② $\frac{1}{e}-2e$ ③ $\frac{1}{e}+2e$
④ $\frac{2}{e}-e$ ⑤ $\frac{2}{e}+e$

381 (상중하)

곡선 $y=\cos x$ 위의 점 $\mathrm{P}(t,\ \cos t)$를 지나고, 점 P에서의 접선과 수직으로 만나는 직선의 y절편을 $g(t)$라고 하자. $\lim_{t\to 0} g(t)$의 값은?

① 0 ② $\frac{1}{2}$ ③ $\frac{2}{3}$
④ $\frac{4}{5}$ ⑤ 1

382
상 중 하

곡선 $x\sin y+y\sin x=\frac{\pi}{6}$ 위의 점 $\left(\frac{\pi}{6}, \frac{\pi}{6}\right)$에서의 접선에 수직인 직선의 방정식은?

① $y=-x-\frac{\pi}{6}$ ② $y=-x$
③ $y=x$ ④ $y=x-\frac{\pi}{6}$
⑤ $y=x+\frac{\pi}{6}$

383
상 중 하

양의 실수 전체의 집합에서 미분가능한 함수 $f(x)$에 대하여 함수 $g(x)$를 $g(x)=2f(x)\ln x^2$으로 정의하자. 곡선 $y=f(x)$ 위의 점 $(e, -e)$에서의 접선과 곡선 $y=g(x)$ 위의 점 $(e, -4e)$에서의 접선이 서로 수직일 때, $10f'(e)$의 값은?

① 1 ② 2 ③ 3
④ 4 ⑤ 5

04 기울기가 주어진 접선의 방정식
중요도

384 최多빈출
상 중 하

곡선 $y=x\ln x-x$에 접하고 x축의 양의 방향과 이루는 각의 크기가 $45°$인 직선의 방정식은?

① $x-y-2e=0$ ② $x-y-e=0$
③ $x-y+e=0$ ④ $2x-2y-e=0$
⑤ $2x-2y+e=0$

385
상 중 하

곡선 $y=\sin 3x$에 접하고 직선 $x-3y=0$에 수직인 직선의 y절편은? $\left(단, 0<x<\frac{\pi}{2}\right)$

① -2π ② $-\pi$ ③ 0
④ π ⑤ 2π

386
상 중 하

곡선 $y=(x+1)e^x$ 위의 점과 직선 $y=2x-9$ 사이의 거리의 최솟값은?

① 2 ② $2\sqrt{2}$ ③ $2\sqrt{3}$
④ 4 ⑤ $2\sqrt{5}$

387
상 중 하

매개변수 t로 나타낸 곡선 $\begin{cases} x=\cos^3 t \\ y=\sin^3 t \end{cases}$ 위의 점에서의 접선 l의 기울기가 $-\sqrt{3}$일 때, 접선 l과 x축, y축이 만나는 점을 각각 A, B라고 하자. 선분 AB의 길이를 구하여라.

$\left(단, 0\le t\le\frac{\pi}{2}\right)$

388
상 중 하

곡선 $a\sqrt{x}+\sqrt{y}=b$ $(x>0,\ y>0)$ 위의 점 $(1,\ 4)$에서의 접선의 기울기는 -4이다. 점 $(a,\ b)$에서 점 $(1,\ 4)$에서의 접선에 이르는 거리가 $\frac{p\sqrt{17}}{q}$일 때, $p+q$의 값은?

(단, a, b는 상수이고, p와 q는 서로소인 자연수이다.)

① 19 ② 20 ③ 21
④ 22 ⑤ 23

389

상중하

실수 t에 대하여 원점을 지나고 기울기가 $\tan(\sin t)$인 직선과 원 $x^2+y^2=e^{2t}$이 만나는 점 중에서 x좌표가 양수인 점을 P라 하고, 점 P가 나타내는 곡선을 C라고 하자. $t=\pi$일 때, 곡선 C 위의 점 P에서의 접선과 x축 및 y축으로 둘러싸인 부분의 넓이는?

① $\frac{1}{4}e^{\pi}$ ② $\frac{1}{4}e^{2\pi}$ ③ $\frac{1}{2}e^{\pi}$
④ $\frac{1}{2}e^{2\pi}$ ⑤ $e^{2\pi}$

05 곡선 밖에서 그은 접선의 방정식

중요도

390

상중하

원점에서 곡선 $y=\frac{\ln x}{x}$에 접선을 그을 때, 접점의 좌표를 구하면?

① $\left(e,\ \frac{1}{e}\right)$ ② $\left(\frac{1}{\sqrt{e}},\ -\frac{\sqrt{e}}{2}\right)$
③ $(1,\ 0)$ ④ $\left(\sqrt{e},\ \frac{1}{2\sqrt{e}}\right)$
⑤ $\left(\frac{1}{e},\ -e\right)$

391

상중하

점 $(-2,\ 7)$에서 곡선 $y=2\sqrt{x}+7$에 그은 접선이 점 $(1,\ k)$를 지날 때, k의 값은?

① $-\sqrt{2}-2$ ② $\frac{\sqrt{2}}{2}-3$ ③ $\sqrt{2}+1$
④ $\frac{3\sqrt{2}}{2}+7$ ⑤ $2\sqrt{2}+6$

392 최多빈출

상중하

점 $(1,\ 0)$에서 곡선 $y=xe^{x}$에 그은 두 접선의 기울기를 각각 m_1, m_2라고 할 때, m_1m_2의 값은?

① $\frac{1}{e}$ ② $\frac{1}{2}$ ③ 2
④ e ⑤ e^2

393

상중하

원점 O에서 곡선 $y=\ln x+1$에 그은 접선의 접점을 A, 점 A를 지나고 접선에 수직인 직선이 x축과 만나는 점을 B라고 할 때, 삼각형 OAB의 넓이는?

① $\frac{1}{e}$ ② $\frac{1}{2}$ ③ 1
④ 2 ⑤ e

394

상중하

원점에서 곡선 $y=(2x+k)e^{-x}$에 적어도 한 개의 접선을 그을 수 있도록 하는 자연수 k의 최솟값을 구하여라.

06 서로 접하는 두 그래프

중요도

395 풍쌤 비법 ❶

상중하

곡선 $y=e^{x+3}$과 직선 $y=ax+a$가 접할 때, 상수 a의 값은?

① $-e^3$ ② $-e$ ③ 1
④ e ⑤ e^3

396

상중하

두 곡선 $y=ax+\frac{b}{x}$와 $y=\ln x$가 점 $(e^2,\ 2)$에서 접할 때, 상수 a, b에 대하여 ab의 값은?

① $\frac{1}{4}$　② $\frac{1}{2}$　③ $\frac{3}{4}$

④ 1　⑤ $\frac{5}{4}$

397 최多빈출

상중하

곡선 $y=e^x$ 위의 점 $(1,\ e)$에서의 접선이 곡선 $y=2\sqrt{x-k}$에 접할 때, 실수 k의 값은?

① $\frac{1}{e}$　② $\frac{1}{e^2}$　③ $\frac{1}{e^4}$

④ $\frac{1}{1+e}$　⑤ $\frac{1}{1+e^2}$

398

상중하

두 곡선 $y=a+\sin x$와 $y=\sin^2 x$가 교점에서 공통인 접선을 가질 때, 모든 상수 a의 값의 합은?

① $\frac{1}{4}$　② $\frac{3}{4}$　③ $\frac{5}{4}$

④ $\frac{7}{4}$　⑤ $\frac{9}{4}$

07 함수의 증가와 감소

중요도

399

상중하

주어진 구간에서 다음 함수의 증가와 감소를 조사하여라.

(1) $f(x)=\frac{1}{x^2+1}$　$(0,\ \infty)$

(2) $f(x)=x\ln x$　$(e,\ \infty)$

400

상중하

다음 함수의 증가와 감소를 조사하여라.

(1) $f(x)=\sin x-2x$

(2) $f(x)=e^x-x$

401

상중하

함수 $f(x)=\frac{x-\ln x}{x}$가 증가하는 구간은?

① $0<x<e$　② $0<x<e^2$

③ $1<x<e$　④ $x>1$

⑤ $x>e$

402 학평 기출

상중하

함수 $f(x)=e^{x+1}(x^2+3x+1)$이 구간 $(a,\ b)$에서 감소할 때, $b-a$의 최댓값은?

① 1　② 2　③ 3

④ 4　⑤ 5

403

(상 중 하)

함수 $f(x)=(1+\sin x)\cos x(0<x<\pi)$가 감소하는 x의 값의 범위가 $a<x<b$일 때, $a+b$의 값은?

① $\frac{\pi}{2}$ ② $\frac{2}{3}\pi$ ③ π
④ $\frac{4}{3}\pi$ ⑤ $\frac{5}{3}\pi$

404

(상 중 하)

함수 $f(x)=x+\sqrt{18-x^2}$이 증가하는 구간에 속하는 모든 정수 x의 값의 합을 구하여라. (단, $x>0$)

08 증가 또는 감소하기 위한 조건

중요도

405 풍쌤 비법 ❷

(상 중 하)

함수 $f(x)=(x-k)e^{x^2}$이 구간 $(-\infty, \infty)$에서 증가하도록 하는 상수 k의 값의 범위가 $\alpha\le k\le\beta$일 때, $\alpha\beta$의 값은?

① -1 ② -2 ③ -3
④ -4 ⑤ -5

406

(상 중 하)

함수 $f(x)=e^x(a+\cos x)$가 실수 전체에서 증가하도록 하는 상수 a의 값의 범위는?

① $a\le\frac{1}{\sqrt{2}}$ ② $a\le1$ ③ $a\le\sqrt{2}$
④ $a\ge1$ ⑤ $a\ge\sqrt{2}$

407 학평 기출 풍쌤 비법 ❷

(상 중 하)

함수 $f(x)=-x-\ln(x^2+k)$가 실수 전체에서 감소할 때, 상수 k의 최솟값은?

① 1 ② 2 ③ 3
④ 4 ⑤ 5

408

(상 중 하)

함수 $f(x)=ax+\ln(x^2+4)$가 실수 전체에서 증가하도록 하는 상수 a의 최솟값은?

① $\frac{1}{2}$ ② 1 ③ $\frac{3}{2}$
④ 2 ⑤ $\frac{5}{2}$

409 최多빈출

(상 중 하)

함수 $f(x)=k^2\ln x+x^2-8x$가 $0<x_1<x_2$인 임의의 두 실수 x_1, x_2에 대하여 $f(x_1)<f(x_2)$를 만족시키는 실수 k의 값의 범위는?

① $k\ge-\sqrt{2}$ ② $-2\sqrt{2}\le k\le2\sqrt{2}$
③ $-\sqrt{2}\le k\le\sqrt{2}$ ④ $k\le\sqrt{2}$
⑤ $k\le-2\sqrt{2}$ 또는 $k\ge2\sqrt{2}$

09 함수의 극대와 극소

중요도

410

상 중 하

증감표를 이용하여 다음 함수의 극댓값 또는 극솟값을 구하여라.

(1) $f(x)=x\ln x$

(2) $f(x)=\frac{x}{e^x}$

(3) $f(x)=x+2\cos x\left(0\le x\le\frac{\pi}{2}\right)$

411

상 중 하

이계도함수를 이용하여 다음 함수의 극댓값 또는 극솟값을 구하여라.

(1) $f(x)=\sin x+\cos x\ (0\le x\le\pi)$

(2) $f(x)=x-\ln x$

412 최多빈출

상 중 하

함수 $f(x)=\frac{2ax-a}{x^2+2}$가 $x=\alpha$에서 극댓값, $x=\beta$에서 극솟값을 가질 때, $\alpha-\beta$의 값은? (단, $a>0$)

① -3 ② -1 ③ 1
④ 2 ⑤ 3

413

상 중 하

함수 $f(x)=\sqrt{x}+\sqrt{6-x}$가 $x=a$에서 극댓값 b를 가질 때, $\frac{b^2}{a}$의 값은?

① 1 ② 2 ③ 3
④ 4 ⑤ 5

414 학평 기출

상 중 하

함수 $f(x)=(x^2-8)e^{-x+1}$은 극솟값 a와 극댓값 b를 갖는다. 두 수 a, b의 곱 ab의 값은?

① -34 ② -32 ③ -30
④ -28 ⑤ -26

415

상 중 하

함수 $f(x)=e^x+4e^{-x}$이 $x=a$에서 극솟값 b를 가질 때, e^{ab}의 값은?

① 10 ② 12 ③ 14
④ 16 ⑤ 18

416

상 중 하

함수 $f(x)=x(\ln x)^2$의 극댓값은?

① $\frac{4}{e^2}$ ② $\frac{1}{e}$ ③ 1
④ 0 ⑤ e

417 최多빈출

(상중하)

함수 $f(x)=x-\sqrt{2}\sin x$의 극댓값을 M, 극솟값을 m이라고 할 때, $\frac{M+m}{\pi}$의 값은? (단, $0\le x\le 2\pi$)

① $\frac{1}{2}$　② 1　③ $\frac{3}{2}$　④ 2　⑤ $\frac{5}{2}$

418

(상중하)

함수 $f(x)=2\sin x-\cos 2x$가 $x=a$에서 극댓값 b를 가질 때, $2ab$의 값은? (단, $0<x<\pi$)

① π　② 2π　③ 3π　④ 4π　⑤ 5π

419

(상중하)

양의 실수 t에 대하여 곡선 $y=\ln x$ 위의 두 점 $\mathrm{P}(t, \ln t)$, $\mathrm{Q}(2t, \ln 2t)$에서의 접선이 x축과 만나는 점을 각각 $\mathrm{R}(r(t), 0)$, $\mathrm{S}(s(t), 0)$이라고 하자. 함수 $f(t)$를 $f(t)=r(t)-s(t)$라고 할 때, 함수 $f(t)$의 극솟값은?

① $-\frac{1}{2}$　② $-\frac{1}{3}$　③ $-\frac{1}{4}$　④ $-\frac{1}{5}$　⑤ $-\frac{1}{6}$

420

(상중하)

함수 $f(x)=e^{-x}(\sin x+\cos x)$에 대하여 $x>0$인 범위에서의 극댓값을 차례로 $a_1, a_2, a_3, \cdots$이라고 할 때, $\ln a_{99}-\ln a_{100}$의 값은?

① $\frac{\pi}{2}$　② π　③ $\frac{3}{2}\pi$　④ 2π　⑤ $\frac{5}{2}\pi$

421

(상중하)

함수 $f(x)=e^{4x}-ae^{2x}$의 극솟값이 -4일 때, 상수 a의 값은?

① 2　② 4　③ 6　④ 8　⑤ 10

422 학평 기출

(상중하)

함수 $f(x)=\frac{1}{2}x^2-a\ln x\ (a>0)$의 극솟값이 0일 때, 상수 a의 값은?

① $\frac{1}{e}$　② $\frac{2}{e}$　③ $\sqrt{e}$　④ e　⑤ $2e$

423

(상중하)

함수 $f(x)=a\ln x^2+bx^2-2x$가 $x=-1$, $x=2$에서 극값을 가질 때, 상수 a, b에 대하여 ab의 값은?

① -3　② -2　③ -1　④ 1　⑤ 2

424 최多빈출 (상중하)

함수 $f(x)=xe^{ax+b}$이 $x=-1$에서 극솟값 $-\frac{1}{e^2}$을 가질 때, 상수 a, b에 대하여 $2a+b$의 값은?

① -1　② $-\frac{1}{2}$　③ 0
④ $\frac{1}{2}$　⑤ 1

425 (상중하)

함수 $f(x)=a\sin x-b\cos x$가 $x=\frac{\pi}{6}$에서 극댓값 2를 가질 때, 상수 a, b에 대하여 ab의 값은?

① -1　② $-\sqrt{2}$　③ $-\sqrt{3}$
④ -2　⑤ $-\sqrt{5}$

426 (상중하)

함수 $f(x)=\frac{ax^2+2x+b}{x^2+1}$가 $x=1$에서 극댓값 5를 갖고, $x=c$에서 극솟값을 가질 때, 상수 c의 값은?
(단, a, b는 상수이다.)

① -2　② -1　③ 0
④ $\frac{1}{2}$　⑤ 2

10 극값의 존재성

중요도

427 (상중하)

함수 $f(x)=e^{-x}(x^2+ax+a+1)$이 극값을 갖도록 하는 자연수 a의 최솟값은?

① 1　② 2　③ 3
④ 4　⑤ 5

428 (상중하)

함수 $f(x)=2\cos x+ax$가 극값을 갖지 않도록 하는 자연수 a의 최솟값은?

① 1　② 2　③ 3
④ 4　⑤ 5

429 (상중하)

함수 $f(x)=x-2a\ln x-\frac{2a}{x}$가 극값을 갖지 않도록 하는 모든 정수 a의 값의 합은?

① -1　② 0　③ 1
④ 2　⑤ 3

430 (상중하)

$x>0$에서 정의된 함수 $f(x)=\ln x+\frac{a}{x}-x$가 극댓값과 극솟값을 모두 갖도록 하는 실수 a의 값의 범위가 $k_1<a<k_2$일 때, k_1+k_2의 값은?

① $-\frac{3}{4}$　② $\frac{1}{4}$　③ 1
④ $\frac{5}{4}$　⑤ $\frac{9}{4}$

내신을 꽉 잡는 서술형

● 정답과 풀이 070쪽

431

미분가능한 함수 $f(x)$에 대하여 $\lim_{h \to 0} \frac{f(1+h)-1}{h}=2$이다. 곡선 $f(x)\sqrt[3]{y}=1$ 위의 점 $\mathrm{A}(1,\ a)$에서의 접선의 기울기가 m일 때, $a+m$의 값을 구하여라.

432

곡선 $y=\ln x$ 위의 점 $(a,\ \ln a)$에서의 접선이 원 $x^2+y^2-2y=0$의 넓이를 이등분할 때, a의 값을 구하여라.

433

오른쪽 그림과 같이 곡선 $y=\cos 2x$ 위의 점 $\mathrm{T}(t,\ \cos 2t)$를 지나고, 이 점에서의 접선에 수직인 직선이 y축과 만나는 점을 $\mathrm{R}(0,\ f(t))$라고 할 때, $\lim_{t \to 0} f(t)$의 값을 구하여라.

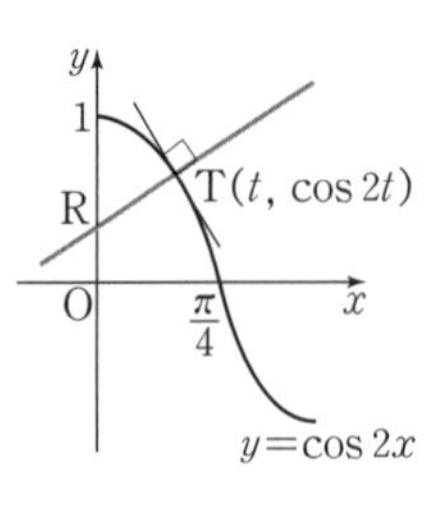

434

함수 $f(x)=a\sin x-\cos x-3x$가 실수 전체의 집합에서 감소하도록 하는 정수 a의 개수를 구하여라.

435

함수 $f(x)=\frac{ax+b}{x^2+1}$의 그래프 위의 점 $(0,\ -1)$에서의 접선의 기울기가 $\sqrt{3}$일 때, 함수 $f(x)$의 극댓값과 극솟값을 구하여라. (단, a, b는 상수이다.)

436

함수 $f(x)=a\sin x+b\cos x+x$가 $x=\frac{\pi}{3}$, $x=\pi$에서 극값을 가질 때, 함수 $g(x)=ax+b-\ln x$의 극솟값을 구하여라. (단, a, b는 상수이다.)

정답과 풀이 071쪽

437

오른쪽 그림과 같이 곡선 $y=4\ln x$ 위의 두 점 P, Q의 x좌표가 각각 a, b이고 $1<a<b$이다. 두 점 P, Q에서의 두 접선이 이루는 예각의 크기가 $45°$일 때, 정수 a, b의 값을 구하여라.

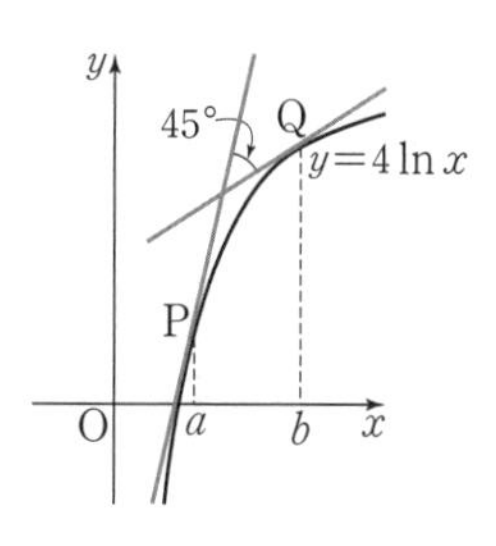

438

두 함수 $f(x)=\log_2\left(x+\frac{1}{2}\right)$과 $g(x)=a^x\ (a>1)$의 그래프가 오른쪽 그림과 같다. 곡선 $y=g(x)$가 y축과 만나는 점을 A, 점 A를 지나고 x축에 평행한 직선이 곡선 $y=f(x)$와 만나는 점을 B, 점 B를 지나고 y축에 평행한 직선이 곡선 $y=g(x)$와 만나는 점을 C라고 하자. 곡선 $y=g(x)$ 위의 점 C에서의 접선이 x축과 만나는 점을 D라고 하자. $\overline{AD}=\overline{BD}$일 때, $g(2)$의 값은?

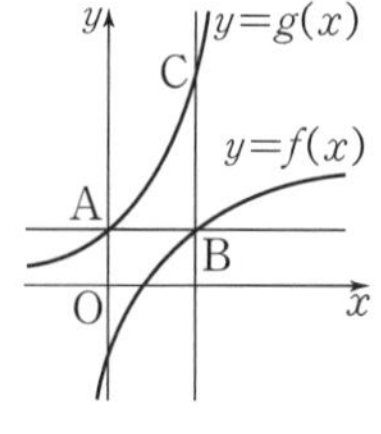

① $e^{\frac{2}{3}}$ ② $e^{\frac{5}{3}}$ ③ $e^{\frac{8}{3}}$
④ $e^{\frac{11}{3}}$ ⑤ $e^{\frac{14}{3}}$

439

미분가능한 두 함수 $f(t)$, $g(t)$가

$$\lim_{t\to1}\frac{f(t)-1}{t-1}=2,\ \lim_{h\to0}\frac{g(1+2h)+2}{h}=3$$

을 만족시킨다. 매개변수 t로 나타낸 함수 $x=f(t)$, $y=g(t)$의 그래프 위의 $t=1$에 대응하는 점에서의 접선의 기울기를 구하여라.

440

제1사분면 위의 곡선 $xy=1$ 위의 한 점 P에서의 접선이 x축, y축과 만나는 점을 각각 Q, R라고 할 때, 〈보기〉에서 옳은 것을 모두 고른 것은? (단, O는 원점이다.)

보기

ㄱ. 점 P는 선분 QR의 중점이다.
ㄴ. $\overline{QR}\geq2\sqrt{2}$
ㄷ. 삼각형 OQR의 넓이는 2이다.

① ㄱ ② ㄱ, ㄴ ③ ㄱ, ㄷ
④ ㄴ, ㄷ ⑤ ㄱ, ㄴ, ㄷ

441

열린구간 $(0,\ 5)$에서 미분가능한 두 함수 $f(x)$, $g(x)$의 그래프가 오른쪽 그림과 같다. 합성함수 $h(x)=(f\circ g)(x)$에 대하여 〈보기〉에서 옳은 것을 모두 고른 것은?

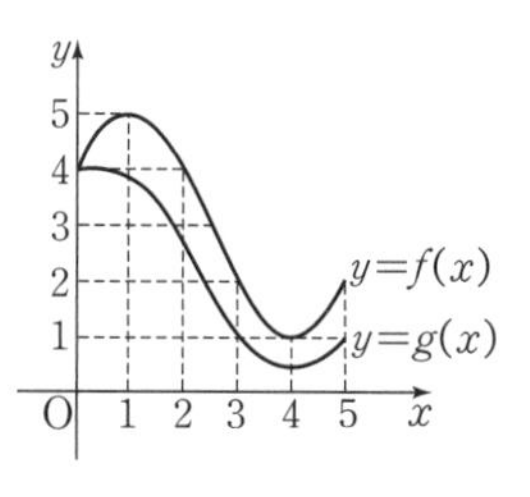

보기

ㄱ. $h(3)=4$
ㄴ. $h(2)\geq0$
ㄷ. 함수 $h(x)$는 열린구간 $(3,\ 4)$에서 감소한다.

① ㄱ ② ㄴ ③ ㄷ
④ ㄱ, ㄴ ⑤ ㄴ, ㄷ

442

함수 $y=\cos^3x+a\cos^2x+a\cos x$가 $0<x<\pi$에서 극댓값과 극솟값을 모두 갖도록 하는 실수 a의 값의 범위를 구하여라.

07 도함수의 활용 (2)

더 자세한 개념은 풍산자 미적분 141쪽

1 곡선의 오목과 볼록

함수 $y=f(x)$가 어떤 구간에서

① $f''(x)>0$이면 곡선 $y=f(x)$는 이 구간에서 아래로 볼록하다.

② $f''(x)<0$이면 곡선 $y=f(x)$는 이 구간에서 위로 볼록하다.

2 변곡점

(1) 변곡점 : 곡선 $y=f(x)$ 위의 한 점 $\mathrm{P}(a,\ f(a))$에 대하여 $x=a$의 좌우에서 곡선의 모양이 아래로 볼록에서 위로 볼록으로 변하거나 위로 볼록에서 아래로 볼록으로 변할 때, 점 P를 곡선 $y=f(x)$의 변곡점이라고 한다.

(2) 변곡점의 판정

함수 $y=f(x)$에서 $f''(a)=0$이고 $x=a$의 좌우에서 $f''(x)$의 부호가 바뀌면 점 $(a,\ f(a))$는 곡선 $y=f(x)$의 변곡점이다.

3 함수의 그래프의 개형

함수 $y=f(x)$의 그래프의 개형을 그릴 때에는 다음과 같은 사항을 조사한 후 종합하여 그린다.

① 정의역과 치역 ② 좌표축과의 교점

③ 대칭성과 주기 ④ 증가, 감소와 극대, 극소

⑤ 오목, 볼록과 변곡점

⑥ $\lim_{x\to\infty} f(x)$, $\lim_{x\to-\infty} f(x)$와 점근선

4 함수의 최대와 최소

함수 $f(x)$가 닫힌구간 $[a,\ b]$에서 연속일 때, 극댓값, 극솟값, $f(a)$, $f(b)$ 중에서 가장 큰 값이 최댓값, 가장 작은 값이 최솟값이다.

5 방정식의 실근의 개수

① 방정식 $f(x)=0$의 실근은 함수 $y=f(x)$의 그래프와 x축의 교점의 x좌표와 같다.

② 방정식 $f(x)=g(x)$의 실근은 두 함수 $y=f(x)$, $y=g(x)$의 그래프의 교점의 x좌표와 같다.

참고 방정식 $f(x)=g(x)$의 실근은 함수 $y=f(x)-g(x)$의 그래프와 x축의 교점의 x좌표를 구해도 된다.

6 부등식에의 활용

① 어떤 구간에서 부등식 $f(x)\ge 0$임을 보일 때
⇨ 그 구간에서 $(f(x)$의 최솟값$)\ge 0$임을 보인다.

② 어떤 구간에서 부등식 $f(x)\ge g(x)$임을 보일 때
⇨ $h(x)=f(x)-g(x)$로 놓고 그 구간에서 $h(x)\ge 0$임을 보인다.

7 속도와 가속도

(1) 수직선 위를 움직이는 점 P의 시각 t에서의 위치를 $x=f(t)$라고 할 때, 시각 t에서의 속도 v, 가속도 a는

$$v=\frac{dx}{dt}=f'(t),\ a=\frac{dv}{dt}=f''(t)\,(=v'(t))$$

(2) 좌표평면 위를 움직이는 점 $\mathrm{P}(x, y)$의 시각 t에서의 위치를 $x=f(t), y=g(t)$라고 할 때

① 시각 t에서의 속도 v, 가속도 a는

$$v=\left(\frac{dx}{dt},\ \frac{dy}{dt}\right)=(f'(t),\ g'(t))$$

$$a=\left(\frac{d^2x}{dt^2},\ \frac{d^2y}{dt^2}\right)=(f''(t),\ g''(t))$$

② 속도의 크기(속력)는

$$\sqrt{\left(\frac{dx}{dt}\right)^2+\left(\frac{dy}{dt}\right)^2}=\sqrt{\{f'(t)\}^2+\{g'(t)\}^2}$$

③ 가속도의 크기는

$$\sqrt{\left(\frac{d^2x}{dt^2}\right)^2+\left(\frac{d^2y}{dt^2}\right)^2}=\sqrt{\{f''(t)\}^2+\{g''(t)\}^2}$$

문제 풀 때 유용한 풍쌤 비법

❶ 점 $(a,\ b)$가 곡선 $y=f(x)$의 변곡점이면 $f(a)=b,\ f''(a)=0$을 만족시킨다.

❷ 어떤 물체의 시각 t에서의 길이 l의 변화율은 다음과 같은 순서로 구한다.

① t초 후의 길이에 대한 식을 세운다.

② 양변을 t에 대하여 미분한다. ⇨ 시각 t에서의 길이 l의 변화율 : $\lim_{\Delta x\to 0}\frac{\Delta l}{\Delta t}=\frac{dl}{dt}$

실력을 기르는 유형

● 정답과 풀이 073쪽

01 곡선의 오목과 볼록

중요도

443

상 중 하

다음 곡선의 오목, 볼록을 조사하여라.

(1) $y=-x^3+3x^2+1$

(2) $y=6\cos x-6x\ (0<x<\pi)$

(3) $y=xe^x+\frac{1}{2}x+2$

444

상 중 하

곡선 $y=x^2(\ln x-1)$이 위로 볼록한 x의 값의 범위는?

① $0<x<\sqrt{e}$　② $0<x<e$　③ $0<x<e^2$

④ $0<x<\frac{1}{\sqrt{e}}$　⑤ $0<x<\frac{1}{e}$

445

상 중 하

곡선 $y=(x+1)(x-3)^3$의 오목, 볼록에 대한 다음 설명 중 옳은 것은?

① 열린구간 $(0, 2)$에서 아래로 볼록하다.

② 열린구간 $(0, 2)$에서 위로 볼록하다.

③ 열린구간 $(1, 3)$에서 아래로 볼록하다.

④ 열린구간 $(1, 3)$에서 위로 볼록하다.

⑤ 열린구간 $(2, 4)$에서 아래로 볼록하다.

02 변곡점

중요도

446

상 중 하

다음 곡선의 변곡점을 구하여라.

(1) $y=x^4-4x^3+5$

(2) $y=x^2+\frac{1}{x}+4$

(3) $y=x^2-2x\ln x+1$

447

상 중 하

함수 $f(x)=(3x^2+4x-9)e^x$에 대하여 곡선 $y=f(x)$의 모든 변곡점의 x좌표의 합은?

① -5　② $-\frac{16}{3}$　③ $-\frac{17}{3}$

④ -6　⑤ $-\frac{19}{3}$

448 최多빈출

상 중 하

곡선 $y=\ln(x^2+k)$의 두 개의 변곡점을 각각 P, Q라고 할 때, 선분 PQ의 길이는 2이다. 이때, 양수 k의 값을 구하여라.

449 학평 기출

상 중 하

곡선 $y=\left(\ln\frac{1}{ax}\right)^2$의 변곡점이 직선 $y=2x$ 위에 있을 때, 양수 a의 값은?

① e　② $\frac{5}{4}e$　③ $\frac{3}{2}e$

④ $\frac{7}{4}e$　⑤ $2e$

450
(상중하)

곡선 $y=\sin^2 x$ 의 변곡점에서의 접선의 방정식이

$y=ax+b-\frac{\pi}{4}$일 때, $4ab$의 값은?

$\left(\text{단, } 0\le x\le\frac{\pi}{2}\text{이고, } a, b\text{는 상수이다.}\right)$

① 1　② 2　③ 3
④ 4　⑤ 5

451 풍쌤 비법 ❶
(상중하)

삼차함수 $f(x)=ax^3+bx^2+c$의 그래프 위의 $x=3$인 점에서의 접선의 기울기가 9이고 점 $(1,\ 3)$이 곡선 $y=f(x)$의 변곡점일 때, $a+b-c$의 값을 구하여라.

(단, a, b, c는 상수이다.)

452 최多빈출
(상중하)

함수 $f(x)=x^2+ax+b\ln x$가 $x=\frac{1}{2}$에서 극댓값을 갖고 곡선 $y=f(x)$의 변곡점의 x좌표가 1일 때, 함수 $f(x)$의 극솟값은?

① $-5-\ln 2$　② $-4+\ln 2$　③ $-6+2\ln 2$
④ $4-\ln 2$　⑤ $3+2\ln 2$

453
(상중하)

함수 $f(x)=ax^2+6\sin x+6$이 변곡점을 갖도록 하는 정수 a의 개수는?

① 4　② 5　③ 6
④ 7　⑤ 8

03 함수의 그래프를 이용한 곡선의 오목, 볼록과 변곡점 판별
중요도

454
(상중하)

다항함수 $y=f(x)$의 도함수 $y=f'(x)$의 그래프가 오른쪽 그림과 같을 때, 함수 $y=f(x)$의 그래프의 변곡점의 개수는?

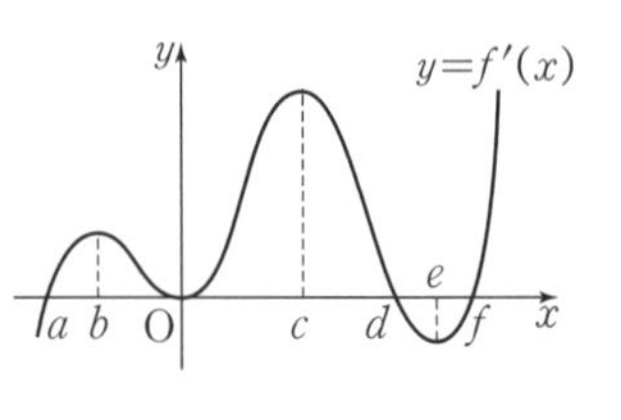

① 1　② 2　③ 3
④ 4　⑤ 5

455
(상중하)

미분가능한 함수 $y=f(x)$의 도함수 $y=f'(x)$의 그래프가 오른쪽 그림과 같을 때, 다음 중 함수 $y=f(x)$의 그래프의 모양이 위로 볼록한 구간은?

① $(0,\ 1)$　② $(0,\ 2)$　③ $(1,\ 3)$
④ $(2,\ 4)$　⑤ $(3,\ 5)$

456
(상중하)

함수 $y=f(x)$의 그래프가 아래 그림과 같을 때, 이 그래프 위의 점 A, B, C, D, E 중에서 $\frac{dy}{dx}<0$, $\frac{d^2y}{dx^2}<0$을 동시에 만족시키는 점은?

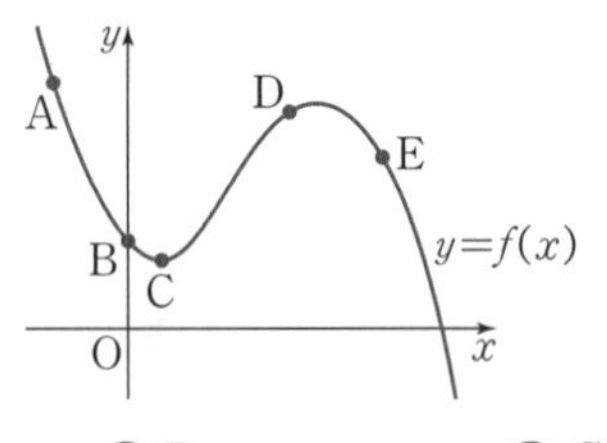

① A　② B　③ C
④ D　⑤ E

04 함수의 최대와 최소

중요도

457

상중하

$-2\le x\le 4$에서 함수 $f(x)=\dfrac{x}{x^2+2x+4}$의 최댓값과 최솟값의 합을 구하여라.

458

상중하

함수 $f(x)=x+\sqrt{6-x^2}$의 최댓값을 M, 최솟값을 m이라고 할 때, M^2+m^2의 값은?

① 10 ② 12 ③ 14
④ 16 ⑤ 18

459 최多빈출

상중하

닫힌구간 $[-3,\ 1]$에서 함수 $f(x)=x^2e^x$의 최댓값을 M, 최솟값을 m이라고 할 때, $M-m$의 값은?

① $\dfrac{1}{e^2}$ ② $\dfrac{1}{e}$ ③ 1
④ e ⑤ e^2

460

상중하

$0\le x\le \pi$에서 함수 $f(x)=-\cos x(1+\sin x)$의 최솟값은?

① $-\dfrac{3\sqrt{3}}{4}$ ② $-\dfrac{\sqrt{3}}{2}$ ③ $-\dfrac{\sqrt{3}}{4}$
④ $\dfrac{\sqrt{3}}{2}$ ⑤ $\dfrac{3\sqrt{3}}{4}$

461

상중하

$0\le x\le 2\pi$에서 함수 $f(x)=e^{-x}(\sin x+\cos x)$의 최솟값은?

① -1 ② $-\dfrac{1}{e}$ ③ $-\dfrac{1}{e^{\pi}}$
④ $-\dfrac{1}{e^{2\pi}}$ ⑤ $-\dfrac{1}{e^{3\pi}}$

462

상중하

$x>2$에서 함수 $f(x)=\dfrac{x^3}{x-2}$이 $x=a$일 때 최솟값 b를 갖는다. 이때, $a+b$의 값은?

① 10 ② 15 ③ 20
④ 25 ⑤ 30

463

(상중하)

함수 $f(x)=\frac{\ln x-1}{x}$이 $x=a$에서 최댓값 b를 가질 때, ab의 값은?

① $\frac{1}{e}$ ② 0 ③ 1
④ e ⑤ e^2

464

(상중하)

닫힌구간 $[0, 2\pi]$에서 함수 $f(x)=\frac{2\sin x}{2+\cos x}$는 $x=a$에서 최댓값, $x=b$에서 최솟값을 갖는다. 이때, $b-a$의 값은?

① $\frac{\pi}{3}$ ② $\frac{\pi}{2}$ ③ $\frac{2}{3}\pi$
④ π ⑤ $\frac{3}{2}\pi$

465

(상중하)

함수 $f(x)=a\sqrt{2-x^2}e^x$의 최댓값이 e일 때, 양수 a의 값은?

① 1 ② 2 ③ 3
④ 4 ⑤ 5

466 최多빈출

(상중하)

함수 $f(x)=x\ln x-3x+k$의 최솟값이 2일 때, 상수 k의 값은?

① e^2-2 ② e^2-1 ③ e^2+1
④ e^2+2 ⑤ $2e^2$

467

(상중하)

함수 $f(x)=\log_9(5-x)+\log_3(x+4)$의 최댓값은?

① $\frac{7}{2}$ ② 4 ③ $\frac{2}{5}+\log_3 4$
④ $\frac{3}{2}+\log_3 2$ ⑤ $4+\log_3 6$

468

(상중하)

함수 $f(x)=a\sin x+b\cos x$가 $x=\frac{5}{6}\pi$에서 극값 2를 가질 때, 함수 $g(x)=a\ln x+bx$의 최댓값은?

(단, a, b는 상수이다.)

① $-3-\frac{3}{2}\ln 3$ ② $-2-\ln 3$
③ $-1-\frac{1}{2}\ln 3$ ④ $\frac{1}{2}\ln 3$
⑤ $1+\frac{1}{2}\ln 3$

469

(상중하)

$0\le x\le 2\pi$에서 함수 $f(x)=\sin^4 x+2\cos^2 x+k$의 최댓값과 최솟값의 합이 9일 때, 상수 k의 값은?

① 1 ② 2 ③ 3
④ 4 ⑤ 5

470

(상중하)

함수 $y=\frac{2}{3}\cdot 27^x-3\cdot 9^x+2$가 $x=a$일 때 최솟값 b를 갖는다. 상수 a, b에 대하여 $a+b$의 값은?

① -2 ② -4 ③ -6
④ -8 ⑤ -10

05 함수의 최대와 최소의 활용

중요도

471

상 중 하

오른쪽 그림과 같이 두 곡선 $y=e^{x}$, $y=e^{-x}$과 x축으로 둘러싸인 부분에 내접하고 한 변이 x축 위에 있는 직사각형의 넓이의 최댓값을 구하여라.

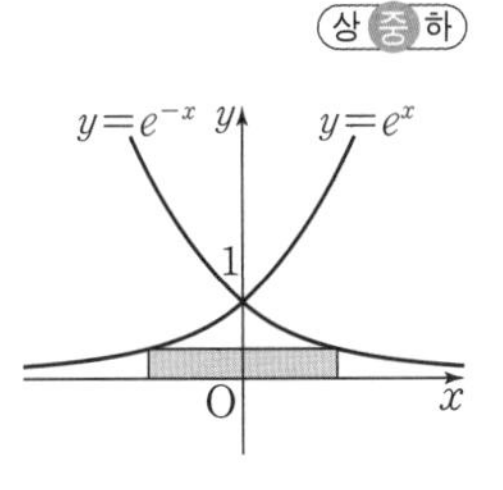

472 학평 기출

상 중 하

오른쪽 그림과 같이 곡선 $y=2e^{-x}$ 위의 점 $\mathrm{P}(t,\ 2e^{-t})$ $(t>0)$에서 y축에 내린 수선의 발을 A라 하고, 점 P에서의 접선이 y축과 만나는 점을 B라고 하자. 삼각형 APB의 넓이가 최대가 되도록 하는 t의 값은?

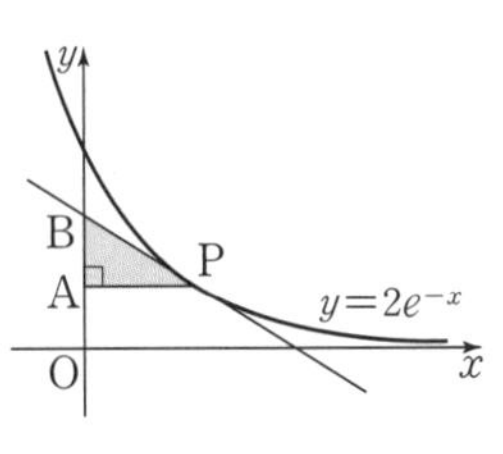

① 1 ② $\frac{e}{2}$ ③ $\sqrt{2}$
④ 2 ⑤ e

473

상 중 하

오른쪽 그림과 같이 반지름의 길이가 2인 반원에 내접하는 등변사다리꼴 ABCD가 있다. 이 사다리꼴 ABCD의 넓이의 최댓값은?

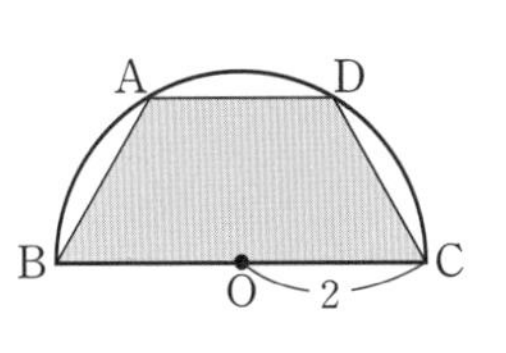

① $\sqrt{3}$ ② $2\sqrt{3}$ ③ $3\sqrt{3}$
④ $4\sqrt{3}$ ⑤ $5\sqrt{3}$

06 방정식의 실근의 개수

중요도

474

상 중 하

다음 방정식의 서로 다른 실근의 개수를 구하여라.

(1) $e^{x}-x+1=0$
(2) $x-\sin x+2=0$
(3) $x-\ln x-3=0$

475

상 중 하

x에 대한 방정식 $\frac{2}{x}=-x^{2}+a$가 서로 다른 두 실근을 갖도록 하는 실수 a의 값은?

① 1 ② 2 ③ 3
④ 4 ⑤ 5

476 최多 빈출

상 중 하

x에 대한 방정식 $e^{x}=k-e^{-x}$이 오직 한 개의 실근을 가질 때, 실수 k의 값은?

① -2 ② -1 ③ 1
④ 2 ⑤ 3

477

상 중 하

x에 대한 방정식 $\frac{1}{4}x^{2}=\frac{1}{2}\ln ax$가 오직 한 개의 실근을 갖도록 하는 양수 a의 값은?

① $\frac{1}{e^{2}}$ ② $\frac{1}{e}$ ③ $\sqrt{e}$
④ e ⑤ e^{2}

478 최多빈출 (상중하)

x에 대한 방정식 $\ln x - x + 8 - a = 0$이 실근을 갖도록 하는 자연수 a의 개수는?

① 5　　② 6　　③ 7
④ 8　　⑤ 9

479 (상중하)

닫힌구간 $[0, 2\pi]$에서 x에 대한 방정식 $\sin x - x\cos x - k = 0$의 서로 다른 실근의 개수가 2가 되도록 하는 모든 정수 k의 값의 합은?

① -6　　② -3　　③ 0
④ 3　　⑤ 6

07 함수의 그래프를 이용한 명제의 참, 거짓의 판별 중요도

480 (상중하)

함수 $f(x) = \frac{\ln x}{x}$의 그래프에 대하여 〈보기〉에서 옳은 것을 모두 고른 것은?

보기

ㄱ. 치역은 $\{y \mid y \le e\}$이다.
ㄴ. 점근선은 x축과 y축이다.
ㄷ. 열린구간 $(0, e\sqrt{e})$에서 위로 볼록하다.

① ㄱ　　② ㄴ　　③ ㄱ, ㄷ
④ ㄴ, ㄷ　　⑤ ㄱ, ㄴ, ㄷ

481 (상중하)

양의 실수 전체의 집합에서 정의된 함수 $f(x) = e^x + \frac{1}{x}$이 $x = a$에서 극값을 가질 때, 〈보기〉에서 옳은 것을 모두 고른 것은?

보기

ㄱ. $e^a = \frac{1}{a^2}$
ㄴ. 곡선 $y = f(x)$의 변곡점이 존재한다.
ㄷ. 함수 $f(x)$는 $x = a$에서 최솟값을 갖는다.

① ㄱ　　② ㄴ　　③ ㄱ, ㄴ
④ ㄱ, ㄷ　　⑤ ㄱ, ㄴ, ㄷ

482 학평 기출 (상중하)

삼차함수 $y = f(x)$의 그래프가 오른쪽 그림과 같고, $f(x)$는

$$\int_a^b f(x)\,dx = 3,$$

$$\int_a^c f(x)\,dx = 0$$

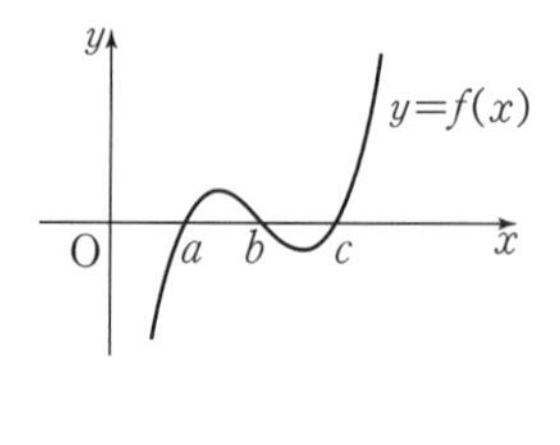

을 만족시킨다. 함수 $f(x)$의 한 부정적분을 $F(x)$라고 할 때, 〈보기〉에서 옳은 것을 모두 고른 것은?

보기

ㄱ. $F(b) = F(a) + 3$
ㄴ. 점 $(c, F(c))$는 곡선 $y = F(x)$의 변곡점이다.
ㄷ. $-3 < F(a) < 0$이면 방정식 $F(x) = 0$은 서로 다른 네 실근을 갖는다.

① ㄱ　　② ㄴ　　③ ㄱ, ㄷ
④ ㄴ, ㄷ　　⑤ ㄱ, ㄴ, ㄷ

08 부등식에의 활용 중요도

483 (상중하)

$x > 0$일 때, 부등식 $e^x - x > 1$이 성립함을 증명하여라.

● 정답과 풀이 079쪽

484

상중하

$x>e$일 때, 부등식 $x\ln x-2x+a>0$이 항상 성립하도록 하는 실수 a의 값의 범위는?

① $a\geq\frac{1}{e}$ ② $a\leq\frac{1}{e}$ ③ $a\geq e$
④ $a\leq e$ ⑤ $a\geq e^2$

485

상중하

$0<x<1$일 때, 부등식 $e^x-x+a<0$이 항상 성립하도록 하는 상수 a의 최댓값은?

① -1 ② $1-e$ ③ 0
④ 1 ⑤ $e-1$

486

상중하

두 함수 $f(x)=x\ln x$, $g(x)=x+a$에 대하여 $x\geq1$일 때, $y=f(x)$의 그래프가 $y=g(x)$의 그래프보다 항상 위쪽에 있도록 하는 정수 a의 최댓값은?

① -2 ② -1 ③ 0
④ 1 ⑤ 2

487

상중하

모든 실수 x에 대하여 부등식 $\sin 2x\geq a-2\sin x$를 만족시키는 실수 a의 최댓값은?

① $-\frac{3\sqrt{3}}{2}$ ② $-\frac{\sqrt{3}}{2}$ ③ 1
④ $\frac{\sqrt{3}}{2}$ ⑤ $\frac{3\sqrt{3}}{2}$

09 직선 운동에서의 속도와 가속도

중요도

488 최多빈출

상중하

수직선 위를 움직이는 점 P의 시각 t에서의 위치 $x(t)$가 $x(t)=\sin t+\cos t-1$이다. $t=\frac{\pi}{2}$에서 점 P의 속도를 α, 가속도를 β라고 할 때, $\alpha+\beta$의 값은?

① -2 ② -1 ③ 0
④ 1 ⑤ 2

489

상중하

수직선 위를 움직이는 점 P의 시각 t에서의 위치 $x(t)$가 $x(t)=t+\frac{20}{\pi^2}\cos(2\pi t)$이다. $t=\frac{1}{3}$에서 점 P의 가속도는?

① 10 ② 20 ③ 30
④ 40 ⑤ 50

490

상중하

수직선 위를 움직이는 점 P의 시각 t에서의 위치 $x(t)$가 $x(t)=t+\ln(t^2+4)$이다. $t=p$에서 점 P의 가속도가 0일 때, p의 값은?

① 1 ② 2 ③ 3
④ 4 ⑤ 5

491
(상)(중)(하)

수직선 위를 움직이는 두 점 P, Q의 시각 t에서의 위치가 각각 $x_1(t)=2e^t$, $x_2(t)=at^2$이다. 두 점 P, Q의 속도가 같아지는 순간이 두 번 있도록 하는 실수 a의 값의 범위는?

① $a<1$ ② $1\le a<2$ ③ $2\le a<e$
④ $a\le e$ ⑤ $a>e$

10 평면 운동에서의 속도와 가속도
중요도

492
(상)(중)(하)

좌표평면 위를 움직이는 점 $P(x,\ y)$의 시각 t에서의 위치가 $x=t^2+1$, $y=4t-t^2$이다. $t=2$에서 점 P의 속도를 $(m,\ n)$, 가속도를 $(p,\ q)$라고 할 때, $m+n+p+q$의 값은?

① 3 ② 4 ③ 5
④ 6 ⑤ 7

493 최多빈출
(상)(중)(하)

좌표평면 위를 움직이는 점 $P(x,\ y)$의 시각 t에서의 위치가 $x=t-\sin t$, $y=1-\cos t$이다. $t=\frac{\pi}{3}$에서 점 P의 속력을 m, 가속도의 크기를 n이라고 할 때, $m+n$의 값은?

① 2 ② $2\sqrt{2}$ ③ $2\sqrt{3}$
④ 4 ⑤ $2\sqrt{5}$

494
(상)(중)(하)

좌표평면 위를 움직이는 점 P의 시각 t에서의 위치 $(x,\ y)$가 $x=t+e^t$, $y=t-e^t$일 때, 시각 $t=1$에서 점 P의 가속도의 크기는?

① $\sqrt{2}$ ② $\sqrt{2}e$ ③ e^2
④ $\sqrt{2}e^2$ ⑤ $2e^2$

495
(상)(중)(하)

좌표평면 위를 움직이는 점 $P(x,\ y)$의 시각 t에서의 위치가 $x=t^2-2t+2$, $y=-t^2+3t+2$일 때, 점 P의 속력의 최솟값은?

① $\frac{\sqrt{2}}{2}$ ② $\sqrt{2}$ ③ 2
④ $2\sqrt{2}$ ⑤ 4

496 풍쌤 비법 ❷
(상)(중)(하)

오른쪽 그림과 같이 지면과 수직인 벽에 길이가 300 cm인 사다리가 세워져 있다. 이 사다리의 아래 끝 점 A를 8 cm/s의 속력으로 바닥과 수평 방향으로 잡아당겨 벽으로부터 180 cm인 위치에 도달하였을 때, 사다리의 위 끝 점 B가 벽을 따라 내려오는 속력이 a cm/s이다. a의 값은?

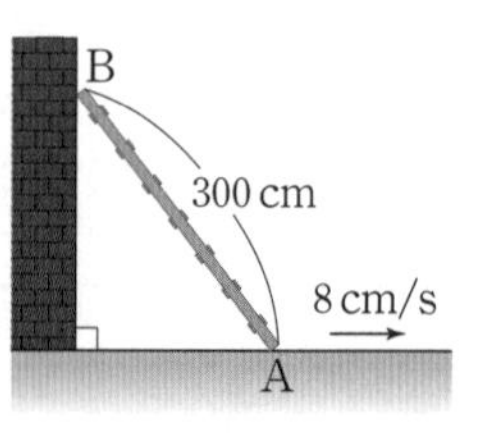

① 5 ② 6 ③ 7
④ 8 ⑤ 9

● 정답과 풀이 082쪽

497

곡선 $f(x)=x^2+a\cos x$가 변곡점을 갖지 않도록 하는 정수 a의 개수를 구하여라. (단, $a\neq0$)

498

$0\leq x\leq\frac{\pi}{2}$에서 함수 $f(x)=a(x-\sin 2x)$의 최댓값이 π일 때, 최솟값을 구하여라. (단, $a>0$)

499

오른쪽 그림과 같이 길이가 2인 선분 AB를 지름으로 하는 원 위의 점 P에서 선분 AB에 내린 수선의 발을 Q라고 할 때, 삼각형 PAQ의 넓이의 최댓값을 구하여라. (단, $0<\overline{PQ}<1$)

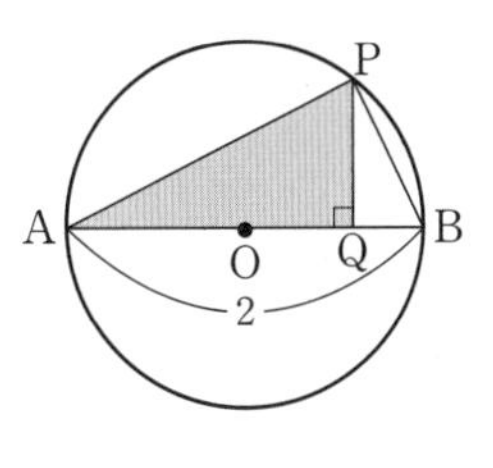

500

x에 대한 방정식 $e^x=ax$와 $\ln x=ax$가 모두 실근을 갖지 않도록 하는 실수 a의 값의 범위가 $\alpha<a<\beta$일 때, $\alpha\beta$의 값을 구하여라.

501

$x>0$일 때, 부등식 $x^2\geq k\ln x$가 항상 성립하도록 하는 양수 k의 최댓값을 구하여라.

502

수직선 위를 움직이는 점 P의 시각 t에서의 위치 $x(t)$가 $x(t)=\sin\pi t+k\cos\pi t$이고 $t=\frac{3}{2}$에서 점 P의 속도가 2π일 때, $t=3$에서 점 P의 가속도를 구하여라.

503

함수 $f(x)=x+\sin x$에 대하여 함수 $g(x)$를

$g(x)=(f\circ f)(x)$

로 정의할 때, 〈보기〉에서 옳은 것을 모두 고른 것은?

보기

ㄱ. 함수 $f(x)$의 그래프는 열린구간 $(0,\ \pi)$에서 위로 볼록하다.

ㄴ. 함수 $g(x)$는 열린구간 $(0,\ \pi)$에서 증가한다.

ㄷ. $g'(x)=1$인 실수 x가 열린구간 $(0,\ \pi)$에 존재한다.

① ㄱ ② ㄷ ③ ㄱ, ㄴ
④ ㄴ, ㄷ ⑤ ㄱ, ㄴ, ㄷ

504

2 이상의 자연수 n에 대하여 실수 전체의 집합에서 정의된 함수 $f(x)=e^{x+1}\{x^2+(n-2)x-n+3\}+ax$가 역함수를 갖도록 하는 실수 a의 최솟값을 $g(n)$이라고 하자. $1\le g(n)\le 8$을 만족시키는 모든 n의 값의 합은?

① 43 ② 46 ③ 49
④ 52 ⑤ 55

505

곡선 $y=e^{-x}$ 위의 점 $(a,\ e^{-a})$에서의 접선과 x축, y축으로 둘러싸인 삼각형의 넓이를 $S(a)$라고 할 때, $S(a)$의 최댓값은? (단, $a>0$)

① $\frac{1}{\sqrt{e}}$ ② $\frac{2}{\sqrt{e}}$ ③ $\frac{1}{e}$
④ $\frac{2}{e}$ ⑤ $\frac{3}{e}$

506

함수 $f(x)=4\ln x+\ln(10-x)$에 대하여 〈보기〉에서 옳은 것을 모두 고른 것은?

보기

ㄱ. 함수 $f(x)$의 최댓값은 $13\ln 2$이다.

ㄴ. 방정식 $f(x)=0$은 서로 다른 두 실근을 갖는다.

ㄷ. 함수 $y=e^{f(x)}$의 그래프는 구간 $(4,\ 8)$에서 위로 볼록하다.

① ㄱ ② ㄷ ③ ㄱ, ㄴ
④ ㄴ, ㄷ ⑤ ㄱ, ㄴ, ㄷ

507

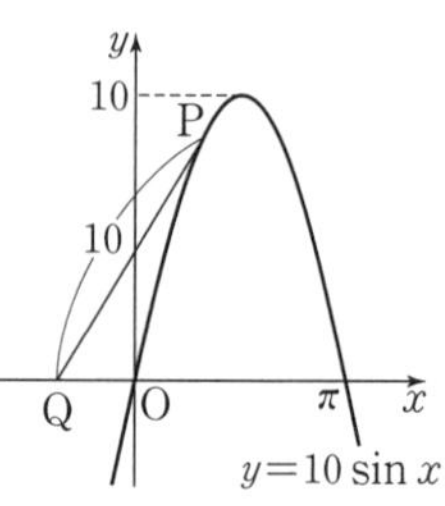

오른쪽 그림과 같이 좌표평면 위에서 길이가 10인 막대의 한 끝 점 P가 원점 O를 출발하여 곡선 $y=10\sin x$ 위를 움직임에 따라 다른 끝 점 Q는 x축 위에서 움직이고 있다. 점 P가 매초 10의 속력으로 곡선을 따라 움직일 때, 점 P가 점 $(\pi,\ 0)$을 지나가는 순간 점 Q의 속력은 k이다. k^2의 값은? (단, 점 Q의 x좌표는 항상 점 P의 x좌표보다 작거나 같다.)

① $\frac{100}{101}$ ② $\frac{10}{11}$ ③ 1
④ $\frac{101}{100}$ ⑤ $\frac{11}{10}$

III

적분법

08 여러 가지 적분법

더 자세한 개념은 풍산자 미적분 173쪽

1 함수 $y=x^n$ (n은 실수)의 부정적분

① $n\neq-1$일 때, $\int x^n dx=\frac{1}{n+1}x^{n+1}+C$

② $n=-1$일 때, $\int \frac{1}{x}dx=\ln|x|+C$

일반적으로 부정적분에서 적분상수는 C로 나타낸다.

참고 $(\ln x)'=\frac{1}{x}$이지만 로그의 진수 조건 $x>0$에 의해 $\int \frac{1}{x}dx\neq\ln x+C$이다. 따라서 $\int \frac{1}{x}dx=\ln|x|+C$

2 지수함수의 부정적분

① $\int e^x dx=e^x+C$

② $\int a^x dx=\frac{a^x}{\ln a}+C$ (단, $a>0, a\neq1$)

3 삼각함수의 부정적분

① $\int \sin x\,dx=-\cos x+C$

② $\int \cos x\,dx=\sin x+C$

③ $\int \sec^2 x\,dx=\tan x+C$

④ $\int \csc^2 x\,dx=-\cot x+C$

⑤ $\int \sec x\tan x\,dx=\sec x+C$

⑥ $\int \csc x\cot x\,dx=-\csc x+C$

4 치환적분법

미분가능한 함수 $g(t)$에 대하여 $x=g(t)$로 놓으면

$$\int f(x)dx=\int f(g(t))g'(t)dt$$

주의 치환적분법으로 구한 부정적분은 그 결과를 처음의 변수로 바꾸어야 한다.

참고 $\int f(g(x))g'(x)dx$를 구할 때, $g(x)=t$로 치환하여 $g'(x)=\frac{dt}{dx}$에서 $g'(x)dx=dt$와 같이 dx와 dt를 분리하면 쉽게 계산할 수 있다.

5 부분적분법

(1) 부분적분법

두 함수 $f(x)$, $g(x)$가 미분가능할 때,

$$\int f'(x)g(x)dx=f(x)g(x)-\int f(x)g'(x)dx$$

(2) 부분적분법의 적용

부분적분을 할 때, '지삼다로'의 순서로 $f'(x)$, $g(x)$를 선택하는 것이 계산할 때 편리하다.

$f' \to g$, $f \to g'$ ➡ $\int f'g\,dx=fg-\int fg'\,dx$

$f'(x)$ ←→ $g(x)$

지수함수 · 삼각함수 · 다항함수 · 로그함수

(3) $\ln x$의 부정적분

$$\int \ln x\,dx=x\ln x-x+C$$

문제 풀 때 유용한 풍쌤 비법

❶ $\frac{f'(x)}{f(x)}$ 꼴이 아닌 유리함수의 부정적분

① (분자의 차수)≥(분모의 차수)인 경우 : 분자를 분모로 나누어 몫과 나머지의 꼴로 나타내어 부정적분을 구한다.

② (분자의 차수)<(분모의 차수)이고 분모가 인수분해되는 경우 : 부분분수로 변형하여 부정적분을 구한다.

❷ 치환적분법의 적용

① $f(ax+b)$ 꼴인 경우 : $\int f(x)dx=F(x)+C$이면 $\int f(ax+b)dx=\frac{1}{a}F(ax+b)+C$ (단, a, b는 상수, $a\neq0$)

② $f(g(x))g'(x)$ 꼴인 경우 : $g(x)=t$로 놓으면 $g'(x)dx=dt$이므로 $\int f(g(x))g'(x)dx=\int f(t)dt$

③ $\frac{f'(x)}{f(x)}$ 꼴인 경우 : $\int \frac{f'(x)}{f(x)}dx=\ln|f(x)|+C$

정답과 풀이 086쪽

01 $y=x^n$ (n은 실수)의 부정적분

중요도

508

상 중 하

다음 부정적분을 구하여라.

(1) $\int \frac{2}{x}dx$

(2) $\int \frac{1}{x^3}dx$

(3) $\int \sqrt[3]{x}\,dx$

(4) $\int \frac{\sqrt{x}-1}{x}dx$

509

상 중 하

등식 $\int \frac{x^2-x+2}{x}dx=ax^2+bx+c\ln|x|+C$가 성립할 때, 상수 a, b, c에 대하여 abc의 값은?

(단, C는 적분상수이다.)

① -2 ② -1 ③ 0 ④ 1 ⑤ 2

510

상 중 하

함수 $f(x)=\int \sqrt{x^5}dx$에 대하여 $f(1)=\frac{2}{7}$일 때, $f(4)$의 값은?

① $\frac{121}{7}$ ② $\frac{160}{7}$ ③ $\frac{184}{7}$ ④ $\frac{200}{7}$ ⑤ $\frac{256}{7}$

511 최多빈출

상 중 하

$x>0$에서 미분가능한 함수 $y=f(x)$에 대하여 $f'(x)=\frac{(\sqrt{x}-1)^2}{x}$이고 $f(1)=1$일 때, $f(e^2)$의 값은?

① e^2-e-2 ② e^2-e+2 ③ e^2-2e-6 ④ e^2-2e ⑤ e^2-4e+6

512

상 중 하

미분가능한 함수 $f(x)$가

$f(x+h)=f(x)+\left(3x^2-\frac{1}{x}\right)h$를 만족시킬 때,

$f(e)-f(1)$의 값은?

① e^3-2 ② $\frac{e^3-2}{3}$ ③ $\frac{2(e^3+4)}{3}$ ④ e^3-4 ⑤ $\frac{e^3+4}{3}$

513 학평 기출

상 중 하

연속함수 $f(x)$의 도함수 $f'(x)$가

$$f'(x)=\begin{cases} \frac{1}{x^2} & (x<-1) \\ 3x^2+1 & (x>-1) \end{cases}$$

이고 $f(-2)=\frac{1}{2}$일 때, $f(0)$의 값은?

① 1 ② 2 ③ 3 ④ 4 ⑤ 5

02 지수함수의 부정적분

중요도

514

상 중 하

다음 부정적분을 구하여라.

(1) $\int (2e^x+4^x)dx$ (2) $\int e^{x+3}dx$

(3) $\int \frac{x\cdot 2^x+3}{x}dx$ (4) $\int 3^{2x+1}dx$

515

상 중 하

등식 $\int \frac{4^x-1}{2^x-1}dx=a\cdot 2^x+bx+C$가 성립할 때, 상수 a, b에 대하여 $\frac{b}{a}$의 값은? (단, C는 적분상수이다.)

① $\ln 2$ ② $\ln 3$ ③ $2\ln 2$
④ 2 ⑤ 3

516 최多빈출

상 중 하

함수 $f(x)=\int (3^x-1)(9^x+3^x+1)dx$에 대하여 $f(0)=\frac{1}{3\ln 3}$일 때, $f(1)$의 값은?

① $\frac{1}{\ln 3+1}$ ② $\frac{3}{\ln 3}-1$ ③ $\frac{3}{2\ln 3}-1$
④ $\frac{9}{\ln 3}-1$ ⑤ $\frac{9}{2\ln 3}+1$

517

상 중 하

함수 $y=f(x)$가 $f'(x)=2e^{2x}+e^x$, $f(0)=-4$를 만족시킬 때, 방정식 $f(x)=0$의 해는?

① $x=-\ln 3$ ② $x=-\ln 2$ ③ $x=0$
④ $x=\ln 2$ ⑤ $x=\ln 3$

518

상 중 하

미분가능한 함수 $f(x)$가 다음 두 조건을 만족시킬 때, $f(e)$의 값은?

(가) $f(1)=e$
(나) $\lim_{h\to 0}\frac{f(x+h)-f(x)}{h}=\frac{xe^x-1}{x}$

① $e-1$ ② e ③ e^2
④ e^e-e ⑤ e^e-1

519

상 중 하

함수 $f(x)=\ln(x+2)-1$의 역함수를 $g(x)$라고 하자. $G(x)=\int g(x)dx$에 대하여 $G(-1)=4$일 때, $G(0)$의 값은?

① $\frac{1}{e^2-1}$ ② $\frac{1}{e}$ ③ 1
④ $e+1$ ⑤ e^2+2

520

상 중 하

좌표평면 위의 두 점 $(0, 5)$, $(1, 2e+3)$을 지나는 곡선 $y=f(x)$ 위의 임의의 점 (x, y)에서의 접선의 기울기가 e^x에 정비례할 때, $f(2)$의 값은?

① e^2-2 ② e^2+1 ③ e^2+3
④ $2e^2+1$ ⑤ $2e^2+3$

521

(상중하)

일정한 온도에서 효모를 배양한 지 t시간 후의 효모의 질량을 $W(t)$ g이라고 하면 $W'(t)=0.02e^{0.1t}$이라고 한다. 처음 효모의 질량이 2 g일 때, 10시간 후 효모의 질량은?

① $(0.02e+0.9)$ g ② $(0.02e+1.8)$ g
③ $(0.2e+0.9)$ g ④ $(0.2e+1.8)$ g
⑤ $(0.2e+2)$ g

522 학평 기출

(상중하)

미분가능한 두 함수 $f(x)$, $g(x)$에 대하여
$\frac{d}{dx}\{f(x)+g(x)\}=e^{x}$, $\frac{d}{dx}\{f(x)-g(x)\}=e^{-x}$이고
$f(1)=1$, $g(1)=-1$일 때, $g(-1)$의 값은?

① $-\frac{e+e^{-1}}{2}$ ② -1 ③ 0
④ 1 ⑤ $\frac{e+e^{-1}}{2}$

03 삼각함수의 부정적분

중요도

523

(상중하)

다음 부정적분을 구하여라.

(1) $\int(3\sin x+2\cos x)dx$

(2) $\int(\sec x+\tan x)\sec x\,dx$

(3) $\int\frac{1-\sin^2 x}{\sin^2 x}dx$

(4) $\int\tan^2 x\,dx$

524

(상중하)

$$\int\frac{(\sin x-\cos x)^2}{\sin^2 x}dx+\int\frac{(\sin x+\cos x)^2}{\sin^2 x}dx$$
를 구하면? (단, C는 적분상수이다.)

① $2\cot x+C$ ② $2\sec x+C$
③ $\tan x+C$ ④ $-2\cot x+C$
⑤ $-2\tan x+C$

525

(상중하)

함수 $f(x)$에 대하여 $f'(x)=\tan x\cos x$일 때,
$f\left(\frac{\pi}{3}\right)-f(0)$의 값을 구하여라.

526

(상중하)

함수 $f(x)=\int\frac{\sin^2 x}{1-\cos x}dx$에 대하여 $f(0)=0$일 때,
$f(\pi)$의 값은?

① 0 ② 1 ③ $\frac{\pi}{2}$
④ π ⑤ 2π

527 최多빈출

(상중하)

실수 전체의 집합에서 미분가능한 함수 $f(x)$의 도함수가
$$f'(x)=\begin{cases}-\sin x & (x<0)\\ 1+\cos x & (x>0)\end{cases}$$
이고 $f\left(\frac{\pi}{2}\right)=\frac{\pi}{2}$일 때, $f(-\pi)+f(\pi)$의 값은?

① $\pi-4$ ② $\pi-2$ ③ 0
④ 2 ⑤ $\pi+2$

528

상중하

곡선 $y=f(x)$ 위의 임의의 점 $(x,\ y)$에서의 접선의 기울기가 $\cot^2 x$이고, 이 곡선이 점 $\left(\frac{\pi}{2},\ -\frac{\pi}{2}\right)$를 지날 때, $f\left(\frac{\pi}{4}\right)$의 값은?

① $-1-\frac{\pi}{4}$ ② $-2-\frac{\pi}{4}$ ③ $\frac{\pi}{4}$
④ $1+\frac{\pi}{4}$ ⑤ $2+\frac{\pi}{4}$

529

상중하

$x>0$에서 정의된 함수 $f(x)$의 한 부정적분을 $F(x)$라고 할 때, $F(x)=xf(x)-(x\sin x+\cos x)$이다.
$f(\pi)=0$일 때, $f\left(\frac{\pi}{2}\right)$의 값은?

① -2 ② -1 ③ 0
④ 1 ⑤ 2

530 최多빈출

상중하

함수 $f(x)$에 대하여 $f'(x)=k\cos 2x$이고
$\lim_{x\to\frac{\pi}{6}}\frac{f(x)}{x-\frac{\pi}{6}}=k-1$일 때, $f\left(\frac{\pi}{2}\right)$의 값은?

(단, k는 상수이다.)

① $-\sqrt{3}$ ② $-\frac{\sqrt{3}}{2}$ ③ $-\frac{\sqrt{2}}{2}$
④ $\sqrt{2}$ ⑤ $\frac{\sqrt{3}}{2}$

04 부분분수 꼴로 변형되는 유리함수의 부정적분 중요도

531 풍쌤 비법 ❶

상중하

함수 $f(x)$가 $f(x)=\int\frac{1}{x^2+x}dx$이고 $f(1)=-\ln 2$일 때, $f(2)$의 값은?

① $\ln\frac{2}{3}$ ② $\ln\frac{3}{4}$ ③ $\ln\frac{4}{3}$
④ $\ln\frac{3}{2}$ ⑤ $\ln 2$

532

상중하

함수 $f(x)$의 도함수가 $f'(x)=\frac{x-8}{x^2-x-6}$이고
$f(2)=4\ln 2$일 때, $f(4)$의 값은?

① $\ln 6$ ② $2\ln 6$ ③ $4\ln 6$
④ $6\ln 6$ ⑤ $8\ln 6$

533 풍쌤 비법 ❶

상중하

함수 $f(x)$의 도함수가 $f'(x)=\frac{6}{x^2+2x-8}$이고
$f(3)=\ln 7$일 때, $f(-5)$의 값은?

① $4\ln 7$ ② $3\ln 7$ ③ $2\ln 7$
④ $\ln 7$ ⑤ 0

534

상중하

함수 $f(x)$에 대하여 $f(x)=\int\frac{x+1}{x(x-1)^2}dx$,
$f(2)=-2$일 때, $f(3)$의 값은?

① $-\ln\frac{3}{2}-1$ ② $-\ln\frac{3}{4}-1$ ③ $\ln\frac{3}{4}$
④ $\ln\frac{3}{4}-1$ ⑤ $\ln\frac{3}{2}-1$

05 유리함수의 치환적분법

중요도

535

상 중 하

함수 $f(x)=\int(2x+3)^3dx=\frac{1}{a}(2x+3)^b+C$일 때, 상수 a, b에 대하여 $a+b$의 값은? (단, C는 적분상수이다.)

① 10 ② 12 ③ 14
④ 16 ⑤ 18

536 최多빈출

상 중 하

함수 $f(x)=\int(6x-1)(3x^2-x+1)^4dx$에 대하여 $f(0)=\frac{1}{5}$일 때, $f(1)$의 값은?

① $\frac{231}{5}$ ② $\frac{234}{5}$ ③ $\frac{237}{5}$
④ 48 ⑤ $\frac{243}{5}$

537

상 중 하

실수 전체의 집합에서 정의된 함수 $f(x)$에 대하여 $f'(x)=\frac{x^3}{x^4+1}$이고 $f(0)=\frac{1}{4}$일 때, $f(\sqrt[4]{e^2-1})$의 값은?

① $\frac{1}{2}$ ② $\frac{e}{4}$ ③ $\frac{3}{4}$
④ e ⑤ e^2

538

상 중 하

함수 $f(x)=\int\frac{x^3+2x}{x^2+x+1}dx$에 대하여 $f(0)=0$일 때, $f(-1)$의 값은?

① $-\frac{3}{2}$ ② $-\ln 2$ ③ 0
④ $\ln 2$ ⑤ $\frac{3}{2}$

539 학평 기출

상 중 하

$0<x<1$일 때, $f(x)=1+x+x^2+x^3+\cdots$로 정의되는 함수 $f(x)$의 한 부정적분을 $F(x)$라고 하자. $F(0)=0$일 때, $F(e^3+1)$의 값은?

① -3 ② -1 ③ 0
④ 1 ⑤ 3

06 무리함수의 치환적분법

중요도

540

상 중 하

등식 $\int\sqrt{2x+1}\,dx=k(2x+1)\sqrt{2x+1}+C$가 성립할 때, 상수 k의 값을 구하여라. (단, C는 적분상수이다.)

541

상 중 하

함수 $f(x)=\int x\sqrt{x^2+1}\,dx$에 대하여 $f(0)=\frac{1}{3}$일 때, $f(2\sqrt{2})$의 값은?

① 1 ② $\sqrt{3}$ ③ 3
④ $2\sqrt{2}$ ⑤ 9

542
(상 중 하)

함수 $f(x)=\int \frac{\sqrt{x+1}-1}{\sqrt{x+1}+1}dx$에 대하여 $f(0)=4\ln 2$일 때, $f(e^2-1)$의 값은?

① $e^2+4e+2\ln(e+1)+2$
② $e^2+4e+2\ln(e+1)+3$
③ $e^2-2e+4\ln(e+1)+3$
④ $e^2-4e+4\ln(e+1)+2$
⑤ $e^2-4e+4\ln(e+1)+3$

543
(상 중 하)

함수 $f'(x)=\frac{4x}{\sqrt{x^2+1}}$일 때, $f(\sqrt{3})-f(0)$의 값은?

① 1 ② 2 ③ 3
④ 4 ⑤ 5

07 지수 · 로그함수의 치환적분법

중요도

544
(상 중 하)

함수 $f(x)=\int 3x^2e^{x^3+5}dx$에 대하여 $f(0)=-e^5$일 때, 함수 $f(x)$를 구하면?

① $f(x)=e^{x^3+5}-2e^5$ ② $f(x)=e^{x^3+5}-e^5$
③ $f(x)=e^{x^3+5}+e^5$ ④ $f(x)=e^{x^3+5}+2e^5$
⑤ $f(x)=2e^{x^3+5}-e^5$

545 최多빈출
(상 중 하)

함수 $f(x)$가 $f'(x)=\frac{(\ln x)^2}{x}$, $f(e)=\frac{1}{3}$을 만족시킬 때, $f(e^3)$의 값을 구하여라.

546
(상 중 하)

등식

$$\int \frac{\ln x}{x(\ln x+1)^2}dx=a\ln|\ln x+1|+\frac{b}{\ln x+1}+C$$

가 성립할 때, 상수 a, b에 대하여 $a+b$의 값은?

(단, C는 적분상수이다.)

① 1 ② 2 ③ 3
④ 4 ⑤ 5

547
(상 중 하)

함수 $f(x)=\int \frac{e^x}{1-e^x}dx$에 대하여 $f(1)-f(2)$의 값은?

① $\ln\frac{e-1}{e}$ ② $\ln\frac{e}{e-1}$ ③ $\ln(e-1)$
④ 1 ⑤ $\ln(e+1)$

548
(상 중 하)

함수 $f(x)=\int \frac{1}{e^x+1}dx$에 대하여 곡선 $y=f(x)$가 점 $(0, 0)$을 지날 때, $f(\ln 3)$의 값은?

① $\ln\frac{3}{2}$ ② $\ln 2$ ③ $\ln\frac{5}{2}$
④ $\ln 3$ ⑤ $\ln\frac{7}{2}$

549

상중하

함수 $f(x)$에 대하여 $xf'(x)=2(\ln x)^3$이고 $f(e)=\frac{7}{2}$일 때, 방정식 $f(x)=11$을 만족시키는 모든 실수 x의 값의 곱은?

① 1 ② 2 ③ 3
④ 4 ⑤ 5

550

상중하

어느 제조업체가 새로운 기술로 제품을 생산한 지 x개월 후의 이익을 $P(x)$라고 하면 $P'(x)=2xe^{-x^2}$이라고 한다. 새로운 기술로 제품을 생산한 지 1개월 후의 이익이 1일 때, $P(x)$는? (단, 단위는 천만 원이다.)

① $P(x)=-e^{-x^2}+\frac{1}{e}$ ② $P(x)=-e^{-x^2}+1$
③ $P(x)=-e^{-x^2}+e$ ④ $P(x)=-e^{-x^2}+1+\frac{1}{e}$
⑤ $P(x)=-e^{-x^2}+1+e$

551 학평 기출

상중하

곡선 $y=f(x)$의 위의 임의의 점 $(x,\ y)$에서의 접선에 수직인 직선의 기울기가 $-(2+e^x)$이고, 이 곡선이 점 $\left(0,\ -\frac{\ln 3}{2}\right)$을 지날 때, $f(\ln 2)$의 값은?

① $\ln\frac{\sqrt{2}}{2}$ ② $\ln 3$ ③ $\ln\sqrt{2}$
④ $\ln 2$ ⑤ $\ln 2\sqrt{2}$

08 삼각함수의 치환적분법

중요도

552

상중하

함수 $f(x)=\int\cos^3 x\,dx$에 대하여 $f(0)=0$이고 $f(x)=\sin x(a+b\sin^2 x)$가 성립할 때, $a+b$의 값을 구하여라. (단, a, b는 상수이다.)

553

상중하

함수 $f(x)=\int\frac{\cos\sqrt{x}}{\sqrt{x}}dx$에 대하여 $f(0)=1$일 때, $f\left(\frac{\pi^2}{4}\right)$의 값을 구하여라.

554

상중하

열린구간 $(0,\ 1)$에서 정의된 함수 $f(x)$가 $f(x)=\int\frac{\cos(\ln x)}{x}dx$이고 $f(e^{-\pi})=-1$을 만족시킬 때, 함수 $f(x)$를 구하면?

① $f(x)=\sin(\ln x)-1$ ② $f(x)=\sin(\ln x)+1$
③ $f(x)=\cos(\ln x)-1$ ④ $f(x)=\cos(\ln x)+1$
⑤ $f(x)=\tan(\ln x)-1$

555 최多빈출

상중하

함수 $f(x)=\int\frac{1}{\cos^2 x\,(1+\tan x)}dx$에 대하여 $f\left(\frac{\pi}{4}\right)=\ln 2$일 때, $f(0)$의 값은?

① 0 ② $\ln(1+\sqrt{2})$ ③ $\ln(1+\sqrt{3})$
④ $\ln 3$ ⑤ $\ln(1+\sqrt{5})$

556
상중하

함수 $f(x)=\int \tan x\,dx$에 대하여 $f(0)=1$일 때, $f(x)$를 구하면?

① $\sec^2 x+1$ ② $\ln|\sin x|$
③ $-\ln|\sin x|+1$ ④ $\ln|\cos x|$
⑤ $-\ln|\cos x|+1$

557 최多빈출
상중하

열린구간 $\left(0, \frac{3}{4}\pi\right)$에서 함수 $f(x)$의 도함수가 $f'(x)=2\sin x\cos x-\cos x$이고 극댓값이 0일 때, 극솟값은?

① $-\frac{1}{2}$ ② $-\frac{1}{4}$ ③ 0
④ $\frac{1}{4}$ ⑤ $\frac{1}{2}$

09 치환적분법의 응용
중요도

558 풍쌤 비법 ❷
상중하

미분가능한 함수 $f(x)$가 모든 실수 x에 대하여 $f(x)>0$이고, $\int \frac{f'(x)}{f(x)}dx=x$, $f(0)=1$을 만족시킬 때, $f(e)$의 값은?

① 1 ② e ③ e^2
④ $2e$ ⑤ e^e

559
상중하

모든 실수 x에 대하여 $f(x)+g(x)>0$인 미분가능한 두 함수 $f(x), g(x)$에 대하여 $f(1)+g(1)=e^3$, $f'(x)+2g(x)=0$, $g'(x)+2f(x)=0$일 때, 방정식 $f(x)+g(x)=e$의 해는?

① $x=\frac{1}{2}$ ② $x=1$ ③ $x=\frac{3}{2}$
④ $x=2$ ⑤ $x=\frac{5}{2}$

560 학평 기출
상중하

미분가능한 두 함수 $f(x)$, $g(x)$에 대하여 등식

$$\frac{d}{dx}\{f(x)g(x)\}=f(x)\left\{g(x)+\frac{d}{dx}g(x)\right\}$$

가 성립하고, $f(0)=e$일 때, $f(-1)$의 값은?

(단, $f(x)>0, g(x)\neq 0$)

① 1 ② $\sqrt{e}$ ③ 2
④ e ⑤ e^2

10 부분적분법
중요도

561
상중하

다음 부정적분을 구하여라.

(1) $\int xe^x\,dx$

(2) $\int \ln x\,dx$

(3) $\int x\cos x\,dx$

● 정답과 풀이 092쪽

562 최多빈출
상중하

함수 $f(x)$에 대하여 $f'(x)=(x-2)e^x$이고 $f(1)=-e$일 때, $f(2)$의 값은?

① $-e^2+e$ ② 0 ③ e
④ $2e$ ⑤ e^2+e

563
상중하

함수 $f(x)$에 대하여 $f'(x)=x^2\ln x$이고 $f(1)=-\frac{1}{9}$ 일 때, 방정식 $f(x)=0$의 해는?

① $x=\sqrt[3]{e}$ ② $x=\sqrt{e}$ ③ $x=e$
④ $x=e^2$ ⑤ $x=e^3$

564
상중하

연속함수 $f(x)$에 대하여

$$f'(x)=\begin{cases} xe^x\ (x<0) \\ x^2\ \ (x>0) \end{cases},\ f(1)=\frac{1}{3}$$

일 때, $f(-1)$의 값은?

① $-\frac{2}{e}$ ② $1-\frac{2}{e}$ ③ $\frac{2}{e}$
④ $1+\frac{2}{e}$ ⑤ $2+\frac{2}{e}$

565
상중하

미분가능한 함수 $f(x)$에 대하여
$\frac{d}{dx}e^{f(x)}=x\cos x\cdot e^{f(x)}$이고 $f(\pi)=-1$일 때, $f\left(\frac{\pi}{2}\right)$의 값은?

① $\frac{\pi}{2}$ ② π ③ $\frac{3}{2}\pi$
④ 2π ⑤ $\frac{5}{2}\pi$

566
상중하

곡선 $y=f(x)$ 위의 임의의 점 $(x,\ y)$에서의 접선의 기울기가 $x\sin x$이고, 이 곡선이 원점을 지날 때, $f(\pi)$의 값은?

① $-\pi$ ② -1 ③ 0
④ 1 ⑤ π

567 학평 기출
상중하

구간 $(0,\ \infty)$에서 연속인 함수 $f(x)$의 한 부정적분을 $F(x)$라고 할 때, 함수 $F(x)$가 다음 두 조건을 만족시킨다. $F(3)$의 값은?

> (가) 모든 양수 x에 대하여
> $F(x)+xf(x)=(2x+2)e^x$
> (나) $F(1)=2e$

① $\frac{1}{4}e^3$ ② $\frac{1}{2}e^3$ ③ e^3
④ $2e^3$ ⑤ $4e^3$

568
상중하

미분가능한 함수 $f(x)$에 대하여
$xf'(x)+f(x)=x\ln x,\ ef(e)=\frac{e^2}{4}$을 만족시킬 때, $f(1)$의 값을 구하여라.

569
상중하

두 함수 $f(x),\ g(x)$에 대하여 $g(x)=e^x,\ f(1)=-\frac{1}{2}$이고, $f'(g(x))g'(x)=e^x\sin x$가 성립할 때, $f(e^\pi)$의 값은?

① 1 ② $\frac{e}{2}$ ③ $\frac{e^\pi}{2}$
④ e^π ⑤ $2e^\pi$

● 정답과 풀이 095쪽

570

함수 $f(x)=\int \frac{x-\sqrt[3]{x}}{\sqrt[3]{x}}dx$에 대하여 $f(0)=1$일 때, $f(1)$의 값을 구하여라.

571

미분가능한 두 함수 $f(x)$, $g(x)$가 다음 세 조건을 만족시킬 때, 함수 $f(x)$를 구하여라. (단, $x\neq0$)

(개) $g'(x)=f(x)$
(내) $g(x)=xf(x)-x$
(대) $g(e)=e$

572

미분가능한 두 함수 $f(x)$, $g(x)$가 $f(x)+g(x)=2e^{x}$, $f'(x)-g'(x)=6e^{x}$을 만족시킨다. $f(0)=2$, $g(0)=0$일 때, 두 함수 $f(x)$, $g(x)$를 구하여라.

573

실수 전체의 집합에서 정의된 두 함수 $f(x)=-e^{-x}$, $g(x)=\cos^{2}x\sin x$에 대하여 함수 $h(x)$의 도함수를 $h'(x)=2f(x)+g(x)$로 정의하자. $h(0)=0$일 때, $h\left(\frac{\pi}{2}\right)$의 값을 구하여라.

574

$x>0$에서 정의된 함수 $f(x)$의 한 부정적분을 $F(x)$라 고 할 때, $F(x)=xf(x)-x^{2}\sin x$를 만족시킨다. $f(\pi)=1$일 때, $f(x)$를 구하여라.

575

점 $(1,\ 0)$을 지나는 곡선 $y=f(x)$가 있다. 이 곡선 위의 임의의 점 $(x,\ y)$에서의 접선에 수직인 직선의 기울기가 $-\frac{1}{\ln x}$일 때, 함수 $f(x)$를 구하여라.

고득점을 향한 도약

● 정답과 풀이 096쪽

576

함수 $f(x)=ae^x$과 미분가능한 함수 $g(x)$가

$g(x)=\int e^x f(x)dx$, $f'(x)+g'(x)=e^{2x}+e^x$을 만족시킬 때, $f(2)$의 값은?

① $\frac{1}{e^2}$ ② $\frac{1}{e}$ ③ e
④ $2e$ ⑤ e^2

577

θ에 대한 함수

$$f(\theta)=\int 2\sin\theta\cos\theta d\theta-\int(\sin\theta+\cos\theta)^2 d\theta$$

에 대하여 방정식 $f(\theta^2)=f(\theta)-6$을 만족시키는 양수 θ의 값은?

① 1 ② 2 ③ 3
④ 4 ⑤ 5

578

$x\neq0$인 모든 실수에 대하여 미분가능한 함수 $f(x)$의 한 부정적분 $F(x)$가

$$F(x)=xf(x)+x\cos x-\sin x,\ f(\pi)=1$$

을 만족시킬 때, $f\left(\frac{\pi}{2}\right)$의 값은?

① -2 ② -1 ③ 0
④ 1 ⑤ 2

579 (100점 도전)

열린구간 $\left(-\frac{\pi}{4},\ \frac{3}{4}\pi\right)$에서 미분가능한 함수 $f(x)$에 대하여 $f'(x)=\lim_{n\to\infty}(\sin^n x+\cos^n x)^{\frac{1}{n}}$ $(n=1, 2, 3, \cdots)$

이고 $f(0)=0$일 때, $f\left(\frac{\pi}{2}\right)$의 값은?

① $-\sqrt{2}$ ② $-\frac{\sqrt{2}}{2}$ ③ 0
④ $\frac{\sqrt{2}}{2}$ ⑤ $\sqrt{2}$

580

x에 대한 이차방정식 $x^2+ax+b=0$의 두 근이 $-1, 2$일 때, 함수 $f(x)=\int\frac{x-5}{x^2+ax+b}dx$에 대하여 $f(3)-f(1)$의 값은? (단, a, b는 상수이다.)

① $\ln 2$ ② $2\ln 2$ ③ $3\ln 2$
④ $4\ln 2$ ⑤ $5\ln 2$

581

함수 $f(x)=\int\sin^3 x\cos^4 x\,dx$에 대하여 $f\left(\frac{\pi}{2}\right)=0$일 때, $f(0)$의 값은?

① $-\frac{2}{35}$ ② $-\frac{1}{35}$ ③ 0
④ $\frac{1}{35}$ ⑤ $\frac{2}{35}$

● 정답과 풀이 097쪽

582

모든 실수 x에 대하여 $f(x)+g(x)>0$인 두 함수 $f(x)$, $g(x)$에 대하여 $f(0)=e$, $g(0)=0$, $2f'(x)-f(x)=0$, $2g'(x)-g(x)=0$일 때, 방정식 $f(x)+g(x)=1$의 해를 구하여라.

583

모든 실수에서 미분가능한 함수 $f(x)$가 $(x+2)f'(x)-2f(x)+2=0$을 만족시키고, $f(0)=0$일 때, $\{f(2)-1\}^2$의 값은?

① 16　② 17　③ 18　④ 19　⑤ 20

584

함수 $f(x)=e^x-1$의 역함수 $f^{-1}(x)$에 대하여 $g(x)=\int f^{-1}(x)dx$이고 $g(0)=0$일 때, $g(e-1)$의 값은?

① 1　② $e-1$　③ 2　④ e　⑤ $e+1$

585

미분가능한 함수 $f(x)$가 $\int f(x)\,dx=xf(x)-x^2e^{-x}$을 만족시키고 곡선 $y=f(x)$가 점 $(1,\ 0)$을 지날 때, 함수 $f(x)$의 극값은?

① $\frac{1}{e^2}$　② $\frac{1}{e}$　③ 1　④ e　⑤ e^2

586

양의 실수를 정의역으로 하는 두 함수 $f(x)=x$, $h(x)=\ln x$에 대하여 다음 두 조건을 만족시키는 함수 $g(x)$가 있다. 이때, $g(e)$의 값은?

> (가) $f'(x)g(x)+f(x)g'(x)=h(x)$
> (나) $g(1)=-1$

① -2　② -1　③ 0　④ 1　⑤ 2

587 100점 도전

함수 $f_n(x)$가 다음 세 조건을 만족시킬 때, $\sum_{k=2}^{10} f_k(0)$의 값은?

> (가) $f_1(x)=xe^x$
> (나) $f_{n+1}(x)=\int f_n(x)dx \ (n=1,\ 2,\ 3,\ \cdots)$
> (다) $f_{n+1}(n)=0 \ (n=1,\ 2,\ 3,\ \cdots)$

① -45　② -25　③ -5　④ 25　⑤ 45

09 정적분

더 자세한 개념은 풍산자 미적분 197쪽

1 정적분의 정의와 정적분의 성질

(1) 정적분의 정의

① 함수 $f(x)$가 닫힌구간 $[a, b]$에서 연속일 때, $f(x)$의 한 부정적분 $F(x)$에 대하여 $F(b)-F(a)$를 $f(x)$의 a에서 b까지의 정적분이라고 한다.

② $\int_a^b f(x)dx=\Big[F(x)\Big]_a^b=F(b)-F(a)$

(2) 정적분의 성질

세 실수 a, b, c를 포함하는 닫힌구간에서 두 함수 $f(x)$, $g(x)$가 연속일 때

① $\int_a^b kf(x)dx=k\int_a^b f(x)dx$ (단, k는 상수이다.)

② $\int_a^b \{f(x)\pm g(x)\}dx=\int_a^b f(x)dx\pm\int_a^b g(x)dx$ (복호동순)

③ $\int_a^c f(x)dx+\int_c^b f(x)dx=\int_a^b f(x)dx$

2 정적분의 치환적분법과 부분적분법

(1) 정적분의 치환적분법

닫힌구간 $[a, b]$에서 연속인 함수 $f(x)$에 대하여 미분가능한 함수 $t=g(x)$의 도함수 $g'(x)$가 닫힌구간 $[\alpha, \beta]$에서 연속이고 $a=g(\alpha), b=g(\beta)$이면

$\int_a^b f(x)dx=\int_\alpha^\beta f(g(t))g'(t)dt$

(2) 정적분의 부분적분법

함수 $f(x)$, $g(x)$가 닫힌구간 $[a, b]$에서 미분가능하고 그 도함수 $f'(x), g'(x)$가 연속일 때,

$\int_a^b f'(x)g(x)dx=\Big[f(x)g(x)\Big]_a^b-\int_a^b f(x)g'(x)dx$

3 우함수와 기함수의 정적분

연속함수 $f(x)$에 대하여

① $\underbrace{f(-x)=f(x)}_{\text{우함수}}$이면 $\int_{-a}^a f(x)dx=2\int_0^a f(x)dx$

② $\underbrace{f(-x)=-f(x)}_{\text{기함수}}$이면 $\int_{-a}^a f(x)dx=0$

4 정적분으로 정의된 함수

(1) 정적분으로 정의된 함수의 미분

① $\frac{d}{dx}\int_a^x f(t)dt=f(x)$

② $\frac{d}{dx}\int_x^{x+a} f(t)dt=f(x+a)-f(x)$

(2) 정적분으로 정의된 함수의 극한

① $\lim_{x\to a}\frac{1}{x-a}\int_a^x f(t)dt=f(a)$

② $\lim_{x\to 0}\frac{1}{x}\int_a^{x+a} f(t)dt=f(a)$

문제 풀 때 유용한 풍쌤 비법

❶ 구간에 따라 함수가 다르면 구간을 나누어 적분한다.

(1) 절댓값 기호 안의 식의 값이 0이 되게 하는 x의 값을 구한 후, x의 값을 경계로 적분 구간을 나누어 정적분의 값을 구한다.

(2) 연속함수 $f(x)=\begin{cases} g(x) & (x<b) \\ h(x) & (x\ge b)\end{cases}$에 대하여 $a<b<c$일 때 ⇨ $\int_a^c f(x)dx=\int_a^b g(x)dx+\int_b^c h(x)dx$

(3) 그래프의 꺾인 점을 기준으로 각 구간에서의 함수의 식을 찾아 정적분의 값을 구한다.

❷ 정적분으로 정의된 함수 구하기

(1) $f(x)=g(x)+\int_a^b f(t)dt$ (a, b는 상수) 꼴 ⇨ $\int_a^b f(t)dt=k$ (k는 상수)로 놓고 $f(x)=g(x)+k$임을 이용하여 k의 값을 구한다.

(2) $\frac{d}{dx}\int_a^x f(t)dt=f(x)$, $\int_a^a f(x)dx=0$임을 이용한다.

실력을 기르는 유형

01 여러 가지 함수의 정적분

중요도

588 (상 중 하)

다음 정적분의 값을 구하여라.

(1) $\int_{1}^{2} \frac{2x+1}{x} dx$ (2) $\int_{1}^{8} \sqrt[3]{x} dx$

(3) $\int_{0}^{\ln 3} e^{x} dx$ (4) $\int_{1}^{4} 2^{x} dx$

589 최多빈출 (상 중 하)

정적분 $\int_{0}^{1} \frac{e^{2x}}{e^{x}-1} dx - \int_{0}^{1} \frac{1}{e^{x}-1} dx$의 값은?

① $e-1$ ② e ③ $e+1$
④ $e+2$ ⑤ $e+4$

590 학평 기출 (상 중 하)

$\int_{1}^{2} \frac{3x+2}{x^{2}} dx$의 값은?

① $2\ln 2-1$ ② $3\ln 2-1$ ③ $\ln 2+1$
④ $2\ln 2+1$ ⑤ $3\ln 2+1$

591 (상 중 하)

$\int_{1}^{3} \left(\frac{1}{x+1}+\frac{1}{x}\right) dx = \ln a$일 때, 실수 a의 값은?

① 5 ② 6 ③ 7
④ 8 ⑤ 9

592 (상 중 하)

$\int_{0}^{a} \frac{1}{1-\sin^{2} x} dx = 1$일 때, 상수 a의 값은?

(단, $0<a<\frac{\pi}{2}$)

① $\frac{\pi}{12}$ ② $\frac{\pi}{6}$ ③ $\frac{\pi}{4}$
④ $\frac{\pi}{3}$ ⑤ $\frac{5}{12}\pi$

593 (상 중 하)

함수 $f(x)=e^{x-1}+\sin \pi x$에 대하여 다음 식의 값은?

$$\int_{2}^{4} f(x)dx - \int_{3}^{4} f(x)dx + \int_{1}^{2} f(x)dx$$

① $e-1$ ② $e+1$ ③ $e^{2}-1$
④ $3e+1$ ⑤ $e^{2}+1$

594 (상 중 하)

정적분 $\int_{0}^{\frac{\pi}{2}} \frac{\sin^{2} x}{\sin x - \cos x} dx + \int_{\frac{\pi}{2}}^{0} \frac{\cos^{2} x}{\sin x - \cos x} dx$의 값은?

① -2 ② -1 ③ 0
④ 1 ⑤ 2

595
상중하

정적분 $\int_{2}^{3}\frac{8^x}{2^x-1}dx+\int_{3}^{2}\frac{1}{2^y-1}dy=\frac{a}{\ln 2}+b$일 때, 두 상수 a, b에 대하여 $a-b$의 값은?

① 19 ② 27 ③ 31
④ 34 ⑤ 41

596 학평 기출
상중하

한 변의 길이가 1인 정사각형 OABC를 오른쪽 그림과 같이 원점 O를 기준으로 $\theta\left(0<\theta<\frac{\pi}{2}\right)$ 만큼 회전시킨 정사각형을 OA′B′C′이라 하고 삼각형 A′AB의 넓이를 $f(\theta)$라고 할 때, $\int_{0}^{\frac{\pi}{2}}f(\theta)d\theta$의 값은?

① $\frac{\pi}{2}-\frac{1}{2}$ ② $\frac{\pi}{2}-1$ ③ $\frac{\pi}{4}-\frac{1}{4}$
④ $\frac{\pi}{4}-\frac{1}{2}$ ⑤ $\frac{\pi}{4}-1$

02 구간에 따라 다르게 정의되는 함수의 정적분 중요도

597 풍쌤 비법 ❶
상중하

정적분 $\int_{-1}^{1}|e^x-1|dx$의 값은?

① $e+\frac{1}{e}-2$ ② $e+\frac{1}{e}-1$ ③ $e+\frac{1}{e}$
④ $e+\frac{1}{e}+1$ ⑤ $e+\frac{1}{e}+2$

598
상중하

정적분 $\int_{0}^{\frac{\pi}{2}}|\cos x-\sin x|dx$의 값을 $a\sqrt{2}+b$라고 할 때, a^2+b^2의 값은? (단, a, b는 유리수이다.)

① 2 ② 4 ③ 6
④ 8 ⑤ 10

599
상중하

정적분 $\int_{\frac{1}{e^2}}^{e}\sqrt[4]{(\ln x)^4}\,dx$의 값은?

① $1-\frac{2}{e^2}$ ② $1-\frac{3}{e^2}$ ③ $2-\frac{2}{e^2}$
④ $2-\frac{3}{e^2}$ ⑤ $2+2e$

600 최多빈출
상중하

정적분 $\int_{-1}^{6}\left|\frac{x-2}{x+2}\right|dx$의 값은?

① $2\ln 2-2$ ② $2\ln 2+1$ ③ $3\ln 2-2$
④ $4\ln 2-2$ ⑤ $4\ln 2+1$

601
상중하

함수 $f(x)=|x+1|$에 대하여 정적분 $\int_{0}^{2}xf(-x)dx$의 값은?

① $\frac{1}{6}$ ② $\frac{1}{4}$ ③ $\frac{1}{3}$
④ $\frac{1}{2}$ ⑤ 1

03 우함수와 기함수의 정적분

중요도

602

상중하

다음 정적분의 값을 구하여라.

(1) $\int_{-3}^{3}(e^x+e^{-x})dx$ (2) $\int_{-\pi}^{\pi}\sin|x|dx$

(3) $\int_{-3}^{3}x^3\ln(x^2+1)dx$ (4) $\int_{-2}^{2}x\sqrt{x^2+1}dx$

603

상중하

함수 $y=f(x)$의 그래프가 오른쪽 그림과 같을 때, 정적분 $\int_{-\frac{\pi}{2}}^{\frac{\pi}{2}}f(x)\sin x\,dx$의 값은?

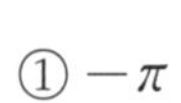

① $-\pi$ ② $-\frac{\pi}{2}$ ③ 0 ④ $\frac{\pi}{2}$ ⑤ π

604

상중하

정적분 $\int_{-1}^{1}(\sin x+x\cos x+3x^2+1)dx$의 값은?

① 1 ② 2 ③ 3 ④ 4 ⑤ 5

605

상중하

정적분 $\int_{-\pi}^{\pi}(\sin\theta+\cos\theta)^2d\theta$의 값은?

① -2π ② $-\pi$ ③ 0 ④ π ⑤ 2π

606

상중하

두 함수 $f(x)=x^2+1, g(x)=\sin x+x$에 대하여 $\int_{-1}^{1}\{(f\circ f)(x)+(g\circ g)(x)\}dx=\frac{q}{p}$일 때, $p+q$의 값은? (단, p와 q는 서로소인 자연수이다.)

① 89 ② 92 ③ 95 ④ 98 ⑤ 101

04 정적분의 치환적분법

중요도

607

상중하

정적분 $\int_{0}^{1}10x(1+x^2)^4dx$의 값은?

① 29 ② 30 ③ 31 ④ 32 ⑤ 33

608 최多빈출

상중하

정적분 $\int_{0}^{2}\frac{x}{x^2+1}dx$의 값은?

① 0 ② $\frac{\ln 2}{2}$ ③ $\frac{\ln 3}{2}$ ④ $\ln 2$ ⑤ $\frac{\ln 5}{2}$

609

상중하

미분가능한 함수 $f(x)$에 대하여

$\lim_{h \to 0} \frac{f(x+h)-f(x)}{h} = \frac{2(x^2+x+1)}{x^2+1}$일 때, 정적분

$\int_0^{\sqrt{e-1}} f'(x)dx$의 값은?

① $2\sqrt{e-1}$ ② $2\sqrt{e}$ ③ $2\sqrt{e-1}+1$
④ $2\sqrt{e+1}$ ⑤ $2\sqrt{e+2}$

610

상중하

함수 $f(x)=\sqrt{2x+1}$에 대하여

$\int_0^4 f(x)dx - \int_3^5 f(x)dx + \int_4^5 f(x)dx = \frac{1}{a}(b\sqrt{b}-1)$

을 만족시키는 두 상수 a, b에 대하여 a^2b의 값은?

① 16 ② 28 ③ 36
④ 45 ⑤ 63

611 최多빈출

상중하

정적분 $\int_1^2 x\sqrt{2-x}\,dx$의 값은?

① $\frac{2}{3}$ ② $\frac{11}{15}$ ③ $\frac{4}{5}$
④ $\frac{13}{15}$ ⑤ $\frac{14}{15}$

612

상중하

정적분 $\int_0^3 \frac{2^x \ln 2}{2^x+1}dx$의 값은?

① $\ln\frac{3}{2}$ ② $\ln 2$ ③ $\ln\frac{5}{2}$
④ $\ln\frac{7}{2}$ ⑤ $\ln\frac{9}{2}$

613

상중하

정적분 $\int_0^{\frac{\pi}{2}} \cos x \sin^3 x\,dx$의 값은?

① $\frac{1}{5}$ ② $\frac{1}{4}$ ③ $\frac{1}{3}$
④ $\frac{1}{2}$ ⑤ 1

614 학평 기출

상중하

$\int_{e^2}^{e^3} \frac{a+\ln x}{x}dx = \int_0^{\frac{\pi}{2}} (1+\sin x)\cos x\,dx$가 성립할 때, 상수 a의 값은?

① -2 ② -1 ③ 0
④ 1 ⑤ 2

615

상중하

정적분 $\int_0^2 \frac{1}{x^2+4}dx$의 값은?

① $\frac{\pi}{8}$ ② $\frac{\pi}{6}$ ③ $\frac{\pi}{4}$
④ $\frac{\pi}{3}$ ⑤ $\frac{\pi}{2}$

05 정적분의 치환적분법의 응용

중요도

616 최多빈출

(상 중 하)

연속함수 $f(x)$에 대하여 $\int_0^9 f(x)dx=6$일 때, $\int_{-3}^0 f(3x+9)dx$의 값은?

① 1 ② 2 ③ 3
④ 4 ⑤ 5

617

(상 중 하)

두 연속함수 $f(x), g(x)$가 모든 실수 x에 대하여 $\frac{d}{dx}\{f(x)\}=g(x)$를 만족시키고 상수 a, b에 대하여 $f(a)=0,\ f(b)=4$일 때, $\int_a^b f(x)g(x)dx$의 값은?

① 2 ② 4 ③ 6
④ 8 ⑤ 10

618 학평 기출

(상 중 하)

오른쪽 그림과 같이 제1사분면에 있는 점 P에서 x축에 내린 수선의 발을 H라 하고, $\angle\text{POH}=\theta$라고 하자. $\frac{\overline{\text{OH}}}{\overline{\text{PH}}}$를 $f(\theta)$라고 할 때, $\int_{\frac{\pi}{6}}^{\frac{\pi}{3}} f(\theta)d\theta$의 값은? (단, O는 원점이다.)

① $\frac{1}{2}\ln 3$ ② $\ln 3$ ③ $\ln 6$
④ $2\ln 3$ ⑤ $2\ln 6$

619

(상 중 하)

연속함수 $f(x)$가 $f(x)+f(-x)=2\cos x+1$을 만족시킬 때, 정적분 $\int_{-\frac{\pi}{2}}^{\frac{\pi}{2}} f(x)dx$의 값을 구하여라.

620

(상 중 하)

연속함수 $f(x)$가 다음 두 조건을 만족시킬 때, $\int_0^a \{f(2x)+f(2a-x)\}dx$의 값을 구하여라.

(단, a는 상수이다.)

> (가) 모든 실수 x에 대하여 $f(a-x)=f(a+x)$이다.
> (나) $\int_0^a f(x)dx=13$

06 정적분의 부분적분법

중요도

621

(상 중 하)

정적분 $\int_0^1 xe^x dx$의 값은?

① 1 ② 2 ③ e
④ $2e$ ⑤ e^2

622

(상 중 하)

정적분 $\int_1^e x(1-\ln x)dx$의 값을 구하여라.

623 학평 기출

상 중 하

정적분 $\int_1^e \ln \frac{x}{e}\,dx$의 값은?

① $\frac{1}{e}-1$ ② $\frac{1}{e}-2$ ③ $\frac{1}{2}-e$
④ $1-e$ ⑤ $2-e$

624

상 중 하

정적분 $\int_0^{\frac{\pi}{2}} x\sin x\,dx$의 값은?

① 1 ② $\frac{\pi}{2}$ ③ 2
④ π ⑤ 3

625

상 중 하

정적분 $\int_{-2\pi}^{\pi} x\sin|x|\,dx$의 값은?

① -3π ② $-\pi$ ③ 0
④ π ⑤ 3π

626

상 중 하

정의역이 $\{x\,|\,x>-1\}$인 함수 $f(x)$에 대하여

$f'(x)=\frac{1}{(1+x^3)^2}$이고 함수 $g(x)=x^2$에 대하여

$\int_0^1 f(x)g'(x)\,dx=\frac{1}{10}$일 때, $f(1)$의 값은?

① $\frac{1}{30}$ ② $\frac{2}{15}$ ③ $\frac{4}{15}$
④ $\frac{1}{3}$ ⑤ $\frac{2}{5}$

627

상 중 하

함수 $f(x)=ax\ln x+b$가 $\lim_{x\to e}\frac{f(x)-f(e)}{x-e}=2$,

$\int_1^e f(x)\,dx=\frac{1}{4}e(e+1)$을 만족시킬 때, 두 상수 a, b의 합 $a+b$의 값은?

① $\frac{1}{4}$ ② $\frac{1}{2}$ ③ $\frac{3}{4}$
④ 1 ⑤ $\frac{5}{4}$

628 최多빈출

상 중 하

정적분 $\int_0^{2\pi} e^t\cos t\,dt$의 값은?

① $\frac{2e}{3}$ ② $\frac{e^{2\pi}-1}{3}$ ③ $\frac{e^{2\pi}}{3}$
④ $\frac{e^{2\pi}-1}{2}$ ⑤ $\frac{e^{2\pi}}{2}$

07 정적분으로 정의된 함수와 등식

중요도

629

상 중 하

함수 $f(x)$가 $f(x)=\frac{1}{x+1}+2\int_0^1 f(t)\,dt$를 만족시킬 때, $f(0)$의 값은?

① $1-2\ln 3$ ② $1-2\ln 2$ ③ $2-2\ln 3$
④ $2-2\ln 2$ ⑤ $3-2\ln 3$

630 풍쌤 비법 ❷ (상중하)

연속함수 $f(x)$가 모든 실수 x에 대하여

$f(x)=x\cos x+\int_0^{\frac{\pi}{2}} f(t)dt$를 만족시킬 때, $f(0)$의 값을 구하여라.

631 학평 기출 (상중하)

연속함수 $f(x)$가 $f(x)=e^{x^2}+\int_0^1 tf(t)dt$를 만족시킬 때, $\int_0^1 xf(x)dx$의 값은?

① $e-2$ ② $\frac{e-1}{2}$ ③ $\frac{e}{2}$
④ $e-1$ ⑤ $\frac{e+1}{2}$

632 최多빈출 (상중하)

등식 $\int_e^x f(t)dt=x\ln x-x+k$를 만족시키는 함수 $f(x)$에 대하여 $f(e)+k$의 값은? (단, k는 상수이다.)

① 0 ② 1 ③ 2
④ e ⑤ e^2

633 최多빈출 (상중하)

연속함수 $f(x)$가 모든 실수 x에 대하여

$\int_0^x f(t)dt=\cos 2x+ax^2+a$를 만족시킬 때, $f\left(\frac{\pi}{4}\right)$의 값은? (단, a는 상수이다.)

① $-2-\frac{\pi}{2}$ ② $-1-\frac{\pi}{2}$ ③ $1-\frac{\pi}{4}$
④ $2+\frac{\pi}{2}$ ⑤ $3+\frac{\pi}{2}$

634 (상중하)

함수 $f(x)=\ln|x|+a$가

$$\int_1^x \left\{\frac{d}{dt}f(t)\right\}dt=\frac{d}{dx}\int_1^x f(t)dt$$

를 만족시킬 때, $f(e)$의 값은? (단, a는 상수이다.)

① 0 ② 1 ③ $\sqrt{e}$
④ e ⑤ $e+1$

635 (상중하)

모든 실수 x에 대하여 연속인 함수 $f(x)$가

$$f(x)=\int_0^x e^t f(t)dt+k \ (k\text{는 상수})$$

를 만족시킨다고 한다. $f(0)=1$일 때, $f''(0)$의 값은?

① 2 ② 4 ③ 6
④ 8 ⑤ 10

636 (상중하)

모든 실수 x에 대하여 연속인 함수 $f(x)$가

$\sin x=\int_{\frac{\pi}{2}}^x (x-t)f(t)dt+1$을 만족시킬 때, $f\left(\frac{\pi}{2}\right)$의 값을 구하여라.

637 (상중하)

연속함수 $f(x)$와 일차함수 $g(x)=ax+b$가 등식

$\int_0^x (x-t)f(t)dt=e^{-x}+g(x)$를 만족시킬 때, $g(2)$의 값은? (단, $a\neq0$이고, a, b는 상수이다.)

① 1 ② 2 ③ 3
④ 4 ⑤ 5

638

(상중하)

$0<x<\pi$에서 함수 $f(x)=\int_0^x \cos t(1+\sin t)dt$의 극댓값은?

① $\frac{1}{2}$ ② 1 ③ $\frac{3}{2}$
④ 2 ⑤ $\frac{5}{2}$

639

(상중하)

오른쪽 그림과 같이 두 점 $(0,\ 0)$, $(2,\ 0)$을 지나는 이차함수 $y=f(x)$의 그래프에서 함수 $g(x)$를 $g(x)=\int_x^{x+1} e^{f(t)}dt$로 정의할 때, $g(x)$는 $x=k$에서 최솟값을 갖는다. 이때, 상수 k의 값은?

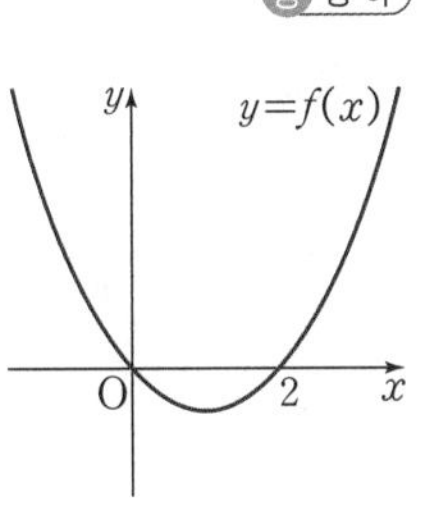

① 0 ② $\frac{1}{2}$ ③ 1
④ $\frac{3}{2}$ ⑤ 2

08 정적분으로 정의된 함수의 극한

중요도

640

(상중하)

$\lim_{x\to\frac{\pi}{2}} \frac{1}{x-\frac{\pi}{2}}\int_{\frac{\pi}{2}}^{x} \frac{1}{2+3\cos t}dt$의 값은?

① $\frac{1}{3}$ ② $\frac{1}{2}$ ③ 1
④ 2 ⑤ 3

641 최多빈출

(상중하)

$\lim_{x\to 1} \frac{1}{x^3-1}\int_1^x e^t\, dt$의 값은?

① $\frac{1}{2}$ ② $\frac{e}{3}$ ③ 1
④ $\frac{e}{2}$ ⑤ e

642

(상중하)

$\lim_{x\to 0} \frac{1}{\sin 3x}\int_1^{x+1} \ln(t^3+t)dt$의 값은?

① $\frac{1}{3}\ln 2$ ② $\frac{2}{3}\ln 2$ ③ $\ln 2$
④ $\frac{1}{3}\ln 3$ ⑤ $\frac{3}{2}\ln 3$

643 최多빈출

(상중하)

함수 $f(x)=e^x-k$에 대하여 $\lim_{x\to 0}\frac{1}{x}\int_0^x f(t)dt=6$일 때, 상수 k의 값은?

① -5 ② -3 ③ 3
④ 5 ⑤ 7

644

(상중하)

실수 전체의 집합에서 미분가능한 함수 $f(x)$가 $f(1)=3$, $f'(1)=3$을 만족시킬 때,

$\lim_{x\to 1}\frac{1}{x-1}\int_1^{x^2} f(t)f'(t)dt$의 값은?

① 9 ② 18 ③ 27
④ 36 ⑤ 54

● 정답과 풀이 105쪽

645

정적분 $\int_1^2 \frac{x+3}{x(x+1)}dx$의 값을 구하여라.

646

함수 $f(x)$는 $f(x)=f(-x)$를 만족시킨다.
$\int_0^2 f(x)dx=5$일 때, $\int_{-2}^2 \frac{f(x)}{e^{-x}+1}dx$의 값을 구하여라.

647

미분가능한 함수 $f(x)$가 임의의 실수 x, y에 대하여 $f(x+y)=f(x)+f(y)$를 만족시킨다. $f'(0)=a$일 때, $\int_0^{\pi} f(x)\{f(x)-4\sin x\}dx$의 값이 최소가 되는 함수 $f(x)$를 구하여라.

648

이계도함수가 $f''(x)$인 연속함수 $f(x)$가 다음 두 조건을 만족시킨다. 정적분 $\int_1^2 xf''(x)dx$의 값을 구하여라.

(가) $\lim_{x\to1}\frac{f(x)-3}{x-1}=2$ (나) $\lim_{x\to2}\frac{f(x)-4}{x-2}=3$

649

$x>0$에서 정의된 미분가능한 함수 $f(x)$가
$xf(x)-x=\int_1^x f(t)dt-1$을 만족시킬 때,
$\int_1^e [x]f(x)dx$의 값을 구하여라.

(단, $[x]$는 x보다 크지 않은 최대의 정수이다.)

650

함수 $f(x)=2e^x+ax+b$가 다음 두 조건을 만족시킬 때,
$\int_0^2 \{f(x)+f(-x)\}dx$의 값을 구하여라.

(단, a, b는 상수이다.)

(가) $\lim_{x\to0}\frac{1}{x}\int_0^x f(t)dt=-4$

(나) $\lim_{x\to2}\frac{1}{x^2-4}\int_2^x f(t)dt=\frac{1}{2}(e^2+1)$

● 정답과 풀이 107쪽

651

두 함수

$f(x)=\frac{5}{2}-\frac{10x}{x^2+4}$와

$g(x)=\frac{4-|x-4|}{2}$의 그래프가 오른쪽 그림과 같다.

$0\le a\le 8$일 때, $\int_0^a f(x)dx+\int_a^8 g(x)dx$의 최솟값은?

① $14-5\ln 5$ ② $15-5\ln 10$ ③ $15-5\ln 5$
④ $16-5\ln 10$ ⑤ $16-5\ln 5$

652

모든 실수 x에 대하여 연속인 함수 $f(x)$가

$f(-x)=\frac{1}{f(x)}$을 만족시킬 때, 정적분

$\int_{-2}^{2}\frac{f(x)}{1+f(x)}dx$의 값은?

① 1 ② 2 ③ 4
④ 6 ⑤ 8

653

함수 $f(x)=e^x+1$의 역함수를 $g(x)$라고 할 때, 정적분

$\int_2^{e+1} g(t)dt$의 값은?

① 1 ② e ③ $e+1$
④ e^2 ⑤ e^2+1

654 (100점 도전)

함수 $f(x)$를 $f(x)=\int_a^x \sin t^2 dt$로 정의하자.

$f''(a)=a$일 때, 함수 $f(x)$의 역함수 $f^{-1}(x)$에 대하여 $(f^{-1})'(0)$의 값은? $\left(\text{단, } a\text{는 } 0<a<\sqrt{\frac{\pi}{2}}\text{인 상수이다.}\right)$

① $\frac{\sqrt{2}}{3}$ ② $\frac{\sqrt{3}}{3}$ ③ $\frac{\sqrt{2}}{2}$
④ $\frac{\sqrt{3}}{2}$ ⑤ $\frac{2\sqrt{3}}{3}$

655

두 함수 $f(x)$, $g(x)$가 모든 실수 x에 대하여 다음 두 조건을 만족시킬 때, $f(0)$의 값은? (단, a는 상수이다.)

> (가) $\int_{\frac{\pi}{2}}^{x} f(t)dt=\{g(x)+a\}\sin x-2$
>
> (나) $g(x)=\int_0^{\frac{\pi}{2}} f(t)dt\cdot\cos x+3$

① 1 ② 2 ③ 3
④ 4 ⑤ 5

656

등식 $\lim_{h\to 0}\frac{1}{h}\int_{x-h}^{x+h} f(t)dt=2^x$을 만족시키는 함수 $f(x)$에 대하여 $\int_1^2 f(x)dx$의 값은?

① $\frac{1}{\ln 2}$ ② $\frac{2}{\ln 2}$ ③ $\ln 2$
④ $2\ln 2$ ⑤ 1

10 정적분의 활용

더 자세한 개념은 풍산자 미적분 233쪽

1 정적분과 급수의 합 사이의 관계

(1) 구분구적법 : 어떤 도형의 넓이나 부피를 구할 때, 주어진 도형을 잘게 나누어 도형의 넓이나 부피를 구하는 방법

(2) 정적분과 급수의 합 사이의 관계

① $\lim_{n\to\infty}\sum_{k=1}^{n} f\left(a+\frac{b-a}{n}k\right)\cdot\frac{b-a}{n}=\int_a^b f(x)dx$

② $\lim_{n\to\infty}\sum_{k=1}^{n} f\left(a+\frac{p}{n}k\right)\cdot\frac{p}{n}=\int_a^{a+p} f(x)dx$

$=\int_0^p f(x+a)dx$

③ $\lim_{n\to\infty}\sum_{k=1}^{n} f\left(\frac{p}{n}k\right)\cdot\frac{p}{n}=\int_0^p f(x)dx$ — $p=1$로 놓으면 $\lim_{n\to\infty}\sum_{k=1}^{n} f\left(\frac{k}{n}\right)\cdot\frac{1}{n}=\int_0^1 f(x)dx$

참고 함수 $f(x)$가 닫힌구간 $[a, b]$에서 연속일 때,
$\lim_{n\to\infty}\sum_{k=1}^{n} f(x_k)\Delta x=\int_a^b f(x)dx$ $\left(\text{단, } \Delta x=\frac{b-a}{n},\ x_k=a+k\Delta x\right)$

2 곡선과 x축 사이의 넓이

함수 $y=f(x)$가 구간 $[a, b]$에서 연속일 때, 곡선 $y=f(x)$와 x축 및 두 직선 $x=a$, $x=b$로 둘러싸인 도형의 넓이 S는

$$S=\int_a^b |f(x)|dx$$

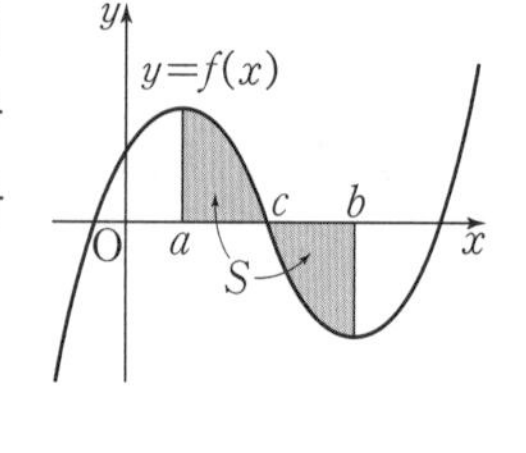

참고 함수 $x=g(y)$가 닫힌구간 $[c, d]$에서 연속일 때, 곡선 $x=g(y)$와 y축 및 두 직선 $y=c$, $y=d$로 둘러싸인 도형의 넓이 S는 $S=\int_c^d |g(y)|dy$

3 두 곡선 사이의 넓이

두 함수 $y=f(x)$, $y=g(x)$가 닫힌구간 $[a, b]$에서 연속일 때, 두 곡선 $y=f(x)$와 $y=g(x)$ 및 두 직선 $x=a$, $x=b$로 둘러싸인 도형의 넓이 S는

$$S=\int_a^b |f(x)-g(x)|dx$$

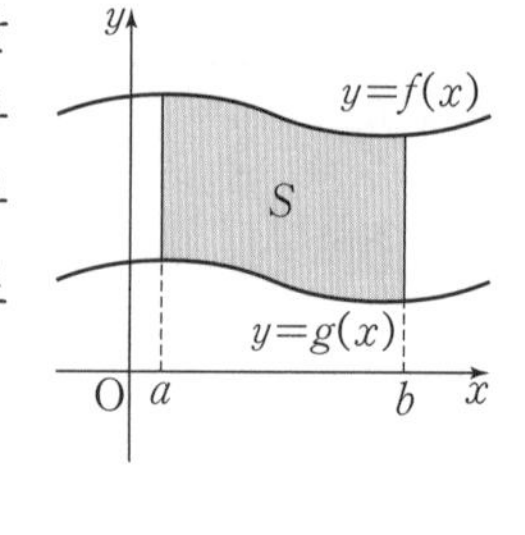

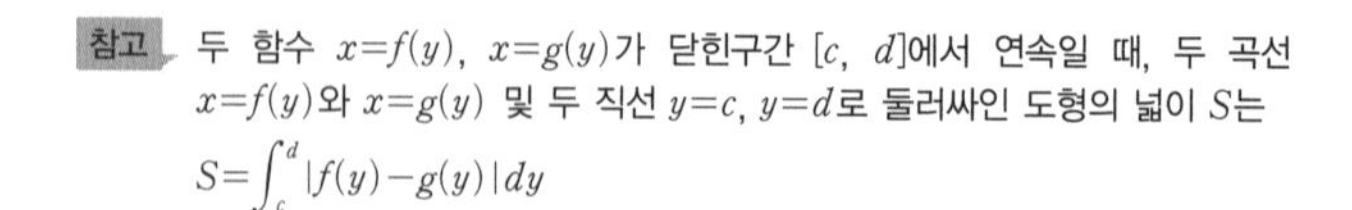

참고 두 함수 $x=f(y)$, $x=g(y)$가 닫힌구간 $[c, d]$에서 연속일 때, 두 곡선 $x=f(y)$와 $x=g(y)$ 및 두 직선 $y=c$, $y=d$로 둘러싸인 도형의 넓이 S는
$S=\int_c^d |f(y)-g(y)|dy$

4 입체도형의 부피

닫힌구간 $[a, b]$의 임의의 점에서 x축에 수직인 평면으로 자른 단면의 넓이가 $S(x)$인 입체도형의 부피 V는

$$V=\int_a^b S(x)dx$$

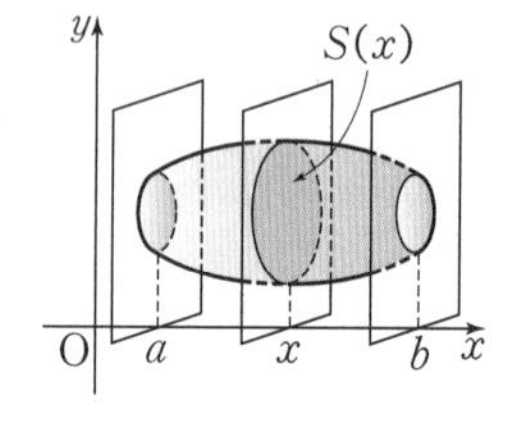

5 점이 움직인 거리와 곡선의 길이

(1) 좌표평면 위에서 점이 움직인 거리

좌표평면 위를 움직이는 점 P의 시각 t에서의 위치 (x, y)가 $x=f(t)$, $y=g(t)$일 때, 시각 $t=a$에서 $t=b$까지 점 P가 움직인 거리 s는

$$s=\int_a^b \sqrt{\left(\frac{dx}{dt}\right)^2+\left(\frac{dy}{dt}\right)^2}dt$$

$$=\int_a^b \sqrt{\{f'(t)\}^2+\{g'(t)\}^2}dt$$

(2) 곡선의 길이

곡선 $y=f(x)$에 대하여 $x=a$에서 $x=b$까지의 길이 l은

$$l=\int_a^b \sqrt{1+\left(\frac{dy}{dx}\right)^2}dx$$

$$=\int_a^b \sqrt{1+\{f'(x)\}^2}dx$$

참고 수직선 위를 움직이는 점 P의 시각 t에서의 속도를 $v(t)$, 시각 t_0에서의 점 P의 위치를 x_0이라고 할 때, 시각 $t=a$에서 $t=b$까지 점 P가 움직인 거리 s에 대하여

① $x=x_0+\int_{t_0}^{t} v(t)dt$

② $s=\int_a^b |v(t)|dt$

문제 풀 때 유용한 풍쌤 비법

❶ 두 곡선 사이의 넓이를 이등분하는 곡선

세 함수 $y=f(x)$, $y=g(x)$, $y=h(x)$가 닫힌구간 $[a, b]$에서 연속이고, 두 곡선 $y=f(x)$와 $y=g(x)$ 및 두 직선 $x=a$, $x=b$로 둘러싸인 도형의 넓이를 곡선 $y=h(x)$가 이등분하면

$$\int_a^b |f(x)-g(x)|\,dx=2\int_a^b |f(x)-h(x)|dx$$

실력을 기르는 유형

● 정답과 풀이 109쪽

01 구분구적법

중요도

657

(상 중 하)

다음은 곡선 $y=x^2$과 x축 및 직선 $x=1$로 둘러싸인 도형의 넓이 S를 구분구적법을 이용하여 구하는 과정이다.

> 오른쪽 그림과 같이 닫힌구간 $[0, 1]$을 n등분하면 양 끝 점과 각 분점의 x좌표는
>
> $0, \frac{1}{n}, \frac{2}{n}, \cdots, \frac{n-1}{n}, 1$
>
> 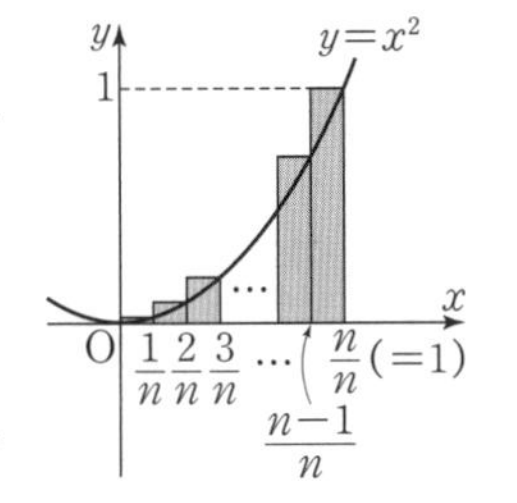
>
>
> 이므로 직사각형의 넓이의 합을 S_n이라고 하면
>
> $S_n=$ (가)
>
> 따라서 구하는 넓이 S는
>
> $S=\lim_{n\to\infty} S_n=\lim_{n\to\infty}$ (가) $=$ (나)

위의 과정에서 (가), (나)에 알맞은 것을 차례대로 나열한 것은?

① $\sum_{k=1}^{n}\frac{k^2}{n^2}, \frac{1}{2}$ ② $\sum_{k=1}^{n}\frac{k^2}{n^2}, \frac{1}{3}$
③ $\sum_{k=1}^{n}\frac{k^2}{n^3}, \frac{1}{2}$ ④ $\sum_{k=1}^{n}\frac{k^2}{n^3}, \frac{1}{3}$
⑤ $\sum_{k=1}^{n}\frac{k^3}{n^3}, \frac{1}{2}$

658

(상 중 하)

다음은 밑면의 반지름의 길이가 r, 높이가 h인 원뿔의 부피 V를 구분구적법을 이용하여 구하는 과정이다.

> 오른쪽 그림과 같이 원뿔의 높이를 n등분하여 각 분점을 지나고 밑면에 평행한 평면으로 원뿔을 자른 단면의 반지름의 길이는 위에서부터 차례대로
>
> 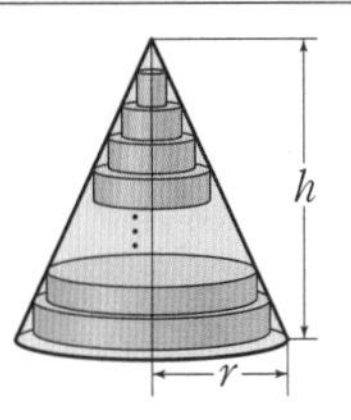
>
>
> $\frac{r}{n}, \frac{2r}{n}, \frac{3r}{n}, \cdots, \frac{(n-1)r}{n}$
>
> 이다.
>
> 이때, $(n-1)$개의 원기둥의 부피의 합을 V_n이라고 하면 각 원기둥의 높이는 (가) 이므로
>
> $V_n=\frac{\pi r^2 h}{n^3}\cdot$ (나)
>
> 따라서 구하는 부피 V는
>
> $V=\lim_{n\to\infty} V_n=\frac{1}{3}\pi r^2 h$

위의 과정에서 (가), (나)에 알맞은 것을 차례대로 나열한 것은?

① $\frac{h}{n}, \sum_{k=1}^{n-1}k^2$ ② $\frac{r}{n}, \sum_{k=1}^{n-1}k^2$
③ $\frac{h}{n}, \sum_{k=1}^{n}k^2$ ④ $\frac{r}{n}, \sum_{k=1}^{n}k^2$
⑤ $\frac{h}{n}, \sum_{k=1}^{n-1}k^3$

02 정적분과 급수의 합 사이의 관계

중요도

659 학평 기출

(상 중 하)

함수 $f(x)=\frac{1}{x}$에 대하여 $\lim_{n\to\infty}\sum_{k=1}^{n} f\left(1+\frac{2k}{n}\right)\frac{2}{n}$의 값은?

① $\ln 2$ ② $\ln 3$ ③ $2\ln 2$
④ $\ln 5$ ⑤ $\ln 6$

660

(상중하)

다음 중

$$\lim_{n\to\infty}\sum_{k=1}^{n}f\left(\frac{k}{n}\right)\cdot\frac{1}{n}+\lim_{n\to\infty}\sum_{k=1}^{n}f\left(1+\frac{3k}{n}\right)\cdot\frac{3}{n}-\int_2^4 f(x)dx$$

를 간단히 한 것은?

① $\int_0^1 f(x)dx$ ② $\int_0^2 f(x)dx$

③ $\int_0^3 f(x)dx$ ④ $\int_1^2 f(x)dx$

⑤ $\int_1^3 f(x)dx$

661

(상중하)

$\lim_{n\to\infty}\frac{2}{n^3}\{(2n+1)^2+(2n+2)^2+\cdots+(2n+n)^2\}$의 값은?

① $\frac{35}{3}$ ② 12 ③ $\frac{37}{3}$

④ $\frac{38}{3}$ ⑤ 13

662 최多빈출

(상중하)

$\lim_{n\to\infty}\frac{1}{n}\left(\sqrt{\frac{n}{2}}+\sqrt{\frac{n}{4}}+\sqrt{\frac{n}{6}}+\cdots+\sqrt{\frac{n}{2n}}\right)$의 값은?

① $\frac{\sqrt{2}}{2}$ ② $\frac{2\sqrt{2}}{3}$ ③ $\sqrt{2}$

④ $\frac{4\sqrt{2}}{3}$ ⑤ $2\sqrt{2}$

663

(상중하)

$\lim_{n\to\infty}\sum_{k=1}^{n}\frac{n}{2n^2+3nk+k^2}$의 값은?

① $\ln\frac{3}{2}$ ② $\ln\frac{4}{3}$ ③ $\ln\frac{5}{4}$

④ $\ln\frac{6}{5}$ ⑤ $\ln\frac{7}{6}$

664

(상중하)

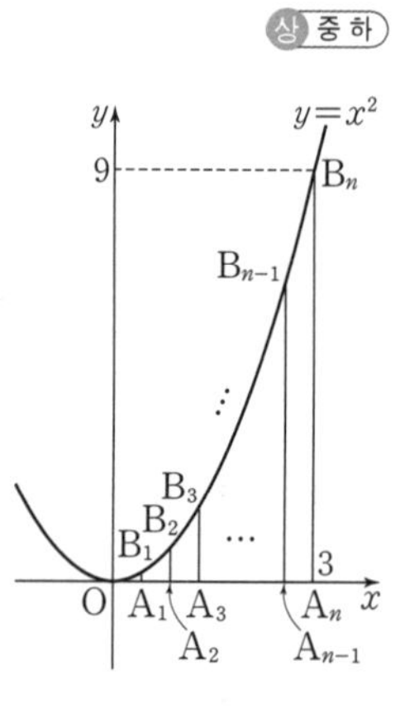

오른쪽 그림과 같이 x축 위의 닫힌구간 $[0, 3]$을 n등분한 점을 앞에서부터 차례대로 A_1, A_2, A_3, $\cdots$, A_{n-1}이라 하고, 점 A_k $(1\le k\le n-1)$를 지나고 y축에 평행한 직선이 곡선 $y=x^2$과 만나는 점을 B_k라고 할 때,

$\lim_{n\to\infty}\frac{1}{n}\sum_{k=1}^{n}\overline{A_kB_k}$의 값을 구하여라. (단, $A_n(3, 0)$)

665 학평 기출

(상중하)

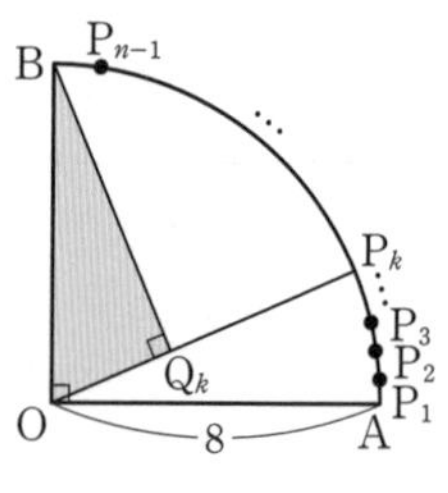

오른쪽 그림과 같이 중심각의 크기가 $\frac{\pi}{2}$이고 반지름의 길이가 8인 부채꼴 OAB가 있다. 2 이상의 자연수 n에 대하여 호 AB를 n등분한 각 분점을 점 A에 가까운 것부터 차례대로 P_1, P_2, P_3, $\cdots$, P_{n-1}이라고 하자. $1\le k\le n-1$인 자연수 k에 대하여 점 B에서 선분 OP_k에 내린 수선의 발을 Q_k라 하고 삼각형 OQ_kB의 넓이를 S_k라고 하자.

$\lim_{n\to\infty}\frac{1}{n}\sum_{k=1}^{n-1}S_k=\frac{a}{\pi}$일 때, a의 값을 구하여라.

03 곡선과 x축 사이의 넓이

중요도

666

상중하

곡선 $y=\frac{2}{x-1}$와 x축 및 두 직선 $x=2$, $x=e+1$로 둘러싸인 도형의 넓이는?

① 1　② 2　③ 3
④ 4　⑤ 5

667

상중하

오른쪽 그림과 같이 곡선 $y=\frac{4x}{x^2+1}$와 x축 및 직선 $x=1$로 둘러싸인 도형의 넓이는?

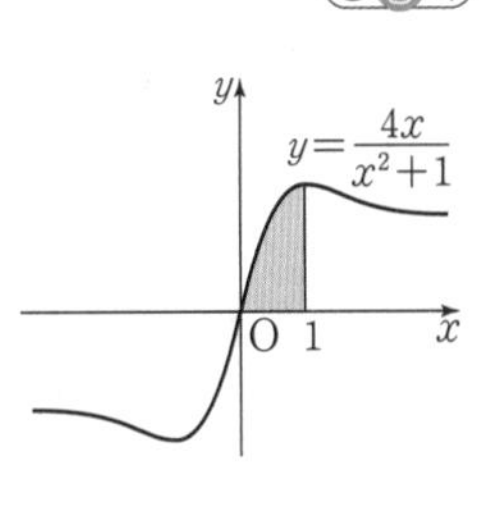

① 1　② e
③ $\frac{1}{2}\ln 2$　④ $\ln 2$
⑤ $2\ln 2$

668 최多빈출

상중하

곡선 $y=\ln x$와 x축 및 두 직선 $x=1+a$, $x=e$로 둘러싸인 도형의 넓이가 $\frac{5}{2}\left(1-\ln\frac{5}{2}\right)$일 때, 상수 a의 값은?

(단, $0<a<e-1$)

① 1　② $\frac{3}{2}$　③ $\frac{4}{3}$
④ $\frac{5}{4}$　⑤ $\frac{6}{5}$

669

상중하

$x>0$에서 정의된 함수 $f(x)=\frac{(\ln x)^2-3\ln x+2}{x}$의 그래프와 x축으로 둘러싸인 도형의 넓이는?

① $\frac{1}{6}$　② $\frac{1}{3}$　③ $\frac{1}{2}$
④ $\frac{2}{3}$　⑤ $\frac{5}{6}$

670

상중하

곡선 $y=\sin x$와 y축 및 두 직선 $y=1$, $y=\frac{1}{2}$로 둘러싸인 도형의 넓이는? $\left(단, 0\le x\le\frac{\pi}{2}\right)$

① $\frac{5}{12}\pi-\frac{\sqrt{2}}{6}$　② $\frac{5}{12}\pi-\frac{\sqrt{3}}{6}$　③ $\frac{5}{12}\pi-\frac{1}{2}$
④ $\frac{5}{12}\pi-\frac{2}{3}$　⑤ $\frac{5}{12}\pi-\frac{\sqrt{3}}{2}$

671

상중하

함수 $y=\frac{1-\cos x}{2}$의 그래프와 y축 및 두 직선 $y=\frac{1}{4}$, $y=1$로 둘러싸인 도형의 넓이가 $a\pi+b\sqrt{3}$일 때, 상수 a, b에 대하여 $a+b$의 값은? (단, $0\le x\le\pi$)

① $\frac{1}{6}$　② $\frac{1}{3}$　③ $\frac{1}{2}$
④ $\frac{3}{4}$　⑤ $\frac{11}{12}$

04 곡선과 y축 사이의 넓이

중요도

672

상중하

곡선 $y=\sqrt{x+1}$과 y축 및 두 직선 $y=0$, $y=2$로 둘러싸인 도형의 넓이는?

① $\frac{4}{3}$　② 2　③ $\frac{8}{3}$
④ $\frac{10}{3}$　⑤ 4

673

상중하

곡선 $y=e^{2x}$과 y축 및 직선 $y=e$로 둘러싸인 도형의 넓이는?

① $\frac{1}{3}$　② $\frac{1}{2}$　③ $\frac{2}{3}$
④ 1　⑤ $\frac{3}{2}$

674

상중하

오른쪽 그림과 같이 곡선 $y=\sqrt{1-\sqrt{x}}$ $(0\leq x\leq 1)$와 x축 및 y축으로 둘러싸인 도형의 넓이는?

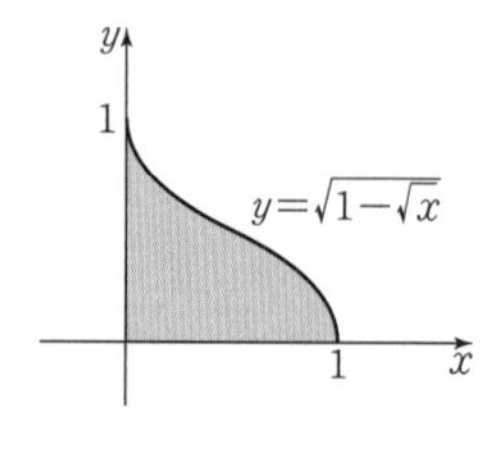

① $\frac{7}{15}$　② $\frac{8}{15}$
③ $\frac{3}{5}$　④ $\frac{2}{3}$
⑤ $\frac{11}{15}$

675 최多빈출

상중하

곡선 $y=\ln(a-x)$와 x축 및 y축으로 둘러싸인 도형의 넓이가 $a+1$일 때, a의 값은? (단, $a>1$)

① 1　② e　③ $e+2$
④ $2e$　⑤ e^2

05 곡선과 직선 또는 두 곡선 사이의 넓이

중요도

676

상중하

곡선 $xy=4$와 직선 $x+y=5$로 둘러싸인 도형의 넓이가 $a+b\ln 2$일 때, 상수 a, b에 대하여 $a+b$의 값은?

① -1　② $-\frac{1}{2}$　③ 0
④ $\frac{1}{2}$　⑤ 1

677

상중하

두 곡선 $y=\frac{1}{x}$, $y=-\frac{1}{x}$과 두 직선 $y=1$, $y=k$로 둘러싸인 도형의 넓이가 4일 때, 상수 k의 값은? (단, $k>1$)

① $\frac{1}{e^2}$　② $\frac{1}{e}$　③ e
④ $2e$　⑤ e^2

678 학평 기출

상중하

오른쪽 그림과 같이 두 함수 $f(x)=2^x$, $g(x)=\left(\frac{1}{2}\right)^x$의 그래프가 있다. 두 곡선 $y=f(x)$, $y=g(x)$가 직선 $x=t$ $(t>0)$와 만나는 점을 각각 A, B라고 하자. $t=1$일 때, 두 곡선 $y=f(x)$, $y=g(x)$와 직선 AB로 둘러싸인 도형의 넓이는?

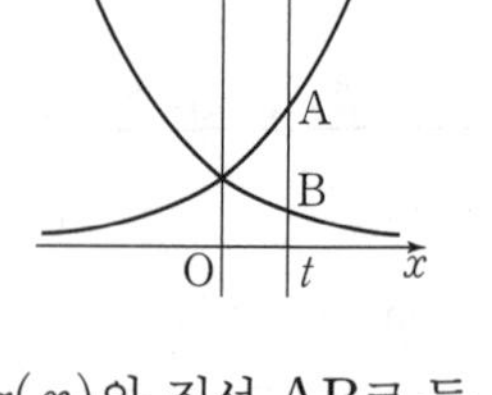

① $\frac{5}{4\ln 2}$　② $\frac{1}{\ln 2}$　③ $\frac{3}{4\ln 2}$
④ $\frac{1}{2\ln 2}$　⑤ $\frac{1}{4\ln 2}$

679

오른쪽 그림과 같이 곡선 $y=x\cos x$와 직선 $y=x$로 둘러싸인 도형의 넓이를 구하여라.

(단, $0\le x\le 2\pi$)

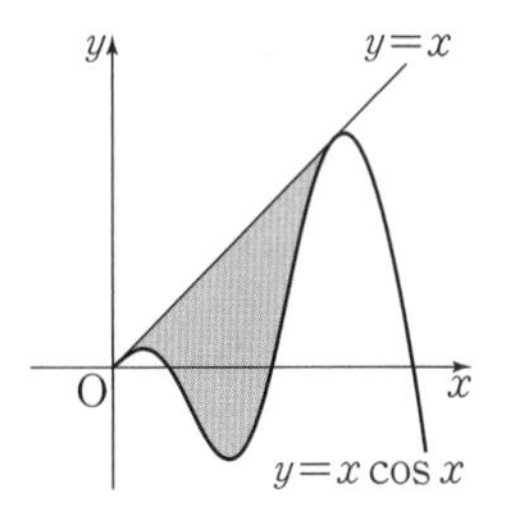

680 학평 기출

상중하

닫힌구간 [0, 4]에서 정의된 함수 $f(x)=2\sqrt{2}\sin\frac{\pi}{4}x$의 그래프가 오른쪽 그림과 같고, 직선 $y=g(x)$가 $y=f(x)$의 그래프 위의 점 A(1, 2)를 지난다. 직선 $y=g(x)$가 x축과 평행할 때, 곡선 $y=f(x)$와 직선 $y=g(x)$에 의해 둘러싸인 도형의 넓이는?

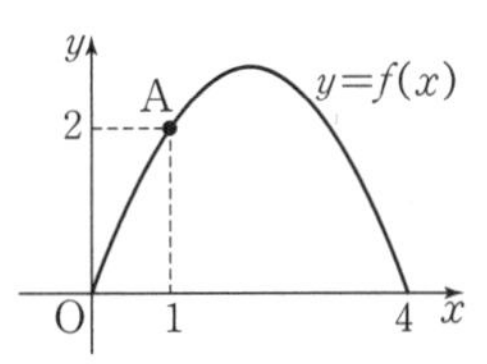

① $\frac{16}{\pi}-4$ ② $\frac{17}{\pi}-4$ ③ $\frac{18}{\pi}-4$

④ $\frac{16}{\pi}-2$ ⑤ $\frac{17}{\pi}-2$

681

상중하

곡선 $y=xe^x$과 직선 $y=2x$로 둘러싸인 도형의 넓이는?

① $(\ln 2)^2-\ln 2$ ② $(\ln 2)^2-\ln 2+1$

③ $(\ln 2)^2-2\ln 2$ ④ $(\ln 2)^2-2\ln 2+1$

⑤ $(\ln 2)^2-2\ln 2+2$

06 두 도형의 넓이가 같을 조건

중요도

682

상중하

오른쪽 그림과 같이 닫힌구간 [0, 4]에서 곡선 $y=\sqrt{x}$와 두 직선 $y=ax$, $x=4$로 둘러싸인 두 도형 A, B의 넓이가 서로 같을 때, 상수 a의 값을 구하여라.

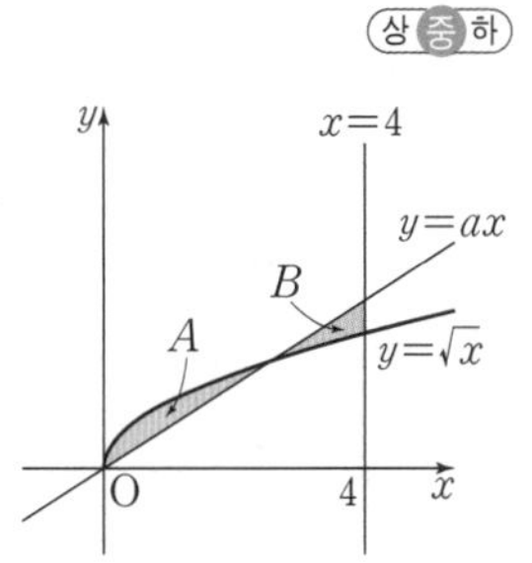

683

상중하

오른쪽 그림은 미분가능한 함수 $y=f(x)$의 그래프이다. 색칠한 두 도형 A, B의 넓이가 서로 같고, $f(0)=0$, $f(1)=1$일 때, 정적분 $\int_0^1 f'(\sqrt{x})dx$의 값은?

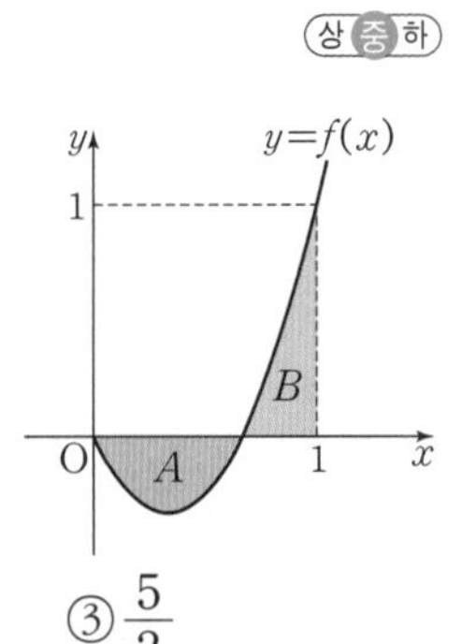

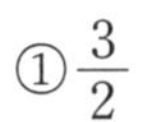

① $\frac{3}{2}$ ② 2 ③ $\frac{5}{2}$

④ 3 ⑤ $\frac{7}{2}$

684

상중하

다음 [그림 1]과 같이 곡선 $y=\ln x$와 x축 및 직선 $x=4$로 둘러싸인 도형의 넓이와 [그림 2]의 색칠한 직사각형의 넓이가 서로 같을 때, 상수 k의 값은? (단, $1<k<4$)

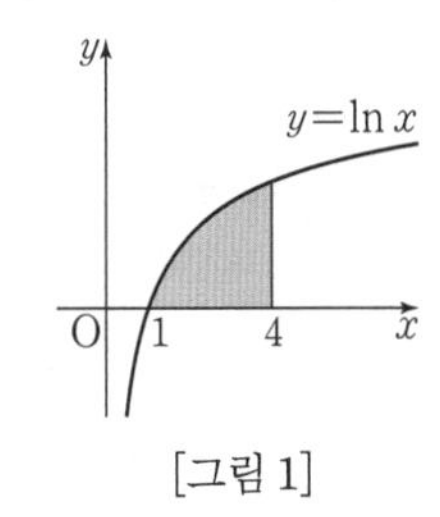

[그림 1]

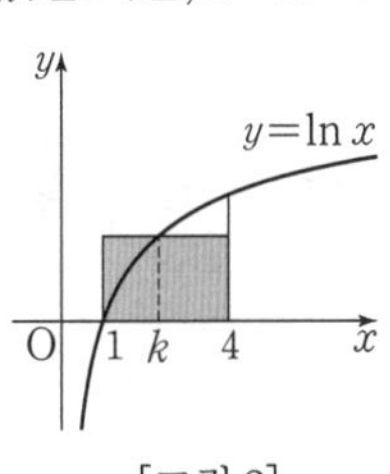

[그림 2]

① $\frac{2\sqrt[3]{2}}{e}$ ② $\frac{2\sqrt[4]{4}}{e}$ ③ $\frac{4\sqrt[3]{2}}{e}$

④ $\frac{4\sqrt[3]{4}}{e}$ ⑤ $\frac{4\sqrt[3]{6}}{e}$

07 두 곡선 사이의 넓이의 활용

중요도

685 풍쌤 비법 ❶

(상중하)

오른쪽 그림과 같이 곡선 $y=\frac{1}{x}$과 x축 및 두 직선 $x=1$, $x=e$로 둘러싸인 도형을 직선 $x=a$가 이등분할 때, 상수 a의 값은?

(단, $1<a<e$)

① $\frac{e}{2}$ ② $\sqrt{e}$ ③ $\frac{e^2}{4}$

④ $\frac{1+e}{2}$ ⑤ 2

686 학평 기출

(상중하)

함수 $y=\cos 2x$의 그래프와 x축, y축 및 직선 $x=\frac{\pi}{12}$로 둘러싸인 도형의 넓이가 직선 $y=a$에 의하여 이등분될 때, 상수 a의 값은?

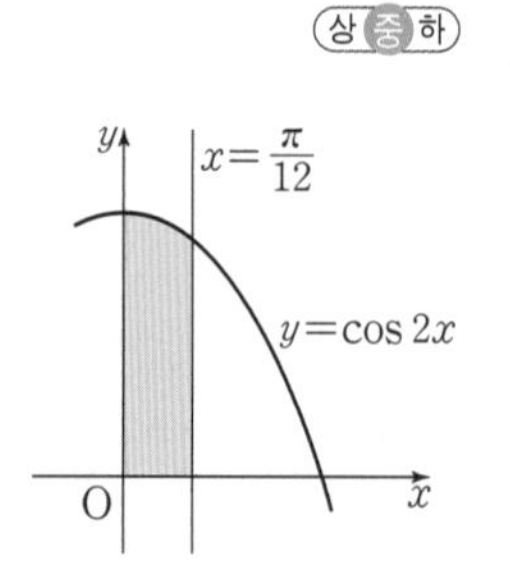

① $\frac{1}{2\pi}$ ② $\frac{1}{\pi}$

③ $\frac{3}{2\pi}$ ④ $\frac{2}{\pi}$

⑤ $\frac{5}{2\pi}$

08 곡선과 접선으로 둘러싸인 도형의 넓이

중요도

687 최多빈출

(상중하)

곡선 $y=\ln x$와 이 곡선 위의 점 $(e,\ 1)$에서의 접선 및 x축으로 둘러싸인 도형의 넓이는?

① $\frac{e}{2}-1$ ② $e-1$ ③ $\frac{e}{2}+1$

④ e ⑤ $e+1$

688

(상중하)

곡선 $y=\sqrt{x-1}$과 이 곡선 위의 점 $(2,\ 1)$에서의 접선 및 x축으로 둘러싸인 도형의 넓이는?

① $\frac{1}{6}$ ② $\frac{1}{5}$ ③ $\frac{1}{4}$

④ $\frac{1}{3}$ ⑤ $\frac{1}{2}$

689

(상중하)

원점에서 곡선 $y=e^{2x}$에 그은 접선과 곡선 $y=e^{2x}$ 및 y축으로 둘러싸인 도형의 넓이는?

① $\frac{e}{4}-\frac{1}{2}$ ② $\frac{e}{4}+\frac{1}{2}$ ③ $\frac{e}{2}-1$

④ $\frac{e}{2}+1$ ⑤ $e-1$

690

(상중하)

곡선 $y=\sin x$와 이 곡선 위의 점 $\left(\frac{\pi}{3},\ \frac{\sqrt{3}}{2}\right)$에서의 접선 및 y축으로 둘러싸인 도형의 넓이는?

① $-\frac{\pi^2}{36}+\frac{\sqrt{3}}{6}\pi-\frac{1}{2}$ ② $-\frac{\pi^2}{72}+\frac{\sqrt{3}}{12}\pi-\frac{1}{4}$

③ $-\frac{\pi^2}{36}+\frac{\sqrt{3}}{6}\pi+\frac{1}{2}$ ④ $-\frac{\pi^2}{72}+\frac{\sqrt{3}}{12}\pi+\frac{1}{4}$

⑤ $-\frac{\pi^2}{36}-\frac{\sqrt{3}}{6}\pi+\frac{1}{2}$

09 역함수와 넓이

중요도

691 최多빈출

(상중하)

함수 $f(x)=\sqrt{x}$의 그래프와 그 역함수의 그래프로 둘러싸인 도형의 넓이는?

① $\frac{1}{6}$ ② $\frac{1}{5}$ ③ $\frac{1}{4}$
④ $\frac{1}{3}$ ⑤ $\frac{1}{2}$

692

(상중하)

오른쪽 그림은 닫힌구간 $[0,\ \pi]$에서 정의된 함수 $f(x)=x+\sin x$의 그래프이다. 이 함수의 역함수를 $g(x)$라고 할 때, 두 곡선 $y=f(x)$, $y=g(x)$로 둘러싸인 부분의 넓이는?

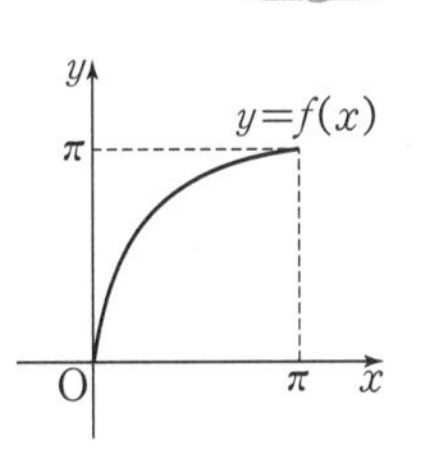

① 1 ② 2 ③ 3
④ 4 ⑤ 5

693

(상중하)

오른쪽 그림은 닫힌구간 $[0,\ 1]$에서 정의된 함수 $f(x)=xe^x$의 그래프이다. 이 함수의 역함수를 $g(x)$라고 할 때, $\int_0^e g(x)dx$의 값은?

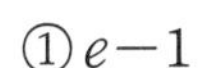

① $e-1$ ② $e-2$
③ $\frac{3}{2}e-1$ ④ $2e-1$
⑤ $2e-2$

10 입체도형의 부피

중요도

694

(상중하)

오른쪽 그림과 같이 좌표평면 위의 한 점 $\mathrm{P}(x, 0)$ $(0\le x\le 1)$을 지나고 x축에 수직인 직선과 곡선 $y=-x^2+x$가 만나는 점을 Q라 하고 $\overline{\mathrm{PQ}}$를 한 변으로 하는 정사각형을 xy평면에 수직이 되도록 만든다. 이때, 점 P를 $x=0$에서 $x=1$까지 움직여서 만든 입체도형의 부피를 구하여라.

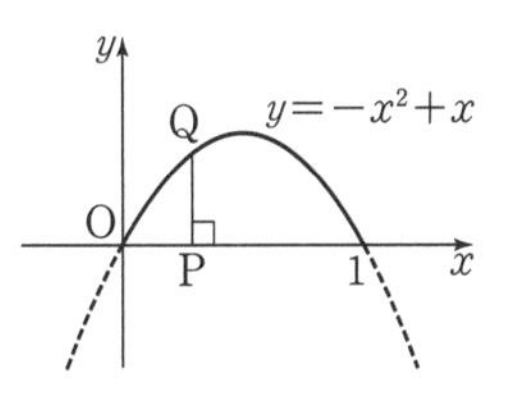

695 학평 기출

(상중하)

오른쪽 그림과 같이 곡선 $y=\sqrt{x}+1$과 x축, y축 및 직선 $x=1$로 둘러싸인 도형을 밑면으로 하는 입체도형이 있다. 이 입체도형을 x축에 수직인 평면으로 자른 단면이 모두 정사각형일 때, 이 입체도형의 부피는?

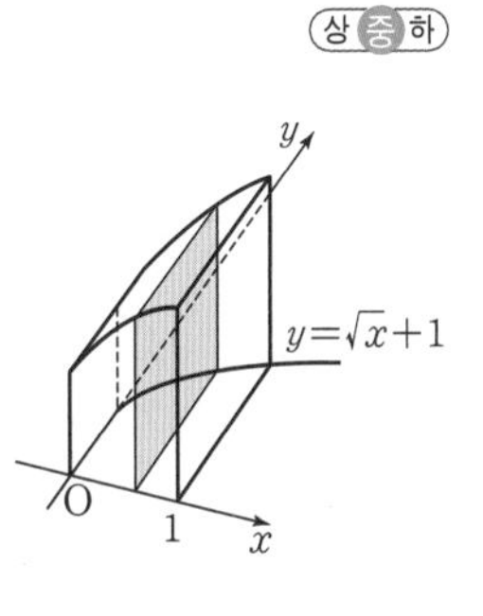

① $\frac{7}{3}$ ② $\frac{5}{2}$ ③ $\frac{8}{3}$
④ $\frac{17}{6}$ ⑤ 3

696

(상중하)

밑면으로부터의 높이가 x인 지점에서 밑면에 평행한 평면으로 자른 단면의 넓이가 $\ln(x+1)$인 입체도형이 있다. 이 입체도형의 높이가 6일 때, 입체도형의 부피는?

① $7\ln 7-6$ ② $6\ln 7-5$ ③ $5\ln 7-4$
④ $4\ln 7-3$ ⑤ $3\ln 7-2$

697

상중하

높이가 3 m인 물탱크에 물을 부어 물의 깊이가 x m가 되었을 때 수면의 넓이를 측정해 보았더니 $\left(1-\cos\frac{\pi}{4}x\right)\text{m}^2$이었다. 수면의 넓이가 1m^2일 때, 이 물탱크에 들어 있는 물의 부피는?

① $\left(2-\frac{2}{\pi}\right)\text{m}^3$ ② $\left(2-\frac{4}{\pi}\right)\text{m}^3$ ③ $\left(2-\frac{6}{\pi}\right)\text{m}^3$
④ $\left(2-\frac{8}{\pi}\right)\text{m}^3$ ⑤ $\left(2-\frac{10}{\pi}\right)\text{m}^3$

698

상중하

오른쪽 그림과 같은 그릇에 물을 부으면 깊이가 x일 때 부피 V가

$V=\{\ln(x+1)\}^2+kx$

라고 한다. 물의 깊이가 $e-1$일 때의 수면의 넓이가 $\frac{12}{e}$일 때, 상수 k의 값을 구하여라.

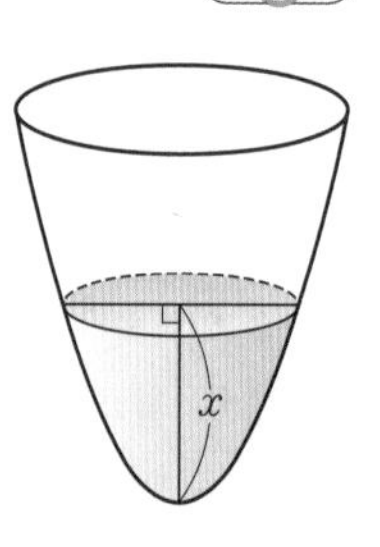

699

상중하

오른쪽 그림과 같이 밑면인 원의 반지름의 길이가 4이고, 높이가 8인 원기둥이 있다. 이 원기둥을 밑면의 한 지름을 지나고 밑면과 60°의 각을 이루는 평면으로 자를 때 생기는 두 입체도형 중 작은 쪽의 입체도형의 부피는?

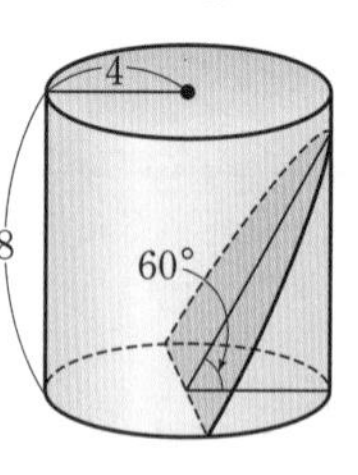

① $\frac{110\sqrt{3}}{3}$ ② $\frac{116\sqrt{3}}{3}$ ③ $\frac{122\sqrt{3}}{3}$
④ $\frac{128\sqrt{3}}{3}$ ⑤ $\frac{134\sqrt{3}}{3}$

11 직선, 평면 운동에서의 이동 거리

중요도

700 최多빈출

상중하

원점을 출발하여 수직선 위를 움직이는 점 P의 시각 t에서의 속도 $v(t)$가 $v(t)=\sin 2t$라고 한다. 시각 $t=0$에서 $t=a$까지 점 P가 움직인 거리가 $\frac{13}{4}$일 때, a의 값은?

① $\frac{5}{6}\pi$ ② π ③ $\frac{5}{4}\pi$
④ $\frac{5}{3}\pi$ ⑤ $\frac{5}{2}\pi$

701

상중하

원점을 출발하여 수직선 위를 움직이는 점 P의 시각 t에서의 속도 $v(t)$가 $v(t)=\cos\frac{\pi}{3}t$라고 한다. $0<t\le 100$에서 점 P가 원점을 통과하는 횟수는?

① 31 ② 32 ③ 33
④ 34 ⑤ 35

702

상중하

좌표평면 위를 움직이는 점 P의 시각 t에서의 위치 (x, y)가 $x=\frac{4}{3}t\sqrt{t}$, $y=t\left(1-\frac{1}{2}t\right)$일 때, $t=1$에서 $t=5$까지 점 P가 움직인 거리는?

① 14 ② 15 ③ 16
④ 17 ⑤ 18

● 정답과 풀이 114쪽

703
상중하

좌표평면 위를 움직이는 점 P의 시각 t에서의 위치 (x, y)가 $x=t^2$, $y=\frac{2}{3}t^3$일 때, $t=0$에서 $t=\sqrt{3}$까지 점 P가 움직인 거리는?

① $\frac{10}{3}$ ② $\frac{11}{3}$ ③ 4
④ $\frac{13}{3}$ ⑤ $\frac{14}{3}$

704
상중하

좌표평면 위를 움직이는 점 P의 시각 t에서의 위치 (x, y)가 $x=e^t-t$, $y=4e^{\frac{t}{2}}$이다. $t=0$에서 $t=a$까지 점 P가 움직인 거리가 e^2+1일 때, a의 값을 구하여라.
(단, $a>0$)

12 곡선의 길이
중요도

705
상중하

$x=0$에서 $x=6$까지 곡선 $y=\frac{1}{3}(x^2+2)^{\frac{3}{2}}$의 길이는?

① 72 ② 74 ③ 76
④ 78 ⑤ 80

706
상중하

곡선 $y=\int_0^x \sqrt{\sec^4 t-1}\,dt$의 길이는? $\left(단, -\frac{\pi}{4}\le x\le\frac{\pi}{4}\right)$

① 1 ② $\sqrt{2}$ ③ 2
④ $2\sqrt{2}$ ⑤ 4

707
상중하

$x\ge0$에서 미분가능한 함수 $f(x)$가 $f(0)=1$이고 $f'(x)\ge0$이다. $0\le x\le t$에서 곡선 $y=f(x)$의 길이가 $\frac{1}{2}(e^t-e^{-t})$일 때, $f(\ln 2)$의 값은?

① $\frac{1}{4}$ ② $\frac{1}{2}$ ③ $\frac{3}{4}$
④ 1 ⑤ $\frac{5}{4}$

708 최多빈출
상중하

매개변수 t로 나타낸 곡선 $x=e^t\cos t$, $y=e^t\sin t$ $(0\le t\le 3\pi)$의 길이는?

① $e^{2\pi}-1$ ② $e^{3\pi}-1$
③ $\sqrt{2}(e^{2\pi}-1)$ ④ $\sqrt{2}(e^{3\pi}-1)$
⑤ $2(e^{3\pi}-1)$

709
상중하

매개변수 t로 나타낸 곡선 $x=\ln t^2$, $y=t+\frac{1}{t}$ $(1\le t\le a)$의 길이가 $\frac{3}{2}$일 때, 상수 a의 값은?

① $\frac{3}{2}$ ② 2 ③ $\frac{5}{2}$
④ 3 ⑤ $\frac{7}{2}$

710

$$\lim_{n\to\infty}\frac{\pi}{n^2}\left(\cos\frac{\pi}{n}+2\cos\frac{2\pi}{n}+3\cos\frac{3\pi}{n}+\cdots+n\cos\frac{n\pi}{n}\right)$$

의 값을 구하여라.

711

두 곡선 $y=\sin x$, $y=\tan x$와 직선 $x=\frac{\pi}{4}$로 둘러싸인 도형의 넓이를 구하여라.

712

곡선 $y=\frac{1}{x}$과 x축 및 두 직선 $x=a$, $x=b$로 둘러싸인 도형의 넓이가 곡선 $y=\frac{1}{x}$ 위의 점 $\mathrm{P}\left(a,\ \frac{1}{a}\right)$에서의 접선과 x축 및 직선 $x=a$로 둘러싸인 도형의 넓이의 4배일 때, b를 a에 대한 식으로 나타내어라. (단, $0<a<b$)

713

양수 a에 대하여 함수 $f(x)=\int_0^x (a-t)e^t\,dt$의 최댓값이 32일 때, 곡선 $y=3e^x$과 두 직선 $x=a$, $y=3$으로 둘러싸인 도형의 넓이를 구하여라.

714

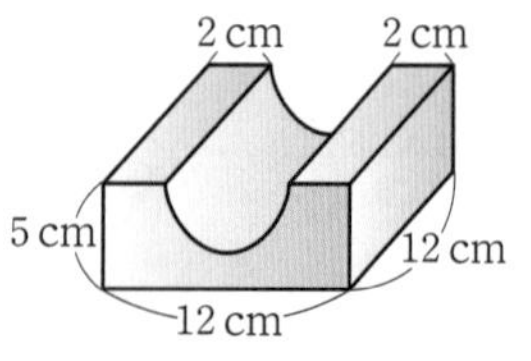

오른쪽 그림과 같이 곡면이 곡선 $y=\frac{1}{4}x^2$ 모양이고, 가로, 세로, 높이가 각각 12 cm, 12 cm, 5 cm인 블록이 있다. 블록의 윗면의 좌우폭이 각각 2 cm일 때, 이 블록의 부피를 구하여라.

715

수직선 위의 원점에서 같은 방향으로 동시에 출발한 두 점 P, Q의 시각 t에서의 속도를 각각 $\cos t$, $\sin t$라고 할 때, $0<t\le 6\pi$에서 두 점이 만나는 횟수를 구하여라.

● 정답과 풀이 118쪽

716

다음은 정적분 $\int_0^1 (x^2+1)dx$의 값을 구하는 과정의 일부이다.

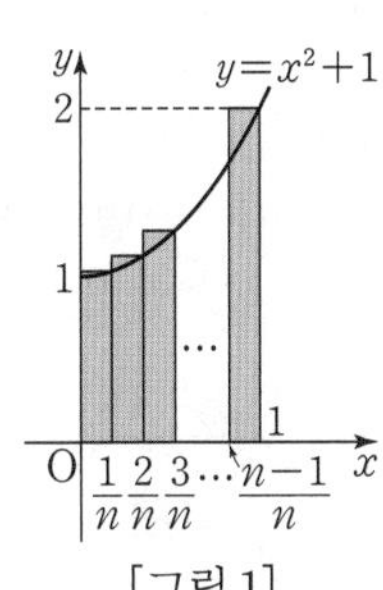

[그림 1]

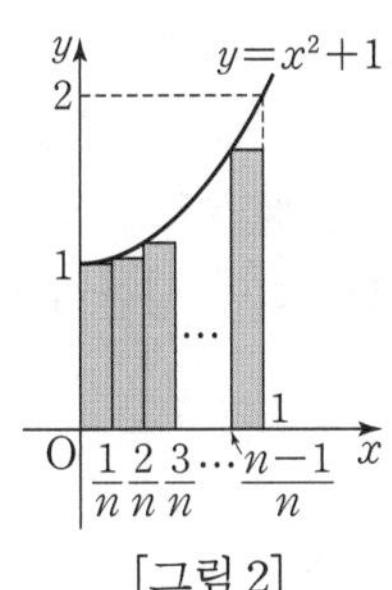

[그림 2]

[그림 1], [그림 2]와 같이 닫힌구간 $[0,\ 1]$을 n등분하여 얻은 n개의 직사각형들의 넓이의 합을 각각 A, B라고 하자. $A-B\le 0.15$가 되는 n의 최솟값은?

① 6　② 7　③ 8
④ 9　⑤ 10

717

연속함수 $f(x)$에 대하여 $\int_k^{k+1} f(x)dx=k^2$이 성립할 때, $\lim_{n\to\infty}\frac{1}{n^3}\int_1^n f(x)dx$의 값은? (단, n은 자연수이다.)

① $\frac{1}{6}$　② $\frac{1}{4}$　③ $\frac{1}{3}$
④ $\frac{1}{2}$　⑤ $\frac{2}{3}$

718

함수 $F(t)$가 모든 실수 t에 대하여

$$F(t)=\lim_{n\to\infty}\sum_{k=1}^{n}\left(a+\frac{t+1}{n}k\right)\cdot\frac{t+1}{n}$$

일 때, $F(t)=0$이 양의 실근을 갖도록 하는 정수 a의 최댓값은?

① -2　② -1　③ 0
④ 1　⑤ 2

719

두 곡선 $y=a\sin x$, $y=e^{x-b}$이 점 $(b,\ 1)$에서 접할 때, 두 곡선과 y축으로 둘러싸인 도형의 넓이는?

$\left(\text{단, } a>0,\ 0<b<\frac{\pi}{2}\right)$

① $\sqrt{2}-1+e^{-\frac{\pi}{4}}$　② $2-\sqrt{2}-e^{-\frac{\pi}{4}}$
③ $e^{\frac{\pi}{4}}-1+\sqrt{2}$　④ $\sqrt{2}+e^{\frac{\pi}{4}}$
⑤ $e^{-\frac{\pi}{4}}-\sqrt{2}+2$

720

양의 실수 k에 대하여 곡선 $y=k\ln x$와 직선 $y=x$가 접할 때, 곡선 $y=k\ln x$와 직선 $y=x$ 및 x축으로 둘러싸인 도형의 넓이는 ae^2-be이다. $100ab$의 값을 구하여라.

(단, a, b는 유리수이다.)

721 (100점 도전)

좌표평면에서 곡선 $y=\frac{xe^{x^2}}{e^{x^2}+1}$과 직선 $y=\frac{2}{3}x$로 둘러싸인 두 도형의 넓이의 합은?

① $\frac{5}{3}\ln 2-\ln 3$　② $2\ln 3-\frac{5}{3}\ln 2$
③ $\frac{5}{3}\ln 2+\ln 3$　④ $2\ln 3+\frac{5}{3}\ln 2$
⑤ $\frac{7}{3}\ln 2-\ln 3$

722

2 이상의 자연수 n에 대하여 곡선 $y=(\ln x)^n$ $(x\geq 1)$과 x축, y축 및 직선 $y=1$로 둘러싸인 도형의 넓이를 S_n이라고 하자. 〈보기〉에서 옳은 것을 모두 고른 것은?

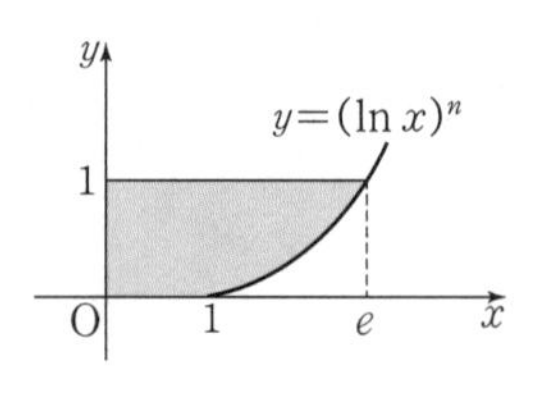

보기
ㄱ. $1\leq x\leq e$일 때, $(\ln x)^n\geq(\ln x)^{n+1}$이다.
ㄴ. $S_n<S_{n+1}$
ㄷ. 함수 $f(x)=(\ln x)^n$ $(x\geq 1)$의 역함수를 $g(x)$라고 하면 $S_n=\int_0^1 g(x)dx$이다.

① ㄱ　② ㄱ, ㄴ　③ ㄱ, ㄷ
④ ㄴ, ㄷ　⑤ ㄱ, ㄴ, ㄷ

723

오른쪽 그림과 같이 함수 $f(x)=\sqrt{x(x^2+1)\sin x^2}$ $(0\leq x\leq\sqrt{\pi})$에 대하여 곡선 $y=f(x)$와 x축으로 둘러싸인 도형을 밑면으로 하는 입체도형이 있다. 두 점 $\mathrm{P}(x, 0)$, $\mathrm{Q}(x, f(x))$를 지나고 x축에 수직인 평면으로 입체도형을 자른 단면이 선분 PQ를 한 변으로 하는 정삼각형일 때, 이 입체도형의 부피는?

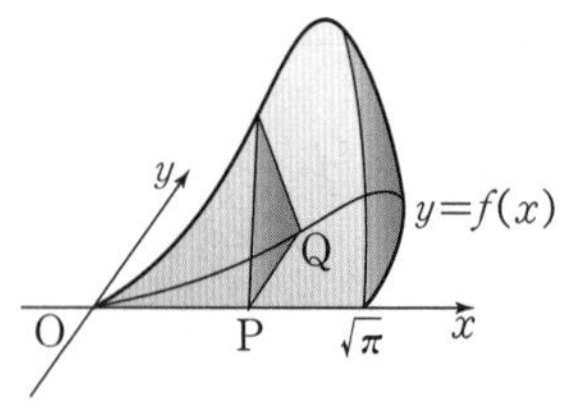

① $\frac{(\pi+2)\sqrt{3}}{8}$　② $\frac{(\pi+3)\sqrt{3}}{8}$
③ $\frac{(\pi+4)\sqrt{3}}{8}$　④ $\frac{(\pi+2)\sqrt{3}}{4}$
⑤ $\frac{(\pi+3)\sqrt{3}}{4}$

724

원점을 출발하여 수직선 위를 움직이는 점 P의 t초 후의 속도가 $v(t)=2\sin\left(t-\frac{\pi}{3}\right)+\sqrt{3}$일 때, 〈보기〉에서 옳은 것을 모두 고른 것은? (단, $0\leq t\leq 2\pi$)

보기
ㄱ. 점 P는 운동 방향을 한 번 바꾼다.
ㄴ. 점 P는 $t=\frac{5}{3}\pi$일 때 원점에서 가장 멀리 떨어져 있다.
ㄷ. $t=2\pi$일 때 점 P의 위치는 $2\sqrt{3}\pi$이다.

① ㄱ　② ㄴ　③ ㄱ, ㄴ
④ ㄱ, ㄷ　⑤ ㄱ, ㄴ, ㄷ

빨.간.정답 체크

빨리 간편하게 정답을 체크한다

I 수열의 극한

001 ④ 002 (1) 발산 (2) 발산 (3) 수렴, 극한값 : 1
003 ③ 004 ② 005 ② 006 ② 007 ③
008 ② 009 ⑤ 010 ① 011 ② 012 ②
013 ③ 014 ② 015 ④ 016 ③ 017 ①
018 ③ 019 ③ 020 (1) -2 (2) 3 (3) 1 021 ①
022 ④ 023 ⑤ 024 ④ 025 $\frac{11}{4}$ 026 ②
027 ① 028 ④ 029 ② 030 35 031 ④
032 ① 033 ② 034 ④ 035 ⑤ 036 ⑤
037 ④ 038 ③ 039 ③ 040 ⑤ 041 ⑤
042 ⑤ 043 ⑤ 044 ② 045 ① 046 ③
047 ④ 048 ⑤ 049 ④ 050 ② 051 ③
052 ③ 053 ② 054 ⑤ 055 $\frac{1}{2}$ 056 5
057 $\frac{1}{4}$ 058 0 059 16 060 54 061 ①
062 ④ 063 ① 064 ④ 065 7 066 ⑤
067 ④ 068 ② 069 2 070 192 071 1 : 3
072 (1) 수렴, $\frac{3}{4}$ (2) 발산 (3) 발산 073 ⑤ 074 ④
075 4 076 ① 077 ② 078 ⑤
079 (1) 발산 (2) 수렴, 0 080 ② 081 ③ 082 ④
083 ① 084 (1) 풀이 참조 (2) 풀이 참조 085 ②
086 ⑤ 087 ③ 088 ③ 089 ②
090 (1) 2 (2) $-\frac{1}{2}$ (3) 4 (4) $\frac{6}{7}$ 091 ② 092 ②
093 ② 094 ② 095 ① 096 ① 097 ④
098 ② 099 3 100 ② 101 ② 102 ④
103 ⑤ 104 ⑤ 105 ③ 106 ③ 107 ④
108 ② 109 ④ 110 ④ 111 ④ 112 ①
113 ⑤ 114 ③ 115 ② 116 ⑤ 117 ④
118 ② 119 ② 120 ③ 121 ④ 122 ⑤
123 $\frac{27}{4}$ 124 6 125 92 126 $\frac{16}{5}$ 127 3π
128 14 129 ③ 130 ① 131 ③ 132 $\frac{5}{6}\pi$
133 ③ 134 75 135 ② 136 ② 137 ③
138 ②

II 미분법

139 (1) 2 (2) 1 (3) -1 (4) -1 140 ① 141 ④
142 ② 143 (1) 2 (2) -2 (2) 0 (2) 1
144 (1) $-\infty$ (2) ∞ 145 ④ 146 ④ 147 ⑤
148 ② 149 ② 150 (1) e^2 (2) e^{10} (3) e^3 (4) $\sqrt[3]{e}$
151 ① 152 ① 153 ② 154 ③ 155 ⑤
156 ② 157 ① 158 ④ 159 ③ 160 ①
161 8 162 ④ 163 ⑤ 164 ② 165 ④
166 ② 167 ① 168 ① 169 12 170 ①
171 ⑤ 172 ③ 173 ② 174 ① 175 ③
176 ④ 177 ③ 178 ④ 179 ⑤ 180 ⑤
181 ② 182 ② 183 ④ 184 e^2+2 185 $e+\frac{1}{e}$
186 4 187 $\frac{1}{(\ln 2)^2}$ 188 4 189 1 190 ③
191 ② 192 ② 193 ⑤ 194 ③ 195 ⑤
196 (1) $\frac{13}{12}$ (2) $\frac{13}{5}$ (3) $\frac{5}{12}$ 197 ⑤ 198 ⑤ 199 ①
200 (1) $\frac{\sqrt{6}+\sqrt{2}}{4}$ (2) $\frac{\sqrt{6}+\sqrt{2}}{4}$ (3) $2+\sqrt{3}$
201 (1) $\frac{\sqrt{3}}{2}$ (2) $\frac{\sqrt{2}}{2}$ (3) $\frac{\sqrt{3}}{3}$ 202 ③ 203 ①
204 ④ 205 ② 206 ④ 207 ② 208 ④
209 0 210 ③ 211 $\frac{2}{3}$ 212 ⑤ 213 $\frac{\sqrt{5}}{5}$
214 ③ 215 ① 216 7 217 ③ 218 ③
219 ⑤ 220 ② 221 ④ 222 18 223 ③
224 ① 225 (1) 0 (2) $\frac{4}{\pi}$ (3) 2 (4) $\frac{\sqrt{2}}{2}$ 226 ②
227 (1) 4 (2) 3 (3) $\frac{\pi}{180}$ (4) $\frac{180}{\pi}$ 228 ③ 229 ④
230 ① 231 ② 232 ② 233 ④ 234 ①
235 (1) 2 (2) $\frac{1}{2}$ 236 ② 237 ① 238 ②
239 4 240 ① 241 ② 242 ① 243 ②
244 ① 245 ④ 246 ⑤
247 (1) 4 (2) $\frac{1}{2\ln 2}$ (3) $\frac{2}{3}$ (4) $\frac{1}{\ln 5}$ 248 $\frac{1}{e}$ 249 ③
250 2 251 ① 252 ② 253 ④ 254 $\frac{1}{6}$
255 ④ 256 ④ 257 $\frac{1}{2}$ 258 ②
259 (1) $y'=2\cos x-3\sin x$ (2) $y'=\sin x+x\cos x$
(3) $y'=e^x(\cos x-\sin x)$ (4) $y'=3^{3x-2}(3\ln 3\cdot\cos x-\sin x)$
260 $-\frac{1}{2}$ 261 ② 262 $-\frac{\pi}{2}$ 263 1 264 ①
265 $-\frac{\sqrt{2}}{10}$ 266 -1 267 61 268 -2 269 6
270 2 271 56 272 9 273 $2+\sqrt{5}$ 274 ⑤
275 ② 276 ③ 277 10 278 ④ 279 π
280 ④ 281 ③
282 (1) $y'=\frac{5}{(3x+1)^2}$ (2) $y'=-\frac{2x-1}{(x^2-x+1)^2}$
(3) $y'=-\frac{1}{e^x}$ (4) $y'=-\frac{2\sin x}{(1-\cos x)^2}$
283 ① 284 ② 285 ② 286 ① 287 ④
288 ② 289 ④

290 (1) $y'=5\left(x+\frac{1}{x}\right)^4\left(1-\frac{1}{x^2}\right)$ (2) $y'=-\frac{21}{(3x-1)^8}$
(3) $y'=2e^{2x-1}$ (4) $y'=(-\sin x)\{\cos(\cos x)\}$

291 ⑤ **292** ④ **293** ② **294** ④ **295** ②

296 24 **297** ④ **298** ①

299 (1) $y'=\frac{3}{x}-\frac{1}{x\ln 3}$ (2) $y'=x(2\ln x+1)$
(3) $y'=\frac{1-\ln x}{x^2}$ (4) $y'=\frac{2x}{(x^2+1)\ln 3}$

300 ② **301** ② **302** ③ **303** ③ **304** ③

305 ⑤ **306** ② **307** ③ **308** ⑤ **309** ⑤

310 ③ **311** ③ **312** ② **313** ③ **314** -285

315 ③ **316** ① **317** 6 **318** ③ **319** ⑤

320 ④ **321** ⑤ **322** ② **323** ① **324** ④

325 ① **326** ③ **327** ① **328** ④ **329** ②

330 ⑤ **331** ③ **332** ⑤

333 (1) $\frac{dy}{dx}=\frac{1}{3y^2+2y+1}$ (2) $\frac{dy}{dx}=\frac{\sqrt{y^2+1}}{y}$ **334** ②

335 ② **336** ⑤ **337** ② **338** ③ **339** ⑤

340 ③ **341** ⑤ **342** ⑤

343 (1) $y''=12x+8$ (2) $y''=320(4x-3)^3$
(3) $y''=-\frac{1}{4(x+8)\sqrt{x+8}}$ (4) $y''=4e^{-2x}$
(5) $y''=\frac{1}{x}$ (6) $y''=-2\sin x-x\cos x$

344 ⑤ **345** ① **346** ⑤ **347** ③ **348** ②

349 ① **350** 0 **351** 3 **352** 75 **353** -8

354 2 **355** -10 **356** ⑤ **357** -1 **358** 9

359 ② **360** ② **361** 1 **362** ③ **363** 6

364 ① **365** 100 **366** ② **367** ④

368 (1) -1 (2) 1 (3) 1 (4) 1 **369** ② **370** ④

371 ② **372** 5 **373** ④ **374** ① **375** ①

376 ⑤ **377** ⑤ **378** ⑤ **379** ⑤ **380** ⑤

381 ① **382** ③ **383** ⑤ **384** ② **385** ④

386 ⑤ **387** 1 **388** ③ **389** ④ **390** ④

391 ④ **392** ④ **393** ③ **394** 8 **395** ⑤

396 ③ **397** ② **398** ④ **399** (1) 감소 (2) 증가

400 (1) 구간 $(-\infty, \infty)$에서 감소
(2) 구간 $(-\infty, 0)$에서 감소, 구간 $(0, \infty)$에서 증가

401 ⑤ **402** ③ **403** ③ **404** 3 **405** ②

406 ⑤ **407** ① **408** ① **409** ⑤

410 (1) 극솟값: $-\frac{1}{e}$ (2) 극댓값: $\frac{1}{e}$ (3) 극댓값: $\frac{\pi}{6}+\sqrt{3}$

411 (1) 극댓값: $\sqrt{2}$ (2) 극솟값: 1 **412** ⑤ **413** ④

414 ② **415** ④ **416** ① **417** ④ **418** ③

419 ③ **420** ④ **421** ② **422** ④ **423** ②

424 ⑤ **425** ③ **426** ② **427** ⑤ **428** ②

429 ⑤ **430** ② **431** -5 **432** e^2 **433** $\frac{3}{4}$

434 5 **435** 극댓값: $\frac{1}{2}$, 극솟값: $-\frac{3}{2}$ **436** $1+\sqrt{3}$

437 $a=2$, $b=12$ 또는 $a=3$, $b=28$ **438** ③ **439** $\frac{3}{4}$

440 ⑤ **441** ⑤ **442** $-1<a<0$

443 (1) $x<1$일 때 아래로 볼록, $x>1$일 때 위로 볼록
(2) $0<x<\frac{\pi}{2}$일 때 위로 볼록, $\frac{\pi}{2}<x<\pi$일 때 아래로 볼록
(3) $x<-2$일 때 위로 볼록, $x>-2$일 때 아래로 볼록

444 ④ **445** ④

446 (1) $(0, 5)$, $(2, -11)$ (2) $(-1, 4)$ (3) $(1, 2)$

447 ② **448** 1 **449** ⑤ **450** ② **451** -7

452 ③ **453** ② **454** ④ **455** ③ **456** ⑤

457 $-\frac{1}{3}$ **458** ⑤ **459** ④ **460** ① **461** ③

462 ⑤ **463** ③ **464** ③ **465** ① **466** ④

467 ④ **468** ③ **469** ③ **470** ③ **471** $\frac{2}{e}$

472 ④ **473** ③ **474** (1) 0 (2) 1 (3) 2 **475** ③

476 ④ **477** ③ **478** ③ **479** ⑤ **480** ④

481 ④ **482** ③ **483** 풀이 참조 **484** ③

485 ② **486** ① **487** ① **488** ① **489** ④

490 ② **491** ⑤ **492** ② **493** ① **494** ②

495 ① **496** ② **497** 4 **498** $\frac{\pi}{3}-\sqrt{3}$

499 $\frac{3\sqrt{3}}{8}$ **500** 1 **501** $2e$ **502** $2\pi^2$ **503** ⑤

504 ④ **505** ④ **506** ③ **507** ①

Ⅲ 적분법

508 (1) $2\ln|x|+C$ (2) $-\frac{1}{2x^2}+C$ (3) $\frac{3}{4}x\sqrt[3]{x}+C$ (4) $2\sqrt{x}-\ln|x|+C$ **509** ② **510** ⑤ **511** ⑤
512 ① **513** ③
514 (1) $2e^x+\frac{4^x}{\ln 4}+C$ (2) $e^{x+3}+C$ (3) $\frac{2^x}{\ln 2}+3\ln|x|+C$ (4) $\frac{3^{2x+1}}{2\ln 3}+C$
515 ① **516** ④ **517** ④ **518** ⑤ **519** ④
520 ⑤ **521** ④ **522** ②
523 (1) $-3\cos x+2\sin x+C$ (2) $\tan x+\sec x+C$ (3) $-\cot x-x+C$ (4) $\tan x-x+C$
524 ④ **525** $\frac{1}{2}$ **526** ④ **527** ① **528** ①
529 ④ **530** ② **531** ① **532** ② **533** ②
534 ④ **535** ② **536** ⑤ **537** ③ **538** ⑤
539 ① **540** $\frac{1}{3}$ **541** ⑤ **542** ⑤ **543** ④
544 ① **545** 9 **546** ② **547** ⑤ **548** ①
549 ① **550** ④ **551** ① **552** $\frac{2}{3}$ **553** 3
554 ① **555** ① **556** ⑤ **557** ② **558** ⑤
559 ④ **560** ①
561 (1) xe^x-e^x+C (2) $x\ln x-x+C$ (3) $x\sin x+\cos x+C$
562 ① **563** ① **564** ② **565** ① **566** ⑤
567 ④ **568** $-\frac{1}{4}$ **569** ③ **570** $\frac{3}{5}$
571 $f(x)=\ln|x|+1$ **572** $f(x)=4e^x-2,\ g(x)=-2e^x+2$
573 $2e^{-\frac{\pi}{2}}-\frac{5}{3}$ **574** $f(x)=x\sin x-\cos x$
575 $f(x)=x\ln x-x+1$ **576** ⑤ **577** ③ **578** ③
579 ⑤ **580** ② **581** ① **582** $x=-2$ **583** ①
584 ① **585** ① **586** ③ **587** ①
588 (1) $2+\ln 2$ (2) $\frac{45}{4}$ (3) 2 (4) $\frac{14}{\ln 2}$ **589** ② **590** ⑤
591 ② **592** ③ **593** ③ **594** ⑤ **595** ②
596 ④ **597** ① **598** ④ **599** ④ **600** ⑤
601 ⑤ **602** (1) $2\left(e^3-\frac{1}{e^3}\right)$ (2) 4 (3) 0 (4) 0 **603** ③
604 ④ **605** ⑤ **606** ⑤ **607** ③ **608** ⑤
609 ③ **610** ⑤ **611** ⑤ **612** ⑤ **613** ②
614 ② **615** ① **616** ② **617** ④ **618** ①
619 $2+\frac{\pi}{2}$ **620** 26 **621** ① **622** $\frac{1}{4}(e^2-3)$
623 ⑤ **624** ① **625** ⑤ **626** ③ **627** ⑤
628 ④ **629** ② **630** -1 **631** ④ **632** ②
633 ① **634** ② **635** ① **636** -1 **637** ①
638 ③ **639** ② **640** ② **641** ② **642** ①
643 ① **644** ② **645** $\ln\frac{32}{9}$ **646** 5
647 $f(x)=\frac{6}{\pi^2}x$ **648** 3 **649** $-2\ln 2+3$
650 $2\left(e^2-\frac{1}{e^2}\right)-24$ **651** ④ **652** ② **653** ①

654 ⑤ **655** ④ **656** ① **657** ④ **658** ①
659 ② **660** ② **661** ④ **662** ③ **663** ②
664 3 **665** 32 **666** ② **667** ⑤ **668** ②
669 ① **670** ⑤ **671** ② **672** ② **673** ②
674 ② **675** ⑤ **676** ② **677** ⑤ **678** ④
679 $2\pi^2$ **680** ① **681** ④ **682** $\frac{2}{3}$ **683** ②
684 ④ **685** ② **686** ③ **687** ① **688** ④
689 ① **690** ① **691** ④ **692** ④ **693** ①
694 $\frac{1}{30}$ **695** ④ **696** ① **697** ② **698** $\frac{10}{e}$
699 ④ **700** ④ **701** ③ **702** ③ **703** ⑤
704 2 **705** ④ **706** ③ **707** ⑤ **708** ④
709 ② **710** $-\frac{2}{\pi}$ **711** $\frac{1}{2}\ln 2+\frac{\sqrt{2}}{2}-1$ **712** $b=ae^2$
713 96 **714** 464 cm^3 **715** 6 **716** ② **717** ③
718 ② **719** ② **720** 50 **721** ① **722** ⑤
723 ① **724** ⑤

엄선된 유형을 **한 권**에 **가득!**

풍산자 필수유형

정답과 풀이

미적분

지학사

풍산자 필수유형

미적분 정답과 풀이

I 수열의 극한

01 수열의 극한

001

ㄱ은 발산한다.

$n=1, 2, 3, \cdots$에 대하여 a_n의 값을 좌표평면 위에 나타내면 오른쪽 그림과 같이 진동하므로 수열 $\{a_n\}$은 발산한다.

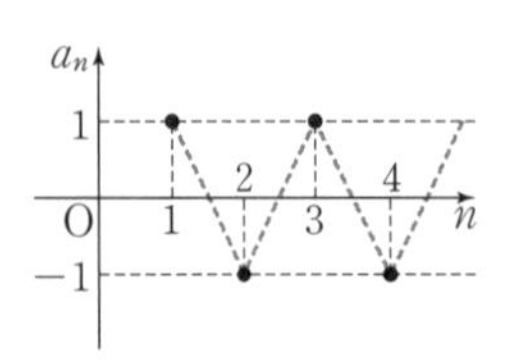

ㄴ도 발산한다.

$n=1, 2, 3, \cdots$에 대하여 a_n의 값을 좌표평면 위에 나타내면 오른쪽 그림과 같으므로 수열 $\{a_n\}$은 발산한다.

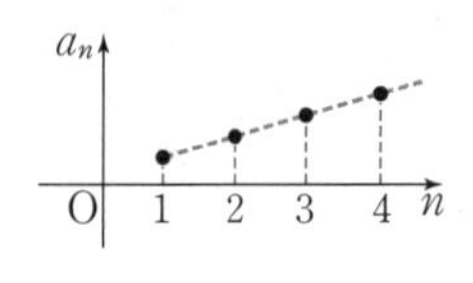

ㄷ은 수렴한다.

$n=1, 2, 3, \cdots$에 대하여 a_n의 값을 좌표평면 위에 나타내면 오른쪽 그림과 같으므로 수열 $\{a_n\}$은 1로 수렴한다.

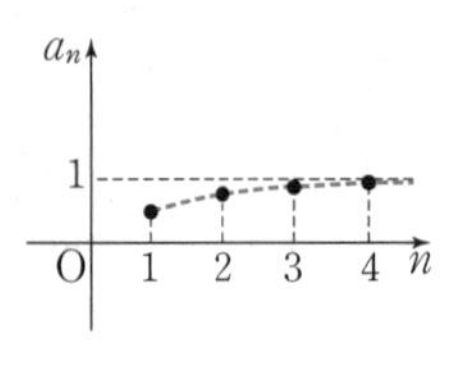

ㄹ도 수렴한다.

$n=1, 2, 3, \cdots$에 대하여 a_n의 값을 좌표평면 위에 나타내면 오른쪽 그림과 같으므로 수열 $\{a_n\}$은 0으로 수렴한다.

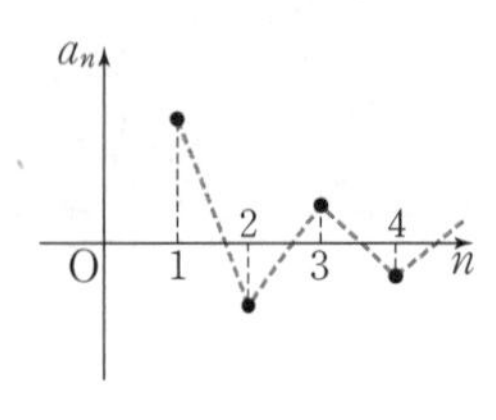

따라서 수렴하는 것은 ㄷ, ㄹ이다. 정답_④

002

(1) n이 한없이 커지면 $2n-1$의 값도 한없이 커지므로 수열 $\{2n-1\}$은 양의 무한대로 발산한다.

(2) n이 한없이 커지면 $-n^2$의 값은 한없이 작아지므로 수열 $\{-n^2\}$은 음의 무한대로 발산한다.

(3) $n=1,\ 2,\ 3,\ \cdots$을 대입하면 수열 $\left\{\frac{(-1)^n}{n}\right\}$은

$-1,\ \frac{1}{2},\ -\frac{1}{3},\ \frac{1}{4},\ \cdots$이므로 0에 한없이 가까워진다.

따라서 수열 $\left\{1+\frac{(-1)^n}{n}\right\}$은 1에 한없이 가까워지므로 극한값 1을 갖는다. 정답_(1) 발산 (2) 발산 (3) 수렴, 극한값 : 1

003

①은 수렴한다.

$(-1)^n+(-1)^{n+1}=(-1)^n-(-1)^n=0$이므로

$\lim_{n\to\infty}\{(-1)^n+(-1)^{n+1}\}=0$

②도 수렴한다.

n이 한없이 커지면 $\frac{(-1)^n}{2^n}=\left(-\frac{1}{2}\right)^n$의 값은 0에 한없이 가까워지므로 $\lim_{n\to\infty}\frac{(-1)^n}{2^n}=0$

③은 발산한다.

n이 한없이 커지면 $-\frac{n^2}{3}+2$는 한없이 작아지므로

$\lim_{n\to\infty}\left(-\frac{n^2}{3}+2\right)=-\infty$

④도 수렴한다.

$n=1, 2, 3, \cdots$을 대입하면 수열 $\left\{\frac{4n+1}{n}\right\}$은 $5, \frac{9}{2}, \frac{13}{3}, \frac{17}{4}$, $\cdots$이므로 4에 한없이 가까워진다.

$\therefore \lim_{n\to\infty}\frac{4n+1}{n}=4$

⑤도 수렴한다.

n이 자연수이면 $\left[n+\frac{1}{2}\right]=[n+0.5]=n$이므로

$$\frac{\left[n+\frac{1}{2}\right]}{n+\frac{1}{2}}=\frac{n}{n+\frac{1}{2}}$$

$n=1, 2, 3, \cdots$을 대입하면 수열 $\left\{\frac{n}{n+\frac{1}{2}}\right\}$은 $\frac{2}{3}, \frac{4}{5}, \frac{6}{7}, \cdots$ 이므로 1에 한없이 가까워진다.

$$\therefore \lim_{n\to\infty}\frac{\left[n+\frac{1}{2}\right]}{n+\frac{1}{2}}=1$$

따라서 발산하는 것은 ③이다. 정답_③

004

$$\lim_{n\to\infty}\frac{8n^2+1}{3n^2-2}=\lim_{n\to\infty}\frac{8+\frac{1}{n^2}}{3-\frac{2}{n^2}}=\frac{8}{3}$$ 정답_②

005

주어진 식의 분모, 분자를 n^4으로 나누면

$$(\text{주어진 식})=\lim_{n\to\infty}\frac{\left(1+\frac{1}{n}\right)\left(2+\frac{3}{n}\right)\left(4+\frac{5}{n}\right)\left(6+\frac{7}{n}\right)}{\left(4-\frac{1}{n}\right)\left(3-\frac{2}{n}\right)\left(2-\frac{3}{n}\right)\left(1-\frac{4}{n}\right)}$$

$$=\frac{(1+0)(2+0)(4+0)(6+0)}{(4-0)(3-0)(2-0)(1-0)}$$

$$=\frac{48}{24}=2$$ 정답_②

006

$1\cdot2+2\cdot3+3\cdot4+\cdots+n(n+1)$

$=\sum_{k=1}^{n}k(k+1)=\sum_{k=1}^{n}k^2+\sum_{k=1}^{n}k$

$$=\frac{n(n+1)(2n+1)}{6}+\frac{n(n+1)}{2}$$

$$=\frac{n(n+1)(n+2)}{3}$$

$$\therefore \text{(주어진 식)}=\lim_{n\to\infty}\frac{\frac{n(n+1)(n+2)}{3}}{n\cdot\frac{n(n+1)}{2}}$$

$$=\lim_{n\to\infty}\frac{2(n+2)}{3n}$$

$$=\lim_{n\to\infty}\frac{2n+4}{3n}$$

$$=\lim_{n\to\infty}\frac{2+\frac{4}{n}}{3}=\frac{2}{3}$$

정답_②

007

$$1^2+3^2+5^2+\cdots+(2n-1)^2$$

$$=\sum_{k=1}^{n}(2k-1)^2=\sum_{k=1}^{n}(4k^2-4k+1)$$

$$=4\cdot\frac{n(n+1)(2n+1)}{6}-4\cdot\frac{n(n+1)}{2}+n$$

$$=\frac{n\{2(n+1)(2n+1)-6(n+1)+3\}}{3}$$

$$=\frac{4n^3-n}{3}$$

$$\therefore \text{(주어진 식)}=\lim_{n\to\infty}\frac{8n^3}{\frac{4n^3-n}{3}}=\lim_{n\to\infty}\frac{24n^2}{4n^2-1}$$

$$=\lim_{n\to\infty}\frac{24}{4-\frac{1}{n^2}}=6$$

정답_③

008

주어진 수열의 일반항을 a_n이라고 하면

$$a_n=\frac{1+2+3+\cdots+n}{n^2}=\frac{\frac{n(n+1)}{2}}{n^2}=\frac{n+1}{2n}$$

$$\therefore \lim_{n\to\infty}a_n=\lim_{n\to\infty}\frac{n+1}{2n}=\lim_{n\to\infty}\frac{1+\frac{1}{n}}{2}=\frac{1}{2}$$

따라서 구하는 극한값은 $\frac{1}{2}$이다.

정답_②

009

$$\left(1+\frac{1}{2}\right)\left(1+\frac{1}{3}\right)\left(1+\frac{1}{4}\right)\cdots\left(1+\frac{1}{n}\right)$$

$$=\frac{3}{2}\times\frac{4}{3}\times\frac{5}{4}\times\cdots\times\frac{n+1}{n}$$

$$=\frac{n+1}{2}$$

$$\therefore \text{(주어진 식)}=\lim_{n\to\infty}\frac{n^2+3n}{\left(\frac{n+1}{2}\right)^2}=\lim_{n\to\infty}\frac{4n^2+12n}{n^2+2n+1}$$

$$=\lim_{n\to\infty}\frac{4+\frac{12}{n}}{1+\frac{2}{n}+\frac{1}{n^2}}=4$$

정답_⑤

010

$\frac{1+a_n}{a_n}=n^2+2$에서 $n^2a_n+2a_n=1+a_n$

$(n^2+1)a_n=1 \quad \therefore a_n=\frac{1}{n^2+1}$

$$\therefore \lim_{n\to\infty}n^2a_n=\lim_{n\to\infty}\frac{n^2}{n^2+1}=\lim_{n\to\infty}\frac{1}{1+\frac{1}{n^2}}=1$$

정답_①

다른 풀이

$\lim_{n\to\infty}n^2a_n=\alpha$ (α는 상수)라고 하면

$\frac{1+a_n}{a_n}=n^2+2$에서 $\frac{1}{a_n}+1=n^2+2$

양변에 n^2으로 나누면

$$\frac{1}{n^2a_n}+\frac{1}{n^2}=1+\frac{2}{n^2}$$

$$\lim_{n\to\infty}\left(\frac{1}{n^2a_n}+\frac{1}{n^2}\right)=\lim_{n\to\infty}\left(1+\frac{2}{n^2}\right)$$

$\frac{1}{\alpha}=1 \quad \therefore \alpha=1$

$\therefore \lim_{n\to\infty}n^2a_n=\alpha=1$

011

$a_n=1-\frac{1}{n^2}=\frac{n^2-1}{n^2}=\frac{(n-1)(n+1)}{n\cdot n}$이므로

$$\lim_{n\to\infty}(a_2a_3a_4\cdots a_n)$$

$$=\lim_{n\to\infty}\left\{\frac{1\cdot3}{2\cdot2}\times\frac{2\cdot4}{3\cdot3}\times\frac{3\cdot5}{4\cdot4}\times\cdots\times\frac{(n-1)(n+1)}{n\cdot n}\right\}$$

$$=\lim_{n\to\infty}\frac{n+1}{2n}=\lim_{n\to\infty}\frac{1+\frac{1}{n}}{2}=\frac{1}{2}$$

정답_②

012

주어진 수열의 일반항을 a_n이라고 하면

$$a_n=\log_2(n+1)-\log_2(2n+1)=\log_2\frac{n+1}{2n+1}$$

$$\therefore \lim_{n\to\infty}a_n=\lim_{n\to\infty}\log_2\frac{n+1}{2n+1}=\lim_{n\to\infty}\log_2\frac{1+\frac{1}{n}}{2+\frac{1}{n}}$$

$$=\log_2\frac{1}{2}=-1$$

따라서 구하는 극한값은 -1이다.

정답_②

013

분모의 최고차항인 n으로 분모, 분자를 나누면

$$\lim_{n\to\infty}\frac{2n}{\sqrt{9n^2+3}+\sqrt{n^2-7}}$$

$$=\lim_{n\to\infty}\frac{2}{\sqrt{9+\frac{3}{n^2}}+\sqrt{1-\frac{7}{n^2}}}$$

$$=\frac{2}{3+1}=\frac{1}{2}$$

정답_③

014

$$\lim_{n\to\infty}\{\log_2(\sqrt{4n-1}+\sqrt{4n+1})-\log_2\sqrt{n}\}$$

$$=\lim_{n\to\infty}\log_2\frac{\sqrt{4n-1}+\sqrt{4n+1}}{\sqrt{n}}$$

$$=\lim_{n\to\infty}\log_2\frac{\sqrt{4-\frac{1}{n}}+\sqrt{4+\frac{1}{n}}}{1}$$

$$=\log_2\frac{2+2}{1}=\log_2 4=2$$

정답_②

015

두 점 $P(n,\ 3n^2)$, $Q(n+1,\ 3(n+1)^2)$ 사이의 거리 a_n은

$$a_n=\sqrt{(n+1-n)^2+\{3(n+1)^2-3n^2\}^2}$$

$$=\sqrt{1+(6n+3)^2}=\sqrt{36n^2+36n+10}$$

$$\therefore \lim_{n\to\infty}\frac{a_n}{n}=\lim_{n\to\infty}\frac{\sqrt{36n^2+36n+10}}{n}$$

$$=\lim_{n\to\infty}\sqrt{36+\frac{36}{n}+\frac{10}{n^2}}$$

$$=\sqrt{36}=6$$

정답_④

016

$S_n=n\cdot 3^n$에서

(i) $n\geq 2$일 때

$$a_n=S_n-S_{n-1}=n\cdot 3^n-(n-1)\cdot 3^{n-1}$$

$$=3n\cdot 3^{n-1}-(n-1)\cdot 3^{n-1}=(2n+1)\cdot 3^{n-1} \quad \cdots\cdots ㉠$$

(ii) $n=1$일 때

$$a_1=S_1=3$$

이때, $a_1=3$은 ㉠에 $n=1$을 대입한 것과 같으므로

$$a_n=(2n+1)\cdot 3^{n-1}\ (n\geq 1)$$

$$\therefore \lim_{n\to\infty}\frac{S_n}{a_n}=\lim_{n\to\infty}\frac{n\cdot 3^n}{(2n+1)\cdot 3^{n-1}}=\lim_{n\to\infty}\frac{3n}{2n+1}$$

$$=\lim_{n\to\infty}\frac{3}{2+\frac{1}{n}}=\frac{3}{2}$$

정답_③

017

$S_n=3n^2-4n$에서

(i) $n\geq 2$일 때

$$a_n=S_n-S_{n-1}=(3n^2-4n)-\{3(n-1)^2-4(n-1)\}$$

$$=6n-7 \quad \cdots\cdots ㉠$$

(ii) $n=1$일 때

$$a_1=S_1=3\cdot 1^2-4\cdot 1=-1$$

이때, $a_1=-1$은 ㉠에 $n=1$을 대입한 것과 같으므로

$$a_n=6n-7\ (n\geq 1)$$

$$\therefore \lim_{n\to\infty}\frac{S_n}{(5n+2)a_n}=\lim_{n\to\infty}\frac{3n^2-4n}{(5n+2)(6n-7)}$$

$$=\lim_{n\to\infty}\frac{3n^2-4n}{30n^2-23n-14}$$

$$=\lim_{n\to\infty}\frac{3-\frac{4}{n}}{30-\frac{23}{n}-\frac{14}{n^2}}$$

$$=\frac{3}{30}=\frac{1}{10}$$

정답_①

018

$$\lim_{n\to\infty}\frac{an^2+bn+5}{\sqrt{4n^2-1}}=\lim_{n\to\infty}\frac{an+b+\frac{5}{n}}{\sqrt{4-\frac{1}{n^2}}}$$

이때, $a\neq 0$이면 발산하므로 $a=0$

$$\lim_{n\to\infty}\frac{b+\frac{5}{n}}{\sqrt{4-\frac{1}{n^2}}}=\frac{b}{2}=7\text{이므로}\quad b=14$$

$\therefore a+b=0+14=14$

정답_③

019

(i) $a\neq 0$, $b=0$이면

$$\lim_{n\to\infty}\frac{an^2-6n+6}{bn^2+3n-3}=\lim_{n\to\infty}\frac{an^2-6n+6}{3n-3}=\infty(\text{또는 }-\infty)$$

(ii) $a=0$, $b=0$이면

$$\lim_{n\to\infty}\frac{an^2-6n+6}{bn^2+3n-3}=\lim_{n\to\infty}\frac{-6n+6}{3n-3}=\lim_{n\to\infty}\frac{-6+\frac{6}{n}}{3-\frac{3}{n}}=-2$$

(iii) $a=0$, $b\neq 0$이면

$$\lim_{n\to\infty}\frac{an^2-6n+6}{bn^2+3n-3}=\lim_{n\to\infty}\frac{-6n+6}{bn^2+3n-3}=0$$

따라서 (i), (ii), (iii)에 의해 $a\neq 0$, $b\neq 0$

$$\lim_{n\to\infty}\frac{an^2-6n+6}{bn^2+3n-3}=\lim_{n\to\infty}\frac{a-\frac{6}{n}+\frac{6}{n^2}}{b+\frac{3}{n}-\frac{3}{n^2}}=\frac{a}{b}=2$$

$$\therefore \lim_{n\to\infty}\frac{bn-a}{an+b}=\lim_{n\to\infty}\frac{b-\frac{a}{n}}{a+\frac{b}{n}}=\frac{b}{a}=\frac{1}{2}$$

정답_③

020

(1) $\lim_{n\to\infty}(\sqrt{4n^2-8n}-2n)$

$$=\lim_{n\to\infty}\frac{(\sqrt{4n^2-8n}-2n)(\sqrt{4n^2-8n}+2n)}{\sqrt{4n^2-8n}+2n}$$

$$=\lim_{n\to\infty}\frac{-8n}{\sqrt{4n^2-8n}+2n}$$

$$=\lim_{n\to\infty}\frac{-8}{\sqrt{4-\frac{8}{n}}+2}$$

$$=\frac{-8}{2+2}=-2$$

(2) $\lim_{n\to\infty}\sqrt{n}(\sqrt{n+3}-\sqrt{n-3})$

$$=\lim_{n\to\infty}\frac{\sqrt{n}(\sqrt{n+3}-\sqrt{n-3})(\sqrt{n+3}+\sqrt{n-3})}{\sqrt{n+3}+\sqrt{n-3}}$$

$$=\lim_{n\to\infty}\frac{6\sqrt{n}}{\sqrt{n+3}+\sqrt{n-3}}$$

$$=\lim_{n\to\infty}\frac{6}{\sqrt{1+\frac{3}{n}}+\sqrt{1-\frac{3}{n}}}$$

$$=\frac{6}{1+1}=3$$

(3) $\lim_{n\to\infty}\frac{2}{\sqrt{n^2+2n}-\sqrt{n^2-2n}}$

$$=\lim_{n\to\infty}\frac{2(\sqrt{n^2+2n}+\sqrt{n^2-2n})}{(\sqrt{n^2+2n}-\sqrt{n^2-2n})(\sqrt{n^2+2n}+\sqrt{n^2-2n})}$$

$$=\lim_{n\to\infty}\frac{2(\sqrt{n^2+2n}+\sqrt{n^2-2n})}{4n}$$

$$=\lim_{n\to\infty}\frac{2\left(\sqrt{1+\frac{2}{n}}+\sqrt{1-\frac{2}{n}}\right)}{4}$$

$$=\lim_{n\to\infty}\frac{2(1+1)}{4}=1$$

정답_(1) -2 (2) 3 (3) 1

021

등차수열 $\{a_n\}$의 첫째항이 6, 공차가 2이므로

$$S_n=\frac{n\{2\cdot6+(n-1)\cdot2\}}{2}=\frac{n(2n+10)}{2}=n^2+5n$$

$$\therefore \lim_{n\to\infty}(\sqrt{S_{n+1}}-\sqrt{S_n})$$

$$=\lim_{n\to\infty}\frac{(\sqrt{S_{n+1}}-\sqrt{S_n})(\sqrt{S_{n+1}}+\sqrt{S_n})}{\sqrt{S_{n+1}}+\sqrt{S_n}}$$

$$=\lim_{n\to\infty}\frac{S_{n+1}-S_n}{\sqrt{S_{n+1}}+\sqrt{S_n}}$$

$$=\lim_{n\to\infty}\frac{\{(n+1)^2+5(n+1)\}-(n^2+5n)}{\sqrt{(n+1)^2+5(n+1)}+\sqrt{n^2+5n}}$$

$$=\lim_{n\to\infty}\frac{2n+6}{\sqrt{n^2+7n+6}+\sqrt{n^2+5n}}$$

$$=\lim_{n\to\infty}\frac{2+\frac{6}{n}}{\sqrt{1+\frac{7}{n}+\frac{6}{n^2}}+\sqrt{1+\frac{5}{n}}}$$

$$=\frac{2}{1+1}=\frac{2}{2}=1$$

정답_①

022

$$\lim_{n\to\infty}\frac{\sqrt{n+\alpha^2}-\sqrt{n+\beta^2}}{\sqrt{4n+\alpha}-\sqrt{4n+\beta}}$$

$$=\lim_{n\to\infty}\frac{(\sqrt{n+\alpha^2}-\sqrt{n+\beta^2})(\sqrt{n+\alpha^2}+\sqrt{n+\beta^2})(\sqrt{4n+\alpha}+\sqrt{4n+\beta})}{(\sqrt{4n+\alpha}-\sqrt{4n+\beta})(\sqrt{4n+\alpha}+\sqrt{4n+\beta})(\sqrt{n+\alpha^2}+\sqrt{n+\beta^2})}$$

$$=\lim_{n\to\infty}\frac{(\alpha^2-\beta^2)(\sqrt{4n+\alpha}+\sqrt{4n+\beta})}{(\alpha-\beta)(\sqrt{n+\alpha^2}+\sqrt{n+\beta^2})}$$

$$=\lim_{n\to\infty}\left\{(\alpha+\beta)\cdot\frac{\sqrt{4+\frac{\alpha}{n}}+\sqrt{4+\frac{\beta}{n}}}{\sqrt{1+\frac{\alpha^2}{n}}+\sqrt{1+\frac{\beta^2}{n}}}\right\}$$

$$=1\cdot\frac{2+2}{1+1}=2$$

정답_④

023

$$\lim_{n\to\infty}\frac{\sqrt{kn+1}}{n(\sqrt{n+1}-\sqrt{n-1})}$$

$$=\lim_{n\to\infty}\frac{\sqrt{kn+1}(\sqrt{n+1}+\sqrt{n-1})}{n(\sqrt{n+1}-\sqrt{n-1})(\sqrt{n+1}+\sqrt{n-1})}$$

$$=\lim_{n\to\infty}\frac{\sqrt{kn+1}(\sqrt{n+1}+\sqrt{n-1})}{2n}$$

$$=\lim_{n\to\infty}\frac{\sqrt{k+\frac{1}{n}}\left(\sqrt{1+\frac{1}{n}}+\sqrt{1-\frac{1}{n}}\right)}{2}$$

$$=\frac{\sqrt{k}(1+1)}{2}=\sqrt{k}$$

따라서 $\sqrt{k}=5$이므로 $k=25$

정답_⑤

024

$$\lim_{n\to\infty}\frac{1}{n^a}\left\{\left(n+\frac{1}{n}\right)^{20}-\frac{1}{n^{20}}\right\}$$

$$=\lim_{n\to\infty}\frac{1}{n^a}\left\{\left(\frac{n^2+1}{n}\right)^{20}-\frac{1}{n^{20}}\right\}$$

$$=\lim_{n\to\infty}\frac{1}{n^a}\left\{\frac{(n^2+1)^{20}}{n^{20}}-\frac{1}{n^{20}}\right\}$$

$$=\lim_{n\to\infty}\left\{\frac{1}{n^a}\cdot\frac{(n^2+1)^{20}-1}{n^{20}}\right\}$$

$$=\lim_{n\to\infty}\frac{(n^2+1)^{20}-1}{n^{a+20}}$$

분자의 차수가 40이고 수렴하므로 분모의 차수가 40 이상이어야 한다.

즉, $a+20\geq40$ $\quad\therefore a\geq20$

따라서 자연수 a의 최솟값은 20이다.

정답_④

025

$k\leq0$이면 $\lim_{n\to\infty}\{\sqrt{(n+3)(4n-1)}-kn\}=\infty$이므로 $k>0$

$$\lim_{n\to\infty}a_n$$

$$=\lim_{n\to\infty}\{\sqrt{(n+3)(4n-1)}-kn\}$$

$$=\lim_{n\to\infty}\frac{\{\sqrt{(n+3)(4n-1)}-kn\}\{\sqrt{(n+3)(4n-1)}+kn\}}{\sqrt{(n+3)(4n-1)}+kn}$$

$$=\lim_{n\to\infty}\frac{(4-k^2)n^2+11n-3}{\sqrt{4n^2+11n-3}+kn}$$

$$=\lim_{n\to\infty}\frac{(4-k^2)n+11-\frac{3}{n}}{\sqrt{4+\frac{11}{n}-\frac{3}{n^2}}+k}$$

이때, 수열 $\{a_n\}$이 수렴하므로

$4-k^2=0, k^2=4 \quad \therefore k=2\ (\because k>0)$

$$\therefore \lim_{n\to\infty} a_n=\frac{11-\frac{3}{n}}{\sqrt{4+\frac{11}{n}-\frac{3}{n^2}}+2}$$

$$=\frac{11}{2+2}=\frac{11}{4}$$

정답_ $\frac{11}{4}$

026

$f(x)=n$에서 $(x-3)^2=n, x-3=\pm\sqrt{n}$

$\therefore x=3\pm\sqrt{n}$

즉, $h(n)=|\alpha-\beta|=|(3+\sqrt{n})-(3-\sqrt{n})|=2\sqrt{n}$이므로

$h(n+1)=2\sqrt{n+1}$

$$\therefore \lim_{n\to\infty}\sqrt{n}\{h(n+1)-h(n)\}$$

$$=\lim_{n\to\infty}\sqrt{n}(2\sqrt{n+1}-2\sqrt{n})$$

$$=\lim_{n\to\infty}\frac{2\sqrt{n}(\sqrt{n+1}-\sqrt{n})(\sqrt{n+1}+\sqrt{n})}{\sqrt{n+1}+\sqrt{n}}$$

$$=\lim_{n\to\infty}\frac{2\sqrt{n}}{\sqrt{n+1}+\sqrt{n}}$$

$$=\lim_{n\to\infty}\frac{2}{\sqrt{1+\frac{1}{n}}+1}=\frac{2}{1+1}=1$$

정답_ ②

027

$x^2-2nx+n=0$의 두 근은 $x=n\pm\sqrt{n^2-n}$

이 중에서 작지 않은 근은 $a_n=n+\sqrt{n^2-n}$

이때, $(n-1)^2\le n^2-n<n^2$이므로

$n-1\le\sqrt{n^2-n}<n$

따라서 $\sqrt{n^2-n}$의 정수부분은 $n-1$이므로 a_n의 정수부분은

$f(n)=n+(n-1)=2n-1$

$$\therefore \lim_{n\to\infty}\{a_n-f(n)\}$$

$$=\lim_{n\to\infty}\{(n+\sqrt{n^2-n})-(2n-1)\}$$

$$=\lim_{n\to\infty}\{\sqrt{n^2-n}-(n-1)\}$$

$$=\lim_{n\to\infty}\frac{\{\sqrt{n^2-n}-(n-1)\}\{\sqrt{n^2-n}+(n-1)\}}{\sqrt{n^2-n}+(n-1)}$$

$$=\lim_{n\to\infty}\frac{n-1}{\sqrt{n^2-n}+n-1}$$

$$=\lim_{n\to\infty}\frac{1-\frac{1}{n}}{\sqrt{1-\frac{1}{n}}+1-\frac{1}{n}}$$

$$=\frac{1}{1+1}=\frac{1}{2}$$

정답_ ①

028

$\lim_{n\to\infty}a_n=\alpha,\ \lim_{n\to\infty}b_n=\beta$($\alpha, \beta$는 상수)라고 하면

$\lim_{n\to\infty}(a_n-b_n)=5$에서 $\alpha-\beta=5$

$\lim_{n\to\infty}a_nb_n=3$에서 $\alpha\beta=3$

$$\therefore \lim_{n\to\infty}(a_n{}^2+b_n{}^2)=\lim_{n\to\infty}a_n{}^2+\lim_{n\to\infty}b_n{}^2$$

$$=\alpha^2+\beta^2=(\alpha-\beta)^2+2\alpha\beta$$

$$=5^2+2\cdot3=31$$

정답_ ④

029

$$\lim_{n\to\infty}\frac{a_nb_n-2}{a_n+3b_n}=\frac{\lim_{n\to\infty}a_n\lim_{n\to\infty}b_n-2}{\lim_{n\to\infty}a_n+3\lim_{n\to\infty}b_n}$$

$$=\frac{3\alpha-2}{3+3\alpha}=2$$

$3\alpha-2=6+6\alpha \quad \therefore \alpha=-\frac{8}{3}$

정답_ ②

030

$$\lim_{n\to\infty}\frac{(10n+1)b_n}{a_n}$$

$$=\lim_{n\to\infty}\left\{\frac{(n^2+1)b_n}{(n+1)a_n}\cdot\frac{(n+1)(10n+1)}{n^2+1}\right\}$$

$$=\frac{\lim_{n\to\infty}(n^2+1)b_n}{\lim_{n\to\infty}(n+1)a_n}\cdot\lim_{n\to\infty}\frac{10n^2+11n+1}{n^2+1}$$

$$=\frac{7}{2}\lim_{n\to\infty}\frac{10+\frac{11}{n}+\frac{1}{n^2}}{1+\frac{1}{n^2}}$$

$$=\frac{7}{2}\cdot10=35$$

정답_ 35

031

$\frac{na_n}{2n^2+1}=b_n$으로 놓으면 $a_n=\frac{(2n^2+1)b_n}{n}$

또한, $\lim_{n\to\infty}b_n=3$이므로 $\lim_{n\to\infty}b_{n+1}=3$

$$\therefore \lim_{n\to\infty}\frac{n(a_n+a_{n+1})}{n^2+1}$$

$$=\lim_{n\to\infty}\left(\frac{na_n}{n^2+1}+\frac{na_{n+1}}{n^2+1}\right)$$

$$=\lim_{n\to\infty}\left[\frac{n\cdot\frac{(2n^2+1)b_n}{n}}{n^2+1}+\frac{n\cdot\frac{\{2(n+1)^2+1\}b_{n+1}}{n+1}}{n^2+1}\right]$$

$$=\lim_{n\to\infty}\left\{\frac{2n^2+1}{n^2+1}\cdot b_n+\frac{n(2n^2+4n+3)}{(n+1)(n^2+1)}\cdot b_{n+1}\right\}$$

$$=2\cdot3+2\cdot3=12$$

정답_ ④

032

ㄱ은 옳다.

$a_n<b_n$이므로 $\lim_{n\to\infty}a_n=\infty$이면 $\lim_{n\to\infty}b_n=\infty$

ㄴ은 옳지 않다.

(반례) $a_n=\frac{1}{n}$, $b_n=\frac{2}{n}$이면 두 수열 $\{a_n\}$, $\{b_n\}$은 수렴하고,

자연수 n에 대하여 $a_n<b_n$이지만 $\lim_{n\to\infty} a_n=\lim_{n\to\infty} b_n=0$

이다.

ㄷ도 옳지 않다.

(반례) $\{a_n\}$: 1, 0, 1, 0, 1, $\cdots$

$\{b_n\}$: 0, 1, 0, 1, 0, $\cdots$

이면 $\lim_{n\to\infty} a_nb_n=0$이지만 $\lim_{n\to\infty} a_n\neq 0$이고 $\lim_{n\to\infty} b_n\neq 0$

이다.

따라서 옳은 것은 ㄱ이다. 정답_①

033

$4n^2-3n-2<a_n<4n^2+n+2$에서

$$\frac{4n^2-3n-2}{2n^2+3n+4}<\frac{a_n}{2n^2+3n+4}<\frac{4n^2+n+2}{2n^2+3n+4}$$

이때, $\lim_{n\to\infty}\frac{4n^2-3n-2}{2n^2+3n+4}=\lim_{n\to\infty}\frac{4n^2+n+2}{2n^2+3n+4}=2$이므로

$\lim_{n\to\infty}\frac{a_n}{2n^2+3n+4}=2$ 정답_②

034

$(n-3)(4n^2+1)<2n^2a_n<2n^2(2n+3)$에서

$$\frac{(n-3)(4n^2+1)}{2n^3}<\frac{a_n}{n}<\frac{2n+3}{n}$$

이때, $\lim_{n\to\infty}\frac{(n-3)(4n^2+1)}{2n^3}=\lim_{n\to\infty}\frac{2n+3}{n}=2$이므로

$\lim_{n\to\infty}\frac{a_n}{n}=2$ 정답_④

035

ㄱ은 옳지 않다.

(반례) $a_n=\frac{n}{4n+2}$이면 $\frac{-n}{2n-1}<a_n<\frac{n}{2n+1}$이지만

$\lim_{n\to\infty} a_n=\frac{1}{4}$

ㄴ은 옳다.

$\frac{-n}{2n-1}<a_n<\frac{n}{2n+1}$에서 $\frac{-1}{2n-1}<\frac{a_n}{n}<\frac{1}{2n+1}$

이때, $\lim_{n\to\infty}\frac{-1}{2n-1}=\lim_{n\to\infty}\frac{1}{2n+1}=0$이므로 $\lim_{n\to\infty}\frac{a_n}{n}=0$

ㄷ도 옳다.

$\frac{-n}{2n-1}<a_n<\frac{n}{2n+1}$에서

$$\frac{-n^2}{(n^2+1)(2n-1)}<\frac{na_n}{n^2+1}<\frac{n^2}{(n^2+1)(2n+1)}$$

이때,

$$\lim_{n\to\infty}\frac{-n^2}{(n^2+1)(2n-1)}=\lim_{n\to\infty}\frac{n^2}{(n^2+1)(2n+1)}=0$$

이므로 $\lim_{n\to\infty}\frac{na_n}{n^2+1}=0$

따라서 옳은 것은 ㄴ, ㄷ이다. 정답_⑤

036

① 수열 $\left\{\left(-\frac{2}{\sqrt{3}}\right)^n\right\}$은 공비가 $-\frac{2}{\sqrt{3}}$이고, $-\frac{2}{\sqrt{3}}<-1$이므로 발산(진동)한다.

② 수열 $\left\{\left(\log\frac{1}{10}\right)^n\right\}$은 $\left(\log\frac{1}{10}\right)^n=(-1)^n$에서 공비가 -1이므로 발산(진동)한다.

③ 수열 $\{1.01^n\}$은 공비가 1.01이고, $1.01>1$이므로 양의 무한대로 발산한다.

④ 수열 $\left\{\frac{-5^n}{9\cdot 4^n}\right\}$은 $\frac{-5^n}{9\cdot 4^n}=-\frac{1}{9}\cdot\left(\frac{5}{4}\right)^n$에서 공비가 $\frac{5}{4}$이고, $\frac{5}{4}>1$이므로 음의 무한대로 발산한다.

⑤ 수열 $\{(\sqrt{2}-1)^n\}$은 공비가 $\sqrt{2}-1$이고, $-1<\sqrt{2}-1<1$이므로 0으로 수렴한다.

따라서 수렴하는 것은 ⑤이다. 정답_⑤

037

등비수열 $\left\{\left(\frac{3x-5}{6}\right)^n\right\}$은 공비가 $\frac{3x-5}{6}$이므로 수렴하려면

$-1<\frac{3x-5}{6}\le 1$, $-6<3x-5\le 6$, $-1<3x\le 11$

$\therefore -\frac{1}{3}<x\le\frac{11}{3}$

위의 범위 안의 정수 x는 0, 1, 2, 3으로 4개이다. 정답_④

038

등비수열 $\{(x^2-5x+7)^n\}$의 공비는 x^2-5x+7이고, 0이 아닌 값에 수렴하려면 공비가 1이어야 하므로

$x^2-5x+7=1$, $x^2-5x+6=0$

따라서 이차방정식의 근과 계수의 관계에 의해 구하는 모든 실수 x의 값의 곱은 6이다. 정답_③

039

등비수열 $\{r^n\}$이 수렴하므로

$-1<r\le 1$ ······㉠

ㄱ. 수열 $\{r^{2n}\}$은 공비가 r^2이고, ㉠에서 $0\le r^2\le 1$이므로 항상 수렴한다.

ㄴ. 수열 $\{(-r)^n\}$은 항상 수렴하지는 않는다.

(반례) $r=1$이면 수열 $\{r^n\}$은 수렴하지만 $(-r)^n=(-1)^n$이므로 수열 $\{(-r)^n\}$은 발산(진동)한다.

ㄷ. 수열 $\left\{\left(\frac{1-r}{2}\right)^n\right\}$은 공비가 $\frac{1-r}{2}$이고, ㉠에서

$-1\le -r<1$, $0\le 1-r<2$, $0\le\frac{1-r}{2}<1$

이므로 항상 수렴한다.

따라서 수렴하는 것은 ㄱ, ㄷ이다. 정답_③

040

$$\lim_{n\to\infty}\frac{5\cdot3^{n+1}-2^{n+1}}{3^n+2^n}=\lim_{n\to\infty}\frac{\frac{5\cdot3^{n+1}}{3^n}-\frac{2^{n+1}}{3^n}}{\frac{3^n}{3^n}+\frac{2^n}{3^n}}=\lim_{n\to\infty}\frac{5\cdot3-2\cdot\left(\frac{2}{3}\right)^n}{1+\left(\frac{2}{3}\right)^n}=\frac{5\cdot3-2\cdot0}{1+0}=15$$

정답_⑤

041

$a_n=5\cdot5^{n-1}=5^n$

$$\therefore \lim_{n\to\infty}\frac{5^{n+1}-7}{a_n}=\lim_{n\to\infty}\frac{5^{n+1}-7}{5^n}=\lim_{n\to\infty}\frac{5-7\cdot\left(\frac{1}{5}\right)^n}{1}=5$$

정답_⑤

042

$a_n=3\cdot2^{n-1}, b_n=5\cdot6^{n-1}$

$$\therefore \lim_{n\to\infty}\log_{a_n}b_n=\lim_{n\to\infty}\frac{\log b_n}{\log a_n}=\lim_{n\to\infty}\frac{\log5\cdot6^{n-1}}{\log3\cdot2^{n-1}}=\lim_{n\to\infty}\frac{\log5+n\log6-\log6}{\log3+n\log2-\log2}=\lim_{n\to\infty}\frac{\frac{\log5}{n}+\log6-\frac{\log6}{n}}{\frac{\log3}{n}+\log2-\frac{\log2}{n}}=\lim_{n\to\infty}\frac{\log6}{\log2}=\log_2 6=1+\log_2 3$$

정답_⑤

043

$\lim_{n\to\infty}\frac{1}{3^n}=0$, $\lim_{n\to\infty}\frac{1}{2^n}=0$이므로

$\lim_{n\to\infty}\left(9+\frac{1}{3^n}\right)\left(a+\frac{1}{2^n}\right)=45$에서

$\lim_{n\to\infty}\left(9+\frac{1}{3^n}\right)\lim_{n\to\infty}\left(a+\frac{1}{2^n}\right)=45$

$9\cdot a=45 \quad \therefore a=5$ 정답_⑤

044

$$\lim_{n\to\infty}\frac{3^{n+1}}{a\cdot3^n-3^{n-1}}=\frac{3}{a-\frac{1}{3}}=\frac{9}{3a-1}=6$$

$6(3a-1)=9 \quad \therefore a=\frac{5}{6}$

$$\therefore \lim_{n\to\infty}\frac{5a^n+4}{2a^n+7}=\lim_{n\to\infty}\frac{5\cdot\left(\frac{5}{6}\right)^n+4}{2\cdot\left(\frac{5}{6}\right)^n+7}=\frac{4}{7}$$

정답_②

045

$\frac{a_{n+1}}{a_n}\le\frac{3}{4}$에 $n=1, 2, 3, \cdots, n-1$을 차례로 대입하면

$\frac{a_2}{a_1}\le\frac{3}{4}$

$\frac{a_3}{a_2}\le\frac{3}{4}$

$\frac{a_4}{a_3}\le\frac{3}{4}$

$\vdots$

$\frac{a_n}{a_{n-1}}\le\frac{3}{4}$

변끼리 곱하면

$\frac{a_2}{a_1}\cdot\frac{a_3}{a_2}\cdot\frac{a_4}{a_3}\cdot\cdots\cdot\frac{a_n}{a_{n-1}}\le\left(\frac{3}{4}\right)^{n-1}$

$\frac{a_n}{a_1}\le\left(\frac{3}{4}\right)^{n-1} \quad \therefore a_n\le a_1\cdot\left(\frac{3}{4}\right)^{n-1}$

이때, $a_n>0$이므로 $0<a_n\le a_1\cdot\left(\frac{3}{4}\right)^{n-1}$

그런데 $\lim_{n\to\infty}a_1\cdot\left(\frac{3}{4}\right)^{n-1}=0$이므로 $\lim_{n\to\infty}a_n=0$

$$\therefore \lim_{n\to\infty}\frac{2^{2n-1}+8-3a_n}{6a_n-4^n+2}=\lim_{n\to\infty}\frac{2^{2n-1}+8}{-4^n+2}=\lim_{n\to\infty}\frac{\frac{1}{2}+\frac{8}{4^n}}{-1+\frac{2}{4^n}}=-\frac{1}{2}$$

정답_①

046

주어진 그래프에서 $f(2)=4$

직선 $y=g(x)$가 원점과 점 $(3, 3)$을 지나므로

$g(x)=x \quad \therefore g(2)=2$

$$h(2)=\lim_{n\to\infty}\frac{\{f(2)\}^{n+1}+5\{g(2)\}^n}{\{f(2)\}^n+\{g(2)\}^n}=\lim_{n\to\infty}\frac{4^{n+1}+5\cdot2^n}{4^n+2^n}=\lim_{n\to\infty}\frac{4+5\cdot\left(\frac{2}{4}\right)^n}{1+\left(\frac{2}{4}\right)^n}=4$$

주어진 그래프에서 $f(3)=3, g(3)=3$이므로

$$h(3)=\lim_{n\to\infty}\frac{\{f(3)\}^{n+1}+5\{g(3)\}^n}{\{f(3)\}^n+\{g(3)\}^n}=\lim_{n\to\infty}\frac{3^{n+1}+5\cdot3^n}{3^n+3^n}=\lim_{n\to\infty}\frac{8\cdot3^n}{2\cdot3^n}=4$$

$\therefore h(2)+h(3)=4+4=8$ 정답_③

047

ㄱ은 옳지 않다.

$|r|>1$일 때, $\lim_{n\to\infty}\frac{1}{r^n}=0$이므로

$$\lim_{n\to\infty}\frac{r^{n-1}-r+2}{r^n+1}=\lim_{n\to\infty}\frac{\frac{1}{r}-\frac{1}{r^{n-1}}+\frac{2}{r^n}}{1+\frac{1}{r^n}}$$

$$=\frac{\frac{1}{r}-0+0}{1+0}=\frac{1}{r}$$

그러므로 극한값은 $\frac{1}{r}$로 존재한다.

ㄴ은 옳다.

$r=1$일 때, $\lim_{n\to\infty}\frac{r^{n-1}-r+2}{r^n+1}=\frac{1-1+2}{1+1}=1$

그러므로 극한값은 1이다.

ㄷ도 옳다.

$|r|<1$일 때, $\lim_{n\to\infty}r^n=0$이므로

$$\lim_{n\to\infty}\frac{r^{n-1}-r+2}{r^n+1}=\frac{0-r+2}{0+1}=2-r$$

그러므로 극한값은 $2-r$이다.

따라서 옳은 것은 ㄴ, ㄷ이다.

정답_④

048

(i) $|r|<1$일 때, $\lim_{n\to\infty}r^{2n}=0$이므로

$$\lim_{n\to\infty}\frac{r^{2n-1}+2}{r^{2n}+1}=\frac{0+2}{0+1}=2$$

(ii) $r=1$일 때, $\lim_{n\to\infty}\frac{r^{2n-1}+2}{r^{2n}+1}=\frac{1+2}{1+1}=\frac{3}{2}$

(iii) $r=-1$일 때, $\lim_{n\to\infty}\frac{r^{2n-1}+2}{r^{2n}+1}=\frac{-1+2}{1+1}=\frac{1}{2}$

(iv) $|r|>1$일 때, $\lim_{n\to\infty}r^{2n}=\infty$이므로

$$\lim_{n\to\infty}\frac{r^{2n-1}+2}{r^{2n}+1}=\lim_{n\to\infty}\frac{\frac{1}{r}+\frac{2}{r^{2n}}}{1+\frac{1}{r^{2n}}}=\frac{\frac{1}{r}+0}{1+0}=\frac{1}{r}$$

그러므로 $r=-3$일 때, 극한값은 $-\frac{1}{3}$이다.

따라서 (i)~(iv)에 의해 극한값이 될 수 없는 것은 ⑤ 3이다.

정답_⑤

049

(i) $|r|<1$일 때, $\lim_{n\to\infty}r^n=0$이므로

$$\lim_{n\to\infty}\frac{r^{n+1}}{r^n-2010}=\frac{0}{0-2010}=0 \qquad \therefore a=0$$

(ii) $r=1$일 때, $\lim_{n\to\infty}\frac{r^{n+1}}{r^n-2010}=\frac{1}{1-2010}=-\frac{1}{2009}$

$$\therefore a=-\frac{1}{2009}$$

(iii) $r=-1$일 때

n이 홀수이면 $\lim_{n\to\infty}\frac{r^{n+1}}{r^n-2010}=\frac{1}{-1-2010}=-\frac{1}{2011}$

n이 짝수이면 $\lim_{n\to\infty}\frac{r^{n+1}}{r^n-2010}=\frac{-1}{1-2010}=\frac{1}{2009}$

이때, $-\frac{1}{2011}\neq\frac{1}{2009}$이므로 상수 a의 값은 존재하지 않는다.

(iv) $|r|>1$일 때

$$\lim_{n\to\infty}\frac{r^{n+1}}{r^n-2010}=\lim_{n\to\infty}\frac{r}{1-\frac{2010}{r^n}}=\frac{r}{1-0}=r$$

그러므로 $r=-2010$일 때 $a=-2010$이고, $r=2010$일 때 $a=2010$이다.

따라서 (i)~(iv)에 의해 상수 a의 값이 될 수 없는 것은

④ $\frac{1}{2009}$이다.

정답_④

050

$f(x)=\lim_{n\to\infty}\frac{x^{n+1}+5}{x^n+2}$에서

$$f(-2)=\lim_{n\to\infty}\frac{(-2)^{n+1}+5}{(-2)^n+2}=\lim_{n\to\infty}\frac{-2+\frac{5}{(-2)^n}}{1+\frac{2}{(-2)^n}}$$

$$=\frac{-2+0}{1+0}=-2$$

$$f\left(\frac{1}{2}\right)=\lim_{n\to\infty}\frac{\left(\frac{1}{2}\right)^{n+1}+5}{\left(\frac{1}{2}\right)^n+2}=\frac{0+5}{0+2}=\frac{5}{2}$$

$$f(1)=\lim_{n\to\infty}\frac{1^{n+1}+5}{1^n+2}=\frac{1+5}{1+2}=2$$

$$\therefore f(-2)+f\left(\frac{1}{2}\right)+f(1)=-2+\frac{5}{2}+2=\frac{5}{2}$$

정답_②

051

(i) $0<x<1$일 때, $\lim_{n\to\infty}x^n=0$이므로

$$f(x)=\lim_{n\to\infty}\frac{x^{n+1}+1}{x^n+x}=\frac{0+1}{0+x}=\frac{1}{x}$$

(ii) $x=1$일 때

$$f(x)=\lim_{n\to\infty}\frac{x^{n+1}+1}{x^n+x}=\frac{1+1}{1+1}=1$$

(iii) $x>1$일 때, $\lim_{n\to\infty}x^n=\infty$이므로

$$f(x)=\lim_{n\to\infty}\frac{x^{n+1}+1}{x^n+x}=\lim_{n\to\infty}\frac{x+\frac{1}{x^n}}{1+\frac{x}{x^n}}=\frac{x+0}{1+0}=x$$

따라서 (i), (ii), (iii)에 의해 함수 $f(x)$의 그래프의 개형으로 알맞은 것은 ③이다.

정답_③

052

수열 $\{a_n\}$이 수렴하므로 $\lim_{n\to\infty} a_n = \lim_{n\to\infty} a_{n+1} = x$ (x는 상수)라고 하면 $a_{n+1}=\sqrt{2a_n+3}$에서

$x=\sqrt{2x+3}$, $x^2=2x+3$, $x^2-2x-3=0$

$(x+1)(x-3)=0$ $\quad\therefore x=-1$ 또는 $x=3$

그런데 주어진 수열의 모든 항은 양수이므로 극한값도 양수이다.

$\therefore x=3$

정답_ ③

053

n째 날의 최고 높이를 a_n m라고 하면 같은 날 밤에 $\frac{1}{4}a_n$ m만큼 내려온 후 다음날 낮에 다시 2 m를 올라가므로

$a_{n+1}=a_n-\frac{1}{4}a_n+2$ $\quad\therefore a_{n+1}=\frac{3}{4}a_n+2$

이때, $\lim_{n\to\infty} a_n = \lim_{n\to\infty} a_{n+1} = x$ (x는 상수)라고 하면

$x=\frac{3}{4}x+2$ $\quad\therefore x=8$ (m)

따라서 최고 높이는 8 m에 한없이 가까워진다.

정답_ ②

054

주어진 그래프를 이용하여

$a_1=f(0)$, $a_2=f(a_1)$, $a_3=f(a_2)$, $\cdots$

의 값을 추정해 나가면 오른쪽 그림과 같으므로 수열 $\{a_n\}$은 두 그래프의 교점의 x좌표($=y$좌표)에 가까워진다.

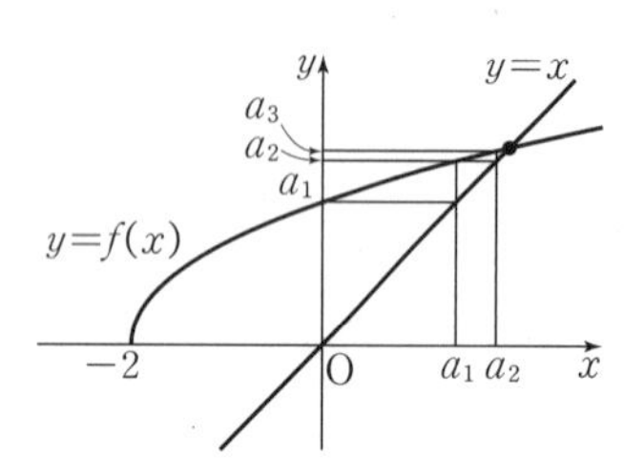

$\sqrt{x+2}=x$에서

$x+2=x^2$, $x^2-x-2=0$

$(x+1)(x-2)=0$ $\quad\therefore x=-1$ 또는 $x=2$

이때, $x>0$이므로 $\quad x=2$

$\therefore \lim_{n\to\infty} a_n=2$

정답_ ⑤

055

$n^2<n^2+1<(n+1)^2$ 이므로

$\sqrt{n^2}<\sqrt{n^2+1}<\sqrt{(n+1)^2}$

$\therefore n<\sqrt{n^2+1}<n+1$

$\sqrt{n^2+1}$의 정수부분은 $\quad a_n=n$, 소수부분은 $\quad b_n=\sqrt{n^2+1}-n$ ······ ❶

$$\therefore \lim_{n\to\infty} a_nb_n = \lim_{n\to\infty} n(\sqrt{n^2+1}-n)$$

$$= \lim_{n\to\infty} \frac{n(\sqrt{n^2+1}-n)(\sqrt{n^2+1}+n)}{\sqrt{n^2+1}+n}$$

$$= \lim_{n\to\infty} \frac{n}{\sqrt{n^2+1}+n}$$

$$= \lim_{n\to\infty} \frac{1}{\sqrt{1+\frac{1}{n^2}}+1}$$

$$= \frac{1}{1+1} = \frac{1}{2}$$ ······ ❷

정답_ $\frac{1}{2}$

단계	채점 기준	비율
❶	a_n, b_n의 식 구하기	40%
❷	$\lim_{n\to\infty} a_nb_n$의 값 구하기	60%

056

$\lim_{n\to\infty}(2a_n-b_n)=2$에서 $\lim_{n\to\infty}\frac{2a_n-b_n}{a_n}=\lim_{n\to\infty}\left(2-\frac{b_n}{a_n}\right)=0$

이므로 $\quad \lim_{n\to\infty}\frac{b_n}{a_n}=2$ ······ ❶

$$\therefore \lim_{n\to\infty}\frac{a_n+2b_n+1}{3a_n-b_n-1}=\lim_{n\to\infty}\frac{1+2\cdot\frac{b_n}{a_n}+\frac{1}{a_n}}{3-\frac{b_n}{a_n}-\frac{1}{a_n}}$$

$$=\frac{1+2\cdot 2+0}{3-2-0}=5$$ ······ ❷

정답_ 5

단계	채점 기준	비율
❶	$\lim_{n\to\infty}\frac{b_n}{a_n}$의 값 구하기	60%
❷	$\lim_{n\to\infty}\frac{a_n+2b_n+1}{3a_n-b_n-1}$의 값 구하기	40%

057

곡선 $y=x^2-(n+1)x+a_n$은 x축과 만나므로 이차방정식 $x^2-(n+1)x+a_n=0$의 판별식을 D_1이라고 하면

$D_1=\{-(n+1)\}^2-4a_n\geq 0$, $n^2+2n+1-4a_n\geq 0$

$\therefore a_n\leq\frac{n^2+2n+1}{4}$ ······ ㉠

또, 곡선 $y=x^2-nx+a_n$은 x축과 만나지 않으므로 이차방정식 $x^2-nx+a_n=0$의 판별식을 D_2라고 하면

$D_2=(-n)^2-4a_n<0$

$\therefore a_n>\frac{n^2}{4}$ ······ ㉡

㉠, ㉡에서 $\frac{n^2}{4}<a_n\leq\frac{n^2+2n+1}{4}$ ······ ❶

$\frac{n^2}{4n^2}<\frac{a_n}{n^2}\leq\frac{n^2+2n+1}{4n^2}$

이때, $\lim_{n\to\infty}\frac{n^2}{4n^2}=\lim_{n\to\infty}\frac{n^2+2n+1}{4n^2}=\frac{1}{4}$이므로

$\lim_{n\to\infty}\frac{a_n}{n^2}=\frac{1}{4}$ ······ ❷

정답_ $\frac{1}{4}$

단계	채점 기준	비율
❶	a_n의 범위를 n에 대한 부등식으로 나타내기	50%
❷	$\lim_{n\to\infty}\frac{a_n}{n^2}$ 의 값 구하기	50%

058

등비수열 $\{x^{2n}\}$은 공비가 x^2이므로 수렴하려면

$-1<x^2\le1 \quad \therefore -1\le x\le1$ ······㉠

······ ❶

등비수열 $\{(x+1)(x-1)^{n-1}\}$은 첫째항이 $x+1$, 공비가 $x-1$이므로 수렴하려면

$x+1=0$ 또는 $-1<x-1\le1$

$\therefore x=-1$ 또는 $0<x\le2$ ······㉡

······ ❷

㉠, ㉡을 동시에 만족시키는 정수 x는 $-1, 1$이므로 그 합은 0이다. ······ ❸

정답_ 0

단계	채점 기준	비율
❶	수열 $\{x^{2n}\}$이 수렴할 조건 구하기	30%
❷	수열 $\{(x+1)(x-1)^{n-1}\}$이 수렴할 조건 구하기	40%
❸	정수 x의 값의 합 구하기	30%

059

점 P_n은 직선 $x=4^n$과 곡선 $y=\sqrt{x}$가 만나는 점이므로

$y=\sqrt{4^n}=\sqrt{(2^n)^2}=2^n$

$\therefore P_n(4^n, 2^n)$

또, 점 P_{n+1}은 직선 $x=4^{n+1}$과 곡선 $y=\sqrt{x}$가 만나는 점이므로

$y=\sqrt{4^{n+1}}=\sqrt{(2^2)^{n+1}}=\sqrt{(2^{n+1})^2}=2^{n+1}$

$\therefore P_{n+1}(4^{n+1}, 2^{n+1})$ ······ ❶

$$\begin{aligned}L_n&=\overline{P_nP_{n+1}}\\&=\sqrt{(4^{n+1}-4^n)^2+(2^{n+1}-2^n)^2}\\&=\sqrt{4^{2n}(4-1)^2+2^{2n}(2-1)^2}\\&=\sqrt{9\cdot16^n+4^n}\end{aligned}$$ ······㉠

㉠에 n 대신 $n+1$을 대입하면

$L_{n+1}=\sqrt{9\cdot16^{n+1}+4^{n+1}}$ ······ ❷

$$\begin{aligned}\therefore \lim_{n\to\infty}\left(\frac{L_{n+1}}{L_n}\right)^2&=\lim_{n\to\infty}\left(\frac{\sqrt{9\cdot16^{n+1}+4^{n+1}}}{\sqrt{9\cdot16^n+4^n}}\right)^2\\&=\lim_{n\to\infty}\frac{9\cdot16^{n+1}+4^{n+1}}{9\cdot16^n+4^n}\\&=\lim_{n\to\infty}\frac{9\cdot16+4\cdot\left(\frac{4}{16}\right)^n}{9+\left(\frac{4}{16}\right)^n}\\&=\frac{9\cdot16}{9}=16\end{aligned}$$ ······ ❸

정답_ 16

단계	채점 기준	비율
❶	두 점 P_n, P_{n+1}의 좌표 구하기	30%
❷	L_n, L_{n+1}의 식 구하기	30%
❸	$\lim_{n\to\infty}\left(\frac{L_{n+1}}{L_n}\right)^2$의 값 구하기	40%

060

점 $P_{n+2}(x_{n+2})$는 선분 P_nP_{n+1}을 $1:2$로 내분하는 점이므로

$x_{n+2}=\frac{1\cdot x_{n+1}+2\cdot x_n}{1+2}=\frac{1}{3}x_{n+1}+\frac{2}{3}x_n$

$\therefore x_{n+2}-x_{n+1}=-\frac{2}{3}(x_{n+1}-x_n)$

$x_{n+1}-x_n=b_n$으로 놓으면

$b_{n+1}=-\frac{2}{3}b_n$

따라서 수열 $\{b_n\}$은 공비가 $-\frac{2}{3}$인 등비수열이고,

$b_1=x_2-x_1=90-0=90$이므로

$b_n=90\cdot\left(-\frac{2}{3}\right)^{n-1}$

$x_{n+1}-x_n=90\cdot\left(-\frac{2}{3}\right)^{n-1}$ ······ ❶

$\therefore x_{n+1}=x_n+90\cdot\left(-\frac{2}{3}\right)^{n-1}$ ······㉠

㉠의 양변에 n 대신 $1, 2, 3, \cdots, n-1$을 차례로 대입하여 변끼리 더하면

$$\begin{aligned}x_2&=x_1+90\\x_3&=x_2+90\cdot\left(-\frac{2}{3}\right)\\x_4&=x_3+90\cdot\left(-\frac{2}{3}\right)^2\\&\ \ \vdots\\+\Big)\ x_n&=x_{n-1}+90\cdot\left(-\frac{2}{3}\right)^{n-2}\\\hline x_n&=x_1+\sum_{k=1}^{n-1}90\cdot\left(-\frac{2}{3}\right)^{k-1}\end{aligned}$$

$$\begin{aligned}x_n&=0+\sum_{k=1}^{n-1}90\cdot\left(-\frac{2}{3}\right)^{k-1}\\&=\frac{90\left\{1-\left(-\frac{2}{3}\right)^{n-1}\right\}}{1-\left(-\frac{2}{3}\right)}\\&=54-54\cdot\left(-\frac{2}{3}\right)^{n-1}\end{aligned}$$ ······ ❷

$$\begin{aligned}\therefore \lim_{n\to\infty}x_n&=\lim_{n\to\infty}\left\{54-54\cdot\left(-\frac{2}{3}\right)^{n-1}\right\}\\&=54-0=54\end{aligned}$$ ······ ❸

정답_ 54

단계	채점 기준	비율
❶	수열 $\{x_{n+1}-x_n\}$의 일반항 구하기	50%
❷	수열 $\{x_n\}$의 일반항 구하기	40%
❸	$\lim_{n\to\infty}x_n$의 값 구하기	10%

061

ㄱ은 옳다.

$a=0$이면 $\lim_{n\to\infty}\frac{an^{k+1}+bn^k-1}{3n^2-2n-1}=\lim_{n\to\infty}\frac{bn^k-1}{3n^2-2n-1}=-2$

위의 등식이 성립하려면

$k=2,\ \frac{b}{3}=-2\qquad \therefore k=2,\ b=-6$

$\therefore b+k=-4$

ㄴ은 옳지 않다.

$b>0$일 때 $\lim_{n\to\infty}\frac{an^{k+1}+bn^k-1}{3n^2-2n-1}=-2$가 성립하려면

$k+1=2,\ \frac{a}{3}=-2$

$\therefore k=1, a=-6$

$\therefore a+k=-5$

ㄷ도 옳지 않다.

(반례) $a=-6,\ b=-1,\ k=1$이면

$$\lim_{n\to\infty}\frac{an^{k+1}+bn^k-1}{3n^2-2n-1}=\lim_{n\to\infty}\frac{-6n^2-n-1}{3n^2-2n-1}=-2$$

이지만 $abk=6>0$이다.

따라서 옳은 것은 ㄱ이다.

정답_①

062

$$\sum_{k=1}^{n}(2+a_k)=\sum_{k=1}^{n}2+\sum_{k=1}^{n}a_k$$
$$=2n+S_n$$
$$\sum_{k=1}^{n}(2k+a_k)=2\sum_{k=1}^{n}k+\sum_{k=1}^{n}a_k$$
$$=2\cdot\frac{n(n+1)}{2}+S_n$$
$$=n^2+n+S_n$$

이므로

$$\lim_{n\to\infty}\frac{\sum_{k=1}^{n}(2+a_k)}{\sum_{k=1}^{n}(2k+a_k)}=\lim_{n\to\infty}\frac{2n+S_n}{n^2+n+S_n}$$
$$=\lim_{n\to\infty}\frac{\frac{2}{n}+\frac{S_n}{n^2}}{1+\frac{1}{n}+\frac{S_n}{n^2}}$$
$$=\frac{0+\frac{1}{2}}{1+0+\frac{1}{2}}=\frac{1}{3}\qquad \Leftarrow\ \lim_{n\to\infty}\frac{S_n}{n^2}=\frac{1}{2}$$

정답_④

063

$\log t$의 소수부분인 $g(t)$의 범위는 $0\le g(t)<1$이므로

$$f(t)=9n\left\{g(t)-\frac{1}{3}\right\}^2-n$$
$$=n\left[9\left\{g(t)-\frac{1}{3}\right\}^2-1\right]$$

$g(t)=x,\ h(x)=9\left(x-\frac{1}{3}\right)^2-1$이라고 하면 $0\le x<1$에서 이차함수 $h(x)$의 범위는 $-1\le h(x)<3$이다.

$f(t)=nh(x)$에서

$-n\le nh(x)<3n$이므로

$-n\le f(t)<3n\qquad \cdots\cdots ㉠$

이때, $\log t$의 정수부분인 $f(t)$는 정수이므로 ㉠에 의해 가능한 정수 $f(t)$의 값은

$f(t)=-n, -n+1, \cdots, -1, 0, 1, \cdots, 3n-1$

즉, 서로 다른 모든 $f(t)$의 합은

$$a_n=(-n)+(-n+1)+\cdots+(-1)+0+1+\cdots+(n-1)+n+(n+1)+(n+2)+\cdots+(3n-1)$$
$$=(n+1)+(n+2)+\cdots+(3n-1)$$
$$=\frac{(2n-1)\{(n+1)+(3n-1)\}}{2}$$
$$=4n^2-2n$$
$$\therefore \lim_{n\to\infty}\frac{a_n}{n^2}=\lim_{n\to\infty}\frac{4n^2-2n}{n^2}$$
$$=\lim_{n\to\infty}\frac{4-\frac{2}{n}}{1}=4$$

정답_①

064

직각삼각형 AOC_n에서 $\overline{\text{OA}}=48,\ \overline{\text{OC}_n}=n$이므로

$\overline{\text{AC}_n}=\sqrt{n^2+48^2}$

$\triangle\text{AB}_1\text{D}_n\backsim\triangle\text{AB}_n\text{C}_n$에서 $\overline{\text{AB}_1}:\overline{\text{B}_1\text{D}_n}=\overline{\text{AB}_n}:\overline{\text{B}_n\text{C}_n}$이므로

$1:\overline{\text{B}_1\text{D}_n}=n:48,\ n\overline{\text{B}_1\text{D}_n}=48\qquad \therefore \overline{\text{B}_1\text{D}_n}=\frac{48}{n}$

$$\therefore \lim_{n\to\infty}\frac{\overline{\text{AC}_n}-\overline{\text{OC}_n}}{\overline{\text{B}_1\text{D}_n}}$$
$$=\lim_{n\to\infty}\frac{\sqrt{n^2+48^2}-n}{\frac{48}{n}}$$
$$=\lim_{n\to\infty}\frac{n(\sqrt{n^2+48^2}-n)}{48}$$
$$=\lim_{n\to\infty}\frac{n(\sqrt{n^2+48^2}-n)(\sqrt{n^2+48^2}+n)}{48(\sqrt{n^2+48^2}+n)}$$
$$=\lim_{n\to\infty}\frac{48n}{\sqrt{n^2+48^2}+n}$$
$$=\lim_{n\to\infty}\frac{48}{\sqrt{1+\frac{48^2}{n^2}}+1}$$
$$=\frac{48}{1+1}=24$$

정답_④

065

$(2n)^2<4n^2+3n<(2n+1)^2$이므로

$\sqrt{(2n)^2}<\sqrt{4n^2+3n}<\sqrt{(2n+1)^2}$

$\therefore 2n<\sqrt{4n^2+3n}<2n+1$

즉, $[a_n]=[\sqrt{4n^2+3n}]=2n$이므로

$\lim_{n\to\infty}(a_n-[a_n])$

$=\lim_{n\to\infty}(\sqrt{4n^2+3n}-2n)$

$=\lim_{n\to\infty}\frac{(\sqrt{4n^2+3n}-2n)(\sqrt{4n^2+3n}+2n)}{\sqrt{4n^2+3n}+2n}$

$=\lim_{n\to\infty}\frac{3n}{\sqrt{4n^2+3n}+2n}$

$=\lim_{n\to\infty}\frac{3}{\sqrt{4+\frac{3}{n}}+2}$

$=\frac{3}{2+2}=\frac{3}{4}$

따라서 $a=4$, $b=3$이므로

$a+b=4+3=7$ 정답_7

066

ㄱ은 극한값이 존재한다.

$-1\le(-1)^n\le 1$이므로

$\frac{-1}{n-1}\le\frac{(-1)^n}{n-1}\le\frac{1}{n-1}$

$\therefore \frac{-\sqrt{n}}{n-1}\le\frac{(-1)^n\cdot\sqrt{n}}{n-1}\le\frac{\sqrt{n}}{n-1}$

이때, $\lim_{n\to\infty}\frac{-\sqrt{n}}{n-1}=\lim_{n\to\infty}\frac{\sqrt{n}}{n-1}=0$이므로

$\lim_{n\to\infty}\frac{(-1)^n\cdot\sqrt{n}}{n-1}=0$

ㄴ은 극한값이 존재하지 않는다.

(i) n이 홀수일 때

$\lim_{n\to\infty}\frac{(-1)^n\cdot 2n}{n-1}=\lim_{n\to\infty}\frac{-2n}{n-1}=-2$

(ii) n이 짝수일 때

$\lim_{n\to\infty}\frac{(-1)^n\cdot 2n}{n-1}=\lim_{n\to\infty}\frac{2n}{n-1}=2$

이때, $-2\neq 2$이므로 $\lim_{n\to\infty}\frac{(-1)^n\cdot 2n}{n-1}$의 값은 존재하지 않는다.

ㄷ도 극한값이 존재한다.

$\lim_{n\to\infty}\frac{(-1)^n\cdot(-1)^{n-1}\cdot n}{n-1}=\lim_{n\to\infty}\frac{(-1)^{2n-1}\cdot n}{n-1}$

$=\lim_{n\to\infty}\frac{-n}{n-1}=-1$

따라서 극한값이 존재하도록 하는 것은 ㄱ, ㄷ이다. 정답_⑤

067

ㄱ은 상수 α의 값이 항상 존재하는 것은 아니다.

(반례) $a_n=-2^n$이면 $3^na_n=-6^n<2^n$을 만족시키지만

$\lim_{n\to\infty}a_n=-\infty$이다.

ㄴ은 상수 α의 값이 항상 존재한다.

$\frac{|a_n|}{100}<\left(\frac{9}{10}\right)^n$에서 $-100\cdot\left(\frac{9}{10}\right)^n<a_n<100\cdot\left(\frac{9}{10}\right)^n$

이때,

$\lim_{n\to\infty}\left\{-100\cdot\left(\frac{9}{10}\right)^n\right\}=\lim_{n\to\infty}100\cdot\left(\frac{9}{10}\right)^n=0$이므로

$\lim_{n\to\infty}a_n=0$ $\therefore \alpha=0$

ㄷ도 상수 α의 값이 항상 존재한다.

$\left(\frac{1}{2}\right)^{n+1}+\frac{n}{n+1}<a_n<\left(\frac{1}{2}\right)^n+\frac{n+1}{n}$에서

$\lim_{n\to\infty}\left\{\left(\frac{1}{2}\right)^{n+1}+\frac{n}{n+1}\right\}=\lim_{n\to\infty}\left\{\left(\frac{1}{2}\right)^n+\frac{n+1}{n}\right\}=1$이므로

$\lim_{n\to\infty}a_n=1$ $\therefore \alpha=1$

따라서 $\lim_{n\to\infty}a_n=\alpha$인 상수 α의 값이 항상 존재하도록 하는 것은 ㄴ, ㄷ이다. 정답_④

068

$6^n=2^n\cdot 3^n$에서

$T(n)=(1+2+\cdots+2^n)(1+3+\cdots+3^n)$

$=\frac{1\cdot(2^{n+1}-1)}{2-1}\cdot\frac{1\cdot(3^{n+1}-1)}{3-1}$

$=(2^{n+1}-1)\left(\frac{3^{n+1}-1}{2}\right)$

$\therefore \lim_{n\to\infty}\frac{6^n}{T(n)}=\lim_{n\to\infty}\frac{2\cdot 2^n\cdot 3^n}{(2^{n+1}-1)(3^{n+1}-1)}$

$=\lim_{n\to\infty}\frac{2}{\left(2-\frac{1}{2^n}\right)\left(3-\frac{1}{3^n}\right)}$

$=\frac{2}{(2-0)(3-0)}=\frac{1}{3}$ 정답_②

069

x^n을 x^2-3x+2로 나누었을 때의 몫을 $Q(x)$, 나머지를 $R(x)=ax+b$(a, b는 상수)라고 하면

$x^n=(x^2-3x+2)Q(x)+ax+b$

$=(x-1)(x-2)Q(x)+ax+b$

위의 식의 양변에 $x=1$과 $x=2$를 차례로 대입하면

$1=a+b$, $2^n=2a+b$

두 식을 연립하여 풀면

$a=2^n-1$, $b=2-2^n$

$\therefore R(x)=(2^n-1)x+(2-2^n)$

$R(0)=2-2^n$, $R(-1)=3-2\cdot 2^n$이므로

$$\lim_{n\to\infty}\frac{R(-1)}{R(0)}=\lim_{n\to\infty}\frac{3-2\cdot 2^n}{2-2^n}$$
$$=\lim_{n\to\infty}\frac{\frac{3}{2^n}-2}{\frac{2}{2^n}-1}$$
$$=\frac{0-2}{0-1}=2$$

정답_ 2

070

원 O_n이 직선 AB와 점 P_n에서 접하므로 직선 AB와 직선 O_nQ_n은 서로 수직이다.

또, 직선 l과 직선 BC가 평행하므로

$\angle Q_nAB=\angle ABC=60°$

두 직각삼각형 AP_nO_n과 AP_nQ_n은 합동이므로

$\overline{Q_nO_n}=2\overline{P_nO_n}=2\sqrt{3}\cdot\left(\frac{1}{2}\right)^{n-1}$

직각삼각형 AP_nO_n에서 $\angle AO_nP_n=30°$이므로

$\overline{AP_n}=\overline{P_nO_n}\tan 30°=\sqrt{3}\cdot\left(\frac{1}{2}\right)^{n-1}\cdot\frac{1}{\sqrt{3}}=\left(\frac{1}{2}\right)^{n-1}$

즉, $\overline{BP_n}=\overline{AB}-\overline{AP_n}=4-\left(\frac{1}{2}\right)^{n-1}$이므로

삼각형 BO_nQ_n의 넓이 S_n은

$$S_n=\frac{1}{2}\times\overline{Q_nO_n}\times\overline{BP_n}$$
$$=\frac{1}{2}\times 2\sqrt{3}\cdot\left(\frac{1}{2}\right)^{n-1}\times\left\{4-\left(\frac{1}{2}\right)^{n-1}\right\}$$
$$=\sqrt{3}\left(\frac{1}{2}\right)^{n-1}\left\{4-\left(\frac{1}{2}\right)^{n-1}\right\}$$

$$\therefore \lim_{n\to\infty}2^nS_n=\lim_{n\to\infty}2\sqrt{3}\left\{4-\left(\frac{1}{2}\right)^{n-1}\right\}=8\sqrt{3}$$

따라서 $k=8\sqrt{3}$이므로

$k^2=(8\sqrt{3})^2=192$

정답_ 192

071

n년 후 A사, B사의 고객 수를 각각 a_n, b_n이라고 하자. 해마다 A사 고객의 6 %는 B사로, B사 고객의 2 %는 A사로 옮겨가므로 $(n+1)$년 후의 A사의 고객 수는

$a_{n+1}=0.94a_n+0.02b_n$

$\lim_{n\to\infty}a_{n+1}=0.94\lim_{n\to\infty}a_n+0.02\lim_{n\to\infty}b_n$

이때, 오랜 세월이 흐른 후 각 회사의 고객 수가 일정해지므로

$\lim_{n\to\infty}a_n=\alpha$, $\lim_{n\to\infty}b_n=\beta$ (α, β는 상수)라고 하면

$\alpha=0.94\alpha+0.02\beta$

$0.06\alpha=0.02\beta$

$3\alpha=\beta$

$\therefore \alpha:\beta=1:3$

정답_ 1 : 3

02 급수

072

(1) 주어진 급수의 제n항까지의 부분합을 S_n이라고 하면

$$S_n=\sum_{k=1}^{n}\frac{1}{k(k+2)}=\frac{1}{2}\sum_{k=1}^{n}\left(\frac{1}{k}-\frac{1}{k+2}\right)$$
$$=\frac{1}{2}\left\{\left(1-\frac{1}{3}\right)+\left(\frac{1}{2}-\frac{1}{4}\right)+\left(\frac{1}{3}-\frac{1}{5}\right)+\cdots+\left(\frac{1}{n-1}-\frac{1}{n+1}\right)+\left(\frac{1}{n}-\frac{1}{n+2}\right)\right\}$$
$$=\frac{1}{2}\left(1+\frac{1}{2}-\frac{1}{n+1}-\frac{1}{n+2}\right)$$
$$\therefore \lim_{n\to\infty}S_n=\lim_{n\to\infty}\frac{1}{2}\left(1+\frac{1}{2}-\frac{1}{n+1}-\frac{1}{n+2}\right)$$
$$=\frac{1}{2}\left(1+\frac{1}{2}\right)=\frac{3}{4}$$

따라서 주어진 급수는 수렴하고, 그 합은 $\frac{3}{4}$이다.

(2) 주어진 급수의 제n항까지의 부분합을 S_n이라고 하면

$$S_n=\sum_{k=1}^{n}\frac{1}{\sqrt{k+1}+\sqrt{k}}$$
$$=\sum_{k=1}^{n}\frac{\sqrt{k+1}-\sqrt{k}}{(\sqrt{k+1}+\sqrt{k})(\sqrt{k+1}-\sqrt{k})}$$
$$=\sum_{k=1}^{n}(\sqrt{k+1}-\sqrt{k})$$
$$=-\sum_{k=1}^{n}(\sqrt{k}-\sqrt{k+1})$$
$$=-\{(\sqrt{1}-\sqrt{2})+(\sqrt{2}-\sqrt{3})+(\sqrt{3}-\sqrt{4})+\cdots+(\sqrt{n}-\sqrt{n+1})\}$$
$$=-(1-\sqrt{n+1})=\sqrt{n+1}-1$$
$$\therefore \lim_{n\to\infty}S_n=\lim_{n\to\infty}(\sqrt{n+1}-1)=\infty$$

따라서 주어진 급수는 발산한다.

(3) 주어진 급수의 제n항까지의 부분합을 S_n이라고 하면

$$S_n=\sum_{k=1}^{n}\log\frac{k+1}{k}$$
$$=\log\frac{2}{1}+\log\frac{3}{2}+\log\frac{4}{3}+\cdots+\log\frac{n+1}{n}$$
$$=\log\left(\frac{2}{1}\times\frac{3}{2}\times\frac{4}{3}\times\cdots\times\frac{n+1}{n}\right)$$
$$=\log(n+1)$$
$$\therefore \lim_{n\to\infty}S_n=\lim_{n\to\infty}\log(n+1)=\infty$$

따라서 주어진 급수는 발산한다.

정답_ (1) 수렴, $\frac{3}{4}$ (2) 발산 (3) 발산

073

$$\sum_{k=1}^{n}\frac{1}{(3k-1)(3k+2)}$$
$$=\sum_{k=1}^{n}\frac{1}{3}\left(\frac{1}{3k-1}-\frac{1}{3k+2}\right)$$

$=\frac{1}{3}\left\{\left(\frac{1}{2}-\frac{1}{5}\right)+\left(\frac{1}{5}-\frac{1}{8}\right)+\left(\frac{1}{8}-\frac{1}{11}\right)+\cdots+\left(\frac{1}{3n-1}-\frac{1}{3n+2}\right)\right\}$

$=\frac{1}{3}\left(\frac{1}{2}-\frac{1}{3n+2}\right)$

$\therefore \sum_{n=1}^{\infty}\frac{1}{(3n-1)(3n+2)}=\lim_{n\to\infty}\sum_{k=1}^{n}\frac{1}{(3k-1)(3k+2)}$

$=\lim_{n\to\infty}\frac{1}{3}\left(\frac{1}{2}-\frac{1}{3n+2}\right)$

$=\frac{1}{3}\cdot\frac{1}{2}=\frac{1}{6}$ 정답_ ⑤

074

주어진 급수의 제n항을 a_n이라고 하면

$a_n=\frac{1}{1+2+3+\cdots+n}=\frac{1}{\frac{n(n+1)}{2}}$

$=\frac{2}{n(n+1)}=2\left(\frac{1}{n}-\frac{1}{n+1}\right)$

주어진 급수의 제n항까지의 부분합을 S_n이라고 하면

$S_n=\sum_{k=1}^{n}a_k=\sum_{k=1}^{n}2\left(\frac{1}{k}-\frac{1}{k+1}\right)$

$=2\left\{\left(1-\frac{1}{2}\right)+\left(\frac{1}{2}-\frac{1}{3}\right)+\left(\frac{1}{3}-\frac{1}{4}\right)+\cdots+\left(\frac{1}{n}-\frac{1}{n+1}\right)\right\}$

$=2\left(1-\frac{1}{n+1}\right)$

$\therefore$ (주어진 식)$=\lim_{n\to\infty}S_n=\lim_{n\to\infty}2\left(1-\frac{1}{n+1}\right)=2$ 정답_ ④

075

$x^2-4x+n^2+n=0$에서 근과 계수의 관계에 의해

$\alpha_n+\beta_n=4,\ \alpha_n\beta_n=n^2+n$

$\therefore \sum_{n=1}^{\infty}\left(\frac{1}{\alpha_n}+\frac{1}{\beta_n}\right)=\sum_{n=1}^{\infty}\frac{\alpha_n+\beta_n}{\alpha_n\beta_n}=\sum_{n=1}^{\infty}\frac{4}{n^2+n}$

$=\sum_{n=1}^{\infty}\frac{4}{n(n+1)}$

$=\lim_{n\to\infty}\sum_{k=1}^{n}4\left(\frac{1}{k}-\frac{1}{k+1}\right)$

$=\lim_{n\to\infty}4\left\{\left(1-\frac{1}{2}\right)+\left(\frac{1}{2}-\frac{1}{3}\right)+\left(\frac{1}{3}-\frac{1}{4}\right)+\cdots+\left(\frac{1}{n}-\frac{1}{n+1}\right)\right\}$

$=\lim_{n\to\infty}4\left(1-\frac{1}{n+1}\right)=4$ 정답_ 4

076

등차수열 $\{a_n\}$의 공차를 d라고 하면

$a_4=a_1+3d,\ a_2=a_1+d$

$a_4-a_2=(a_1+3d)-(a_1+d)=2d=4 \quad \therefore d=2$

$a_1=4$이므로 $a_n=4+(n-1)\cdot 2=2n+2$

$\therefore \sum_{n=1}^{\infty}\frac{2}{na_n}=\sum_{n=1}^{\infty}\frac{2}{n(2n+2)}$

$=\sum_{n=1}^{\infty}\frac{1}{n(n+1)}$

$=\lim_{n\to\infty}\sum_{k=1}^{n}\left(\frac{1}{k}-\frac{1}{k+1}\right)$

$=\lim_{n\to\infty}\left\{\left(1-\frac{1}{2}\right)+\left(\frac{1}{2}-\frac{1}{3}\right)+\left(\frac{1}{3}-\frac{1}{4}\right)+\cdots+\left(\frac{1}{n}-\frac{1}{n+1}\right)\right\}$

$=\lim_{n\to\infty}\left(1-\frac{1}{n+1}\right)=1$ 정답_ ①

077

$\sum_{k=2}^{n}\log_2\left(1-\frac{1}{k^2}\right)$

$=\sum_{k=2}^{n}\log_2\frac{k^2-1}{k^2}$

$=\sum_{k=2}^{n}\log_2\frac{(k-1)(k+1)}{k\cdot k}$

$=\log_2\frac{1\cdot 3}{2\cdot 2}+\log_2\frac{2\cdot 4}{3\cdot 3}+\log_2\frac{3\cdot 5}{4\cdot 4}+\cdots+\log_2\frac{(n-1)(n+1)}{n\cdot n}$

$=\log_2\left\{\frac{1\cdot 3}{2\cdot 2}\times\frac{2\cdot 4}{3\cdot 3}\times\frac{3\cdot 5}{4\cdot 4}\times\cdots\times\frac{(n-1)(n+1)}{n\cdot n}\right\}$

$=\log_2\frac{n+1}{2n}$

$\therefore \sum_{n=2}^{\infty}\log_2\left(1-\frac{1}{n^2}\right)=\lim_{n\to\infty}\sum_{k=2}^{n}\log_2\left(1-\frac{1}{k^2}\right)$

$=\lim_{n\to\infty}\log_2\frac{n+1}{2n}$

$=\log_2\frac{1}{2}=-1$ 정답_ ②

078

주어진 급수의 제n항까지의 부분합을 S_n이라고 하면

$S_n=\sum_{k=1}^{n}\log_2 a_k$

$=\log_2 a_1+\log_2 a_2+\log_2 a_3+\cdots+\log_2 a_n$

$=\log_2(a_1a_2a_3\cdots a_n)$

$=\log_2\frac{8n}{n+8}$

$\therefore \sum_{n=1}^{\infty}\log_2 a_n=\lim_{n\to\infty}S_n=\lim_{n\to\infty}\log_2\frac{8n}{n+8}$

$=\log_2 8=3$ 정답_ ⑤

079

(1) 주어진 급수의 제n항까지의 부분합을 S_n이라고 하면

$S_1=1,\ S_2=0,\ S_3=1,\ S_4=0,\ \cdots$

따라서 수열 $\{S_n\}$이 발산(진동)하므로 주어진 급수는 발산한다.

(2) 주어진 급수의 제n항까지의 부분합을 S_n이라고 하면

$S_n=(1-1)+(1-1)+\cdots+(1-1)=0+0+\cdots+0=0$

$\therefore \lim_{n\to\infty} S_n=\lim_{n\to\infty} 0=0$

따라서 주어진 급수는 수렴하고, 그 합은 0이다.

정답_(1) 발산 (2) 수렴, 0

080

급수의 제n항까지의 부분합을 S_n이라고 하면

ㄱ. $S_n=\left(\frac{1}{2}-\frac{1}{3}\right)+\left(\frac{1}{3}-\frac{1}{4}\right)+\cdots+\left(\frac{1}{n+1}-\frac{1}{n+2}\right)$

$=\frac{1}{2}-\frac{1}{n+2}$

$\therefore \lim_{n\to\infty} S_n=\lim_{n\to\infty}\left(\frac{1}{2}-\frac{1}{n+2}\right)=\frac{1}{2}$

그러므로 주어진 급수는 $\frac{1}{2}$로 수렴한다.

ㄴ. $S_1=\frac{1}{2},\ S_2=\frac{1}{2}-\frac{1}{3},\ S_3=\frac{1}{2},\ S_4=\frac{1}{2}-\frac{1}{4},\ S_5=\frac{1}{2},$

$S_6=\frac{1}{2}-\frac{1}{5},\ \cdots$

$\therefore S_{2n-1}=\frac{1}{2},\ S_{2n}=\frac{1}{2}-\frac{1}{n+2}$

$\therefore \lim_{n\to\infty} S_{2n-1}=\frac{1}{2},\ \lim_{n\to\infty} S_{2n}=\lim_{n\to\infty}\left(\frac{1}{2}-\frac{1}{n+2}\right)=\frac{1}{2}$

그러므로 주어진 급수는 $\frac{1}{2}$로 수렴한다.

ㄷ. $S_n=\left(\frac{1}{2}-\frac{2}{3}\right)+\left(\frac{2}{3}-\frac{3}{4}\right)+\cdots+\left(\frac{n}{n+1}-\frac{n+1}{n+2}\right)$

$=\frac{1}{2}-\frac{n+1}{n+2}$

$\therefore \lim_{n\to\infty} S_n=\lim_{n\to\infty}\left(\frac{1}{2}-\frac{n+1}{n+2}\right)=\frac{1}{2}-1=-\frac{1}{2}$

그러므로 주어진 급수는 $-\frac{1}{2}$로 수렴한다.

ㄹ. $S_1=\frac{1}{2},\ S_2=\frac{1}{2}-\frac{2}{3},\ S_3=\frac{1}{2},\ S_4=\frac{1}{2}-\frac{3}{4},\ S_5=\frac{1}{2},$

$S_6=\frac{1}{2}-\frac{4}{5},\ \cdots$

$\therefore S_{2n-1}=\frac{1}{2},\ S_{2n}=\frac{1}{2}-\frac{n+1}{n+2}$

$\therefore \lim_{n\to\infty} S_{2n-1}=\frac{1}{2}$

$\lim_{n\to\infty} S_{2n}=\lim_{n\to\infty}\left(\frac{1}{2}-\frac{n+1}{n+2}\right)=\frac{1}{2}-1=-\frac{1}{2}$

그러므로 주어진 급수는 발산한다.

따라서 수렴하는 것은 ㄱ, ㄴ, ㄷ의 3개이다.

정답_②

081

$S_n=\sum_{k=1}^{n}\frac{8}{k^2+2k}=\sum_{k=1}^{n}\frac{8}{k(k+2)}$

$=\sum_{k=1}^{n}4\left(\frac{1}{k}-\frac{1}{k+2}\right)$

$=4\left\{\left(1-\frac{1}{3}\right)+\left(\frac{1}{2}-\frac{1}{4}\right)+\left(\frac{1}{3}-\frac{1}{5}\right)\right.$

$\left.+\cdots+\left(\frac{1}{n-1}-\frac{1}{n+1}\right)+\left(\frac{1}{n}-\frac{1}{n+2}\right)\right\}$

$=4\left(1+\frac{1}{2}-\frac{1}{n+1}-\frac{1}{n+2}\right)$

$\therefore \sum_{n=1}^{\infty}a_n=\lim_{n\to\infty}S_n$

$=\lim_{n\to\infty}4\left(1+\frac{1}{2}-\frac{1}{n+1}-\frac{1}{n+2}\right)$

$=4\left(1+\frac{1}{2}\right)=6$

정답_③

082

$\sum_{n=1}^{\infty}a_n=\lim_{n\to\infty}S_n=\lim_{n\to\infty}\frac{n^2+3n}{2n^2+2}=\frac{1}{2}$

이때, $a_1=S_1=\frac{1+3}{2+2}=1$이므로

$\sum_{n=2}^{\infty}a_n=\sum_{n=1}^{\infty}a_n-a_1=\frac{1}{2}-1=-\frac{1}{2}$

정답_④

083

(i) $n\geq2$일 때

$a_n=S_n-S_{n-1}$

$=(n^2+2n)-\{(n-1)^2+2(n-1)\}$

$=2n+1\ (n\geq2)$ ······㉠

(ii) $n=1$일 때

$a_1=S_1=1^2+2\cdot1=3$

이때, $a_1=3$은 ㉠에 $n=1$을 대입한 것과 같으므로

$a_n=2n+1\ (n\geq1)$

$a_n=2n+1$에서 $a_{n+1}=2(n+1)+1=2n+3$이므로

$\sum_{n=1}^{\infty}\frac{2}{a_na_{n+1}}$

$=\sum_{n=1}^{\infty}\frac{2}{(2n+1)(2n+3)}$

$=\lim_{n\to\infty}\sum_{k=1}^{n}\frac{2}{(2k+1)(2k+3)}$

$=\lim_{n\to\infty}\sum_{k=1}^{n}\left(\frac{1}{2k+1}-\frac{1}{2k+3}\right)$

$=\lim_{n\to\infty}\left\{\left(\frac{1}{3}-\frac{1}{5}\right)+\left(\frac{1}{5}-\frac{1}{7}\right)+\cdots+\left(\frac{1}{2n+1}-\frac{1}{2n+3}\right)\right\}$

$=\lim_{n\to\infty}\left(\frac{1}{3}-\frac{1}{2n+3}\right)=\frac{1}{3}$

정답_①

084

$\lim_{n\to\infty}a_n\neq0$이면 급수 $\sum_{n=1}^{\infty}a_n$은 발산함을 이용한다.

(1) $a_n=\frac{n}{2n+1}$으로 놓으면

$$\lim_{n\to\infty} a_n = \lim_{n\to\infty} \frac{n}{2n+1} = \frac{1}{2} \neq 0$$

따라서 주어진 급수는 발산한다.

(2) $a_n = \dfrac{(2n+1)(3n+1)}{(4n-1)(5n-1)}$ 로 놓으면

$$\lim_{n\to\infty} a_n = \lim_{n\to\infty} \frac{(2n+1)(3n+1)}{(4n-1)(5n-1)}$$

$$= \lim_{n\to\infty} \frac{\left(2+\frac{1}{n}\right)\left(3+\frac{1}{n}\right)}{\left(4-\frac{1}{n}\right)\left(5-\frac{1}{n}\right)}$$

$$= \frac{2\cdot3}{4\cdot5} = \frac{3}{10} \neq 0$$

따라서 주어진 급수는 발산한다.

정답_(1) 풀이 참조 (2) 풀이 참조

085

급수 $\sum_{n=1}^{\infty} \dfrac{a_n}{n}$ 이 수렴하므로 $\lim_{n\to\infty} \dfrac{a_n}{n} = 0$

$$\therefore \lim_{n\to\infty} \frac{a_n-3n-1}{2a_n+2n+1} = \lim_{n\to\infty} \frac{\frac{a_n}{n}-3-\frac{1}{n}}{2\cdot\frac{a_n}{n}+2+\frac{1}{n}}$$

$$= \frac{0-3-0}{2\cdot0+2+0} = -\frac{3}{2}$$

정답_②

086

$\sum_{n=1}^{\infty}\left(4a_n-\frac{1}{5}\right)=3$에서 $\sum_{n=1}^{\infty}\left(4a_n-\frac{1}{5}\right)$이 수렴하므로

$$\lim_{n\to\infty}\left(4a_n-\frac{1}{5}\right)=0$$

이때, $4a_n-\frac{1}{5}=b_n$이라고 하면 $\lim_{n\to\infty} b_n=0$이고

$a_n=\frac{1}{4}b_n+\frac{1}{20}$이므로

$$\lim_{n\to\infty} a_n = \lim_{n\to\infty}\left(\frac{1}{4}b_n+\frac{1}{20}\right)=\frac{1}{20}$$

정답_⑤

다른 풀이

$\lim_{n\to\infty}\left(4a_n-\frac{1}{5}\right)=0$에서 $4\lim_{n\to\infty} a_n - \lim_{n\to\infty}\frac{1}{5}=0$

$4\lim_{n\to\infty} a_n=\frac{1}{5}$ $\quad\therefore \lim_{n\to\infty} a_n=\frac{1}{20}$

087

주어진 급수가 수렴하므로

$$\lim_{n\to\infty}\left\{a_n-\frac{2+4+6+\cdots+2n}{(2n)^2}\right\}=0$$

이때,

$$2+4+6+\cdots+2n=2(1+2+3+\cdots+n)$$

$$=2\cdot\frac{n(n+1)}{2}=n^2+n$$

이므로 $\lim_{n\to\infty}\left(a_n-\dfrac{n^2+n}{4n^2}\right)=0$

$$\therefore \lim_{n\to\infty} a_n=\frac{1}{4}$$

정답_③

088

$\sum_{n=1}^{\infty} a_n=1$이므로

$\lim_{n\to\infty} S_n=\lim_{n\to\infty} S_{n+1}=1,\ \lim_{n\to\infty} a_n=\lim_{n\to\infty} a_{n-1}=0$

$$\therefore \lim_{n\to\infty}\frac{3S_{n+1}+2a_n}{S_n-a_{n-1}}=\frac{3\cdot1+2\cdot0}{1-0}=3$$

정답_③

089

ㄱ은 옳다.

$$\lim_{n\to\infty}(a_n+b_n)=\lim_{n\to\infty}\left(2+\frac{1}{n}\right)=2$$

ㄴ도 옳다.

$\lim_{n\to\infty} a_n=\alpha$ (α는 상수)라고 하면 $b_n=2+\frac{1}{n}-a_n$이므로

$$\lim_{n\to\infty} b_n=\lim_{n\to\infty}\left(2+\frac{1}{n}-a_n\right)=2-\alpha$$

따라서 수열 $\{b_n\}$은 $2-\alpha$에 수렴한다.

ㄷ은 옳지 않다.

$\sum_{n=1}^{\infty} a_n$이 수렴하면 $\lim_{n\to\infty} a_n=0$이다.

이때, ㄴ에 의해 수열 $\{a_n\}$이 0으로 수렴한다면

$\lim_{n\to\infty} b_n=2\neq0$이므로 $\sum_{n=1}^{\infty} b_n$은 발산한다.

따라서 옳은 것은 ㄱ, ㄴ이다.

정답_②

090

(1) $\sum_{n=1}^{\infty}\left\{2\cdot\left(\frac{1}{3}\right)^n+\left(\frac{1}{2}\right)^n\right\}=2\sum_{n=1}^{\infty}\left(\frac{1}{3}\right)^n+\sum_{n=1}^{\infty}\left(\frac{1}{2}\right)^n$

$$=2\cdot\frac{\frac{1}{3}}{1-\frac{1}{3}}+\frac{\frac{1}{2}}{1-\frac{1}{2}}=2$$

(2) $\sum_{n=1}^{\infty}\left(\frac{2}{5^n}-\frac{1}{2^n}\right)=2\sum_{n=1}^{\infty}\left(\frac{1}{5}\right)^n-\sum_{n=1}^{\infty}\left(\frac{1}{2}\right)^n$

$$=2\cdot\frac{\frac{1}{5}}{1-\frac{1}{5}}-\frac{\frac{1}{2}}{1-\frac{1}{2}}=-\frac{1}{2}$$

(3) $\sum_{n=1}^{\infty}\frac{2^n+3^n}{4^n}=\sum_{n=1}^{\infty}\left(\frac{1}{2}\right)^n+\sum_{n=1}^{\infty}\left(\frac{3}{4}\right)^n$

$$=\frac{\frac{1}{2}}{1-\frac{1}{2}}+\frac{\frac{3}{4}}{1-\frac{3}{4}}=4$$

(4) $\sum_{n=1}^{\infty}\frac{3^n+(-1)^n}{6^n}=\sum_{n=1}^{\infty}\left(\frac{1}{2}\right)^n+\sum_{n=1}^{\infty}\left(-\frac{1}{6}\right)^n$

$$=\frac{\frac{1}{2}}{1-\frac{1}{2}}+\frac{-\frac{1}{6}}{1-\left(-\frac{1}{6}\right)}=\frac{6}{7}$$

정답_(1) 2 (2) $-\frac{1}{2}$ (3) 4 (4) $\frac{6}{7}$

091

$3a_n-2b_n=c_n$으로 놓으면 $3a_n=2b_n+c_n$

$\therefore a_n=\frac{2}{3}b_n+\frac{1}{3}c_n$

$\sum_{n=1}^{\infty} b_n=-2$, $\sum_{n=1}^{\infty} c_n=10$이므로

$$\sum_{n=1}^{\infty} a_n=\sum_{n=1}^{\infty}\left(\frac{2}{3}b_n+\frac{1}{3}c_n\right)=\frac{2}{3}\sum_{n=1}^{\infty} b_n+\frac{1}{3}\sum_{n=1}^{\infty} c_n$$
$$=\frac{2}{3}\cdot(-2)+\frac{1}{3}\cdot 10=2$$

정답_ ②

092

ㄱ은 옳다.

$\sum_{n=1}^{\infty} a_n=\alpha$, $\sum_{n=1}^{\infty}(a_n+b_n)=\beta$ (α, β는 상수)라고 하면

$$\sum_{n=1}^{\infty} b_n=\sum_{n=1}^{\infty}\{(a_n+b_n)-a_n\}=\sum_{n=1}^{\infty}(a_n+b_n)-\sum_{n=1}^{\infty} a_n=\beta-\alpha$$

이므로 $\sum_{n=1}^{\infty} b_n$도 수렴한다.

ㄴ도 옳다.

$\sum_{n=1}^{\infty} a_n$이 수렴하면 $\lim_{n\to\infty} a_n=0$

$\sum_{n=1}^{\infty} b_n$이 수렴하면 $\lim_{n\to\infty} b_n=0$

$\therefore \lim_{n\to\infty} a_nb_n=0$

ㄷ은 옳지 않다.

(반례) $\{a_n\}$: 1, 0, 1, 0, 1, $\cdots$

$\{b_n\}$: 0, 1, 0, 1, 0, $\cdots$

일 때, $\sum_{n=1}^{\infty} a_nb_n$이 0으로 수렴하고 $\lim_{n\to\infty} a_n\neq 0$이지만

$\lim_{n\to\infty} b_n\neq 0$이다.

따라서 옳은 것은 ㄱ, ㄴ이다.

정답_ ②

093

ㄱ은 옳지 않다.

(반례) $a_n=\frac{1}{n}$, $b_n=-\frac{1}{n}$일 때, $a_n>b_n$이지만

$\lim_{n\to\infty} a_n=0$, $\lim_{n\to\infty} b_n=0$이므로 $\alpha=\beta$

ㄴ은 옳다.

$a_n>b_n$이고 $\sum_{n=1}^{\infty} a_n=\alpha$, $\sum_{n=1}^{\infty} b_n=\beta$이면

$$\alpha-\beta=\sum_{n=1}^{\infty} a_n-\sum_{n=1}^{\infty} b_n=\sum_{n=1}^{\infty}(a_n-b_n)$$
$$=(a_1-b_1)+(a_2-b_2)+\cdots>0$$

$\therefore \alpha>\beta$

ㄷ은 옳지 않다.

$\sum_{n=1}^{\infty} a_n=\alpha$, $\sum_{n=1}^{\infty} b_n=\beta$이면 $\sum_{n=1}^{\infty} a_n$과 $\sum_{n=1}^{\infty} b_n$이 모두 수렴하므로

$\lim_{n\to\infty} a_n=\lim_{n\to\infty} b_n=0$이다.

따라서 옳은 것은 ㄴ이다.

정답_ ②

094

$a_n=\sqrt{2^{-n}}=\left(\frac{1}{\sqrt{2}}\right)^n$에서

$$a_{2n-1}=\left(\frac{1}{\sqrt{2}}\right)^{2n-1}=\left(\frac{1}{\sqrt{2}}\right)^{2n}\left(\frac{1}{\sqrt{2}}\right)^{-1}=\sqrt{2}\cdot\left(\frac{1}{2}\right)^n$$

$$\therefore \sum_{n=1}^{\infty} a_{2n-1}=\sqrt{2}\sum_{n=1}^{\infty}\left(\frac{1}{2}\right)^n=\sqrt{2}\cdot\frac{\frac{1}{2}}{1-\frac{1}{2}}=\sqrt{2}$$

정답_ ②

095

등비수열 $\{a_n\}$의 공비를 r라고 하면 $r=\frac{a_2}{a_1}=\frac{1}{3}$이므로

$a_n=3\cdot\left(\frac{1}{3}\right)^{n-1}$

따라서 $(a_n)^2=\left\{3\cdot\left(\frac{1}{3}\right)^{n-1}\right\}^2=9\cdot\left(\frac{1}{9}\right)^{n-1}$이므로

$$\sum_{n=1}^{\infty}(a_n)^2=\frac{9}{1-\frac{1}{9}}=\frac{81}{8}$$

정답_ ①

096

$$\sum_{n=1}^{\infty}\frac{2^{2n}+(-3)^{n+1}}{5^n}=\sum_{n=1}^{\infty}\frac{4^n+(-3)^n\cdot(-3)}{5^n}$$
$$=\sum_{n=1}^{\infty}\left\{\left(\frac{4}{5}\right)^n-3\cdot\left(-\frac{3}{5}\right)^n\right\}$$
$$=\sum_{n=1}^{\infty}\left(\frac{4}{5}\right)^n-3\sum_{n=1}^{\infty}\left(-\frac{3}{5}\right)^n$$
$$=\frac{\frac{4}{5}}{1-\frac{4}{5}}-3\cdot\frac{-\frac{3}{5}}{1-\left(-\frac{3}{5}\right)}$$
$$=\frac{41}{8}$$

정답_ ①

097

$$1\cdot\frac{1}{3}+2\cdot\frac{1}{3^2}+1\cdot\frac{1}{3^4}+2\cdot\frac{1}{3^5}+1\cdot\frac{1}{3^7}+2\cdot\frac{1}{3^8}+\cdots$$
$$=\left(\frac{1}{3}+\frac{1}{3^4}+\frac{1}{3^7}+\cdots\right)+2\left(\frac{1}{3^2}+\frac{1}{3^5}+\frac{1}{3^8}+\cdots\right)$$
$$=\frac{\frac{1}{3}}{1-\frac{1}{3^3}}+2\cdot\frac{\frac{1}{9}}{1-\frac{1}{3^3}}=\frac{15}{26}$$

정답_ ④

098

주어진 급수는 첫째항이 1, 공비가 $-\frac{1}{3}x$인 등비급수이므로 합은

$$\frac{1}{1-\left(-\frac{1}{3}x\right)}=6,\ 6\left(1+\frac{x}{3}\right)=1 \qquad \therefore x=-\frac{5}{2}$$

정답_ ②

099

등비수열 $\{a_n\}$의 첫째항을 a, 공비를 r $(-1<r<1)$라고 하면

$\sum_{n=1}^{\infty} a_n=1$에서 $\frac{a}{1-r}=1$ ……㉠

또한, 수열 $\{a_n^2\}$의 첫째항은 a^2, 공비는 r^2이므로

$\sum_{n=1}^{\infty} a_n^2=3$에서 $\frac{a^2}{1-r^2}=\frac{a}{1-r}\cdot\frac{a}{1+r}$ ……㉡

$=\frac{a}{1+r}=3$ (∵ ㉠)

㉠÷㉡을 하면 $\frac{1+r}{1-r}=\frac{1}{3}$

$3(1+r)=1-r, 4r=-2$ $\therefore r=-\frac{1}{2}$

$r=-\frac{1}{2}$을 ㉠에 대입하면

$\frac{a}{1-\left(-\frac{1}{2}\right)}=1$ $\therefore a=\frac{3}{2}$

따라서 수열 $\{a_n^3\}$의 첫째항은 $a^3=\left(\frac{3}{2}\right)^3=\frac{27}{8}$, 공비는

$r^3=\left(-\frac{1}{2}\right)^3=-\frac{1}{8}$이므로

$\sum_{n=1}^{\infty} a_n^3=\frac{\frac{27}{8}}{1-\left(-\frac{1}{8}\right)}=3$

정답_ 3

100

$a_1=1, a_2=0, a_3=1, a_4=0, a_5=1, \cdots$이므로

$\sum_{n=1}^{\infty} \frac{a_n}{5^n}=\frac{1}{5}+\frac{1}{5^3}+\frac{1}{5^5}+\cdots$

$=\frac{\frac{1}{5}}{1-\frac{1}{25}}=\frac{5}{24}$

정답_ ②

101

9^1의 일의 자리의 숫자는 $a_1=9$

$9\times9=81$이므로 9^2의 일의 자리의 숫자는 $a_2=1$

$1\times9=9$이므로 9^3의 일의 자리의 숫자는 $a_3=9$

$9\times9=81$이므로 9^4의 일의 자리의 숫자는 $a_4=1$

⋮

따라서 수열 $\{a_n\}$은 9, 1이 차례로 반복되는 수열이다.

$\sum_{n=1}^{\infty} \frac{a_n}{2^n}=\frac{a_1}{2}+\frac{a_2}{2^2}+\frac{a_3}{2^3}+\frac{a_4}{2^4}+\frac{a_5}{2^5}+\frac{a_6}{2^6}+\cdots$

$=\frac{9}{2}+\frac{1}{2^2}+\frac{9}{2^3}+\frac{1}{2^4}+\frac{9}{2^5}+\frac{1}{2^6}+\cdots$

$=\left(\frac{9}{2}+\frac{9}{2^3}+\frac{9}{2^5}+\cdots\right)+\left(\frac{1}{2^2}+\frac{1}{2^4}+\frac{1}{2^6}+\cdots\right)$

$=\frac{\frac{9}{2}}{1-\frac{1}{4}}+\frac{\frac{1}{4}}{1-\frac{1}{4}}=\frac{19}{3}$

따라서 $p=3, q=19$이므로 $p+q=22$

정답_ ②

102

주어진 급수가 수렴하려면 $x=0$ 또는 $-1<\frac{x-2}{2}<1$, 즉

$0<x<4$이어야 한다.

$\therefore 0\le x<4$

위의 범위 안의 정수 x는 0, 1, 2, 3으로 4개이다.

정답_ ④

103

등비수열 $\left\{\left(\frac{r-2}{3}\right)^{2n}\right\}$의 공비는 $\left(\frac{r-2}{3}\right)^2$이므로 이 등비수열

이 수렴하려면 $-1<\left(\frac{r-2}{3}\right)^2\le1$

그런데 $\left(\frac{r-2}{3}\right)^2\ge0$이므로 $0\le\left(\frac{r-2}{3}\right)^2\le1$

$-1\le\frac{r-2}{3}\le1$, $-3\le r-2\le3$

$\therefore -1\le r\le5$ ……㉠

등비급수 $\sum_{n=1}^{\infty}\left(\frac{r+5}{9}\right)^{2n}$의 공비는 $\left(\frac{r+5}{9}\right)^2$이므로 이 등비급수

가 수렴하려면 $-1<\left(\frac{r+5}{9}\right)^2<1$

그런데 $\left(\frac{r+5}{9}\right)^2\ge0$이므로 $0\le\left(\frac{r+5}{9}\right)^2<1$

$-1<\frac{r+5}{9}<1$, $-9<r+5<9$

$\therefore -14<r<4$ ……㉡

㉠, ㉡의 공통 범위를 구하면 $-1\le r<4$

위의 범위 안의 정수 r는 -1, 0, 1, 2, 3으로 5개이다.

정답_ ⑤

104

$\sum_{n=1}^{\infty} r^n$이 수렴하므로 $|r|<1$, 즉 $-1<r<1$ ……㉠

㉠에서 $|r^2|<1$, $|-r|<1$이므로 $\sum_{n=1}^{\infty} r^{2n}$, $\sum_{n=1}^{\infty}(-r)^n$은 반드시

수렴한다.

따라서 ①, ②, ③은 반드시 수렴한다.

㉠에서 $-1<r<1$, $-2<r-1<0$

$\therefore -1<\frac{r-1}{2}<0$

따라서 ④도 반드시 수렴한다.

㉠에서 $-1<r<1$, $-\frac{1}{2}<\frac{r}{2}<\frac{1}{2}$

$\therefore -\frac{3}{2}<\frac{r}{2}-1<-\frac{1}{2}$

따라서 ⑤는 반드시 수렴하지는 않는다.

정답_ ⑤

105

등비급수 $\sum_{n=1}^{\infty} ar^{n-1}$의 합이 -1이므로

$\frac{a}{1-r}=-1 \quad \therefore a=r-1$

등비급수 $\sum_{n=1}^{\infty} ar^{n-1}$이 수렴하고, $a\neq 0$이므로

$-1<r<1, \; -2<r-1<0$

$\therefore -2<a<0$

따라서 상수 a의 값이 될 수 있는 것은 ③이다. 정답_ ③

106

주어진 급수는 첫째항이 1, 공비가 $x+1$인 등비급수이고, 수렴하므로

$-1<x+1<1 \quad \therefore -2<x<0$

이때, 주어진 등비급수의 합은

$f(x)=\frac{1}{1-(x+1)}=-\frac{1}{x}$

따라서 $y=f(x)$의 그래프는 ③이다. 정답_ ③

107

$2a_{n+1}=7a_n \; (n\geq 1)$에서 $a_{n+1}=\frac{7}{2}a_n$이므로 수열 $\{a_n\}$은 첫째항이 $a_1=1$이고 공비가 $\frac{7}{2}$인 등비수열이다.

따라서 $a_n=1\cdot\left(\frac{7}{2}\right)^{n-1}=\left(\frac{7}{2}\right)^{n-1}$이므로

$\sum_{n=1}^{\infty}\frac{10}{a_n}=\sum_{n=1}^{\infty}10\cdot\left(\frac{2}{7}\right)^{n-1}=\frac{10}{1-\frac{2}{7}}=14$ 정답_ ④

108

$a_{n+1}=a_n+n+1$의 양변에 n 대신 1, 2, 3, $\cdots$, $n-1$을 차례로 대입하여 변끼리 더하면

$$
\begin{aligned}
a_2&=a_1+2\\
a_3&=a_2+3\\
a_4&=a_3+4\\
&\vdots\\
+)\; a_n&=a_{n-1}+n\\
\hline
a_n&=a_1+\sum_{k=1}^{n-1}(k+1)
\end{aligned}
$$

$$
\begin{aligned}
a_n&=a_1+\sum_{k=1}^{n-1}(k+1)\\
&=1+\frac{(n-1)n}{2}+(n-1)\\
&=\frac{n(n+1)}{2}
\end{aligned}
$$

$$
\begin{aligned}
\therefore \sum_{n=1}^{\infty}\frac{1}{a_n}&=\lim_{n\to\infty}\sum_{k=1}^{n}\frac{2}{k(k+1)}\\
&=\lim_{n\to\infty}\sum_{k=1}^{n}2\left(\frac{1}{k}-\frac{1}{k+1}\right)\\
&=\lim_{n\to\infty}2\left\{\left(1-\frac{1}{2}\right)+\left(\frac{1}{2}-\frac{1}{3}\right)+\left(\frac{1}{3}-\frac{1}{4}\right)+\cdots+\left(\frac{1}{n}-\frac{1}{n+1}\right)\right\}\\
&=\lim_{n\to\infty}2\left(1-\frac{1}{n+1}\right)=2
\end{aligned}
$$

정답_ ②

109

(i) $n\geq 2$일 때

$$
\begin{aligned}
a_n&=S_n-S_{n-1}\\
&=2\left\{1-\left(\frac{1}{2}\right)^n\right\}-2\left\{1-\left(\frac{1}{2}\right)^{n-1}\right\}=\left(\frac{1}{2}\right)^{n-1} \quad \cdots\cdots ㉠
\end{aligned}
$$

(ii) $n=1$일 때

$a_1=S_1=2\left(1-\frac{1}{2}\right)=1$

이때, $a_1=1$은 ㉠에 $n=1$을 대입한 것과 같으므로

$a_n=\left(\frac{1}{2}\right)^{n-1} \; (n\geq 1)$

$a_n=\left(\frac{1}{2}\right)^{n-1}$에서 $a_{2n-1}=\left(\frac{1}{2}\right)^{2n-2}=\left(\frac{1}{4}\right)^{n-1}$이므로

$\sum_{n=1}^{\infty}a_{2n-1}=\sum_{n=1}^{\infty}\left(\frac{1}{4}\right)^{n-1}=\frac{1}{1-\frac{1}{4}}=\frac{4}{3}$ 정답_ ④

110

주어진 급수의 합을 S로 놓으면

$S=1+\frac{2}{3}+\frac{3}{3^2}+\frac{4}{3^3}+\frac{5}{3^4}+\cdots \quad \cdots\cdots ㉠$

양변에 $\frac{1}{3}$을 곱하면

$\frac{1}{3}S=\frac{1}{3}+\frac{2}{3^2}+\frac{3}{3^3}+\frac{4}{3^4}+\cdots \quad \cdots\cdots ㉡$

㉠$-$㉡을 하면

$$
\begin{aligned}
\frac{2}{3}S&=1+\frac{1}{3}+\frac{1}{3^2}+\frac{1}{3^3}+\frac{1}{3^4}+\cdots\\
&=\frac{1}{1-\frac{1}{3}}=\frac{3}{2}
\end{aligned}
$$

$\therefore S=\frac{9}{4}$ 정답_ ④

111

$a_na_{n+1}=\left(\frac{1}{4}\right)^n \quad \cdots\cdots ㉠$

$a_{n+1}a_{n+2}=\left(\frac{1}{4}\right)^{n+1} \quad \cdots\cdots ㉡$

㉡$\div$㉠을 하면

$\frac{a_{n+1}a_{n+2}}{a_na_{n+1}}=\frac{\left(\frac{1}{4}\right)^{n+1}}{\left(\frac{1}{4}\right)^n} \quad \therefore \frac{a_{n+2}}{a_n}=\frac{1}{4} \quad \cdots\cdots ㉢$

한편, $a_1a_2=1\cdot a_2=\frac{1}{4}$이므로 $a_2=\frac{1}{4}$

㉢에 의해

$\frac{a_4}{a_2}=\frac{a_4}{\frac{1}{4}}=\frac{1}{4}$이므로 $a_4=\left(\frac{1}{4}\right)^2$

$\frac{a_6}{a_4}=\frac{a_6}{\left(\frac{1}{4}\right)^2}=\frac{1}{4}$이므로 $a_6=\left(\frac{1}{4}\right)^3$

따라서 수열 $\{a_{2n}\}$은 첫째항이 $\frac{1}{4}$, 공비가 $\frac{1}{4}$인 등비수열이므로

$$\sum_{n=1}^{\infty}a_{2n}=\frac{\frac{1}{4}}{1-\frac{1}{4}}=\frac{1}{3}$$

정답_ ④

112

부채꼴 OA_nA_{n+1}은 반지름의 길이가 1, 호의 길이가

$\widehat{A_nA_{n+1}}=\frac{1}{2^{n-1}}$이므로

$S_n=\frac{1}{2}\cdot 1\cdot\frac{1}{2^{n-1}}=\left(\frac{1}{2}\right)^n$

따라서 수열 $\{S_n\}$은 첫째항이 $\frac{1}{2}$, 공비가 $\frac{1}{2}$인 등비수열이므로

$$\sum_{n=1}^{\infty}S_n=\frac{\frac{1}{2}}{1-\frac{1}{2}}=1$$

정답_ ①

참고

반지름의 길이가 r, 호의 길이가 l인 부채꼴의 넓이 S는

$S=\frac{1}{2}rl$

113

원 C_n의 반지름의 길이를 r_n이라고 하면 오른쪽 그림에서

${r_{n+1}}^2+{r_{n+1}}^2={r_n}^2$

$\sqrt{2}r_{n+1}=r_n$

$\therefore r_{n+1}=\frac{1}{\sqrt{2}}r_n$

원 C_n의 둘레의 길이는 $l_n=2\pi r_n$이므로

$l_{n+1}=\frac{1}{\sqrt{2}}l_n$

한편, 원 C_1의 넓이가 4π이므로 $r_1=2$

$\therefore l_1=4\pi$

따라서 수열 $\{l_n\}$은 첫째항이 4π, 공비가 $\frac{1}{\sqrt{2}}$인 등비수열이므로

$$\sum_{n=1}^{\infty}l_n=\frac{4\pi}{1-\frac{1}{\sqrt{2}}}=4(2+\sqrt{2})\pi$$

정답_ ⑤

114

선분 A_1A_2의 길이는 정사각형 $A_1B_1C_1D_1$의 대각선의 길이에서 점 C_1을 중심으로 하는 사분원의 반지름 A_2C_1의 길이를 빼면 된다.

즉, $\overline{A_1A_2}=\overline{A_1C_1}-\overline{A_2C_1}=\sqrt{2}-1$

이때, 두 삼각형 $A_1E_1A_2$, $C_1F_1C_2$의 넓이의 합은 대각선의 길이가 $\overline{A_1A_2}=\sqrt{2}-1$인 정사각형의 넓이와 같으므로

$S_1=\frac{1}{2}\cdot\overline{A_1A_2}^2=\frac{1}{2}\cdot(\sqrt{2}-1)^2=\frac{3-2\sqrt{2}}{2}$

정사각형 $A_1B_1C_1D_1$의 대각선 A_1C_1의 길이는 $\sqrt{2}$이고 그림 R_2에 새로 그려진 정사각형의 대각선 A_2C_2의 길이는 선분 A_1C_1의 길이에서 두 선분 A_1A_2, C_1C_2의 길이를 빼면 되므로

$\overline{A_2C_2}=\overline{A_1C_1}-\overline{A_1A_2}-\overline{C_1C_2}$

$=\sqrt{2}-(\sqrt{2}-1)-(\sqrt{2}-1)$

$=2-\sqrt{2}$

한편, 정사각형 $A_1B_1C_1D_1$과 그림 R_2에 새로 그려진 정사각형은 닮음이므로 닮음비는

$\overline{A_1C_1}:\overline{A_2C_2}=\sqrt{2}:(2-\sqrt{2})=1:(\sqrt{2}-1)$

따라서 넓이의 비는 $1^2:(\sqrt{2}-1)^2=1:(3-2\sqrt{2})$이므로 S_n은 첫째항이 $\frac{3-2\sqrt{2}}{2}$이고 공비가 $3-2\sqrt{2}$인 등비수열의 첫째항부터 제n항까지의 합이다.

$$\therefore \lim_{n\to\infty}S_n=\frac{\frac{3-2\sqrt{2}}{2}}{1-(3-2\sqrt{2})}$$

$$=\frac{3-2\sqrt{2}}{4(\sqrt{2}-1)}$$

$$=\frac{1}{4}(\sqrt{2}-1)$$

정답_ ③

115

공이 정지할 때까지 움직인 거리의 총합을 l m라고 하면

$l=10+2\left\{10\cdot\frac{1}{2}+10\cdot\left(\frac{1}{2}\right)^2+10\cdot\left(\frac{1}{2}\right)^3+\cdots\right\}$

$=10+2\cdot\frac{10\cdot\frac{1}{2}}{1-\frac{1}{2}}$

$=10+20=30\ (\mathrm{m})$

정답_ ②

116

중심각의 크기가 $\frac{1}{3}$배씩 작아지므로 중심각의 크기는 바로 전 중심각의 크기의 $\frac{2}{3}$배가 된다. 이때, 부채꼴의 호의 길이는 중심각의 크기에 정비례하므로 그네가 움직일 때 만들어지는 호의 길이는 공비가 $\frac{2}{3}$인 등비수열을 이룬다.

이때, $\widehat{P_1P_2}=5\cdot\frac{\pi}{3}=\frac{5}{3}\pi$이므로 그네가 정지할 때까지 움직인 거리의 총합을 l m라고 하면

$l=\frac{5}{3}\pi+\frac{5}{3}\pi\cdot\frac{2}{3}+\frac{5}{3}\pi\cdot\left(\frac{2}{3}\right)^2+\frac{5}{3}\pi\cdot\left(\frac{2}{3}\right)^3+\cdots$

$$=\frac{\frac{5}{3}\pi}{1-\frac{2}{3}}=5\pi\ (\mathrm{m})$$

정답_ ⑤

117

점 P_n이 점 (x, y)에 한없이 가까워진다고 하면

$$x=\overline{OP_1}-\overline{P_2P_3}+\overline{P_4P_5}-\overline{P_6P_7}+\cdots$$
$$=1-\left(\frac{1}{3}\right)^2+\left(\frac{1}{3}\right)^4-\left(\frac{1}{3}\right)^6+\cdots$$
$$=\frac{1}{1-\left(-\frac{1}{9}\right)}=\frac{9}{10}$$

$$y=\overline{P_1P_2}-\overline{P_3P_4}+\overline{P_5P_6}-\overline{P_7P_8}+\cdots$$
$$=\frac{1}{3}-\left(\frac{1}{3}\right)^3+\left(\frac{1}{3}\right)^5-\left(\frac{1}{3}\right)^7+\cdots$$
$$=\frac{\frac{1}{3}}{1-\left(-\frac{1}{9}\right)}=\frac{3}{10}$$

따라서 점 P_n은 점 $\left(\frac{9}{10}, \frac{3}{10}\right)$에 한없이 가까워진다. 정답_ ④

118

점 P가 점 (a, b)에 한없이 가까워지므로

$$a=\overline{OP_1}\cos 45^\circ+\overline{P_1P_2}\cos 45^\circ+\overline{P_2P_3}\cos 45^\circ+\overline{P_3P_4}\cos 45^\circ+\cdots$$
$$=3\cdot\frac{\sqrt{2}}{2}+\frac{3}{2}\cdot\frac{\sqrt{2}}{2}+\frac{3}{2^2}\cdot\frac{\sqrt{2}}{2}+\frac{3}{2^3}\cdot\frac{\sqrt{2}}{2}+\cdots$$
$$=\frac{3\cdot\frac{\sqrt{2}}{2}}{1-\frac{1}{2}}=3\sqrt{2}$$

$$b=\overline{OP_1}\sin 45^\circ-\overline{P_1P_2}\sin 45^\circ+\overline{P_2P_3}\sin 45^\circ-\overline{P_3P_4}\sin 45^\circ+\cdots$$
$$=3\cdot\frac{\sqrt{2}}{2}-\frac{3}{2}\cdot\frac{\sqrt{2}}{2}+\frac{3}{2^2}\cdot\frac{\sqrt{2}}{2}-\frac{3}{2^3}\cdot\frac{\sqrt{2}}{2}+\cdots$$
$$=\frac{3\cdot\frac{\sqrt{2}}{2}}{1-\left(-\frac{1}{2}\right)}=\sqrt{2}$$

$\therefore ab=3\sqrt{2}\cdot\sqrt{2}=6$ 정답_ ②

119

직선 $y=\left(\frac{1}{2}\right)^{n-1}(x-1)$과 이차함수 $y=3x(x-1)$의 그래프의 교점의 x좌표는

$\left(\frac{1}{2}\right)^{n-1}(x-1)=3x(x-1)$에서

$(x-1)\left\{3x-\left(\frac{1}{2}\right)^{n-1}\right\}=0$

$\therefore x=1$ 또는 $x=\frac{1}{3}\cdot\left(\frac{1}{2}\right)^{n-1}$

즉, 두 교점 중 점 A의 x좌표가 1이므로 점 P_n의 x좌표는 $\frac{1}{3}\cdot\left(\frac{1}{2}\right)^{n-1}$이다.

$y=\left(\frac{1}{2}\right)^{n-1}(x-1)$에 $x=\frac{1}{3}\cdot\left(\frac{1}{2}\right)^{n-1}$을 대입하면

$$y=\left(\frac{1}{2}\right)^{n-1}\left\{\frac{1}{3}\cdot\left(\frac{1}{2}\right)^{n-1}-1\right\}=\frac{1}{3}\cdot\left(\frac{1}{4}\right)^{n-1}-\left(\frac{1}{2}\right)^{n-1}$$

따라서 점 P_n의 y좌표가 $\frac{1}{3}\cdot\left(\frac{1}{4}\right)^{n-1}-\left(\frac{1}{2}\right)^{n-1}$이므로

$$\overline{P_nH_n}=|\text{점 } P_n\text{의 } y\text{좌표}|$$
$$=\left|\frac{1}{3}\cdot\left(\frac{1}{4}\right)^{n-1}-\left(\frac{1}{2}\right)^{n-1}\right|$$
$$=\left(\frac{1}{2}\right)^{n-1}-\frac{1}{3}\cdot\left(\frac{1}{4}\right)^{n-1}$$

$$\therefore \sum_{n=1}^{\infty}\overline{P_nH_n}=\sum_{n=1}^{\infty}\left\{\left(\frac{1}{2}\right)^{n-1}-\frac{1}{3}\cdot\left(\frac{1}{4}\right)^{n-1}\right\}$$
$$=\sum_{n=1}^{\infty}\left(\frac{1}{2}\right)^{n-1}-\sum_{n=1}^{\infty}\frac{1}{3}\cdot\left(\frac{1}{4}\right)^{n-1}$$
$$=\frac{1}{1-\frac{1}{2}}-\frac{\frac{1}{3}}{1-\frac{1}{4}}=\frac{14}{9}$$

정답_ ②

120

(i) 10 t의 종이로부터 첫 번째로 수거하여 재생산하는 종이의 양을 a_1 t이라고 하면

$$a_1=10\cdot\frac{80}{100}\cdot\frac{75}{100}=10\cdot\frac{3}{5}$$

(ii) a_1 t의 종이로부터 두 번째로 수거하여 재생산하는 종이의 양을 a_2 t이라고 하면

$$a_2=a_1\cdot\frac{80}{100}\cdot\frac{75}{100}=10\cdot\left(\frac{3}{5}\right)^2$$

(iii) a_2 t의 종이로부터 세 번째로 수거하여 재생산하는 종이의 양을 a_3 t이라고 하면

$$a_3=a_2\cdot\frac{80}{100}\cdot\frac{75}{100}=10\cdot\left(\frac{3}{5}\right)^3$$

⋮

따라서 10 t의 종이로부터 재생산되는 종이의 양의 합은

$$a_1+a_2+a_3+\cdots=10\cdot\frac{3}{5}+10\cdot\left(\frac{3}{5}\right)^2+10\cdot\left(\frac{3}{5}\right)^3+\cdots$$
$$=\frac{10\cdot\frac{3}{5}}{1-\frac{3}{5}}=15\ (\text{t})$$

정답_ ③

121

$a_1=0.\dot{2}=\frac{2}{9}$, $a_3=0.00\dot{8}=\frac{8}{900}$이므로 등비수열 $\{a_n\}$의 공비를 r라고 하면

$$a_3=a_1r^2=\frac{2}{9}r^2=\frac{8}{900}$$

$r^2=\frac{1}{25}$ $\quad\therefore r=\frac{1}{5}$ $(\because r>0)$

따라서 $a_n=\frac{2}{9}\cdot\left(\frac{1}{5}\right)^{n-1}$이므로

$$\sum_{n=1}^{\infty}a_n=\sum_{n=1}^{\infty}\frac{2}{9}\cdot\left(\frac{1}{5}\right)^{n-1}=\frac{\frac{2}{9}}{1-\frac{1}{5}}=\frac{5}{18}$$

정답_ ④

122

$\frac{124}{999}=0.\dot{1}2\dot{4}=0.124124124\cdots$이므로 수열 $\{a_n\}$의 각 항은

$a_1=1,\ a_2=2,\ a_3=4,\ a_4=1,\ a_5=2,\ a_6=4,\ \cdots$

$$\therefore \sum_{n=1}^{\infty}\frac{a_n}{2^n}=\frac{1}{2}+\frac{2}{2^2}+\frac{4}{2^3}+\frac{1}{2^4}+\frac{2}{2^5}+\frac{4}{2^6}+\cdots$$

$$=\left(\frac{1}{2}+\frac{1}{2^4}+\frac{1}{2^7}+\cdots\right)+\left(\frac{2}{2^2}+\frac{2}{2^5}+\frac{2}{2^8}+\cdots\right)$$

$$+\left(\frac{4}{2^3}+\frac{4}{2^6}+\frac{4}{2^9}+\cdots\right)+\cdots$$

$$=\frac{\frac{1}{2}}{1-\frac{1}{2^3}}+\frac{\frac{2}{2^2}}{1-\frac{1}{2^3}}+\frac{\frac{4}{2^3}}{1-\frac{1}{2^3}}=\frac{12}{7}$$

정답_ ⑤

123

다항식 $f(x)=a_nx^2+2a_nx+1$을 $x-n$으로 나눈 나머지가 10이므로 나머지정리에 의해

$f(n)=a_nn^2+2a_nn+1=10,\ n(n+2)a_n=9$

$\therefore a_n=\frac{9}{n(n+2)}$ ❶

$$\sum_{k=1}^{n}a_k=\sum_{k=1}^{n}\frac{9}{k(k+2)}=\sum_{k=1}^{n}\frac{9}{2}\left(\frac{1}{k}-\frac{1}{k+2}\right)$$

$$=\frac{9}{2}\left\{\left(1-\frac{1}{3}\right)+\left(\frac{1}{2}-\frac{1}{4}\right)+\left(\frac{1}{3}-\frac{1}{5}\right)+\cdots+\left(\frac{1}{n-1}-\frac{1}{n+1}\right)+\left(\frac{1}{n}-\frac{1}{n+2}\right)\right\}$$

$$=\frac{9}{2}\left(1+\frac{1}{2}-\frac{1}{n+1}-\frac{1}{n+2}\right)$$ ❷

$$\therefore \sum_{n=1}^{\infty}a_n=\lim_{n\to\infty}\sum_{k=1}^{n}a_k$$

$$=\lim_{n\to\infty}\frac{9}{2}\left(1+\frac{1}{2}-\frac{1}{n+1}-\frac{1}{n+2}\right)$$

$$=\frac{9}{2}\left(1+\frac{1}{2}\right)=\frac{27}{4}$$ ❸

정답_ $\frac{27}{4}$

단계	채점 기준	비율
❶	수열 $\{a_n\}$의 일반항 구하기	40%
❷	$\sum_{k=1}^{n}a_k$의 값 구하기	30%
❸	$\sum_{n=1}^{\infty}a_n$의 합 구하기	30%

124

조건 (가)의 $\frac{2n^3+3}{1^2+2^2+3^2+\cdots+n^2}$에서

$$1^2+2^2+3^2+\cdots+n^2=\sum_{k=1}^{n}k^2=\frac{n(n+1)(2n+1)}{6}$$

$$=\frac{2n^3+3n^2+n}{6}$$

$$\lim_{n\to\infty}\frac{2n^3+3}{1^2+2^2+3^2+\cdots+n^2}=\lim_{n\to\infty}\frac{2n^3+3}{\frac{2n^3+3n^2+n}{6}}$$

$$=\lim_{n\to\infty}\frac{12n^3+18}{2n^3+3n^2+n}$$

$$=\lim_{n\to\infty}\frac{12+\frac{18}{n^3}}{2+\frac{3}{n}+\frac{1}{n^2}}=6$$

❶

$\therefore 6\le\lim_{n\to\infty}a_n\le2\lim_{n\to\infty}b_n$ ⋯⋯㉠

조건 (나)에서 $\sum_{n=1}^{\infty}(b_n-3)$이 2에 수렴하므로

$\lim_{n\to\infty}(b_n-3)=0\qquad\therefore \lim_{n\to\infty}b_n=3$ ⋯⋯㉡

❷

따라서 ㉠, ㉡에 의해 $\lim_{n\to\infty}a_n=6$

❸

정답_ 6

단계	채점 기준	비율
❶	$\lim_{n\to\infty}\frac{2n^3+3}{1^2+2^2+3^2+\cdots+n^2}$의 값 구하기	50%
❷	$\lim_{n\to\infty}b_n$의 값 구하기	30%
❸	$\lim_{n\to\infty}a_n$의 값 구하기	20%

125

두 등비수열 $\{a_n\}$, $\{b_n\}$의 공비를 각각 r_1, r_2라고 하면

$\sum_{n=1}^{\infty}a_n=\frac{1}{1-r_1}=2$에서 $r_1=\frac{1}{2}$ ❶

$\sum_{n=1}^{\infty}b_n=\frac{1}{1-r_2}=3$에서 $r_2=\frac{2}{3}$ ❷

이때, 수열 $\{a_nb_n\}$의 첫째항은 $1\cdot1=1$이고 공비는

$r_1r_2=\frac{1}{2}\cdot\frac{2}{3}=\frac{1}{3}$이다. ❸

$$\therefore 15\sum_{n=1}^{\infty}(a_n+b_n)^2$$

$$=15\left(\sum_{n=1}^{\infty}a_n^2+\sum_{n=1}^{\infty}2a_nb_n+\sum_{n=1}^{\infty}b_n^2\right)$$

$$=15\left\{\frac{1^2}{1-\left(\frac{1}{2}\right)^2}+2\cdot\frac{1}{1-\frac{1}{3}}+\frac{1^2}{1-\left(\frac{2}{3}\right)^2}\right\}$$

$=92$ ❹

정답_ 92

단계	채점 기준	비율
❶	수열 $\{a_n\}$의 공비 구하기	20%
❷	수열 $\{b_n\}$의 공비 구하기	20%
❸	수열 $\{a_nb_n\}$의 첫째항과 공비 구하기	20%
❹	$15\sum_{n=1}^{\infty}(a_n+b_n)^2$의 합 구하기	40%

126

오른쪽 그림에서 정사각형 D_1의 한 변의 길이를 x라고 하면 두 직각삼각형 ABC와 EFC는 서로 닮음이므로 $\overline{CA}:\overline{CE}=\overline{AB}:\overline{EF}$에서

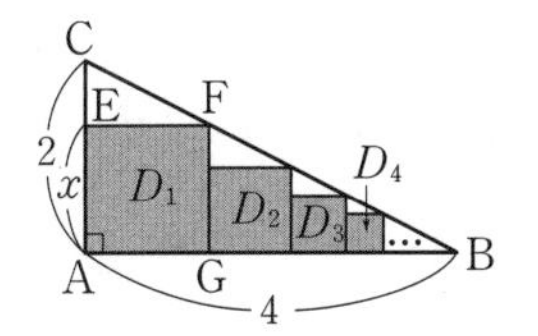

$2:(2-x)=4:x, 2x=4(2-x)$

$6x=8 \quad \therefore x=\frac{4}{3}$ ❶

두 정사각형 D_1, D_2의 닮음비는 $\overline{CA}:\overline{FG}=2:\frac{4}{3}=3:2$이므로 두 정사각형 D_1, D_2의 넓이의 비는

$3^2:2^2=9:4=1:\frac{4}{9}$ ❷

따라서 모든 정사각형의 넓이의 합은 첫째항이 $\left(\frac{4}{3}\right)^2=\frac{16}{9}$, 공비가 $\frac{4}{9}$인 등비급수의 합이므로

$$\frac{\frac{16}{9}}{1-\frac{4}{9}}=\frac{16}{5}$$ ❸

정답_ $\frac{16}{5}$

단계	채점 기준	비율
❶	정사각형 D_1의 한 변의 길이 구하기	40%
❷	두 정사각형 D_1, D_2의 넓이의 비 구하기	30%
❸	모든 정사각형의 넓이의 합 구하기	30%

127

오른쪽 그림에서 점 A_{n+2}는 선분 A_nA_{n+1}을 $1:2$로 내분하는 점이므로 $\overline{A_{n+1}A_{n+2}}=\frac{2}{3}\overline{A_nA_{n+1}}$ ❶

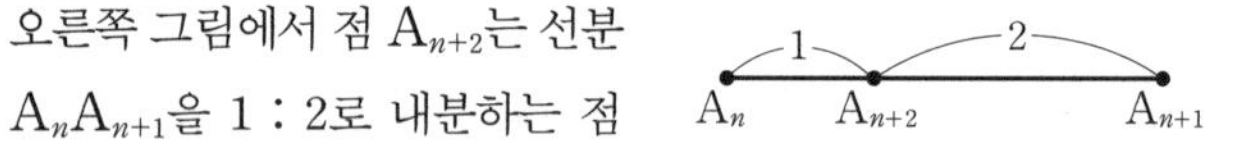

반원의 호의 길이는 반지름의 길이에 정비례하므로

$l_{n+1}=\frac{2}{3}l_n$ ❷

한편, $\overline{A_1A_2}=2$이므로 $l_1=\frac{1}{2}\cdot(2\pi\cdot1)=\pi$ ❸

수열 $\{l_n\}$은 첫째항이 π, 공비가 $\frac{2}{3}$인 등비수열이므로

$$\sum_{n=1}^{\infty} l_n=\frac{\pi}{1-\frac{2}{3}}=3\pi$$ ❹

정답_ 3π

단계	채점 기준	비율
❶	$\overline{A_{n+1}A_{n+2}}$와 $\overline{A_nA_{n+1}}$ 사이의 관계식 구하기	30%
❷	l_{n+1}과 l_n 사이의 관계식 구하기	20%
❸	l_1의 값 구하기	20%
❹	$\sum_{n=1}^{\infty} l_n$의 값 구하기	30%

128

$0.\dot{a}=\frac{a}{9}$, $0.0\dot{b}=\frac{b}{90}$, $0.00\dot{c}=\frac{c}{900}$가 이 순서로 등비수열을 이루므로 $\left(\frac{b}{90}\right)^2=\frac{a}{9}\cdot\frac{c}{900} \quad \therefore b^2=ac$ ❶

따라서 a, b, c도 이 순서로 등비수열을 이룬다.

$1<a<b<c<9$인 세 정수 a, b, c가 등비수열을 이루려면

$a=2$, $b=4$, $c=8$

$\therefore a+b+c=14$ ❷

정답_ 14

단계	채점 기준	비율
❶	a, b, c 사이의 관계식 구하기	60%
❷	$a+b+c$의 값 구하기	40%

129

등비수열 $\{a_n\}$의 첫째항을 a_1, 공비를 r라고 하면

$a_n=a_1r^{n-1} \quad \therefore a_{2n}=a_1r^{2n-1}=a_1r\cdot(r^2)^{n-1}$

따라서 등비수열 $\{a_{2n}\}$의 공비는 r^2이다.

ㄱ은 옳다.

등비급수 $\sum_{n=1}^{\infty} a_n$이 수렴하면 $-1<r<1$

이때, 등비수열 $\{a_{2n}\}$의 공비는 r^2이고, $0\le r^2<1$이므로 $\sum_{n=1}^{\infty} a_{2n}$도 수렴한다.

ㄴ도 옳다.

등비급수 $\sum_{n=1}^{\infty} a_n$이 발산하면 $|r|\ge1$

이때, 등비수열 $\{a_{2n}\}$의 공비는 r^2이고 $r^2\ge1$이므로 $\sum_{n=1}^{\infty} a_{2n}$도 발산한다.

ㄷ은 옳지 않다.

등비급수 $\sum_{n=1}^{\infty} a_n$이 수렴하면 $\lim_{n\to\infty} a_n=0$

이때, $\lim_{n\to\infty}\left(a_n+\frac{1}{2}\right)=0+\frac{1}{2}\neq0$이므로 $\sum_{n=1}^{\infty}\left(a_n+\frac{1}{2}\right)$은 발산한다.

따라서 옳은 것은 ㄱ, ㄴ이다.

정답_ ③

130

$a_{n+2}=a_{n+1}+a_n$에서 $a_{n+2}-a_{n+1}=a_n$이므로

$$\begin{aligned}\sum_{n=1}^{\infty}\frac{a_n}{a_{n+1}a_{n+2}}&=\sum_{n=1}^{\infty}\frac{a_{n+2}-a_{n+1}}{a_{n+1}a_{n+2}}\\&=\sum_{n=1}^{\infty}\left(\frac{1}{a_{n+1}}-\frac{1}{a_{n+2}}\right)\\&=\lim_{n\to\infty}\sum_{k=1}^{n}\left(\frac{1}{a_{k+1}}-\frac{1}{a_{k+2}}\right)\\&=\lim_{n\to\infty}\left\{\left(\frac{1}{a_2}-\frac{1}{a_3}\right)+\left(\frac{1}{a_3}-\frac{1}{a_4}\right)\right.\\&\quad\left.+\cdots+\left(\frac{1}{a_{n+1}}-\frac{1}{a_{n+2}}\right)\right\}\\&=\lim_{n\to\infty}\left(\frac{1}{a_2}-\frac{1}{a_{n+2}}\right)\\&=\lim_{n\to\infty}\left(\frac{1}{2}-\frac{1}{a_{n+2}}\right)\end{aligned}$$

이때, $a_1=1$, $a_2=2$, $a_3=3$, $a_4=5$, $\cdots$이므로

$\lim_{n\to\infty} a_n=\lim_{n\to\infty} a_{n+2}=\infty \quad \therefore \lim_{n\to\infty}\frac{1}{a_{n+2}}=0$

$\therefore \sum_{n=1}^{\infty}\frac{a_n}{a_{n+1}a_{n+2}}=\lim_{n\to\infty}\left(\frac{1}{2}-\frac{1}{a_{n+2}}\right)=\frac{1}{2}$

정답_ ①

131

$x-3y+3=0$에서 $y=\frac{1}{3}x+1$이므로 이 직선 위에 있는 점에 대하여 y좌표가 자연수이려면 x좌표는 3의 배수이어야 한다.

따라서 $x=3n(n=1, 2, 3, \cdots)$으로 놓으면 $y=n+1$이므로

$a_n=3n$, $b_n=n+1$

$$\therefore \sum_{n=1}^{\infty}\frac{1}{a_nb_n}=\lim_{n\to\infty}\sum_{k=1}^{n}\frac{1}{a_kb_k}$$
$$=\lim_{n\to\infty}\sum_{k=1}^{n}\frac{1}{3k(k+1)}$$
$$=\lim_{n\to\infty}\sum_{k=1}^{n}\frac{1}{3}\left(\frac{1}{k}-\frac{1}{k+1}\right)$$
$$=\lim_{n\to\infty}\frac{1}{3}\left\{\left(1-\frac{1}{2}\right)+\left(\frac{1}{2}-\frac{1}{3}\right)+\left(\frac{1}{3}-\frac{1}{4}\right)+\cdots+\left(\frac{1}{n}-\frac{1}{n+1}\right)\right\}$$
$$=\lim_{n\to\infty}\frac{1}{3}\left(1-\frac{1}{n+1}\right)=\frac{1}{3}$$

정답_ ③

132

$\cos^2x+\cos^2x\sin x+\cos^2x\sin^2x+\cdots=\frac{3}{2}$에서 좌변은 첫째항이 $\cos^2x$, 공비가 $\sin x$인 등비급수이고, $\frac{\pi}{2}<x<\pi$에서 $0<\sin x<1$이므로

$\cos^2x+\cos^2x\sin x+\cos^2x\sin^2x+\cdots$

$$=\frac{\cos^2x}{1-\sin x}=\frac{1-\sin^2x}{1-\sin x}$$
$$=\frac{(1-\sin x)(1+\sin x)}{1-\sin x}=1+\sin x=\frac{3}{2}$$

즉, $\sin x=\frac{1}{2}$

이때 $\frac{\pi}{2}<x<\pi$이므로 $x=\frac{5}{6}\pi$

정답_ $\frac{5}{6}\pi$

133

점 O는 정삼각형 ABC의 외심이므로 무게중심이다. 이때, 정삼각형 ABC의 높이가 $\frac{\sqrt{3}}{2}\cdot6=3\sqrt{3}$이므로

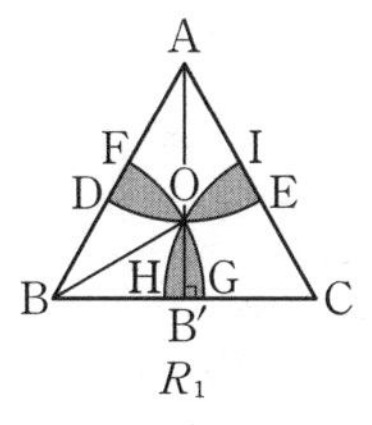

R_1

$\overline{BO}=\frac{2}{3}\cdot3\sqrt{3}=2\sqrt{3}$

또, 점 O에서 선분 BC에 내린 수선의 발을 B′이라고 하면

$\overline{OB'}=\frac{1}{3}\cdot3\sqrt{3}=\sqrt{3}$, $\overline{BB'}=\frac{1}{2}\overline{BC}=\frac{1}{2}\cdot6=3$

이때, 그림 R_1에 색칠되어 있는 부분의 넓이 S_1은 부채꼴 OBG의 넓이에서 직각삼각형 OBB′의 넓이를 뺀 것의 6배이고 $\angle OBG=\frac{\pi}{6}$이므로

$$S_1=6\left\{\frac{1}{2}\cdot(2\sqrt{3})^2\cdot\frac{\pi}{6}-\frac{1}{2}\cdot3\cdot\sqrt{3}\right\}$$
$$=6\pi-9\sqrt{3}$$

한편, $\overline{HC}=\overline{BO}=2\sqrt{3}$이므로

$\overline{BH}=\overline{BC}-\overline{HC}=6-2\sqrt{3}$

즉, 두 정삼각형 ABC와 DBH의 닮음비는

$\overline{BC}:\overline{BH}=6:(6-2\sqrt{3})=1:\frac{3-\sqrt{3}}{3}$이므로

넓이의 비는 $1^2:\left(\frac{3-\sqrt{3}}{3}\right)^2=1:\frac{4-2\sqrt{3}}{3}$

이때, (모양) 모양의 개수가 3배씩 늘어나므로 S_n은 첫째항이 $6\pi-9\sqrt{3}$, 공비가 $3\cdot\frac{4-2\sqrt{3}}{3}=4-2\sqrt{3}$인 등비수열의 첫째항부터 제 n항까지의 합이다.

$$\therefore \lim_{n\to\infty}S_n=\frac{6\pi-9\sqrt{3}}{1-(4-2\sqrt{3})}=\frac{3(2\pi-3\sqrt{3})}{2\sqrt{3}-3}$$
$$=(2\pi-3\sqrt{3})(2\sqrt{3}+3)$$

정답_ ③

134

$A(0, 0)$, $B(5, 0)$, $P(x, y)$이므로 $\overline{AP}:\overline{PB}=1:n$에서

$\sqrt{x^2+y^2}:\sqrt{(x-5)^2+y^2}=1:n$

$n\sqrt{x^2+y^2}=\sqrt{(x-5)^2+y^2}$

$n^2(x^2+y^2)=(x-5)^2+y^2$

$(n^2-1)x^2+(n^2-1)y^2+10x=25$

$x^2+y^2+\frac{10}{n^2-1}x=\frac{25}{n^2-1}$

$\left(x+\frac{5}{n^2-1}\right)^2+y^2=\frac{25}{n^2-1}+\frac{25}{(n^2-1)^2}$

$\left(x+\frac{5}{n^2-1}\right)^2+y^2=\left(\frac{5n}{n^2-1}\right)^2$

따라서 점 P가 나타내는 도형은 중심이 점 $\left(-\frac{5}{n^2-1}, 0\right)$이고 반지름의 길이가 $\frac{5n}{n^2-1}$인 원이다.

$\overline{PQ}$의 최댓값 $M(n)=2\times$(반지름의 길이)$=\frac{10n}{n^2-1}$이므로

$$\sum_{n=2}^{\infty}\frac{10M(n)}{n}=\sum_{n=2}^{\infty}\frac{100n}{n(n^2-1)}$$
$$=\sum_{n=2}^{\infty}\frac{100}{(n-1)(n+1)}$$
$$=\lim_{n\to\infty}\sum_{k=2}^{n}\frac{100}{(k-1)(k+1)}$$
$$=\lim_{n\to\infty}\sum_{n=2}^{\infty}50\left(\frac{1}{k-1}-\frac{1}{k+1}\right)$$
$$=\lim_{n\to\infty}50\left\{\left(\frac{1}{1}-\frac{1}{3}\right)+\left(\frac{1}{2}-\frac{1}{4}\right)+\left(\frac{1}{3}-\frac{1}{5}\right)+\cdots+\left(\frac{1}{n-2}-\frac{1}{n}\right)+\left(\frac{1}{n-1}-\frac{1}{n+1}\right)\right\}$$
$$=\lim_{n\to\infty}50\left(1+\frac{1}{2}-\frac{1}{n}-\frac{1}{n+1}\right)$$
$$=50\cdot\frac{3}{2}=75$$

정답_ 75

135

$S_1=\pi$이므로 원 C_1의 반지름의 길이는 1이다.

원 C_{n+1}의 넓이는 원 C_n의 넓이의 r배이므로 원 C_{n+1}의 반지름의 길이는 원 C_n의 반지름의 길이의 $\sqrt{r}$배이다.

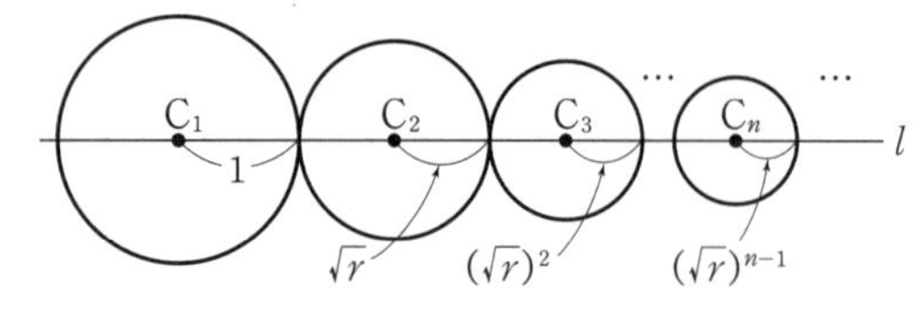

$\lim_{n\to\infty}\overline{C_1C_n}$이 수렴하므로

$0<\sqrt{r}<1$

$\therefore \lim_{n\to\infty}(\sqrt{r})^{n-1}=0$

$$\therefore \lim_{n\to\infty}\overline{C_1C_n}=\lim_{n\to\infty}\{1+2\sqrt{r}+2(\sqrt{r})^2+2(\sqrt{r})^3+\cdots+2(\sqrt{r})^{n-1}-(\sqrt{r})^{n-1}\}$$

$$=\lim_{n\to\infty}\left[1+\frac{2\sqrt{r}\{1-(\sqrt{r})^{n-1}\}}{1-\sqrt{r}}-(\sqrt{r})^{n-1}\right]$$

$$=1+\frac{2\sqrt{r}}{1-\sqrt{r}}$$

$\lim_{n\to\infty}\overline{C_1C_n}=5$에서

$1+\frac{2\sqrt{r}}{1-\sqrt{r}}=5,\ \frac{2\sqrt{r}}{1-\sqrt{r}}=4$

$2\sqrt{r}=4-4\sqrt{r},\ \sqrt{r}=\frac{2}{3}\qquad \therefore r=\frac{4}{9}$

따라서 수열 $\{S_n\}$은 첫째항이 π, 공비가 $\frac{4}{9}$인 등비수열이므로

$$\sum_{n=1}^{\infty}S_n=\frac{\pi}{1-\frac{4}{9}}=\frac{9}{5}\pi$$

정답_②

136

휘발유를 주유할 때마다 $\frac{50}{1000}=0.05$의 비율로 적립금을 주므로 40000원 어치의 휘발유를 주유하면

$40000\times0.05=2000$ (원)의 적립금을 받는다. 그런데 2000원의 적립금으로 휘발유를 주유하면 $2000\times0.05=100$ (원)의 적립금을 받는다. 다시 100원의 적립금으로 휘발유를 주유하면 $100\times0.05=5$ (원)의 적립금을 받는다. 이와 같은 과정을 한없이 반복할 수 있으므로 구하는 적립금의 실제 가치는

$2000+2000\times0.05+2000\times0.05^2+\cdots$

$=\frac{2000}{1-0.05}=\frac{2000}{0.95}$

$=2105.\times\times\times$ (원)

따라서 이 값에 가장 가까운 것은 ②이다.

정답_②

137

나열된 모든 수의 합을 S라고 하면

$S=9+2\times0.9+3\times0.09+4\times0.009+\cdots$ ……㉠

위의 식의 양변에 0.1을 곱하면

$0.1S=0.9+2\times0.09+3\times0.009+\cdots$ ……㉡

㉠−㉡을 하면

$0.9S=9+0.9+0.09+0.009+\cdots$

$=\frac{9}{1-0.1}=\frac{9}{0.9}=10$

$\therefore S=\frac{10}{0.9}=\frac{100}{9}$

정답_③

다른 풀이

나열된 모든 수의 합은

$(9+0.9+0.09+0.009+0.0009+\cdots)$

$+(0.9+0.09+0.009+0.0009+\cdots)$

$+(0.09+0.009+0.0009+\cdots)$

$+(0.009+0.0009+\cdots)+\cdots$

$=\frac{9}{1-0.1}+\frac{0.9}{1-0.1}+\frac{0.09}{1-0.1}+\frac{0.009}{1-0.1}+\cdots$

$=10+1+0.1+0.01+\cdots$

$=\frac{10}{1-0.1}=\frac{100}{9}$

138

$a_1=0.\dot{1}=\frac{1}{9}=\frac{1}{10-1}$

$a_2=0.\dot{1}\dot{0}=\frac{10}{99}=\frac{10}{100-1}=\frac{10}{10^2-1}$

$a_3=0.\dot{1}0\dot{0}=\frac{100}{999}=\frac{100}{1000-1}=\frac{10^2}{10^3-1}$

⋮

$\therefore a_n=\frac{10^{n-1}}{10^n-1}$

$$\lim_{n\to\infty}a_{n+1}=\lim_{n\to\infty}a_n=\lim_{n\to\infty}\frac{10^{n-1}}{10^n-1}=\lim_{n\to\infty}\frac{\frac{1}{10}}{1-\frac{1}{10^n}}=\frac{1}{10}$$

$$\therefore \sum_{n=1}^{\infty}\left(\frac{1}{a_{n+1}}-\frac{1}{a_n}\right)$$

$$=-\sum_{n=1}^{\infty}\left(\frac{1}{a_n}-\frac{1}{a_{n+1}}\right)$$

$$=-\lim_{n\to\infty}\left\{\left(\frac{1}{a_1}-\frac{1}{a_2}\right)+\left(\frac{1}{a_2}-\frac{1}{a_3}\right)+\left(\frac{1}{a_3}-\frac{1}{a_4}\right)+\cdots+\left(\frac{1}{a_n}-\frac{1}{a_{n+1}}\right)\right\}$$

$$=-\lim_{n\to\infty}\left(\frac{1}{a_1}-\frac{1}{a_{n+1}}\right)$$

$$=-(9-10)=1$$

정답_②

03 지수함수와 로그함수의 미분

139

(1) $\lim_{x\to-1}\left\{\left(\frac{2}{3}\right)^x+2^x\right\}=\left(\frac{2}{3}\right)^{-1}+2^{-1}=\frac{3}{2}+\frac{1}{2}=2$

(2) $\lim_{x\to0}\frac{2^{x+1}-3^x}{4^x}=\frac{2^1-3^0}{4^0}=\frac{2-1}{1}=1$

(3) $\lim_{x\to-\infty}4^x=0$이므로 $\lim_{x\to-\infty}\frac{4^x+1}{4^x-1}=\frac{0+1}{0-1}=-1$

(4) $\lim_{x\to\infty}\frac{5^x}{3^x-5^x}=\lim_{x\to\infty}\frac{1}{\left(\frac{3}{5}\right)^x-1}=\frac{1}{0-1}=-1$

정답_(1) 2 (2) 1 (3) -1 (4) -1

140

$$\lim_{x\to\infty}\frac{a\cdot3^{x+1}+2^x}{3^x-2^x}=\lim_{x\to\infty}\frac{a\cdot3+\left(\frac{2}{3}\right)^x}{1-\left(\frac{2}{3}\right)^x}=3a=18$$

$\therefore a=6$

정답_ ①

141

$x=-t$로 놓으면 $x\to-\infty$일 때 $t\to\infty$이므로

$$\lim_{x\to-\infty}\frac{2^{x+2}+3^{x+3}}{2^x-3^x}=\lim_{t\to\infty}\frac{2^{-t+2}+3^{-t+3}}{2^{-t}-3^{-t}}=\lim_{t\to\infty}\frac{\frac{4}{2^t}+\frac{27}{3^t}}{\frac{1}{2^t}-\frac{1}{3^t}}$$

$$=\lim_{t\to\infty}\frac{4+27\cdot\left(\frac{2}{3}\right)^t}{1-\left(\frac{2}{3}\right)^t}=\frac{4+0}{1-0}=4$$

정답_ ④

142

$\frac{1}{x}=t$로 놓으면 $x\to0+$일 때 $t\to\infty$이므로

$$\lim_{x\to0+}\frac{3-2^{\frac{1}{x}}}{1+2^{\frac{1}{x}}}=\lim_{t\to\infty}\frac{3-2^t}{1+2^t}=\lim_{t\to\infty}\frac{3\cdot\left(\frac{1}{2}\right)^t-1}{\left(\frac{1}{2}\right)^t+1}=\frac{0-1}{0+1}=-1$$

$x\to0-$일 때 $t\to-\infty$이므로

$$\lim_{x\to0-}\frac{3-2^{\frac{1}{x}}}{1+2^{\frac{1}{x}}}=\lim_{t\to-\infty}\frac{3-2^t}{1+2^t}=\frac{3-0}{1+0}=3$$

$$\therefore \lim_{x\to0+}\frac{3-2^{\frac{1}{x}}}{1+2^{\frac{1}{x}}}+\lim_{x\to0-}\frac{3-2^{\frac{1}{x}}}{1+2^{\frac{1}{x}}}=-1+3=2$$

정답_ ②

143

(1) $\lim_{x\to5}\log_3(3x-6)=\log_3(3\cdot5-6)=\log_3 3^2=2$

(2) $\lim_{x\to3}\log_{\frac{1}{2}}(x+1)=\log_{\frac{1}{2}}(3+1)=\log_{2^{-1}}2^2=-2$

(3) $\lim_{x\to\infty}\log x=\infty$이므로 $\lim_{x\to\infty}\frac{1}{1+\log x}=0$

(4) $\lim_{x\to\infty}\log_2\frac{2x+1}{x+2}=\lim_{x\to\infty}\log_2\frac{2+\frac{1}{x}}{1+\frac{2}{x}}=\log_2\frac{2+0}{1+0}$

$=\log_2 2=1$

정답_(1) 2 (2) -2 (3) 0 (4) 1

144

(1) $x-2=t$로 놓으면 $x\to2+$일 때 $t\to0+$이므로

$\lim_{x\to2+}\log_2(x-2)=\lim_{t\to0+}\log_2 t=-\infty$

(2) $3-x=t$로 놓으면 $x\to3-$일 때 $t\to0+$이므로

$\lim_{x\to3-}\log_{\frac{1}{2}}(3-x)=\lim_{t\to0+}\log_{\frac{1}{2}}t=\infty$

정답_(1) $-\infty$ (2) ∞

145

$\lim_{x\to\infty}\{\log_5(ax-3)-\log_5(x+4)\}$

$=\lim_{x\to\infty}\log_5\frac{ax-3}{x+4}$

$=\lim_{x\to\infty}\log_5\frac{a-\frac{3}{x}}{1+\frac{4}{x}}$

$=\log_5 a=2$

$\therefore a=5^2=25$

정답_ ④

146

$$\lim_{x\to\infty}\frac{\log_2(2x+3)}{\log_2(4x+5)}=\lim_{x\to\infty}\frac{\log_2 x\left(2+\frac{3}{x}\right)}{\log_2 x\left(4+\frac{5}{x}\right)}$$

$$=\lim_{x\to\infty}\frac{\log_2 x+\log_2\left(2+\frac{3}{x}\right)}{\log_2 x+\log_2\left(4+\frac{5}{x}\right)}$$

$$=\lim_{x\to\infty}\frac{1+\frac{\log_2\left(2+\frac{3}{x}\right)}{\log_2 x}}{1+\frac{\log_2\left(4+\frac{5}{x}\right)}{\log_2 x}}$$

$$=\frac{1+0}{1+0}=1$$

정답_ ④

147

$0<2<\pi$이므로 $\frac{2}{\pi}<1$ $\quad\therefore \lim_{x\to\infty}\left(\frac{2}{\pi}\right)^{2x}=0$

$$\therefore \lim_{x\to\infty}(\pi^{2x}+2^{2x})^{\frac{1}{x}}=\lim_{x\to\infty}\left[\pi^{2x}\left\{1+\left(\frac{2}{\pi}\right)^{2x}\right\}\right]^{\frac{1}{x}}$$

$$=\lim_{x\to\infty}(\pi^{2x})^{\frac{1}{x}}\left\{1+\left(\frac{2}{\pi}\right)^{2x}\right\}^{\frac{1}{x}}$$
$$=\lim_{x\to\infty}\pi^2\left\{1+\left(\frac{2}{\pi}\right)^{2x}\right\}^{\frac{1}{x}}$$
$$=\pi^2\cdot 1=\pi^2$$
정답_⑤

148

$$\lim_{x\to\infty}\frac{1}{x}\log_8(3^x+4^x)=\lim_{x\to\infty}\log_8(3^x+4^x)^{\frac{1}{x}}$$
$$=\lim_{x\to\infty}\log_8\left[4^x\left\{\left(\frac{3}{4}\right)^x+1\right\}\right]^{\frac{1}{x}}$$
$$=\lim_{x\to\infty}\log_8 4\left\{\left(\frac{3}{4}\right)^x+1\right\}^{\frac{1}{x}}$$
$$=\log_8 4=\log_{2^3}2^2=\frac{2}{3}$$
정답_②

149

$\frac{1}{x}=t$로 놓으면 $x\to 0+$일 때 $t\to\infty$이므로

$$\lim_{x\to 0+}\{(0.3)^{\frac{1}{x}}-(0.2)^{\frac{1}{x}}\}^x=\lim_{t\to\infty}\{(0.3)^t-(0.2)^t\}^{\frac{1}{t}}$$
$$=\lim_{t\to\infty}\left[(0.3)^t\left\{1-\left(\frac{0.2}{0.3}\right)^t\right\}\right]^{\frac{1}{t}}$$
$$=\lim_{t\to\infty}0.3\left\{1-\left(\frac{2}{3}\right)^t\right\}^{\frac{1}{t}}$$
$$=0.3\cdot 1=0.3$$
정답_②

150

(1) $\lim_{x\to 0}(1+x)^{\frac{2}{x}}=\lim_{x\to 0}\{(1+x)^{\frac{1}{x}}\}^2=e^2$

(2) $\lim_{x\to 0}(1+2x)^{\frac{5}{x}}=\lim_{x\to 0}\{(1+2x)^{\frac{1}{2x}}\}^{10}=e^{10}$

(3) $\lim_{x\to\infty}\left(1+\frac{3}{x}\right)^x=\lim_{x\to\infty}\left\{\left(1+\frac{3}{x}\right)^{\frac{x}{3}}\right\}^3=e^3$

(4) $\lim_{x\to\infty}\left(1+\frac{1}{3x}\right)^x=\lim_{x\to\infty}\left\{\left(1+\frac{1}{3x}\right)^{3x}\right\}^{\frac{1}{3}}=e^{\frac{1}{3}}=\sqrt[3]{e}$

정답_(1) e^2 (2) e^{10} (3) e^3 (4) $\sqrt[3]{e}$

151

$$\lim_{x\to\infty}\left\{\left(1+\frac{1}{2x}\right)\left(1-\frac{1}{4x}\right)\right\}^x$$
$$=\lim_{x\to\infty}\left(1+\frac{1}{2x}\right)^x\left(1-\frac{1}{4x}\right)^x$$
$$=\lim_{x\to\infty}\left\{\left(1+\frac{1}{2x}\right)^{2x}\right\}^{\frac{1}{2}}\left\{\left(1-\frac{1}{4x}\right)^{-4x}\right\}^{-\frac{1}{4}}$$
$$=\lim_{x\to\infty}\left\{\left(1+\frac{1}{2x}\right)^{2x}\right\}^{\frac{1}{2}}\cdot\lim_{x\to\infty}\left\{\left(1-\frac{1}{4x}\right)^{-4x}\right\}^{-\frac{1}{4}}$$
$$=e^{\frac{1}{2}}\cdot e^{-\frac{1}{4}}=e^{\frac{1}{4}}$$
정답_①

152

$x-2=t$로 놓으면 $x\to 2$일 때 $t\to 0$이므로

$$\lim_{x\to 2}(x-1)^{\frac{2}{2-x}}=\lim_{t\to 0}(2+t-1)^{\frac{2}{2-(2+t)}}=\lim_{t\to 0}(1+t)^{-\frac{2}{t}}$$
$$=\lim_{t\to 0}\{(1+t)^{\frac{1}{t}}\}^{-2}=e^{-2}=\frac{1}{e^2}$$
정답_①

153

$$\lim_{x\to\infty}\left(\frac{x}{x-a}\right)^x=\lim_{x\to\infty}\left(\frac{x-a+a}{x-a}\right)^x$$
$$=\lim_{x\to\infty}\left(1+\frac{a}{x-a}\right)^x$$
$$=\lim_{x\to\infty}\left\{\left(1+\frac{a}{x-a}\right)^{\frac{x-a}{a}}\right\}^{\frac{ax}{x-a}}$$
$$=e^a$$

이때 $e^a=\sqrt{e}=e^{\frac{1}{2}}$에서 $a=\frac{1}{2}$

정답_②

154

$$\lim_{n\to\infty}\left\{\frac{1}{2}\left(1+\frac{1}{n}\right)\left(1+\frac{1}{n+1}\right)\left(1+\frac{1}{n+2}\right)\cdots\left(1+\frac{1}{2n}\right)\right\}^n$$
$$=\lim_{n\to\infty}\left(\frac{1}{2}\cdot\frac{n+1}{n}\cdot\frac{n+2}{n+1}\cdot\frac{n+3}{n+2}\cdot\cdots\cdot\frac{2n+1}{2n}\right)^n$$
$$=\lim_{n\to\infty}\left(\frac{2n+1}{2n}\right)^n=\lim_{n\to\infty}\left(1+\frac{1}{2n}\right)^n$$
$$=\lim_{n\to\infty}\left\{\left(1+\frac{1}{2n}\right)^{2n}\right\}^{\frac{1}{2}}=e^{\frac{1}{2}}=\sqrt{e}$$
정답_③

155

$$\lim_{x\to 0}\frac{\log_3(5+x)-\log_3 5}{x}$$
$$=\lim_{x\to 0}\frac{\log_3\frac{5+x}{5}}{x}$$
$$=\lim_{x\to 0}\left\{\frac{\log_3\left(1+\frac{x}{5}\right)}{\frac{x}{5}}\cdot\frac{1}{5}\right\}$$
$$=\frac{1}{\ln 3}\cdot\frac{1}{5}=\frac{1}{5\ln 3}$$
정답_⑤

156

$$\lim_{x\to 0}\frac{1}{2x}\ln\frac{1+2x}{1+x}=\lim_{x\to 0}\frac{1}{2x}\{\ln(1+2x)-\ln(1+x)\}$$
$$=\lim_{x\to 0}\left\{\frac{\ln(1+2x)}{2x}-\frac{\ln(1+x)}{2x}\right\}$$
$$=\lim_{x\to 0}\left\{\frac{\ln(1+2x)}{2x}-\frac{1}{2}\cdot\frac{\ln(1+x)}{x}\right\}$$
$$=1-\frac{1}{2}\cdot 1=\frac{1}{2}$$
정답_②

157

$x-1=t$로 놓으면 $x\to 1$일 때 $t\to 0$이므로

$$\lim_{x\to 1}\frac{\ln x}{x^3-1}=\lim_{t\to 0}\frac{\ln(t+1)}{(t+1)^3-1}$$

$$=\lim_{t\to 0}\frac{\ln(t+1)}{t^3+3t^2+3t}$$

$$=\lim_{t\to 0}\frac{\ln(t+1)}{t}\cdot\lim_{t\to 0}\frac{1}{t^2+3t+3}$$

$$=1\cdot\frac{1}{3}=\frac{1}{3}$$

정답_ ①

158

$x-2=t$로 놓으면 $x\to 2$일 때 $t\to 0$이므로

$$\lim_{x\to 2}\frac{\log_3(x-1)}{x-2}=\lim_{t\to 0}\frac{\log_3(2+t-1)}{t}$$

$$=\lim_{t\to 0}\frac{\log_3(1+t)}{t}$$

$$=\frac{1}{\ln 3}$$

정답_ ④

159

$$\lim_{x\to\infty}x\{\ln(x+2)-\ln x\}=\lim_{x\to\infty}x\ln\left(\frac{x+2}{x}\right)$$

$$=\lim_{x\to\infty}x\ln\left(1+\frac{2}{x}\right)$$

$\frac{2}{x}=t$로 놓으면 $x\to\infty$일 때 $t\to 0$이므로

$$\lim_{t\to 0}\left\{\frac{2}{t}\cdot\ln(1+t)\right\}=2\lim_{t\to 0}\frac{\ln(1+t)}{t}=2\cdot 1=2$$

정답_ ③

160

$\frac{1}{x}=t$로 놓으면 $x\to\infty$일 때 $t\to 0$이므로

$$\lim_{x\to\infty}x\left\{\log_3\left(3+\frac{1}{x}\right)-1\right\}=\lim_{t\to 0}\frac{1}{t}\{\log_3(3+t)-1\}$$

$$=\lim_{t\to 0}\frac{1}{t}\{\log_3(3+t)-\log_3 3\}$$

$$=\lim_{t\to 0}\frac{\log_3\frac{3+t}{3}}{t}$$

$$=\lim_{t\to 0}\frac{\log_3\left(1+\frac{t}{3}\right)}{\frac{t}{3}}\cdot\frac{1}{3}$$

$$=\frac{1}{\ln 3}\cdot\frac{1}{3}=\frac{1}{3\ln 3}$$

정답_ ①

161

$$\lim_{x\to 0}\frac{e^{2x}+6x-1}{x}=\lim_{x\to 0}\left(2\cdot\frac{e^{2x}-1}{2x}+6\right)$$

$$=2\cdot 1+6=8$$

정답_ 8

162

$$\lim_{x\to 0}\frac{e^x-1}{e^{3x}-1}=\lim_{x\to 0}\left(\frac{e^x-1}{x}\cdot\frac{3x}{e^{3x}-1}\cdot\frac{1}{3}\right)=1\cdot 1\cdot\frac{1}{3}=\frac{1}{3}$$

정답_ ④

163

$$\lim_{x\to 0}\frac{e^{8x}-1}{\ln(1+4x)}=\lim_{x\to 0}\left\{\frac{e^{8x}-1}{8x}\cdot\frac{4x}{\ln(1+4x)}\cdot\frac{8}{4}\right\}$$

$$=1\cdot 1\cdot 2=2$$

정답_ ⑤

164

$x-1=t$로 놓으면 $x\to 1$일 때 $t\to 0$이므로

$$\lim_{x\to 1}\frac{e^{x-1}-1-\ln(2x-1)}{x-1}$$

$$=\lim_{t\to 0}\frac{e^t-1-\ln(1+2t)}{t}$$

$$=\lim_{t\to 0}\left\{\frac{e^t-1}{t}-\frac{\ln(1+2t)}{2t}\cdot 2\right\}$$

$$=1-1\cdot 2=-1$$

정답_ ②

165

$$\lim_{x\to 0}\frac{4^x-2^x}{x}=\lim_{x\to 0}\frac{4^x-1+1-2^x}{x}$$

$$=\lim_{x\to 0}\left(\frac{4^x-1}{x}-\frac{2^x-1}{x}\right)$$

$$=\ln 4-\ln 2=\ln\frac{4}{2}=\ln 2$$

정답_ ④

166

$a>0, a\neq 1$이므로

$$\lim_{x\to 0}\frac{(a+6)^x-a^x}{x}$$

$$=\lim_{x\to 0}\frac{(a+6)^x-1+1-a^x}{x}$$

$$=\lim_{x\to 0}\left\{\frac{(a+6)^x-1}{x}-\frac{a^x-1}{x}\right\}$$

$$=\ln(a+6)-\ln a=\ln\frac{a+6}{a}=\ln 3$$

즉, $\frac{a+6}{a}=3$에서 $a+6=3a$

$\therefore a=3$

정답_ ②

167

$$\lim_{x\to 0}\frac{f(x)}{\ln(1-x)}=\lim_{x\to 0}\frac{\frac{f(x)}{x}}{\frac{\ln(1-x)}{x}}$$

$$=\lim_{x\to 0}\frac{\frac{f(x)}{x}}{\frac{-\ln(1-x)}{-x}}$$

$$=\lim_{x\to 0}\frac{\frac{f(x)}{x}}{-1}=4$$

$$\therefore \lim_{x\to 0}\frac{f(x)}{x}=-4$$

정답_ ①

168

$\lim_{x\to 0}\frac{f(x)}{\ln(1-2x)}$

$=\lim_{x\to 0}\left\{\frac{f(x)}{e^x-1}\cdot\frac{e^x-1}{x}\cdot\frac{-2x}{\ln(1-2x)}\cdot\left(-\frac{1}{2}\right)\right\}$

$=3\cdot1\cdot1\cdot\left(-\frac{1}{2}\right)=-\frac{3}{2}$

정답_ ①

169

$\lim_{x\to\infty}\frac{f(x)}{x}=\lim_{x\to\infty}\frac{f(x)\ln\left(1+\frac{2}{x}\right)}{x\ln\left(1+\frac{2}{x}\right)}$

$=\lim_{x\to\infty}\frac{f(x)\ln\left(1+\frac{2}{x}\right)}{\ln\left(1+\frac{2}{x}\right)^x}$

$=\lim_{x\to\infty}\frac{f(x)\ln\left(1+\frac{2}{x}\right)}{\ln\left\{\left(1+\frac{2}{x}\right)^{\frac{x}{2}}\right\}^2}$

$=\frac{24}{\ln e^2}=\frac{24}{2}=12$

정답_ 12

170

극한값이 존재하고, $x\to1$일 때 (분자)$\to0$이므로 (분모)$\to0$이어야 한다.

즉, $\lim_{x\to1}(ax+b)=0$에서 $a+b=0$ $\quad\therefore b=-a$

이때, $x-1=t$로 놓으면 $x\to1$일 때 $t\to0$이므로

$\lim_{x\to1}\frac{e^{x-1}-1}{ax-a}=\lim_{x\to1}\frac{e^{x-1}-1}{a(x-1)}=\lim_{t\to0}\frac{e^t-1}{at}$

$=\lim_{t\to0}\frac{e^t-1}{t}\cdot\frac{1}{a}=1\cdot\frac{1}{a}=\frac{1}{a}=\frac{1}{4}$

$\therefore a=4$

이때 $b=-a=-4$

$\therefore ab=4\cdot(-4)=-16$

정답_ ①

171

극한값이 존재하고, $x\to a$일 때, (분모)$\to0$이므로 (분자)$\to0$이어야 한다.

즉, $\lim_{x\to a}\ln(9x-10a+b)=0$에서

$\ln(b-a)=0, b-a=1$

$\therefore b=a+1$ ······㉠

$\lim_{x\to a}\frac{\ln(9x-10a+b)}{x-a}$에 ㉠을 대입하면

$\lim_{x\to a}\frac{\ln(9x-10a+a+1)}{x-a}=\lim_{x\to a}\frac{\ln(9x-9a+1)}{x-a}$

이때, $x-a=t$로 놓으면 $x\to a$일 때 $t\to0$이므로

$\lim_{x\to a}\frac{\ln(9x-9a+1)}{x-a}=\lim_{t\to0}\frac{\ln(9t+1)}{t}$

$=\lim_{t\to0}\frac{\ln(9t+1)}{9t}\cdot9$

$=1\cdot9=9$

$a^2=9$이므로 $a=3$ ($\because a>0$)

㉠에서 $b=a+1=3+1=4$

$\therefore a+b=3+4=7$

정답_ ⑤

172

극한값이 존재하고, $x\to0$일 때 (분모)$\to0$이므로 (분자)$\to0$이어야 한다.

즉, $\lim_{x\to0}(\sqrt{ax+b}-2)=0$에서

$\sqrt{b}-2=0$ $\quad\therefore b=4$

$\lim_{x\to0}\frac{\sqrt{ax+b}-2}{e^x-1}$

$=\lim_{x\to0}\frac{\sqrt{ax+4}-2}{e^x-1}$

$=\lim_{x\to0}\frac{(\sqrt{ax+4}-2)(\sqrt{ax+4}+2)}{(e^x-1)(\sqrt{ax+4}+2)}$

$=\lim_{x\to0}\frac{ax}{(e^x-1)(\sqrt{ax+4}+2)}$

$=\lim_{x\to0}\left(\frac{x}{e^x-1}\cdot\frac{a}{\sqrt{ax+4}+2}\right)$

$=1\cdot\frac{a}{2+2}=\frac{a}{4}=3$

$\therefore a=12$

$\therefore a+b=12+4=16$

정답_ ③

173

$S(t)=\frac{1}{2}\cdot\overline{AB}\cdot\ln t=\frac{1}{2}(e-1)\ln t$이므로

$\lim_{t\to1+}\frac{S(t)}{t-1}=\lim_{t\to1+}\frac{\frac{1}{2}(e-1)\ln t}{t-1}=\frac{e-1}{2}\lim_{t\to1+}\frac{\ln t}{t-1}$

$t-1=z$로 놓으면 $t\to1+$일 때 $z\to0+$이므로

$\frac{e-1}{2}\lim_{t\to1+}\frac{\ln t}{t-1}=\frac{e-1}{2}\lim_{z\to0+}\frac{\ln(1+z)}{z}$

$=\frac{e-1}{2}\cdot1=\frac{e-1}{2}$

정답_ ②

174

두 점 A, B는 직선 $x=t$와 곡선 $f(x)=2^x, g(x)=\left(\frac{1}{2}\right)^x$이 만나는 점이므로 두 점 A, B의 x좌표는 모두 t이다.

$\therefore A(t,\ 2^t), B\left(t,\ \left(\frac{1}{2}\right)^t\right)$

또, 점 H는 점 A에서 y축에 내린 수선의 발이므로 점 H의 좌표는 $(0,\ 2^t)$이다.

따라서 $\overline{AH}=t$이고, $\overline{AB}=2^t-\left(\frac{1}{2}\right)^t$이므로

$\lim_{t\to0+}\frac{\overline{AB}}{\overline{AH}}=\lim_{t\to0+}\frac{2^t-\left(\frac{1}{2}\right)^t}{t}$

$$=\lim_{t\to0+}\frac{2^t-1+1-\left(\frac{1}{2}\right)^t}{t}$$

$$=\lim_{t\to0+}\left\{\frac{2^t-1}{t}-\frac{\left(\frac{1}{2}\right)^t-1}{t}\right\}$$

$$=\ln2-\ln\frac{1}{2}=\ln4=2\ln2$$

정답_①

175

$\lim_{x\to0}f(x)=f(0)$이어야 하므로 $\lim_{x\to0}\frac{e^{4x}-1}{x(e^x+1)}=a$

$$\therefore a=\lim_{x\to0}\frac{e^{4x}-1}{x(e^x+1)}=\lim_{x\to0}\left(\frac{e^{4x}-1}{4x}\cdot\frac{4}{e^x+1}\right)$$

$$=1\cdot\frac{4}{1+1}=2$$

정답_③

176

$\lim_{x\to0}f(x)=f(0)$이어야 하므로 $\lim_{x\to0}\frac{e^{3x}-1}{ax}=b$

$b=\lim_{x\to0}\frac{e^{3x}-1}{ax}=\lim_{x\to0}\frac{e^{3x}-1}{3x}\cdot\frac{3}{a}=1\cdot\frac{3}{a}=\frac{3}{a}$이므로

$ab=3$

정답_④

177

$\lim_{x\to0}f(x)=f(0)$이어야 하므로

$\lim_{x\to0}\frac{\ln(a+2x)}{x}=b$ ……㉠

㉠에서 극한값이 존재하고 $x\to0$일 때 (분모) $\to0$이므로 (분자) $\to0$이어야 한다.

즉, $\lim_{x\to0}\ln(a+2x)=0$에서 $\ln a=0$

$\therefore a=1$ ……㉡

㉡을 ㉠에 대입하면

$$b=\lim_{x\to0}\frac{\ln(1+2x)}{x}=\lim_{x\to0}\frac{\ln(1+2x)}{2x}\cdot2=1\cdot2=2$$

$\therefore a+b=1+2=3$

정답_③

178

$f(x)=e^x+x^2-3x$에서 $f'(x)=e^x+2x-3$

$\therefore f'(0)=1+0-3=-2$

정답_④

179

$f(x)=x\ln x$에서 $f'(x)=\ln x+1$

$\therefore f'(e)=\ln e+1=2$

정답_⑤

180

$f(x)=5^{x-1}$에서 $f'(x)=5^{x-1}\ln5$

$$\therefore \lim_{h\to0}\frac{f(2+h)-f(2-2h)}{h}$$

$$=\lim_{h\to0}\left\{\frac{f(2+h)-f(2)}{h}+\frac{f(2-2h)-f(2)}{-2h}\cdot2\right\}$$

$$=f'(2)+2f'(2)=3f'(2)$$

$$=3\cdot5\ln5=15\ln5$$

정답_⑤

181

$f(x)=\log_3 x$에서 $f'(x)=\frac{1}{x\ln3}$

$$\therefore \lim_{h\to0}\frac{f(3+h)-f(3-h)}{h}$$

$$=\lim_{h\to0}\left\{\frac{f(3+h)-f(3)}{h}+\frac{f(3-h)-f(3)}{-h}\right\}$$

$$=f'(3)+f'(3)=2f'(3)$$

$$=2\cdot\frac{1}{3\ln3}=\frac{2}{3\ln3}$$

정답_②

182

함수 $f(x)$가 $x=1$에서 연속이어야 하므로

$\lim_{x\to1}f(x)=f(1)$에서 $b+1=\frac{a}{e}$ ……㉠

$f'(1)$이 존재해야 하므로 $f'(x)=\begin{cases}-ae^{-x} & (x<1)\\ b & (x>1)\end{cases}$에서

$\lim_{x\to1+}b=\lim_{x\to1-}(-ae^{-x})$ $\therefore b=-\frac{a}{e}$ ……㉡

㉠, ㉡을 연립하여 풀면 $a=\frac{e}{2}$, $b=-\frac{1}{2}$

$$\therefore a-b=\frac{e}{2}-\left(-\frac{1}{2}\right)=\frac{e+1}{2}$$

정답_②

183

함수 $f(x)$가 $x=1$에서 연속이어야 하므로

$\lim_{x\to1}f(x)=f(1)$에서 $\ln a=be^2$ ……㉠

$f'(1)$이 존재해야 하므로 $f'(x)=\begin{cases}\frac{1}{x} & (x>1)\\ be^{x+1} & (x<1)\end{cases}$에서

$\lim_{x\to1+}\frac{1}{x}=\lim_{x\to1-}be^{x+1}$ $\therefore 1=be^2$ ……㉡

㉠, ㉡을 연립하여 풀면 $a=e$, $b=\frac{1}{e^2}$

$$\therefore a^2b=e^2\cdot\frac{1}{e^2}=1$$

정답_④

184

함수 $f(x)=\begin{cases}e^x & (x\le0, x\ge2)\\ \ln(x+1) & (0<x<2)\end{cases}$의 그래프는 다음 그림과 같다.

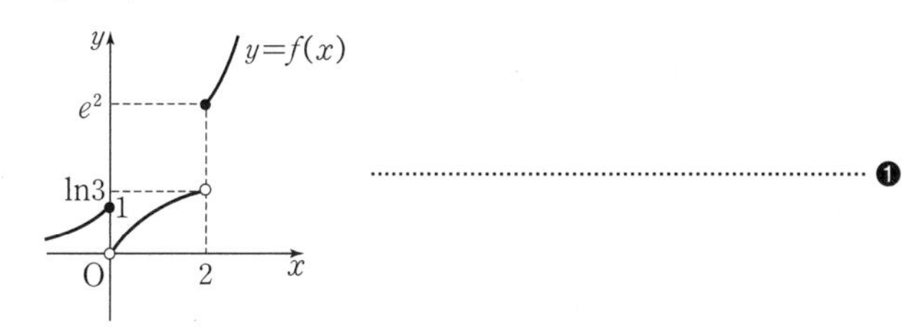

$\lim_{x\to 2+} f(g(x)) = \lim_{p\to 2+} f(p) = e^2$ ······ ❷

$\lim_{x\to 0+} g(f(x)) = \lim_{q\to 0+} g(q) = 2$ ······ ❸

$\therefore \lim_{x\to 2+} f(g(x)) + \lim_{x\to 0+} g(f(x)) = e^2 + 2$ ······ ❹

정답_ e^2+2

단계	채점 기준	비율
❶	함수 $f(x)$의 그래프 그리기	30%
❷	$\lim_{x\to 2+} f(g(x))$의 값 구하기	30%
❸	$\lim_{x\to 0+} g(f(x))$의 값 구하기	30%
❹	$\lim_{x\to 2+} f(g(x)) + \lim_{x\to 0+} g(f(x))$의 값 구하기	10%

185

$\lim_{x\to -\infty}\left(1+\frac{1}{x}\right)^x$에서 $\frac{1}{x}=t$로 놓으면 $x\to -\infty$일 때 $t\to 0$이므로

$\lim_{x\to -\infty}\left(1+\frac{1}{x}\right)^x = \lim_{t\to 0}(1+t)^{\frac{1}{t}} = e$ ······ ❶

$\lim_{x\to \infty}\left(1-\frac{1}{x}\right)^x = \lim_{x\to \infty}\left[\left\{1+\left(-\frac{1}{x}\right)\right\}^{-x}\right]^{-1} = e^{-1} = \frac{1}{e}$ ······ ❷

$\therefore \lim_{x\to -\infty}\left(1+\frac{1}{x}\right)^x + \lim_{x\to \infty}\left(1-\frac{1}{x}\right)^x = e + \frac{1}{e}$ ······ ❸

정답_ $e+\frac{1}{e}$

단계	채점 기준	비율
❶	$\lim_{x\to -\infty}\left(1+\frac{1}{x}\right)^x$의 값 구하기	40%
❷	$\lim_{x\to \infty}\left(1-\frac{1}{x}\right)^x$의 값 구하기	40%
❸	$\lim_{x\to -\infty}\left(1+\frac{1}{x}\right)^x + \lim_{x\to \infty}\left(1-\frac{1}{x}\right)^x$의 값 구하기	20%

186

(i) $x>0$일 때, 주어진 부등식의 각 변을 x로 나누면

$\frac{\ln(1+x)}{x} \le \frac{f(x)}{x} \le \frac{e^{3x}-1}{3x}$

이때, $\lim_{x\to 0+}\frac{\ln(1+x)}{x}=1$, $\lim_{x\to 0+}\frac{e^{3x}-1}{3x}=1$이므로

$\lim_{x\to 0+}\frac{f(x)}{x}=1$ ······ ❶

(ii) $-1<x<0$일 때, 주어진 부등식의 각 변을 x로 나누면

$\frac{e^{3x}-1}{3x} \le \frac{f(x)}{x} \le \frac{\ln(1+x)}{x}$

이때, $\lim_{x\to 0-}\frac{\ln(1+x)}{x}=1$, $\lim_{x\to 0-}\frac{e^{3x}-1}{3x}=1$이므로

$\lim_{x\to 0-}\frac{f(x)}{x}=1$ ······ ❷

(i), (ii)에 의해 $\lim_{x\to 0}\frac{f(x)}{x}=1$ ······ ❸

$4x=t$로 놓으면 $x\to 0$일 때 $t\to 0$이므로

$\lim_{x\to 0}\frac{f(4x)}{x} = \lim_{t\to 0}\frac{f(t)}{\frac{t}{4}} = \lim_{t\to 0}\frac{4f(t)}{t} = 4\cdot 1 = 4$ ······ ❹

정답_ 4

단계	채점 기준	비율
❶	$\lim_{x\to 0+}\frac{f(x)}{x}$의 값 구하기	30%
❷	$\lim_{x\to 0-}\frac{f(x)}{x}$의 값 구하기	30%
❸	$\lim_{x\to 0}\frac{f(x)}{x}$의 값 구하기	10%
❹	$\lim_{x\to 0}\frac{f(4x)}{x}$의 값 구하기	30%

187

$y=\log_2(x+5)$에서 x와 y를 바꾸면

$x=\log_2(y+5)$, $y+5=2^x$ $\quad\therefore y=2^x-5$

$\therefore g(x)=2^x-5$ ······ ❶

$$\therefore \lim_{x\to 0}\frac{f(x-4)}{g(x)+4} = \lim_{x\to 0}\frac{\log_2(x+1)}{2^x-1} = \lim_{x\to 0}\frac{\frac{\log_2(x+1)}{x}}{\frac{2^x-1}{x}} = \frac{\frac{1}{\ln 2}}{\ln 2} = \frac{1}{(\ln 2)^2}$$ ······ ❷

정답_ $\frac{1}{(\ln 2)^2}$

단계	채점 기준	비율
❶	$g(x)$ 구하기	40%
❷	$\lim_{x\to 0}\frac{f(x-4)}{g(x)+4}$의 값 구하기	60%

188

$\lim_{x\to 0} f(x) = f(0)$이어야 하므로

$\lim_{x\to 0}\frac{e^{5x}+a}{x}=b$ ······ ㉠

㉠에서 극한값이 존재하고 $x\to 0$일 때 (분모) $\to 0$이므로 (분자) $\to 0$이어야 한다.

즉, $\lim_{x\to 0}(e^{5x}+a)=0$에서 $1+a=0$

$\therefore a=-1$ ······ ㉡

······ ❶

㉡을 ㉠에 대입하면

$b=\lim_{x\to 0}\frac{e^{5x}-1}{x} = \lim_{x\to 0}\frac{e^{5x}-1}{5x}\cdot 5 = 1\cdot 5 = 5$ ······ ❷

$\therefore a+b=-1+5=4$ ······ ❸

정답_ 4

단계	채점 기준	비율
❶	a의 값 구하기	40%
❷	b의 값 구하기	40%
❸	$a+b$의 값 구하기	20%

189

$x\neq2$일 때, $f(x)=\dfrac{e^x-e^2}{e^2(x-2)}=\dfrac{e^{x-2}-1}{x-2}$

함수 $f(x)$가 모든 실수 x에서 연속이므로 $x=2$에서 연속이어야 한다. 즉, $f(2)=\lim_{x\to2}\dfrac{e^{x-2}-1}{x-2}$ ❶

$g(x)=e^{x-2}$으로 놓으면 $g(2)=e^{2-2}=e^0=1$이므로

$\lim_{x\to2}\dfrac{e^{x-2}-1}{x-2}=\lim_{x\to2}\dfrac{g(x)-g(2)}{x-2}=g'(2)$

$g'(x)=e^{x-2}$이므로 $f(2)=g'(2)=1$ ❷

정답_ 1

단계	채점 기준	비율
❶	$f(2)$의 값을 극한을 이용한 식으로 나타내기	40%
❷	$f(2)$의 값 구하기	60%

190

ㄱ은 옳다.

$$\lim_{x\to0}\frac{e^{f(x)}-1}{x}=\lim_{x\to0}\frac{e^{x^2}-1}{x}=\lim_{x\to0}\left(\frac{e^{x^2}-1}{x^2}\cdot x\right)=1\cdot0=0$$

ㄴ은 옳다.

$\lim_{x\to0}\dfrac{e^x-1}{f(x)}=1$에서 $\lim_{x\to0}\left\{\dfrac{e^x-1}{x}\cdot\dfrac{x}{f(x)}\right\}=1$

$\lim_{x\to0}\dfrac{e^x-1}{x}\cdot\lim_{x\to0}\dfrac{x}{f(x)}=1$ $\quad\therefore \lim_{x\to0}\dfrac{x}{f(x)}=1$

$\therefore \lim_{x\to0}\dfrac{3^x-1}{f(x)}=\lim_{x\to0}\left\{\dfrac{3^x-1}{x}\cdot\dfrac{x}{f(x)}\right\}=\ln3\cdot1=\ln3$

ㄷ은 옳지 않다.

$\lim_{x\to0}f(x)=0$이면

$\lim_{x\to0}\dfrac{e^{f(x)}-1}{x}=\lim_{x\to0}\left\{\dfrac{e^{f(x)}-1}{f(x)}\cdot\dfrac{f(x)}{x}\right\}=\lim_{x\to0}\dfrac{f(x)}{x}$

$f(x)=|x|$이면 $\lim_{x\to0}f(x)=0$이지만

$\lim_{x\to0+}\dfrac{|x|}{x}=1$, $\lim_{x\to0-}\dfrac{|x|}{x}=-1$이므로 극한값은 존재하지 않는다.

따라서 옳은 것은 ㄱ, ㄴ이다.

정답_ ③

참고

$\lim_{x\to0}f(x)=0$이면

$\lim_{x\to0}\dfrac{e^{f(x)}-1}{x}=\lim_{x\to0}\left\{\dfrac{e^{f(x)}-1}{f(x)}\cdot\dfrac{f(x)}{x}\right\}=\lim_{x\to0}\dfrac{f(x)}{x}$

따라서 $\lim_{x\to0}f(x)=0$이면 $\lim_{x\to0}\dfrac{f(x)}{x}$의 극한값이 존재하는지는 알 수 없다.

191

$S_n=\dfrac{2}{1\cdot3}+\dfrac{2}{3\cdot5}+\cdots+\dfrac{2}{(2n-1)(2n+1)}$

$=\left(1-\dfrac{1}{3}\right)+\left(\dfrac{1}{3}-\dfrac{1}{5}\right)+\cdots+\left(\dfrac{1}{2n-1}-\dfrac{1}{2n+1}\right)$

$=1-\dfrac{1}{2n+1}=\dfrac{2n}{2n+1}$

$\therefore \lim_{n\to\infty}\left(\dfrac{1}{S_n}\right)^n=\lim_{n\to\infty}\left(\dfrac{2n+1}{2n}\right)^n=\lim_{n\to\infty}\left\{\left(1+\dfrac{1}{2n}\right)^{2n}\right\}^{\frac{1}{2}}$

$=e^{\frac{1}{2}}=\sqrt{e}$

정답_ ②

192

$\dfrac{1}{n}=t$로 놓으면 $n\to\infty$일 때 $t\to0$이므로

$\lim_{n\to\infty}n(\sqrt[n]{2}-1)=\lim_{n\to\infty}\dfrac{2^{\frac{1}{n}}-1}{\frac{1}{n}}=\lim_{t\to0}\dfrac{2^t-1}{t}=\ln2$

정답_ ②

193

$\lim_{x\to0}\dfrac{\ln\{1+f(2x)\}}{x}=10$에서 $\lim_{x\to0}x=0$이므로

$\lim_{x\to0}\ln\{1+f(2x)\}=0$ $\quad\therefore \lim_{x\to0}f(2x)=0$

$t=f(2x)$로 놓으면 $x\to0$일 때 $t\to0$이므로

$\lim_{x\to0}\dfrac{\ln\{1+f(2x)\}}{f(2x)}=\lim_{t\to0}\dfrac{\ln(1+t)}{t}=1$

$\lim_{x\to0}\dfrac{f(x)}{x}$에서 $x=2y$로 놓으면

$\lim_{x\to0}\dfrac{f(x)}{x}=\lim_{y\to0}\dfrac{f(2y)}{2y}$

$=\lim_{y\to0}\left[\dfrac{f(2y)}{\ln\{1+f(2y)\}}\cdot\dfrac{\ln\{1+f(2y)\}}{y}\cdot\dfrac{1}{2}\right]$

$=1\cdot10\cdot\dfrac{1}{2}=5$

정답_ ⑤

194

$\mathrm{A}(a,\ \ln(a+1))$, $\mathrm{B}(2a,\ \ln(2a+1))$이므로

$\lim_{a\to0}\dfrac{\overline{\mathrm{OA}}}{\overline{\mathrm{OB}}}=\lim_{a\to0}\dfrac{\sqrt{a^2+\{\ln(a+1)\}^2}}{\sqrt{4a^2+\{\ln(2a+1)\}^2}}$

$=\lim_{a\to0}\dfrac{\sqrt{1+\left\{\dfrac{\ln(a+1)}{a}\right\}^2}}{\sqrt{4+\left\{\dfrac{\ln(2a+1)}{2a}\cdot2\right\}^2}}$

$=\dfrac{\sqrt{1+1}}{\sqrt{4+4}}=\sqrt{\dfrac{1}{4}}=\dfrac{1}{2}$

정답_ ③

195

$f(x)=2^x+5^x$으로 놓으면 $f(1)=7$이므로

$X=\lim_{x\to1}\dfrac{2^x+5^x-7}{x-1}=\lim_{x\to1}\dfrac{f(x)-f(1)}{x-1}=f'(1)$

한편, $f'(x)=2^x\ln2+5^x\ln5$이므로

$X=f'(1)=2\ln2+5\ln5=\ln(2^2\cdot5^5)=\ln12500$

$\therefore e^X=e^{\ln12500}=12500$

정답_ ⑤

04 삼각함수의 미분

196

점 $P(5, 12)$에 대하여

$x=5, y=12$,

$r=\overline{OP}=\sqrt{5^2+12^2}=13$

(1) $\csc\theta=\dfrac{r}{y}=\dfrac{13}{12}$

(2) $\sec\theta=\dfrac{r}{x}=\dfrac{13}{5}$

(3) $\cot\theta=\dfrac{x}{y}=\dfrac{5}{12}$

정답_(1) $\frac{13}{12}$ (2) $\frac{13}{5}$ (3) $\frac{5}{12}$

197

$\overline{OP}=\sqrt{(-4)^2+3^2}=5$이므로

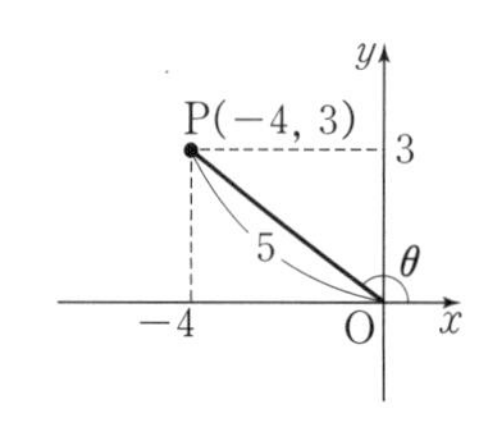

$\csc\theta=\dfrac{5}{3}, \sec\theta=-\dfrac{5}{4}$

$\therefore 3\csc\theta-8\sec\theta$

$=3\cdot\dfrac{5}{3}-8\cdot\left(-\dfrac{5}{4}\right)=15$

정답_⑤

198

θ가 제3사분면의 각이고 $\sin\theta=-\dfrac{1}{3}$이므로 θ의 동경은 오른쪽 그림에서 반직선 OP와 같다.

이때, $\sqrt{3^2-1^2}=2\sqrt{2}$이므로

$\cot\theta=2\sqrt{2}, \sec\theta=-\dfrac{3}{2\sqrt{2}}$

$\therefore \cot\theta+\sec\theta=2\sqrt{2}+\left(-\dfrac{3}{2\sqrt{2}}\right)=\dfrac{5\sqrt{2}}{4}$

정답_⑤

199

$\sin\theta-\cos\theta=-\dfrac{1}{2}$의 양변을 제곱하면

$\sin^2\theta+\cos^2\theta-2\sin\theta\cos\theta=\dfrac{1}{4}$

$1-2\sin\theta\cos\theta=\dfrac{1}{4}$ $\quad\therefore \sin\theta\cos\theta=\dfrac{3}{8}$

$\therefore \sec\theta-\csc\theta=\dfrac{1}{\cos\theta}-\dfrac{1}{\sin\theta}=\dfrac{\sin\theta-\cos\theta}{\cos\theta\sin\theta}$

$=\dfrac{-\frac{1}{2}}{\frac{3}{8}}=-\dfrac{4}{3}$

정답_①

200

(1) $\sin 105^\circ=\sin(60^\circ+45^\circ)$

$=\sin 60^\circ\cos 45^\circ+\cos 60^\circ\sin 45^\circ$

$=\dfrac{\sqrt{3}}{2}\cdot\dfrac{\sqrt{2}}{2}+\dfrac{1}{2}\cdot\dfrac{\sqrt{2}}{2}=\dfrac{\sqrt{6}+\sqrt{2}}{4}$

(2) $\cos 15^\circ=\cos(45^\circ-30^\circ)$

$=\cos 45^\circ\cos 30^\circ+\sin 45^\circ\sin 30^\circ$

$=\dfrac{\sqrt{2}}{2}\cdot\dfrac{\sqrt{3}}{2}+\dfrac{\sqrt{2}}{2}\cdot\dfrac{1}{2}=\dfrac{\sqrt{6}+\sqrt{2}}{4}$

(3) $\tan\dfrac{5}{12}\pi=\tan 75^\circ=\tan(45^\circ+30^\circ)$

$=\dfrac{\tan 45^\circ+\tan 30^\circ}{1-\tan 45^\circ\tan 30^\circ}$

$=\dfrac{1+\frac{\sqrt{3}}{3}}{1-1\cdot\frac{\sqrt{3}}{3}}=\dfrac{3+\sqrt{3}}{3-\sqrt{3}}=2+\sqrt{3}$

정답_(1) $\frac{\sqrt{6}+\sqrt{2}}{4}$ (2) $\frac{\sqrt{6}+\sqrt{2}}{4}$ (3) $2+\sqrt{3}$

201

(1) $\sin 85^\circ\cos 25^\circ-\cos 85^\circ\sin 25^\circ=\sin(85^\circ-25^\circ)$

$=\sin 60^\circ=\dfrac{\sqrt{3}}{2}$

(2) $\cos 35^\circ\cos 10^\circ-\sin 35^\circ\sin 10^\circ=\cos(35^\circ+10^\circ)$

$=\cos 45^\circ=\dfrac{\sqrt{2}}{2}$

(3) $\dfrac{\tan 70^\circ-\tan 40^\circ}{1+\tan 70^\circ\tan 40^\circ}=\tan(70^\circ-40^\circ)=\tan 30^\circ=\dfrac{\sqrt{3}}{3}$

정답_(1) $\frac{\sqrt{3}}{2}$ (2) $\frac{\sqrt{2}}{2}$ (3) $\frac{\sqrt{3}}{3}$

202

$\sin\theta=\dfrac{\sqrt{3}}{3}$이므로

$2\sin\left(\theta-\dfrac{\pi}{6}\right)+\cos\theta$

$=2\left(\sin\theta\cos\dfrac{\pi}{6}-\cos\theta\sin\dfrac{\pi}{6}\right)+\cos\theta$

$=2\left(\sin\theta\cdot\dfrac{\sqrt{3}}{2}-\cos\theta\cdot\dfrac{1}{2}\right)+\cos\theta$

$=\sqrt{3}\sin\theta=\sqrt{3}\cdot\dfrac{\sqrt{3}}{3}=1$

정답_③

203

$\tan\alpha=\dfrac{1}{2}$, $\tan\beta=\dfrac{1}{3}$이고 α, β는 예각이므로 아래 그림에서

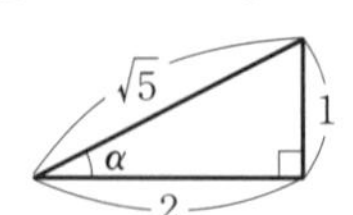

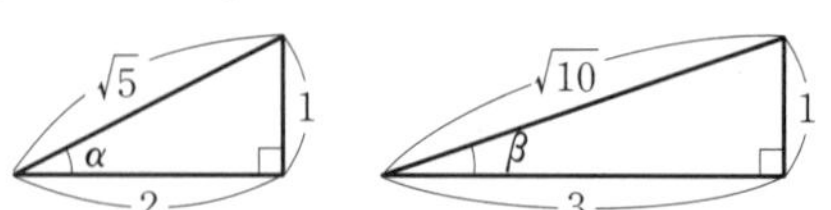

$\sin\alpha=\dfrac{1}{\sqrt{5}}, \cos\alpha=\dfrac{2}{\sqrt{5}}, \sin\beta=\dfrac{1}{\sqrt{10}}, \cos\beta=\dfrac{3}{\sqrt{10}}$

$\therefore \cos(\alpha+\beta)=\cos\alpha\cos\beta-\sin\alpha\sin\beta$

$=\dfrac{2}{\sqrt{5}}\cdot\dfrac{3}{\sqrt{10}}-\dfrac{1}{\sqrt{5}}\cdot\dfrac{1}{\sqrt{10}}$

$$=\frac{5}{5\sqrt{2}}=\frac{\sqrt{2}}{2}$$ 정답_①

204

$0<\alpha<\frac{\pi}{2}$, $0<\beta<\frac{\pi}{2}$에서 $\cos\alpha>0$, $\sin\beta>0$이므로

$\cos\alpha=\sqrt{1-\sin^2\alpha}=\sqrt{1-\left(\frac{11}{14}\right)^2}=\frac{5\sqrt{3}}{14}$

$\sin\beta=\sqrt{1-\cos^2\beta}=\sqrt{1-\left(\frac{3\sqrt{3}}{14}\right)^2}=\frac{13}{14}$

$\therefore \cos(\alpha+\beta)=\cos\alpha\cos\beta-\sin\alpha\sin\beta$

$=\frac{5\sqrt{3}}{14}\cdot\frac{3\sqrt{3}}{14}-\frac{11}{14}\cdot\frac{13}{14}$

$=-\frac{98}{196}=-\frac{1}{2}$

이때, $0<\alpha+\beta<\pi$이므로 $\alpha+\beta=\frac{2}{3}\pi$ 정답_④

205

$\sin x+\sin y=1$의 양변을 제곱하면

$\sin^2 x+\sin^2 y+2\sin x\sin y=1$ ⋯⋯㉠

$\cos x+\cos y=\frac{1}{2}$의 양변을 제곱하면

$\cos^2 x+\cos^2 y+2\cos x\cos y=\frac{1}{4}$ ⋯⋯㉡

㉠+㉡을 하면 $2+2(\sin x\sin y+\cos x\cos y)=\frac{5}{4}$

$\therefore \cos x\cos y+\sin x\sin y=-\frac{3}{8}$

$\therefore \cos(x-y)=\cos x\cos y+\sin x\sin y=-\frac{3}{8}$ 정답_②

206

θ가 제4사분면의 각이고 $\cos\theta=\frac{1}{3}$이므로 θ의 동경은 오른쪽 그림의 반직선 OP와 같다. 이때, $\sqrt{3^2-1^2}=2\sqrt{2}$이므로

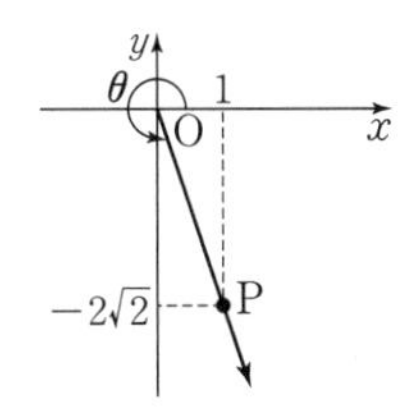

$\tan\theta=\frac{-2\sqrt{2}}{1}=-2\sqrt{2}$

$\therefore \tan\left(\frac{\pi}{4}+\theta\right)=\frac{\tan\frac{\pi}{4}+\tan\theta}{1-\tan\frac{\pi}{4}\tan\theta}$

$=\frac{1+(-2\sqrt{2})}{1-1\cdot(-2\sqrt{2})}=\frac{4\sqrt{2}-9}{7}$

$\therefore a=4$ 정답_④

207

$\alpha+\beta=\frac{\pi}{4}$에서 $\tan(\alpha+\beta)=\tan\frac{\pi}{4}=1$이므로

$\frac{\tan\alpha+\tan\beta}{1-\tan\alpha\tan\beta}=1$

$\therefore \tan\alpha+\tan\beta=1-\tan\alpha\tan\beta$

$\therefore (1+\tan\alpha)(1+\tan\beta)$

$=1+\tan\alpha+\tan\beta+\tan\alpha\tan\beta$

$=1+(1-\tan\alpha\tan\beta)+\tan\alpha\tan\beta=2$ 정답_②

208

직선 $x-y-1=0$, 즉 $y=x-1$의 기울기는 1이고 직선 $ax-y+1=0$, 즉 $y=ax+1$의 기울기는 a $(a>1)$이므로 이 두 직선이 x축의 양의 방향과 이루는 각의 크기를 각각 α, β라고 하면

$\tan\alpha=1$, $\tan\beta=a$

따라서 두 직선이 이루는 예각의 크기 θ에 대하여

$\tan\theta=\frac{1}{6}$이고 $a>1$이므로 $\alpha<\beta<\frac{\pi}{2}$이다.

$\tan\theta=\tan(\beta-\alpha)=\frac{\tan\beta-\tan\alpha}{1+\tan\beta\tan\alpha}=\frac{a-1}{1+a}=\frac{1}{6}$이므로

$6a-6=1+a$, $5a=7$ $\therefore a=\frac{7}{5}$ 정답_④

209

이차방정식 $4x^2-2\sqrt{6}x+1=0$의 두 근이 $\sin\alpha$, $\sin\beta$이므로 근과 계수의 관계에 의해

$\sin\alpha+\sin\beta=\frac{\sqrt{6}}{2}$, $\sin\alpha\sin\beta=\frac{1}{4}$

$\therefore \cos(\alpha+\beta)\cos(\alpha-\beta)$

$=(\cos\alpha\cos\beta-\sin\alpha\sin\beta)(\cos\alpha\cos\beta+\sin\alpha\sin\beta)$

$=\cos^2\alpha\cos^2\beta-\sin^2\alpha\sin^2\beta$

$=(1-\sin^2\alpha)(1-\sin^2\beta)-\sin^2\alpha\sin^2\beta$

$=1-\{(\sin\alpha+\sin\beta)^2-2\sin\alpha\sin\beta\}$

$=1-\left\{\left(\frac{\sqrt{6}}{2}\right)^2-2\cdot\frac{1}{4}\right\}=0$ 정답_0

210

$f^{-1}\left(\frac{3}{5}\right)=\alpha$, $f^{-1}\left(\frac{4}{5}\right)=\beta$라고 하면

$f(\alpha)=\frac{3}{5}$, $f(\beta)=\frac{4}{5}$

$\therefore \cos\alpha=\frac{3}{5}$, $\cos\beta=\frac{4}{5}$

$0<\alpha<\pi$, $0<\beta<\pi$에서 $\sin\alpha>0$, $\sin\beta>0$이므로

$\sin\alpha=\sqrt{1-\cos^2\alpha}=\sqrt{1-\left(\frac{3}{5}\right)^2}=\frac{4}{5}$

$\sin\beta=\sqrt{1-\cos^2\beta}=\sqrt{1-\left(\frac{4}{5}\right)^2}=\frac{3}{5}$

$\therefore f\left(f^{-1}\left(\frac{3}{5}\right)+f^{-1}\left(\frac{4}{5}\right)\right)=\cos(\alpha+\beta)$

$=\cos\alpha\cos\beta-\sin\alpha\sin\beta$

$=\frac{3}{5}\cdot\frac{4}{5}-\frac{4}{5}\cdot\frac{3}{5}=0$ 정답_③

211

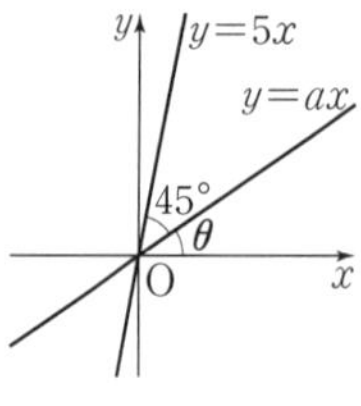

직선 $y=ax$와 x축의 양의 방향이 이루는 각의 크기를 θ라고 하면 $\tan\theta=a$

직선 $y=5x$와 x축의 양의 방향이 이루는 각의 크기는 $\theta+45°$이므로

$\tan(\theta+45°)=5$

$\tan(\theta+45°)=\dfrac{\tan\theta+\tan 45°}{1-\tan\theta\tan 45°}=5$에서

$\dfrac{a+1}{1-a}=5,\ a+1=5-5a \qquad \therefore a=\dfrac{2}{3}$

정답_ $\frac{2}{3}$

212

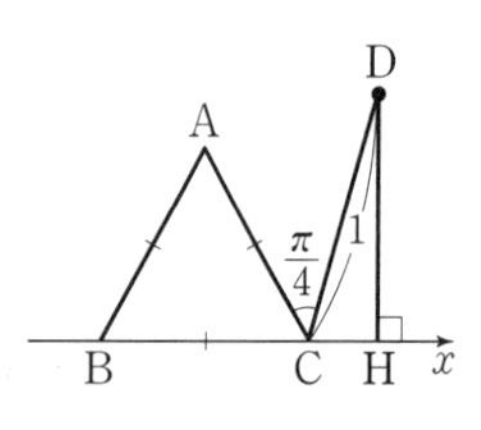

점 D에서 직선 BC에 내린 수선의 발을 H라고 하면 점 D와 직선 BC 사이의 거리는 선분 DH의 길이와 같다.

이때, 직각삼각형 DCH에서 $\overline{CD}=1$이므로

$\overline{DH}=\overline{CD}\sin(\angle DCH)=\sin(\angle DCH)$

$=\sin\left(\pi-\left(\dfrac{\pi}{3}+\dfrac{\pi}{4}\right)\right)=\sin\left(\dfrac{\pi}{3}+\dfrac{\pi}{4}\right)$

$=\sin\dfrac{\pi}{3}\cos\dfrac{\pi}{4}+\cos\dfrac{\pi}{3}\sin\dfrac{\pi}{4}$

$=\dfrac{\sqrt{3}}{2}\cdot\dfrac{\sqrt{2}}{2}+\dfrac{1}{2}\cdot\dfrac{\sqrt{2}}{2}$

$=\dfrac{\sqrt{6}+\sqrt{2}}{4}$

따라서 점 D와 직선 BC 사이의 거리는 $\dfrac{\sqrt{6}+\sqrt{2}}{4}$이다. 정답_ ⑤

다른 풀이

$\overline{DH}=\sin\left(\pi-\left(\dfrac{\pi}{3}+\dfrac{\pi}{4}\right)\right)=\sin\left(\dfrac{2\pi}{3}-\dfrac{\pi}{4}\right)$

$=\sin\dfrac{2\pi}{3}\cos\dfrac{\pi}{4}-\cos\dfrac{2\pi}{3}\sin\dfrac{\pi}{4}$

$=\dfrac{\sqrt{3}}{2}\cdot\dfrac{\sqrt{2}}{2}-\left(-\dfrac{1}{2}\right)\cdot\dfrac{\sqrt{2}}{2}$

$=\dfrac{\sqrt{6}+\sqrt{2}}{4}$

213

직각삼각형 ABC에서 $\overline{AC}=\sqrt{3^2+1^2}=\sqrt{10}$

$\angle CAB=\alpha$라고 하면 $\sin\alpha=\dfrac{1}{\sqrt{10}},\ \cos\alpha=\dfrac{3}{\sqrt{10}}$

삼각형 ACD는 직각이등변삼각형이므로 $\angle DAC=45°$

$\therefore \cos\theta=\cos(45°+\alpha)$

$=\cos 45°\cos\alpha-\sin 45°\sin\alpha$

$=\dfrac{1}{\sqrt{2}}\cdot\dfrac{3}{\sqrt{10}}-\dfrac{1}{\sqrt{2}}\cdot\dfrac{1}{\sqrt{10}}$

$=\dfrac{2}{2\sqrt{5}}=\dfrac{\sqrt{5}}{5}$

정답_ $\frac{\sqrt{5}}{5}$

214

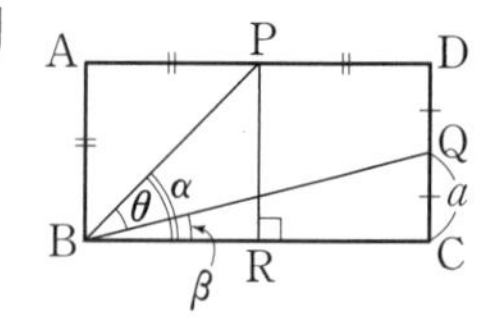

오른쪽 그림과 같이 점 P에서 $\overline{BC}$에 내린 수선의 발을 R라 하고 $\overline{QC}=a$, $\angle PBR=\alpha$, $\angle QBC=\beta$라고 하면

$\tan\alpha=\dfrac{\overline{PR}}{\overline{BR}}=\dfrac{2a}{2a}=1$

$\tan\beta=\dfrac{\overline{QC}}{\overline{BC}}=\dfrac{a}{4a}=\dfrac{1}{4}$

$\therefore \tan\theta=\tan(\alpha-\beta)=\dfrac{\tan\alpha-\tan\beta}{1+\tan\alpha\tan\beta}$

$=\dfrac{1-\frac{1}{4}}{1+1\cdot\frac{1}{4}}=\dfrac{3}{5}$

정답_ ③

215

$\sqrt{3}\sin\theta+\cos\theta=2\left(\dfrac{\sqrt{3}}{2}\sin\theta+\dfrac{1}{2}\cos\theta\right)$

$=2\sin\left(\theta+\dfrac{\pi}{6}\right)=\dfrac{1}{3}$

에서 $\sin\left(\theta+\dfrac{\pi}{6}\right)=\dfrac{1}{6}$

이때 $0<\theta<\pi$에서 $\dfrac{\pi}{6}<\theta+\dfrac{\pi}{6}<\dfrac{7}{6}\pi$

$\sin\dfrac{\pi}{6}=\dfrac{1}{2}$이므로 $\theta+\dfrac{\pi}{6}$는 제2사분면의 각이다. 즉

$\cos\left(\theta+\dfrac{\pi}{6}\right)<0$

$\therefore \cos\left(\theta+\dfrac{\pi}{6}\right)=-\sqrt{1-\sin^2\left(\theta+\dfrac{\pi}{6}\right)}=-\sqrt{1-\left(\dfrac{1}{6}\right)^2}$

$=-\sqrt{\dfrac{35}{36}}=-\dfrac{\sqrt{35}}{6}$

정답_ ①

216

$\sqrt{6}\sin x-\sqrt{2}\cos x-2=2\sqrt{2}\left(\dfrac{\sqrt{3}}{2}\sin x-\dfrac{1}{2}\cos x\right)-2$

$=2\sqrt{2}\sin\left(x-\dfrac{\pi}{6}\right)-2=0$

$\therefore \sin\left(x-\dfrac{\pi}{6}\right)=\dfrac{\sqrt{2}}{2}$

이때, $0\le x\le 2\pi$에서 $-\dfrac{\pi}{6}\le x-\dfrac{\pi}{6}\le\dfrac{11}{6}\pi$이므로

$x-\dfrac{\pi}{6}=\dfrac{\pi}{4}$ 또는 $x-\dfrac{\pi}{6}=\dfrac{3}{4}\pi \qquad \therefore x=\dfrac{5}{12}\pi$ 또는 $x=\dfrac{11}{12}\pi$

주어진 방정식의 모든 실근의 합은

$\dfrac{5}{12}\pi+\dfrac{11}{12}\pi=\dfrac{16}{12}\pi=\dfrac{4}{3}\pi$

따라서 $p=3,\ q=4$이므로

$p+q=3+4=7$

정답_ 7

217

$g(x)=t$라고 하면

$t=\sin x-\cos x=\sqrt{2}\left(\dfrac{\sqrt{2}}{2}\sin x-\dfrac{\sqrt{2}}{2}\cos x\right)$

$=\sqrt{2}\sin\left(x-\frac{\pi}{4}\right)$

이므로 $-\sqrt{2}\le t\le\sqrt{2}$

$(f\circ g)(x)=f(g(x))=f(t)$

$=t^2+2t-2$

$=(t+1)^2-3\ (-\sqrt{2}\le t\le\sqrt{2})$

따라서 함수 $f(t)$는 $t=\sqrt{2}$일 때 최댓값 $f(\sqrt{2})=2\sqrt{2}$, $t=-1$일 때 최솟값 $f(-1)=-3$을 가지므로 합성함수 $(f\circ g)(x)$의 최댓값과 최솟값의 합은

$2\sqrt{2}+(-3)=2\sqrt{2}-3$ 정답_ ③

218

$f(x)=a\sin x+\sqrt{13}\cos x=\sqrt{a^2+13}\sin(x+\alpha)$

$\left(\text{단}, \sin\alpha=\frac{\sqrt{13}}{\sqrt{a^2+13}}, \cos\alpha=\frac{a}{\sqrt{a^2+13}}\right)$

함수 $f(x)$의 최댓값이 7이므로 $\sqrt{a^2+13}=7$에서

$a^2+13=49, a^2=36$

$\therefore a=6\ (a>0)$ 정답_ ③

219

$f(x)=a\sin x+b\cos x=\sqrt{a^2+b^2}\sin(x+\alpha)$

$\left(\text{단}, \sin\alpha=\frac{b}{\sqrt{a^2+b^2}}, \cos\alpha=\frac{a}{\sqrt{a^2+b^2}}\right)$

함수 $f(x)$의 최댓값이 $\sqrt{14}$이므로

$\sqrt{a^2+b^2}=\sqrt{14}\quad\therefore a^2+b^2=14$ ······㉠

$f\left(\frac{\pi}{4}\right)=2$에서 $a\sin\frac{\pi}{4}+b\cos\frac{\pi}{4}=2$

$\frac{\sqrt{2}}{2}a+\frac{\sqrt{2}}{2}b=2\quad\therefore a+b=2\sqrt{2}$ ······㉡

$(a+b)^2=a^2+b^2+2ab$에 ㉠, ㉡을 대입하면

$(2\sqrt{2})^2=14+2ab\quad\therefore ab=-3$

$(a-b)^2=a^2+b^2-2ab=14-2\cdot(-3)=20$

이때, $a>b$이므로 $a-b=\sqrt{20}=2\sqrt{5}$ 정답_ ⑤

220

$y=\cos x+2\sin\left(x+\frac{\pi}{6}\right)$

$=\cos x+2\left(\sin x\cos\frac{\pi}{6}+\cos x\sin\frac{\pi}{6}\right)$

$=\cos x+2\left(\sin x\cdot\frac{\sqrt{3}}{2}+\cos x\cdot\frac{1}{2}\right)$

$=\sqrt{3}\sin x+2\cos x$

$=\sqrt{7}\sin(x+\alpha)\ \left(\text{단}, \sin\alpha=\frac{2}{\sqrt{7}}, \cos\alpha=\frac{\sqrt{3}}{\sqrt{7}}\right)$

따라서 주어진 함수의 최댓값은 $\sqrt{7}$, 최솟값은 $-\sqrt{7}$이므로

$M=\sqrt{7}, m=-\sqrt{7}$

$\therefore M-m=\sqrt{7}-(-\sqrt{7})=2\sqrt{7}$ 정답_ ②

221

$f(x)=\sqrt{2}\sin\left(x-\frac{\pi}{4}\right)+4\cos x$

$=\sqrt{2}\left(\sin x\cos\frac{\pi}{4}-\cos x\sin\frac{\pi}{4}\right)+4\cos x$

$=\sqrt{2}\left(\sin x\cdot\frac{\sqrt{2}}{2}-\cos x\cdot\frac{\sqrt{2}}{2}\right)+4\cos x$

$=\sin x+3\cos x$

$=\sqrt{10}\sin(x+\alpha)\ \left(\text{단}, \sin\alpha=\frac{3}{\sqrt{10}}, \cos\alpha=\frac{1}{\sqrt{10}}\right)$

함수 $f(x)$의 최솟값은 $-\sqrt{10}$이므로 $m=-\sqrt{10}$

이때, $\sin(x+\alpha)=-1$, 즉 $x+\alpha=\frac{3}{2}\pi$이므로

$x=\frac{3}{2}\pi-\alpha\quad\therefore \theta=\frac{3}{2}\pi-\alpha$

$\therefore m\tan\theta=-\sqrt{10}\tan\left(\frac{3}{2}\pi-\alpha\right)$

$=-\sqrt{10}\cdot\frac{1}{\tan\alpha}=-\sqrt{10}\cdot\frac{\cos\alpha}{\sin\alpha}$

$=-\sqrt{10}\cdot\frac{\frac{1}{\sqrt{10}}}{\frac{3}{\sqrt{10}}}=-\frac{\sqrt{10}}{3}$ 정답_ ④

222

$f(x)=12\sin x+5\cos x=13\left(\sin x\cdot\frac{12}{13}+\cos x\cdot\frac{5}{13}\right)$

$=13\sin(x+\alpha)\ \left(\text{단}, \sin\alpha=\frac{5}{13}, \cos\alpha=\frac{12}{13}\right)$

이때, $x+\alpha=t$로 놓으면 $0\le x\le\pi$에서 $\alpha\le t\le\pi+\alpha$이고, 이 범위에서 $y=\sin t$의 그래프는 아래 그림과 같으므로 $y=\sin t$의 최댓값과 최솟값은 각각 $1, -\frac{5}{13}$이다.

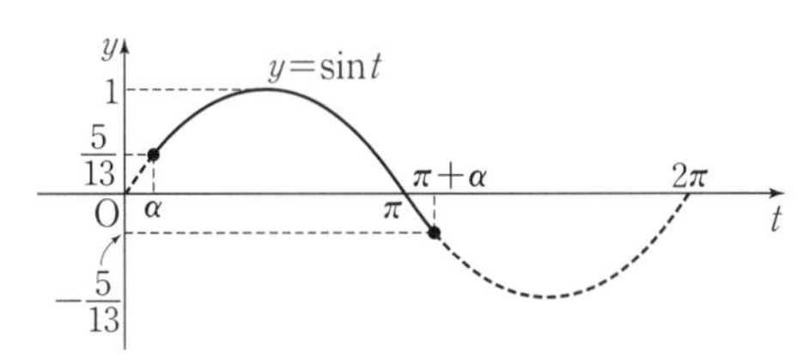

따라서 $M=13\cdot1=13, m=13\cdot\left(-\frac{5}{13}\right)=-5$이므로

$M-m=13-(-5)=18$ 정답_ 18

223

$\angle APB=\frac{\pi}{2}$이므로 $\angle PAB=\theta\left(0<\theta<\frac{\pi}{2}\right)$로 놓으면

$\overline{AP}=2\cos\theta, \overline{BP}=2\sin\theta$

$\therefore 4\overline{AP}+\overline{BP}=8\cos\theta+2\sin\theta$

$=\sqrt{68}\left(\sin\theta\cdot\frac{2}{\sqrt{68}}+\cos\theta\cdot\frac{8}{\sqrt{68}}\right)$

$=2\sqrt{17}\sin(\theta+\alpha)$

$\left(\text{단}, \sin\alpha=\frac{8}{\sqrt{68}}=\frac{4}{\sqrt{17}}, \cos\alpha=\frac{2}{\sqrt{68}}=\frac{1}{\sqrt{17}}\right)$

따라서 $4\overline{AP}+\overline{BP}$의 최댓값은 $2\sqrt{17}$이다. 정답_ ③

224

사각형 ABCD와 PQRS는 직사각형이므로

$\angle PAD = \angle CDS = \frac{\pi}{2} - \theta$, $\angle QAB = \theta$

$\overline{PS} = \overline{PD} + \overline{SD}$

$= 2\cos\theta + 4\cos\left(\frac{\pi}{2} - \theta\right)$

$= 2\cos\theta + 4\sin\theta$

$\overline{PQ} = \overline{PA} + \overline{QA}$

$= 2\cos\left(\frac{\pi}{2} - \theta\right) + 4\cos\theta$

$= 2\sin\theta + 4\cos\theta$

사각형 PQRS의 둘레의 길이를 l이라고 하면

$l = 2(\overline{PS} + \overline{PQ}) = 2\{(2\cos\theta + 4\sin\theta) + (2\sin\theta + 4\cos\theta)\}$

$= 12(\sin\theta + \cos\theta) = 12\sqrt{2}\left(\sin\theta \cdot \frac{\sqrt{2}}{2} + \cos\theta \cdot \frac{\sqrt{2}}{2}\right)$

$= 12\sqrt{2}\sin\left(\theta + \frac{\pi}{4}\right)$

따라서 $\sin\left(\theta + \frac{\pi}{4}\right) = 1$, 즉 $\theta + \frac{\pi}{4} = \frac{\pi}{2}$일 때 l이 최대가 되므로

구하는 θ의 값은 $\theta = \frac{\pi}{4}$

정답_ ①

225

(1) $\lim_{x \to 0} \frac{x}{\cos x} = \frac{0}{\cos 0} = \frac{0}{1} = 0$

(2) $\lim_{x \to \frac{\pi}{4}} \frac{\tan x}{x} = \frac{\tan\frac{\pi}{4}}{\frac{\pi}{4}} = \frac{1}{\frac{\pi}{4}} = \frac{4}{\pi}$

(3) $\lim_{x \to \frac{\pi}{2}} \frac{\cos^2 x}{1 - \sin x} = \lim_{x \to \frac{\pi}{2}} \frac{1 - \sin^2 x}{1 - \sin x}$

$= \lim_{x \to \frac{\pi}{2}} \frac{(1 - \sin x)(1 + \sin x)}{1 - \sin x}$

$= \lim_{x \to \frac{\pi}{2}} (1 + \sin x)$

$= 1 + \sin\frac{\pi}{2} = 1 + 1 = 2$

(4) $\lim_{x \to \frac{\pi}{4}} \frac{\cos x - \sin x}{1 - \tan x} = \lim_{x \to \frac{\pi}{4}} \frac{\cos x - \sin x}{1 - \frac{\sin x}{\cos x}}$

$= \lim_{x \to \frac{\pi}{4}} \frac{\cos x - \sin x}{\frac{\cos x - \sin x}{\cos x}}$

$= \lim_{x \to \frac{\pi}{4}} \cos x = \cos\frac{\pi}{4} = \frac{\sqrt{2}}{2}$

정답_ (1) 0 (2) $\frac{4}{\pi}$ (3) 2 (4) $\frac{\sqrt{2}}{2}$

226

$\lim_{x \to \frac{3}{4}\pi} \frac{1 - \tan^2 x}{\sin x + \cos x}$

$= \lim_{x \to \frac{3}{4}\pi} \frac{1 - \frac{\sin^2 x}{\cos^2 x}}{\sin x + \cos x} = \lim_{x \to \frac{3}{4}\pi} \frac{\frac{\cos^2 x - \sin^2 x}{\cos^2 x}}{\sin x + \cos x}$

$= \lim_{x \to \frac{3}{4}\pi} \frac{(\cos x + \sin x)(\cos x - \sin x)}{(\sin x + \cos x)\cos^2 x}$

$= \lim_{x \to \frac{3}{4}\pi} \frac{\cos x - \sin x}{\cos^2 x}$

$= \frac{-\frac{\sqrt{2}}{2} - \frac{\sqrt{2}}{2}}{\left(-\frac{\sqrt{2}}{2}\right)^2} = -2\sqrt{2}$

정답_ ②

227

(1) $\lim_{x \to 0} \frac{\sin 8x}{2x} = \lim_{x \to 0} \frac{\sin 8x}{8x} \cdot \frac{8}{2} = 1 \cdot 4 = 4$

(2) $\lim_{x \to 0} \frac{9x}{\tan 3x} = \lim_{x \to 0} \frac{3x}{\tan 3x} \cdot \frac{9}{3} = 1 \cdot 3 = 3$

(3) $\lim_{x \to 0} \frac{\sin x^\circ}{x} = \lim_{x \to 0} \frac{\sin\frac{\pi}{180}x}{x}$

$= \lim_{x \to 0} \frac{\sin\frac{\pi}{180}x}{\frac{\pi}{180}x} \cdot \frac{\pi}{180}$

$= 1 \cdot \frac{\pi}{180} = \frac{\pi}{180}$

(4) $\lim_{x \to 0} \frac{x}{\tan x^\circ} = \lim_{x \to 0} \frac{x}{\tan\frac{\pi}{180}x}$

$= \lim_{x \to 0} \frac{\frac{\pi}{180}x}{\tan\frac{\pi}{180}x} \cdot \frac{1}{\frac{\pi}{180}}$

$= 1 \cdot \frac{180}{\pi} = \frac{180}{\pi}$

정답_ (1) 4 (2) 3 (3) $\frac{\pi}{180}$ (4) $\frac{180}{\pi}$

228

$\lim_{x \to 0} \frac{\sin(2x^3 + x^2 + 3x)}{5x^3 + 4x^2 + 2x}$

$= \lim_{x \to 0} \left\{ \frac{\sin(2x^3 + x^2 + 3x)}{2x^3 + x^2 + 3x} \cdot \frac{2x^3 + x^2 + 3x}{5x^3 + 4x^2 + 2x} \right\}$

$= 1 \cdot \lim_{x \to 0} \frac{x(2x^2 + x + 3)}{x(5x^2 + 4x + 2)} = \lim_{x \to 0} \frac{2x^2 + x + 3}{5x^2 + 4x + 2}$

$= \frac{0 + 0 + 3}{0 + 0 + 2} = \frac{3}{2}$

정답_ ③

229

$\lim_{x \to 0} \frac{\sin 2x - \sin x}{x}$

$= \lim_{x \to 0} \left(\frac{\sin 2x}{x} - \frac{\sin x}{x} \right)$

$$=2\lim_{x\to0}\frac{\sin 2x}{2x}-\lim_{x\to0}\frac{\sin x}{x}$$

$$=2\cdot1-1=1$$

정답_④

230

$$\lim_{x\to0}\frac{\sec x-\cos x}{x^2}=\lim_{x\to0}\frac{\frac{1}{\cos x}-\cos x}{x^2}$$

$$=\lim_{x\to0}\frac{\frac{1-\cos^2 x}{\cos x}}{x^2}$$

$$=\lim_{x\to0}\frac{1-\cos^2 x}{x^2\cos x}$$

$$=\lim_{x\to0}\frac{\sin^2 x}{x^2\cos x}$$

$$=\lim_{x\to0}\left\{\left(\frac{\sin x}{x}\right)^2\cdot\frac{1}{\cos x}\right\}$$

$$=1^2\cdot1=1$$

정답_①

231

$$\lim_{x\to0}\frac{\sin 5x-\sin 8x}{\sin 6x}$$

$$=\lim_{x\to0}\frac{\frac{\sin 5x}{x}-\frac{\sin 8x}{x}}{\frac{\sin 6x}{x}}=\lim_{x\to0}\frac{\frac{\sin 5x}{5x}\cdot5-\frac{\sin 8x}{8x}\cdot8}{\frac{\sin 6x}{6x}\cdot6}$$

$$=\frac{1\cdot5-1\cdot8}{1\cdot6}=-\frac{1}{2}$$

정답_②

232

$$\lim_{x\to0}\frac{\tan(2x^2+x)}{\sin(x^2+2x)}$$

$$=\lim_{x\to0}\left\{\frac{\tan(2x^2+x)}{2x^2+x}\cdot\frac{x^2+2x}{\sin(x^2+2x)}\cdot\frac{2x^2+x}{x^2+2x}\right\}$$

$$=1\cdot1\cdot\lim_{x\to0}\frac{x(2x+1)}{x(x+2)}=\lim_{x\to0}\frac{2x+1}{x+2}$$

$$=\frac{0+1}{0+2}=\frac{1}{2}$$

정답_②

233

$$\lim_{x\to0}\frac{\sin(2\sin 2x)}{x\cos x}$$

$$=\lim_{x\to0}\left\{\frac{\sin(2\sin 2x)}{2\sin 2x}\cdot\frac{\sin 2x}{2x}\cdot\frac{4}{\cos x}\right\}$$

$$=1\cdot1\cdot\frac{4}{1}=4$$

정답_④

234

$$\lim_{x\to0}\frac{6x}{\tan x+\tan 2x+\tan 3x}$$

$$=\lim_{x\to0}\frac{6}{\frac{\tan x}{x}+\frac{\tan 2x}{x}+\frac{\tan 3x}{x}}$$

$$=\lim_{x\to0}\frac{6}{\frac{\tan x}{x}+\frac{\tan 2x}{2x}\cdot2+\frac{\tan 3x}{3x}\cdot3}$$

$$=\frac{6}{1+1\cdot2+1\cdot3}=1$$

정답_①

235

(1) $$\lim_{x\to0}\frac{x^2}{1-\cos x}=\lim_{x\to0}\frac{x^2(1+\cos x)}{(1-\cos x)(1+\cos x)}$$

$$=\lim_{x\to0}\frac{x^2(1+\cos x)}{\sin^2 x}$$

$$=\lim_{x\to0}\left\{\left(\frac{x}{\sin x}\right)^2(1+\cos x)\right\}$$

$$=1^2\cdot(1+1)=2$$

(2) $$\lim_{x\to0}\frac{1-\cos x}{x\sin x}=\lim_{x\to0}\frac{(1-\cos x)(1+\cos x)}{x\sin x(1+\cos x)}$$

$$=\lim_{x\to0}\frac{\sin^2 x}{x\sin x(1+\cos x)}$$

$$=\lim_{x\to0}\left(\frac{\sin x}{x}\cdot\frac{1}{1+\cos x}\right)$$

$$=1\cdot\frac{1}{1+1}=\frac{1}{2}$$

정답_(1) 2 (2) $\frac{1}{2}$

236

$$\lim_{\theta\to0}\left(\frac{2}{\sin^2\theta}-\frac{1}{1-\cos\theta}\right)$$

$$=\lim_{\theta\to0}\left\{\frac{2}{\sin^2\theta}-\frac{1+\cos\theta}{(1-\cos\theta)(1+\cos\theta)}\right\}$$

$$=\lim_{\theta\to0}\left(\frac{2}{\sin^2\theta}-\frac{1+\cos\theta}{\sin^2\theta}\right)$$

$$=\lim_{\theta\to0}\frac{1-\cos\theta}{\sin^2\theta}$$

$$=\lim_{\theta\to0}\frac{(1-\cos\theta)(1+\cos\theta)}{\sin^2\theta(1+\cos\theta)}$$

$$=\lim_{\theta\to0}\frac{\sin^2\theta}{\sin^2\theta(1+\cos\theta)}$$

$$=\lim_{\theta\to0}\frac{1}{1+\cos\theta}=\frac{1}{1+1}=\frac{1}{2}$$

정답_②

237

$$\lim_{x\to0}\frac{3\cos^2 x-2\cos x-1}{x\sin x}$$

$$=\lim_{x\to0}\frac{(\cos x-1)(3\cos x+1)}{x\sin x}$$

$$=\lim_{x\to0}\left\{\frac{(\cos x-1)(\cos x+1)}{x\sin x(\cos x+1)}\cdot(3\cos x+1)\right\}$$

$$=\lim_{x\to0}\left\{\frac{-\sin^2 x}{x\sin x(\cos x+1)}\cdot(3\cos x+1)\right\}$$

$$=\lim_{x\to0}\left\{-1\cdot\frac{\sin x}{x}\cdot\frac{1}{\cos x+1}\cdot(3\cos x+1)\right\}$$

$$=-1\cdot1\cdot\frac{1}{1+1}\cdot(3\cdot1+1)=-2$$

정답_①

238

$$\lim_{x\to0}\frac{1-\cos kx}{\sin^2 x}$$
$$=\lim_{x\to0}\frac{(1-\cos kx)(1+\cos kx)}{\sin^2 x(1+\cos kx)}$$
$$=\lim_{x\to0}\frac{\sin^2 kx}{\sin^2 x(1+\cos kx)}$$
$$=\lim_{x\to0}\left\{\left(\frac{x}{\sin x}\right)^2\cdot\left(\frac{\sin kx}{kx}\right)^2\cdot\frac{k^2}{1+\cos kx}\right\}$$
$$=1^2\cdot1^2\cdot\frac{k^2}{1+1}=\frac{k^2}{2}=2$$

따라서 $k^2=4$이고, k가 양수이므로 $k=2$

정답_ ②

239

$$\lim_{x\to0}x^2f(x)$$
$$=\lim_{x\to0}f(x)\left\{\left(1-\cos\frac{x}{2}\right)\cdot\frac{x^2}{1-\cos\frac{x}{2}}\right\}$$
$$=\lim_{x\to0}\left\{f(x)\left(1-\cos\frac{x}{2}\right)\frac{x^2\left(1+\cos\frac{x}{2}\right)}{\left(1-\cos\frac{x}{2}\right)\left(1+\cos\frac{x}{2}\right)}\right\}$$
$$=\lim_{x\to0}\left\{f(x)\left(1-\cos\frac{x}{2}\right)\cdot\frac{x^2}{1-\cos^2\frac{x}{2}}\cdot\left(1+\cos\frac{x}{2}\right)\right\}$$
$$=\lim_{x\to0}\left\{f(x)\left(1-\cos\frac{x}{2}\right)\cdot\frac{\left(\frac{x}{2}\right)^2}{\sin^2\frac{x}{2}}\cdot4\cdot\left(1+\cos\frac{x}{2}\right)\right\}$$
$$=\frac{1}{2}\cdot1^2\cdot4\cdot2=4$$

정답_ 4

240

$x-1=t$로 놓으면 $x\to1$일 때 $t\to0$이므로

$$\lim_{x\to1}\frac{\sin\pi x}{x-1}=\lim_{t\to0}\frac{\sin\pi(1+t)}{t}=\lim_{t\to0}\frac{\sin(\pi+\pi t)}{t}$$
$$=\lim_{t\to0}\frac{-\sin\pi t}{t}=\lim_{t\to0}\left(-1\cdot\frac{\sin\pi t}{\pi t}\cdot\pi\right)$$
$$=-1\cdot1\cdot\pi=-\pi$$

정답_ ①

241

$x-\frac{\pi}{2}=t$로 놓으면 $x\to\frac{\pi}{2}$일 때 $t\to0$이므로

$$\lim_{x\to\frac{\pi}{2}}\left(x-\frac{\pi}{2}\right)\tan x=\lim_{t\to0}t\tan\left(\frac{\pi}{2}+t\right)=\lim_{t\to0}t\left(\frac{1}{-\tan t}\right)$$
$$=\lim_{t\to0}\left(-\frac{t\cos t}{\sin t}\right)$$
$$=\lim_{t\to0}\left(-1\cdot\frac{t}{\sin t}\cdot\cos t\right)$$
$$=-1\cdot1\cdot1=-1$$

정답_ ②

242

$x+\frac{\pi}{2}=t$로 놓으면 $x\to-\frac{\pi}{2}$일 때 $t\to0$이므로

$$\lim_{x\to-\frac{\pi}{2}}\frac{1+\sin x}{(2x+\pi)\cos x}$$
$$=\lim_{t\to0}\frac{1+\sin\left(-\frac{\pi}{2}+t\right)}{\left\{2\left(-\frac{\pi}{2}+t\right)+\pi\right\}\cos\left(-\frac{\pi}{2}+t\right)}$$
$$=\lim_{t\to0}\frac{1-\sin\left(\frac{\pi}{2}-t\right)}{2t\cos\left(\frac{\pi}{2}-t\right)}=\lim_{t\to0}\frac{1-\cos t}{2t\sin t}$$
$$=\lim_{t\to0}\frac{(1-\cos t)(1+\cos t)}{2t\sin t(1+\cos t)}$$
$$=\lim_{t\to0}\frac{\sin^2 t}{2t\sin t(1+\cos t)}=\lim_{t\to0}\left\{\frac{\sin t}{t}\cdot\frac{1}{2(1+\cos t)}\right\}$$
$$=1\cdot\frac{1}{2(1+1)}=\frac{1}{4}$$

정답_ ①

243

$x-1=t$로 놓으면 $x\to1$일 때 $t\to0$이므로

$$\lim_{x\to1}\frac{\sin\left(\cos\frac{\pi}{2}x\right)}{x-1}$$
$$=\lim_{t\to0}\frac{\sin\left\{\cos\frac{\pi}{2}(1+t)\right\}}{t}$$
$$=\lim_{t\to0}\frac{\sin\left\{\cos\left(\frac{\pi}{2}+\frac{\pi}{2}t\right)\right\}}{t}=\lim_{t\to0}\frac{\sin\left(-\sin\frac{\pi}{2}t\right)}{t}$$
$$=\lim_{t\to0}\left\{\frac{\sin\left(-\sin\frac{\pi}{2}t\right)}{-\sin\frac{\pi}{2}t}\cdot\frac{-\sin\frac{\pi}{2}t}{\frac{\pi}{2}t}\cdot\frac{\pi}{2}\right\}$$
$$=1\cdot(-1)\cdot\frac{\pi}{2}=-\frac{\pi}{2}$$

정답_ ②

244

$$\sqrt{3}\sin x+\cos x=2\left(\sin x\cdot\frac{\sqrt{3}}{2}+\cos x\cdot\frac{1}{2}\right)=2\sin\left(x+\frac{\pi}{6}\right)$$

$x+\frac{\pi}{6}=t$로 놓으면 $x\to-\frac{\pi}{6}$일 때 $t\to0$이므로

$$\lim_{x\to-\frac{\pi}{6}}\frac{\sqrt{3}\sin x+\cos x}{2x+\frac{\pi}{3}}=\lim_{x\to-\frac{\pi}{6}}\frac{2\sin\left(x+\frac{\pi}{6}\right)}{2\left(x+\frac{\pi}{6}\right)}$$
$$=\lim_{t\to0}\frac{2\sin t}{2t}=\frac{2}{2}\cdot1=1$$

정답_ ①

245

$\frac{1}{2x+1}=t$로 놓으면 $x=\frac{1-t}{2t}$이고, $x\to\infty$일 때 $t\to0$이므로

$$\lim_{x\to\infty}x\tan\frac{1}{2x+1}=\lim_{t\to0}\left(\frac{1-t}{2}\cdot\frac{\tan t}{t}\right)$$
$$=\frac{1-0}{2}\cdot1=\frac{1}{2}$$

정답_ ④

246

ㄱ은 옳다.

$$\lim_{x\to 0}\frac{1}{x}\sin x=\lim_{x\to 0}\frac{\sin x}{x}=1$$

ㄴ도 옳다.

모든 실수 x에 대하여 $-1\le \sin x\le 1$이므로

$x>0$일 때 $-\frac{1}{x}\le\frac{1}{x}\sin x\le\frac{1}{x}$

이때, $\lim_{x\to\infty}\left(-\frac{1}{x}\right)=\lim_{x\to\infty}\frac{1}{x}=0$이므로 $\lim_{x\to\infty}\frac{1}{x}\sin x=0$

ㄷ도 옳다.

$x\ne 0$인 모든 실수 x에 대하여 $\left|\sin\frac{1}{x}\right|\le 1$이므로

$|x|\cdot\left|\sin\frac{1}{x}\right|\le|x|$ $\therefore -|x|\le x\sin\frac{1}{x}\le|x|$

이때, $\lim_{x\to 0}(-|x|)=\lim_{x\to 0}|x|=0$이므로 $\lim_{x\to 0}x\sin\frac{1}{x}=0$

ㄹ도 옳다.

$\frac{1}{x}=t$로 놓으면 $x\to\infty$일 때 $t\to 0$이므로

$$\lim_{x\to\infty}x\sin\frac{1}{x}=\lim_{t\to 0}\frac{\sin t}{t}=1$$

따라서 옳은 것은 ㄱ, ㄴ, ㄷ, ㄹ의 4개이다. 정답_ ⑤

247

(1) $\frac{1}{x}=t$로 놓으면 $x\to\infty$일 때 $t\to 0$이므로

$$\lim_{x\to\infty}\frac{x\sin^2\frac{2}{x}}{\ln\left(1+\frac{1}{x}\right)}=\lim_{t\to 0}\frac{\frac{1}{t}\cdot\sin^2 2t}{\ln(1+t)}=\lim_{t\to 0}\frac{\sin^2 2t}{t\ln(1+t)}$$

$$=\lim_{t\to 0}\left\{\left(\frac{\sin 2t}{2t}\right)^2\cdot\frac{t}{\ln(1+t)}\cdot 4\right\}$$

$$=1^2\cdot 1\cdot 4=4$$

(2) $$\lim_{x\to 0}\frac{\log_2(1+2x)}{\sin 4x}=\lim_{x\to 0}\left\{\frac{\log_2(1+2x)}{2x}\cdot\frac{4x}{\sin 4x}\cdot\frac{1}{2}\right\}$$

$$=\frac{1}{\ln 2}\cdot 1\cdot\frac{1}{2}=\frac{1}{2\ln 2}$$

(3) $$\lim_{x\to 0}\frac{e^{4x}-1}{\tan 6x}=\lim_{x\to 0}\left(\frac{e^{4x}-1}{4x}\cdot\frac{6x}{\tan 6x}\cdot\frac{4}{6}\right)$$

$$=1\cdot 1\cdot\frac{4}{6}=\frac{2}{3}$$

(4) $$\lim_{x\to 0}\frac{\sin x}{5^x-1}=\lim_{x\to 0}\frac{\frac{\sin x}{x}}{\frac{5^x-1}{x}}=\frac{1}{\ln 5}$$

정답_ (1) 4 (2) $\frac{1}{2\ln 2}$ (3) $\frac{2}{3}$ (4) $\frac{1}{\ln 5}$

248

$$\lim_{x\to 0}\left(\frac{\cos x-\sin x}{\cos x}\right)^{\frac{\cos x}{\sin x}}=\lim_{x\to 0}\left(1-\frac{\sin x}{\cos x}\right)^{\frac{\cos x}{\sin x}}$$

$$=\lim_{x\to 0}\left[\left\{1+\left(-\frac{\sin x}{\cos x}\right)\right\}^{-\frac{\cos x}{\sin x}}\right]^{-1}$$

$$=e^{-1}=\frac{1}{e}$$

정답_ $\frac{1}{e}$

249

$$\lim_{x\to 0}\frac{e^{x\sin x}+e^{x\sin 2x}-2}{x\ln(1+x)}$$

$$=\lim_{x\to 0}\left\{\frac{1}{\ln(1+x)}\cdot\frac{e^{x\sin x}+e^{x\sin 2x}-2}{x}\right\}$$

$$=\lim_{x\to 0}\left\{\frac{1}{\ln(1+x)}\cdot\left(\frac{e^{x\sin x}-1}{x}+\frac{e^{x\sin 2x}-1}{x}\right)\right\}$$

$$=\lim_{x\to 0}\left\{\frac{x}{\ln(1+x)}\cdot\frac{1}{x}\cdot\left(\frac{e^{x\sin x}-1}{x}+\frac{e^{x\sin 2x}-1}{x}\right)\right\}$$

$$=\lim_{x\to 0}\left\{\frac{1}{x}\left(\frac{e^{x\sin x}-1}{x}+\frac{e^{x\sin 2x}-1}{x}\right)\right\}$$

$$=\lim_{x\to 0}\left(\frac{\sin x}{x}\cdot\frac{e^{x\sin x}-1}{x\sin x}\right)+\lim_{x\to 0}\left(2\cdot\frac{\sin 2x}{2x}\cdot\frac{e^{x\sin 2x}-1}{x\sin 2x}\right)$$

$$=1\cdot 1+2\cdot 1\cdot 1=3$$

정답_ ③

250

삼각형 ABH에서 $\overline{BH}=\overline{AB}\cos\theta=2\cos\theta$

삼각형 ABC에서 $\overline{BC}=\frac{\overline{AB}}{\cos\theta}=\frac{2}{\cos\theta}$

$$\therefore \overline{CH}=\overline{BC}-\overline{BH}=\frac{2}{\cos\theta}-2\cos\theta$$

$$=\frac{2(1-\cos^2\theta)}{\cos\theta}=\frac{2\sin^2\theta}{\cos\theta}$$

$$\therefore \lim_{\theta\to 0+}\frac{\overline{CH}}{\theta^2}=\lim_{\theta\to 0+}\frac{2\sin^2\theta}{\theta^2\cos\theta}=\lim_{\theta\to 0+}\left\{\left(\frac{\sin\theta}{\theta}\right)^2\cdot\frac{2}{\cos\theta}\right\}$$

$$=1^2\cdot\frac{2}{1}=2$$

정답_ 2

251

삼각형 OAB는 직각이등변삼각형이므로

$\angle OAB=\angle OBA=\frac{\pi}{4}$

따라서 삼각형 AQH도 직각이등변삼각형이다.

직각삼각형 POH에서

$\overline{OH}=\overline{OP}\cos\theta=\cos\theta$ ($\because \overline{OP}=1$)

$\therefore \overline{AH}=\overline{OA}-\overline{OH}=1-\cos\theta$

$S(\theta)=\frac{1}{2}\cdot\overline{AH}\cdot\overline{QH}=\frac{1}{2}(1-\cos\theta)^2$이므로

$$\lim_{\theta\to 0+}\frac{S(\theta)}{\theta^4}=\lim_{\theta\to 0+}\frac{(1-\cos\theta)^2}{2\theta^4}$$

$$=\lim_{\theta\to 0+}\frac{(1-\cos\theta)^2(1+\cos\theta)^2}{2\theta^4(1+\cos\theta)^2}$$

$$=\lim_{\theta\to 0+}\frac{\sin^4\theta}{2\theta^4(1+\cos\theta)^2}$$

$$=\lim_{\theta\to 0+}\left\{\left(\frac{\sin\theta}{\theta}\right)^4\cdot\frac{1}{2(1+\cos\theta)^2}\right\}$$

$$=1^4\cdot\frac{1}{2(1+1)^2}=\frac{1}{8}$$

정답_ ①

252

극한값이 존재하고, $x \to a$일 때 (분모)$\to 0$이므로 (분자)$\to 0$이어야 한다. 즉, $\lim_{x \to a} b\cos x = 0$에서 $b\cos a = 0$

이때, 주어진 극한값이 0이 아니므로

$b \neq 0$에서 $\cos a = 0$ $\therefore a = \frac{\pi}{2}$ $(0 < a < \pi)$ …… ㉠

㉠을 주어진 식에 대입한 후 $x - \frac{\pi}{2} = t$로 놓으면

$x \to \frac{\pi}{2}$일 때 $t \to 0$이므로

$$\lim_{x \to \frac{\pi}{2}} \frac{b\cos x}{x - \frac{\pi}{2}} = \lim_{t \to 0} \frac{b\cos\left(\frac{\pi}{2} + t\right)}{t} = \lim_{t \to 0} \frac{-b\sin t}{t}$$

$$= \lim_{t \to 0}\left(-b \cdot \frac{\sin t}{t}\right) = -b = 1$$

$\therefore b = -1$

정답_ ②

253

극한값이 존재하고, $x \to 0$일 때 (분자)$\to 0$이므로 (분모)$\to 0$이어야 한다. 즉, $\lim_{x \to 0}(\sqrt{ax+b} - 1) = 0$에서

$\sqrt{b} - 1 = 0$ $\therefore b = 1$ …… ㉠

㉠을 주어진 식에 대입하면

$$\lim_{x \to 0} \frac{\sin 3x}{\sqrt{ax+1} - 1} = \lim_{x \to 0} \frac{\sin 3x(\sqrt{ax+1}+1)}{(\sqrt{ax+1}-1)(\sqrt{ax+1}+1)}$$

$$= \frac{\sin 3x(\sqrt{ax+1}+1)}{ax}$$

$$= \lim_{x \to 0}\left\{\frac{\sin 3x}{3x} \cdot \frac{3(\sqrt{ax+1}+1)}{a}\right\}$$

$$= 1 \cdot \frac{3(1+1)}{a} = \frac{6}{a} = 2$$

$\therefore a = 3$

$\therefore a + b = 3 + 1 = 4$

정답_ ④

254

극한값이 존재하고, $x \to a$일 때 (분모)$\to 0$이므로 (분자)$\to 0$이어야 한다.

즉, $\lim_{x \to a}(3^x - 1) = 0$에서 $3^a - 1 = 0$, $3^a = 1$ $\therefore a = 0$

$$\lim_{x \to a} \frac{3^x - 1}{6\sin(x-a)} = \lim_{x \to 0} \frac{3^x - 1}{6\sin x}$$

$$= \lim_{x \to 0}\left(\frac{1}{6} \cdot \frac{x}{\sin x} \cdot \frac{3^x - 1}{x}\right)$$

$$= \frac{1}{6} \cdot 1 \cdot \ln 3 = \frac{1}{6}\ln 3$$

$\therefore b = \frac{1}{6}$

$\therefore a + b = 0 + \frac{1}{6} = \frac{1}{6}$

정답_ $\frac{1}{6}$

255

극한값이 존재하고, $x \to 0$일 때 (분모) $\to 0$이므로 (분자) $\to 0$이어야 한다.

즉, $\lim_{x \to 0}(e^x - a) = 0$에서 $1 - a = 0$ $\therefore a = 1$

$$b = \lim_{x \to 0} \frac{e^x - a}{\tan 2x} = \lim_{x \to 0} \frac{e^x - 1}{\tan 2x}$$

$$= \lim_{x \to 0}\left(\frac{e^x - 1}{x} \cdot \frac{2x}{\tan 2x} \cdot \frac{1}{2}\right) = 1 \cdot 1 \cdot \frac{1}{2} = \frac{1}{2}$$

$\therefore a + b = 1 + \frac{1}{2} = \frac{3}{2}$

정답_ ④

256

$$f(x) = \begin{cases} \frac{1 - \cos ax}{x^2} & (x \neq 0) \\ 18 & (x = 0) \end{cases}$$

함수 $f(x)$가 모든 실수 x에서 연속이므로 $x=0$에서도 연속이어야 한다. 즉, $\lim_{x \to 0} f(x) = f(0)$이므로

$$\lim_{x \to 0} \frac{1 - \cos ax}{x^2} = \lim_{x \to 0} \frac{(1 - \cos ax)(1 + \cos ax)}{x^2(1 + \cos ax)}$$

$$= \lim_{x \to 0} \frac{\sin^2 ax}{x^2(1 + \cos ax)}$$

$$= \lim_{x \to 0}\left\{\left(\frac{\sin ax}{ax}\right)^2 \cdot \frac{a^2}{1 + \cos ax}\right\}$$

$$= 1^2 \cdot \frac{a^2}{1+1} = \frac{a^2}{2} = 18$$

따라서 $a^2 = 36$이고, a가 양수이므로 $a = 6$

정답_ ④

257

함수 $f(x)$가 $x=0$에서 연속이므로 $\lim_{x \to 0} f(x) = f(0)$이어야 한다.

$$\therefore \lim_{x \to 0} \frac{e^x - \sin 3x - a}{4x} = b$$

이때, 극한값이 존재하고, $x \to 0$일 때 (분모) $\to 0$이므로 (분자) $\to 0$이어야 한다.

즉, $\lim_{x \to 0}(e^x - \sin 3x - a) = 0$에서

$1 - 0 - a = 0$ $\therefore a = 1$

$$b = \lim_{x \to 0} \frac{e^x - \sin 3x - a}{4x}$$

$$= \lim_{x \to 0} \frac{e^x - \sin 3x - 1}{4x}$$

$$= \lim_{x \to 0}\left(\frac{e^x - 1}{4x} - \frac{\sin 3x}{4x}\right)$$

$$= \lim_{x \to 0}\left(\frac{1}{4} \cdot \frac{e^x - 1}{x}\right) - \lim_{x \to 0}\left(\frac{3}{4} \cdot \frac{\sin 3x}{3x}\right)$$

$$= \frac{1}{4} \cdot 1 - \frac{3}{4} \cdot 1 = -\frac{1}{2}$$

$\therefore a + b = 1 + \left(-\frac{1}{2}\right) = \frac{1}{2}$

정답_ $\frac{1}{2}$

258

함수 $f(x)$가 모든 실수에서 연속이려면 $x=0$에서 연속이어야 한다. 즉, $\lim_{x \to 0} f(x) = f(0)$

(i) $\lim_{x\to0-} f(x)=\lim_{x\to0-}\frac{2x+\tan x}{\sin x}$

$=\lim_{x\to0-}\left(\frac{2x}{\sin x}+\frac{\tan x}{\sin x}\right)$

$=\lim_{x\to0-}\left(\frac{x}{\sin x}\cdot2+\frac{\tan x}{x}\cdot\frac{x}{\sin x}\right)$

$=1\cdot2+1\cdot1=3$

(ii) $\lim_{x\to0+} f(x)=\lim_{x\to0+}\frac{\ln(1+3x)}{bx}$

$=\lim_{x\to0+}\left\{\frac{\ln(1+3x)}{3x}\cdot\frac{3}{b}\right\}$

$=1\cdot\frac{3}{b}=\frac{3}{b}$

(iii) $f(0)=a$

(i), (ii), (iii)에서 $a=\frac{3}{b}=3$ $\therefore a=3, b=1$

$\therefore a+b=3+1=4$

정답_ ②

259

(1) $y'=2\cos x-3\sin x$

(2) $y'=\sin x+x\cos x$

(3) $y'=e^x\cos x+e^x(-\sin x)=e^x(\cos x-\sin x)$

(4) $y'=3^{3x-2}\cdot\ln3\cdot3\cos x+3^{3x-2}(-\sin x)$

$=3^{3x-2}(3\ln3\cdot\cos x-\sin x)$

정답_ (1) $y'=2\cos x-3\sin x$ (2) $y'=\sin x+x\cos x$
(3) $y'=e^x(\cos x-\sin x)$ (4) $y'=3^{3x-2}(3\ln3\cdot\cos x-\sin x)$

260

$f(x)=\sin x\cos x$에서

$f'(x)=\cos x\cos x+\sin x\cdot(-\sin x)$

$=\cos^2x-\sin^2x$

$\therefore f'\left(\frac{\pi}{3}\right)=\cos^2\left(\frac{\pi}{3}\right)-\sin^2\left(\frac{\pi}{3}\right)$

$=\left(\frac{1}{2}\right)^2-\left(\frac{\sqrt3}{2}\right)^2=-\frac{1}{2}$

정답_ $-\frac{1}{2}$

261

$f(x)=\sin x+a\cos x$에서

$f\left(\frac{\pi}{2}\right)=\sin\frac{\pi}{2}+a\cos\frac{\pi}{2}=1$이므로

$\lim_{x\to\frac{\pi}{2}}\frac{f(x)-1}{x-\frac{\pi}{2}}=\lim_{x\to\frac{\pi}{2}}\frac{f(x)-f\left(\frac{\pi}{2}\right)}{x-\frac{\pi}{2}}=f'\left(\frac{\pi}{2}\right)=3$

이때, $f'(x)=\cos x-a\sin x$이므로

$f'\left(\frac{\pi}{2}\right)=\cos\frac{\pi}{2}-a\sin\frac{\pi}{2}=-a=3$

$\therefore a=-3$

즉, $f(x)=\sin x-3\cos x$이므로

$f\left(\frac{\pi}{4}\right)=\sin\frac{\pi}{4}-3\cos\frac{\pi}{4}$

$=\frac{\sqrt2}{2}-3\cdot\frac{\sqrt2}{2}=-\sqrt2$

정답_ ②

262

$g(x)=\sin x$로 놓으면 $g'(x)=\cos x$

$f(x)=x\lim_{h\to0}\frac{\sin(x+h)-\sin x}{h}$

$=x\lim_{h\to0}\frac{g(x+h)-g(x)}{h}$

$=xg'(x)=x\cos x$

$f'(x)=\cos x-x\sin x$이므로

$f'\left(\frac{\pi}{2}\right)=\cos\frac{\pi}{2}-\frac{\pi}{2}\sin\frac{\pi}{2}=0-\frac{\pi}{2}\cdot1=-\frac{\pi}{2}$

정답_ $-\frac{\pi}{2}$

263

$f(x)$가 $x=0$에서 미분가능하려면 $x=0$에서 연속이어야 하므로

$\lim_{x\to0-}(ax+b)=\lim_{x\to0+}\sin x=f(0)$ $\therefore b=0$

$f'(0)$이 존재하므로 $f'(x)=\begin{cases}a & (-1<x<0)\\ \cos x & (0<x<1)\end{cases}$에서

$\lim_{x\to0-}a=\lim_{x\to0+}\cos x$ $\therefore a=1$

$\therefore a-b=1-0=1$

정답_ 1

264

$f(x)$가 $x=0$에서 미분가능하려면 $x=0$에서 연속이어야 하므로

$\lim_{x\to0-}(-x^2+ax+b)=\lim_{x\to0+}\cos x=f(0)$ $\therefore b=1$

$f'(0)$이 존재하므로 $f'(x)=\begin{cases}-2x+a & (x<0)\\ -\sin x & (x>0)\end{cases}$에서

$\lim_{x\to0-}(-2x+a)=\lim_{x\to0+}(-\sin x)$ $\therefore a=0$

$\therefore a+b=0+1=1$

정답_ ①

265

$0<\alpha<\frac{\pi}{2}, \frac{\pi}{2}<\beta<\pi$에서 $\cos\alpha>0, \cos\beta<0$이므로

$\cos\alpha=\sqrt{1-\sin^2\alpha}=\sqrt{1-\left(\frac{1}{\sqrt5}\right)^2}=\frac{2}{\sqrt5}$ ❶

$\cos\beta=-\sqrt{1-\sin^2\beta}=-\sqrt{1-\left(\frac{1}{\sqrt{10}}\right)^2}=-\frac{3}{\sqrt{10}}$ ❷

$\therefore \sin(\alpha+\beta)=\sin\alpha\cos\beta+\cos\alpha\sin\beta$

$=\frac{1}{\sqrt5}\cdot\left(-\frac{3}{\sqrt{10}}\right)+\frac{2}{\sqrt5}\cdot\frac{1}{\sqrt{10}}$

$=-\frac{\sqrt2}{10}$ ❸

정답_ $-\frac{\sqrt2}{10}$

단계	채점 기준	비율
❶	$\cos\alpha$의 값 구하기	30%
❷	$\cos\beta$의 값 구하기	30%
❸	$\sin(\alpha+\beta)$의 값 구하기	40%

266

$3x-5y+20=0$에서 $y=\frac{3}{5}x+4$

$ax-y-6=0$에서 $y=ax-6$

두 직선이 x축의 양의 방향과 이루는 각의 크기를 각각 α, β라고 하면

$\tan\alpha=\frac{3}{5}, \tan\beta=a$ ❶

두 직선이 이루는 예각의 크기가 $\frac{\pi}{4}$이므로

$$\tan\frac{\pi}{4}=|\tan(\alpha-\beta)|=\left|\frac{\tan\alpha-\tan\beta}{1+\tan\alpha\tan\beta}\right|$$

$$1=\left|\frac{\frac{3}{5}-a}{1+\frac{3}{5}\cdot a}\right|, \frac{\frac{3}{5}-a}{1+\frac{3}{5}a}=\pm1$$

$\frac{3}{5}-a=1+\frac{3}{5}a$ 또는 $\frac{3}{5}-a=-1-\frac{3}{5}a$

$\therefore a=-\frac{1}{4}$ 또는 $a=4$ ❷

따라서 구하는 모든 상수 a의 값의 곱은

$-\frac{1}{4}\cdot4=-1$ ❸

정답_ -1

단계	채점 기준	비율
❶	두 직선이 x축의 양의 방향과 이루는 각의 크기 α, β에 대하여 $\tan\alpha$, $\tan\beta$의 값 구하기	30%
❷	a의 값 구하기	50%
❸	모든 a의 값의 곱 구하기	20%

267

$\overline{PR}\mathbin{/\!/}\overline{AC}$이고 점 P는 선분 AB를 4 : 1로 내분하는 점이므로

$\overline{PR}=\frac{1}{5}\overline{AC}=\frac{1}{5}\cdot3=\frac{3}{5}, \overline{RC}=\frac{4}{5}\overline{BC}=\frac{4}{5}\cdot1=\frac{4}{5}$

직각삼각형 PRC에서

$\tan\alpha=\frac{\overline{RC}}{\overline{PR}}=\frac{\frac{4}{5}}{\frac{3}{5}}=\frac{4}{3}$ ❶

또, $\overline{QS}\mathbin{/\!/}\overline{BC}$이고 점 Q는 선분 AB를 2 : 3으로 내분하는 점이므로

$\overline{QS}=\frac{2}{5}\overline{BC}=\frac{2}{5}\cdot1=\frac{2}{5}, \overline{SC}=\frac{3}{5}\overline{AC}=\frac{3}{5}\cdot3=\frac{9}{5}$

직각삼각형 QCS에서

$\tan\beta=\frac{\overline{SC}}{\overline{QS}}=\frac{\frac{9}{5}}{\frac{2}{5}}=\frac{9}{2}$ ❷

$$\therefore \tan(\beta-\alpha)=\frac{\tan\beta-\tan\alpha}{1+\tan\beta\tan\alpha}=\frac{\frac{9}{2}-\frac{4}{3}}{1+\frac{9}{2}\cdot\frac{4}{3}}=\frac{19}{42}$$ ❸

따라서 $p=42, q=19$이므로

$p+q=42+19=61$ ❹

정답_ 61

단계	채점 기준	비율
❶	$\tan\alpha$의 값 구하기	30%
❷	$\tan\beta$의 값 구하기	30%
❸	$\tan(\beta-\alpha)$의 값 구하기	30%
❹	$p+q$의 값 구하기	10%

268

극한값이 존재하고, $x\to0$일 때 (분모)$\to0$이므로 (분자)$\to0$이어야 한다. 즉, $\lim_{x\to0}\sin(ax+b)=0$에서 $\sin b=0$

이때, $0\le b\le\frac{\pi}{2}$이므로 $b=0$ ······㉠

❶

㉠을 주어진 식에 대입하면

$$\lim_{x\to0}\frac{\sin ax}{\tan x}=\lim_{x\to0}\left(\frac{\sin ax}{ax}\cdot\frac{x}{\tan x}\cdot a\right)=1\cdot1\cdot a=a=2$$ ❷

따라서 $a=2$이므로

$b-a=0-2=-2$ ❸

정답_ -2

단계	채점 기준	비율
❶	b의 값 구하기	40%
❷	a의 값 구하기	50%
❸	$b-a$의 값 구하기	10%

269

$$\lim_{x\to0}\frac{f(x)}{1-\cos x^2}$$

$$=\lim_{x\to0}\frac{f(x)(1+\cos x^2)}{(1-\cos x^2)(1+\cos x^2)}$$

$$=\lim_{x\to0}\frac{f(x)}{\sin^2x^2}(1+\cos^2x^2)$$

$$=\lim_{x\to0}\frac{f(x)}{(x^2)^2}\cdot\frac{(x^2)^2}{(\sin x^2)^2}\cdot(1+\cos^2x^2)$$

$$=\left\{\lim_{x\to0}\frac{f(x)}{x^4}\right\}\cdot\left\{\lim_{x\to0}\left(\frac{x^2}{\sin x^2}\right)^2\cdot(1+\cos^2x^2)\right\}$$

$$=\left(\lim_{x\to0}\frac{f(x)}{x^4}\right)\cdot1\cdot(1+1)=2\lim_{x\to0}\frac{f(x)}{x^4}$$

$$=2\lim_{x\to0}\frac{f(x)}{x^4}$$ ❶

$2\lim_{x\to0}\frac{f(x)}{x^4}=4$이므로 $\lim_{x\to0}\frac{f(x)}{x^4}=2$

따라서 $p=4, q=2$이므로 ❷

$p+q=4+2=6$ ❸

정답_ 6

단계	채점 기준	비율
❶	$\lim_{x\to0}\frac{f(x)}{1-\cos x^2}$를 간단히 나타내기	60%
❷	p, q의 값 구하기	30%
❸	$p+q$의 값 구하기	10%

270

$f(x)$가 $x=0$에서 미분가능하려면 $x=0$에서 연속이어야 하므로

$\lim_{x\to 0-} e^x = \lim_{x\to 0+} (a\cos x + b\sin x) = f(0)$

$\therefore a=1$ ……… ❶

$f'(0)$이 존재하므로

$f'(x)=\begin{cases} e^x & (x<0) \\ -a\sin x + b\cos x & (x>0) \end{cases}$ 에서

$\lim_{x\to 0-} e^x = \lim_{x\to 0+} (-a\sin x + b\cos x)$

$\therefore b=1$ ……… ❷

$\therefore a+b=1+1=2$ ……… ❸

정답_ 2

단계	채점 기준	비율
❶	a의 값 구하기	40%
❷	b의 값 구하기	40%
❸	$a+b$의 값 구하기	20%

271

오른쪽 그림과 같이 직각삼각형 OAB에서 $\angle AOB=\alpha$라고 하면

$\sin\alpha = \frac{25}{65} = \frac{5}{13}$

$\cos\alpha = \frac{60}{65} = \frac{12}{13}$

또, 직각삼각형 OCD에서

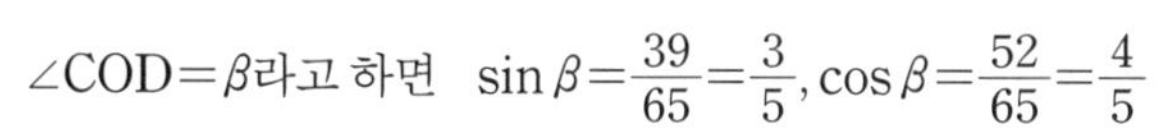

$\angle COD=\beta$라고 하면 $\sin\beta = \frac{39}{65} = \frac{3}{5}$, $\cos\beta = \frac{52}{65} = \frac{4}{5}$

$\therefore \overline{DH} = \overline{OD}\sin(\alpha+\beta)$

$= \overline{OD}(\sin\alpha\cos\beta + \cos\alpha\sin\beta)$

$= 65\left(\frac{5}{13}\cdot\frac{4}{5} + \frac{12}{13}\cdot\frac{3}{5}\right) = 56$

정답_ 56

272

$\tan\theta_1 = 1$, $\tan\theta_2 = \frac{1}{2}$, $\tan\theta_p = \frac{1}{p}$, $\tan\theta_q = \frac{1}{q}$이므로

$\tan(\theta_1 - \theta_2) = \tan(\theta_p - \theta_q)$에서

$\frac{\tan\theta_1 - \tan\theta_2}{1+\tan\theta_1\tan\theta_2} = \frac{\tan\theta_p - \tan\theta_q}{1+\tan\theta_p\tan\theta_q}$

$\frac{1-\frac{1}{2}}{1+1\cdot\frac{1}{2}} = \frac{\frac{1}{p}-\frac{1}{q}}{1+\frac{1}{p}\cdot\frac{1}{q}}$ $\quad\therefore (p-3)(q+3)=-10$

이때, p, q는 자연수이고 $1<p<q$이므로

$p-3=-1$, $q+3=10$ $\quad\therefore p=2$, $q=7$

$\therefore p+q=2+7=9$

정답_ 9

273

사각형 OACB가 평행사변형이므로 $\overline{BC}=\overline{OA}=1$이고,

점 $B(\cos\theta, \sin\theta)$이므로

$f(\theta) = \overline{OA}\cdot$(점 B의 y좌표$)=1\cdot\sin\theta = \sin\theta$

점 C에서 x축에 내린 수선의 발을 H라고 하면 평행사변형의 성질에 의해

$\angle CAH = \angle BOA = \theta$

$\overline{AH} = \overline{AC}\cos\theta = \overline{OB}\cos\theta$

$=$(점 B의 x좌표$)=\cos\theta$

즉, 점 C의 x좌표는 $\overline{OA}+\overline{AH}=1+\cos\theta$이고, y좌표는 $\sin\theta$이다.

$g(\theta) = \overline{OC}^2 = (1+\cos\theta)^2 + \sin^2\theta$

$= 1+2\cos\theta + \cos^2\theta + \sin^2\theta = 2+2\cos\theta$

$f(\theta)+g(\theta) = \sin\theta + 2\cos\theta + 2$

$= \sqrt{5}\left(\sin\theta\cdot\frac{1}{\sqrt{5}} + \cos\theta\cdot\frac{2}{\sqrt{5}}\right)+2$

$= \sqrt{5}\sin(\theta+\alpha)+2$

$\left(단, \sin\alpha = \frac{2}{\sqrt{5}}, \cos\alpha = \frac{1}{\sqrt{5}}\right)$

이때, $0<\theta<\frac{\pi}{2}$이므로 $\alpha<\theta+\alpha<\frac{\pi}{2}+\alpha$에서

$\sin\alpha < \sin(\theta+\alpha) < \sin\frac{\pi}{2}$, $\frac{2}{\sqrt{5}} < \sin(\theta+\alpha) < 1$

$2 < \sqrt{5}\sin(\theta+\alpha) \le \sqrt{5}$

$\therefore 4 < \sqrt{5}\sin(\theta+\alpha)+2 \le 2+\sqrt{5}$

따라서 $f(\theta)+g(\theta)$의 최댓값은 $2+\sqrt{5}$이다.

정답_ $2+\sqrt{5}$

274

$\begin{cases}\sin x + \sin y = 1 \\ \cos x + \cos y = \sqrt{3}\end{cases}$ 에서 $\begin{cases}\sin y = 1-\sin x & \cdots\cdots ㉠ \\ \cos y = \sqrt{3}-\cos x & \cdots\cdots ㉡\end{cases}$

$\sin^2 y + \cos^2 y = 1$이므로 ㉠, ㉡을 대입하면

$(1-\sin x)^2 + (\sqrt{3}-\cos x)^2 = 1$

$1-2\sin x + \sin^2 x + 3 - 2\sqrt{3}\cos x + \cos^2 x = 1$

$\sin x + \sqrt{3}\cos x = 2$

$2\left(\frac{1}{2}\sin x + \frac{\sqrt{3}}{2}\cos x\right) = 2$ $\quad\therefore \sin\left(x+\frac{\pi}{3}\right)=1$

이때 $0\le x<2\pi$에서 $\frac{\pi}{3} \le x+\frac{\pi}{3} < \frac{7}{3}\pi$이므로

$x+\frac{\pi}{3} = \frac{\pi}{2}$ $\quad\therefore x=\frac{\pi}{6}$

$x=\frac{\pi}{6}$를 ㉠, ㉡에 각각 대입하면

$\sin y = \frac{1}{2}$, $\cos y = \frac{\sqrt{3}}{2}$ $\quad\therefore y=\frac{\pi}{6}$ $(\because 0\le y<2\pi)$

따라서 $\alpha=\frac{\pi}{6}$, $\beta=\frac{\pi}{6}$이므로

$\tan(\alpha+\beta) = \tan\left(\frac{\pi}{6}+\frac{\pi}{6}\right) = \tan\frac{\pi}{3} = \sqrt{3}$

정답_ ⑤

275

$\tan^{-1}\frac{x}{2} = h$로 놓으면 $\tan h = \frac{x}{2}$ $\quad\therefore x=2\tan h$

이때, $x \to 0$일 때 $h \to 0$이므로

$$\lim_{x\to0}\frac{\tan^{-1}\frac{x}{2}}{x}=\lim_{h\to0}\left(\frac{h}{\tan h}\cdot\frac{1}{2}\right)=1\cdot\frac{1}{2}=\frac{1}{2}$$ 정답_ ②

276

ㄱ은 옳다.

$$\lim_{x\to0}\frac{e^{f(x)}-1}{x}=\lim_{x\to0}\left(\frac{e^{\sin x}-1}{\sin x}\cdot\frac{\sin x}{x}\right)=1\cdot1=1$$

ㄴ도 옳다.

$$\lim_{x\to0}\frac{\log_2(1+2x)}{f(x)}$$
$$=\lim_{x\to0}\frac{\ln(1+2x)}{f(x)\ln2}$$
$$=\lim_{x\to0}\left\{\frac{\ln(1+2x)}{2x}\cdot\frac{2}{\ln2}\cdot\frac{x}{\ln(1+x)}\cdot\frac{\ln(1+x)}{f(x)}\right\}$$
$$=1\cdot\frac{2}{\ln2}\cdot1\cdot1=\frac{2}{\ln2}\ \left(\because \lim_{x\to0}\frac{\ln(1+x)}{f(x)}=1\right)$$

ㄷ은 옳지 않다.

$$\sum_{k=1}^{10}\lim_{x\to0}\frac{e^{f(kx)}-e^{f(x)}}{\sin(f(5x))}$$
$$=\sum_{k=1}^{10}\lim_{x\to0}\frac{e^{kx}-e^{x}}{\sin5x}$$
$$=\sum_{k=1}^{10}\lim_{x\to0}\frac{e^{kx}-1+1-e^{x}}{\sin5x}$$
$$=\sum_{k=1}^{10}\lim_{x\to0}\left\{\left(\frac{e^{kx}-1}{x}-\frac{e^{x}-1}{x}\right)\cdot\frac{x}{\sin5x}\right\}$$
$$=\sum_{k=1}^{10}\lim_{x\to0}\left\{\left(\frac{e^{kx}-1}{kx}\cdot k-\frac{e^{x}-1}{x}\right)\cdot\frac{5x}{\sin5x}\cdot\frac{1}{5}\right\}$$
$$=\frac{1}{5}\sum_{k=1}^{10}(k-1)=\frac{1}{5}\left(\frac{10\cdot11}{2}-10\right)=9$$

따라서 옳은 것은 ㄱ, ㄴ이다. 정답_ ③

277

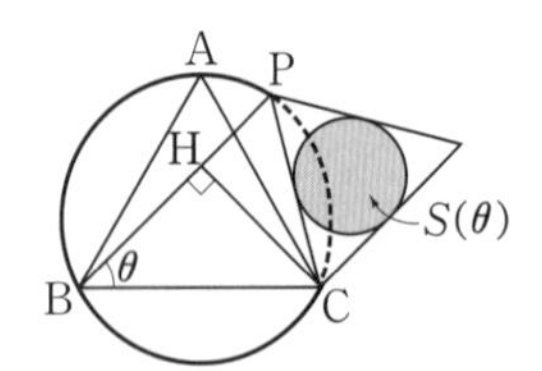

삼각형 ABC가 정삼각형이므로 원주각의 성질에 의해

$\angle BPC=\angle BAC=\frac{\pi}{3}$

이때, $\overline{BC}=\sqrt{3}$이므로 삼각형 PBC의 꼭짓점 C에서 선분 BP에 내린 수선의 발을 H라고 하면

직각삼각형 HBC에서 $\overline{CH}=\overline{BC}\sin\theta=\sqrt{3}\sin\theta$

또, 직각삼각형 HCP에서

$$\overline{PC}=\frac{\overline{CH}}{\sin\frac{\pi}{3}}=\frac{\sqrt{3}\sin\theta}{\frac{\sqrt{3}}{2}}=2\sin\theta$$

선분 PC를 한 변으로 하는 정삼각형의 넓이를 A라 하면

$$A=\frac{\sqrt{3}}{4}\cdot\overline{PC}^2=\frac{\sqrt{3}}{4}\cdot(2\sin\theta)^2=\sqrt{3}\sin^2\theta \quad \cdots\cdots ㉠$$

한편, 선분 PC를 한 변으로 하는 정삼각형에 내접하는 원의 반지름의 길이를 r라고 하면

$$A=3\cdot\left(\frac{1}{2}\cdot\overline{PC}\cdot r\right)=3\cdot\left(\frac{1}{2}\cdot2\sin\theta\cdot r\right)=3r\sin\theta \quad \cdots\cdots ㉡$$

㉠, ㉡에서 $\sqrt{3}\sin^2\theta=3r\sin\theta$이므로

$r=\frac{\sqrt{3}}{3}\sin\theta\ (\because \sin\theta>0)$

즉, $S(\theta)=\pi\cdot\left(\frac{\sqrt{3}}{3}\sin\theta\right)^2=\frac{1}{3}\pi\sin^2\theta$이므로

$$\lim_{\theta\to0+}\frac{S(\theta)}{\theta^2}=\lim_{\theta\to0+}\frac{\frac{1}{3}\pi\sin^2\theta}{\theta^2}$$
$$=\lim_{\theta\to0+}\left(\frac{1}{3}\pi\cdot\frac{\sin^2\theta}{\theta^2}\right)$$
$$=\frac{1}{3}\pi\cdot1^2=\frac{1}{3}\pi$$

따라서 $a=\frac{1}{3}$이므로 $30a=30\cdot\frac{1}{3}=10$ 정답_ 10

278

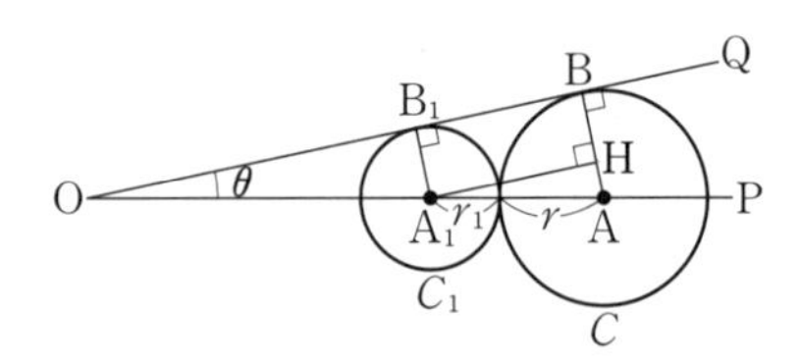

위의 그림과 같이 $\overline{AB}=r$, $\overline{A_1B_1}=r_1$이라 하고, 점 A_1에서 $\overline{AB}$에 내린 수선의 발을 H라고 하면

$\overline{AA_1}=r+r_1$, $\overline{AH}=r-r_1$

$\angle AA_1H=\angle POQ=\theta$이므로 삼각형 AA_1H에서

$\sin\theta=\frac{r-r_1}{r+r_1}$, $(r+r_1)\sin\theta=r-r_1$

$r\sin\theta+r_1\sin\theta=r-r_1$, $r(1-\sin\theta)=r_1(1+\sin\theta)$

$\frac{r}{r_1}=\frac{1+\sin\theta}{1-\sin\theta}$ $\quad\therefore \frac{\overline{AB}}{\overline{A_1B_1}}=\frac{1+\sin\theta}{1-\sin\theta}$

$$\therefore \lim_{\theta\to0+}\left(\frac{\overline{AB}}{\overline{A_1B_1}}\right)^{\frac{1}{\theta}}$$
$$=\lim_{\theta\to0+}\left(\frac{1+\sin\theta}{1-\sin\theta}\right)^{\frac{1}{\theta}}$$
$$=\lim_{\theta\to0+}\left(\frac{1-\sin\theta+2\sin\theta}{1-\sin\theta}\right)^{\frac{1}{\theta}}$$
$$=\lim_{\theta\to0+}\left(1+\frac{2\sin\theta}{1-\sin\theta}\right)^{\frac{1}{\theta}}$$
$$=\lim_{\theta\to0+}\left\{\left(1+\frac{2\sin\theta}{1-\sin\theta}\right)^{\frac{1-\sin\theta}{2\sin\theta}}\right\}^{\frac{2}{1-\sin\theta}\cdot\frac{\sin\theta}{\theta}}$$
$$=e^{2\cdot1}=e^2$$ 정답_ ④

279

극한값이 존재하고, $x\to1$일 때 (분모) $\to0$이므로 (분자) $\to0$이어야 한다. 즉, $\lim_{x\to1}\sin(\cos ax)=0$에서

$\sin(\cos a)=0$, $\cos a=0$

$\therefore a=\frac{\pi}{2}\left(\because 0\le a\le\frac{2}{3}\pi\right) \quad \cdots\cdots ㉠$

㉠을 주어진 식에 대입한 후 $x-1=t$로 놓으면

$x \to 1$일 때 $t \to 0$이므로

$$\lim_{x\to1}\frac{\sin\left(\cos\frac{\pi}{2}x\right)}{x-1}=\lim_{t\to0}\frac{\sin\left\{\cos\left(\frac{\pi}{2}+\frac{\pi}{2}t\right)\right\}}{t}$$

$$=\lim_{t\to0}\frac{\sin\left(-\sin\frac{\pi}{2}t\right)}{t}$$

$$=\lim_{t\to0}\left\{\frac{-\sin\left(\sin\frac{\pi}{2}t\right)}{\sin\frac{\pi}{2}t}\cdot\frac{\sin\frac{\pi}{2}t}{\frac{\pi}{2}t}\cdot\frac{\pi}{2}\right\}$$

$$=-1\cdot1\cdot\frac{\pi}{2}=-\frac{\pi}{2}$$

따라서 $b=-\frac{\pi}{2}$이므로 $a-b=\frac{\pi}{2}-\left(-\frac{\pi}{2}\right)=\pi$ 정답_ π

280

함수 $f(x)$가 $x=0$에서 연속이려면 $\lim_{x\to0}f(x)=f(0)$이어야 하므로

$$a=\lim_{x\to0}\frac{\sin4x}{2x+\sin x}=\lim_{x\to0}\frac{\frac{\sin4x}{4x}\cdot4}{2+\frac{\sin x}{x}}=\frac{1\cdot4}{2+1}=\frac{4}{3}$$

또, 함수 $g(x)$가 $x=0$에서 연속이려면 $\lim_{x\to0}g(x)=(0)$이어야 하므로

$$a=\lim_{x\to0}\frac{\tan bx}{x}=\lim_{x\to0}\frac{\tan bx}{bx}\cdot b=1\cdot b=b$$

$\therefore a=b=\frac{4}{3}$

$\therefore a+b=\frac{4}{3}+\frac{4}{3}=\frac{8}{3}$ 정답_ ④

281

$\frac{g'(x)}{f'(x)}+\frac{f'(x)}{g'(x)}=2$에서 $f'(x)g'(x)\neq0$이므로

$\{f'(x)\}^2-2f'(x)g'(x)+\{g'(x)\}^2=0$

$\{f'(x)-g'(x)\}^2=0 \quad \therefore f'(x)-g'(x)=0$

$f(x)-g(x)=\sin x-\frac{1}{20}x^2$의 양변을 x에 대하여 미분하면

$f'(x)-g'(x)=\cos x-\frac{1}{10}x \quad \therefore \cos x-\frac{1}{10}x=0$

이 방정식의 근은 곡선 $y=\cos x$와 직선 $y=\frac{1}{10}x$의 교점이므로 다음 그림에서 양의 근의 개수는 3이다.

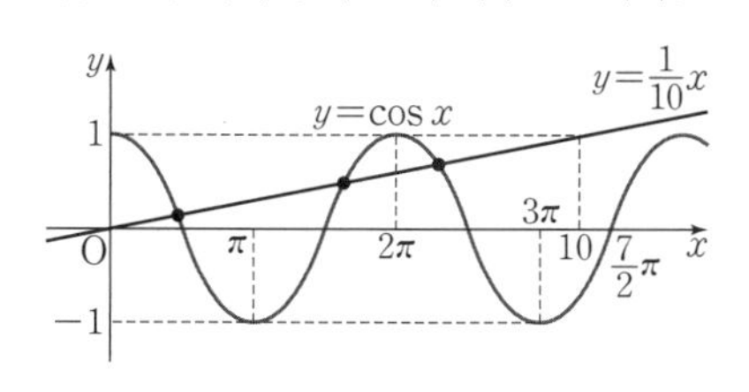

정답_ ③

05 여러 가지 미분법

282

(1) $y'=\frac{2(3x+1)-(2x-1)\cdot3}{(3x+1)^2}=\frac{5}{(3x+1)^2}$

(2) $y'=-\frac{(x^2-x+1)'}{(x^2-x+1)^2}=-\frac{2x-1}{(x^2-x+1)^2}$

(3) $y'=-\frac{(e^x)'}{(e^x)^2}=-\frac{e^x}{e^{2x}}=-\frac{1}{e^x}$

(4) $y'=\frac{-\sin x(1-\cos x)-(1+\cos x)\cdot\sin x}{(1-\cos x)^2}$

$$=-\frac{2\sin x}{(1-\cos x)^2}$$

정답_ (1) $y'=\frac{5}{(3x+1)^2}$ (2) $y'=-\frac{2x-1}{(x^2-x+1)^2}$

(3) $y'=-\frac{1}{e^x}$ (4) $y'=-\frac{2\sin x}{(1-\cos x)^2}$

283

$$f'(x)=\frac{(3x^2-2x)(x^2-1)-(x^3-x^2+1)\cdot2x}{(x^2-1)^2}$$

$$=\frac{x^2(x^2-3)}{(x^2-1)^2}$$

$\therefore f'(\sqrt{2})=\frac{2(2-3)}{(2-1)^2}=-2$ 정답_ ①

284

$$f'(x)=\frac{e^x(e^x+1)-e^x\cdot e^x}{(e^x+1)^2}=\frac{e^x}{(e^x+1)^2}$$

$\therefore f'(0)=\frac{1}{(1+1)^2}=\frac{1}{4}$ 정답_ ②

285

$g'(x)=\frac{1\cdot\{f(x)+2\}-xf'(x)}{\{f(x)+2\}^2}$이고, $f(0)=1$이므로

$g'(0)=\frac{f(0)+2}{\{f(0)+2\}^2}=\frac{1+2}{(1+2)^2}=\frac{1}{3}$ 정답_ ②

286

$$f'(x)=\frac{1\cdot(3x+1)-(x+k)\cdot3}{(3x+1)^2}=\frac{-3k+1}{(3x+1)^2}$$

이때, $f'(0)=7$이므로

$-3k+1=7 \quad \therefore k=-2$ 정답_ ①

287

$$f'(x)=\frac{a(x+1)-ax\cdot1}{(x+1)^2}=\frac{a}{(x+1)^2}$$

이때, $f'(1)=2$이므로 $\frac{a}{(1+1)^2}=2 \quad \therefore a=8$

따라서 $f'(x)=\frac{8}{(x+1)^2}$이므로

$\lim_{x\to 2}\frac{f(x)-f(2)}{x-2}=f'(2)=\frac{8}{(2+1)^2}=\frac{8}{9}$ 정답_④

288

$$f'(x)=\frac{\sec^2 x(1+\sec x)-\tan x\cdot\sec x\tan x}{(1+\sec x)^2}$$
$$=\frac{\sec x(\sec x+\sec^2 x-\tan^2 x)}{(1+\sec x)^2}$$
$$=\frac{\sec x(\sec x+1)}{(1+\sec x)^2}\ (\because 1+\tan^2 x=\sec^2 x)$$
$$=\frac{\sec x}{1+\sec x}$$

$\therefore f'(0)=\frac{1}{1+1}=\frac{1}{2}$ 정답_②

289

함수 $f(x)$가 $x=0$에서 미분가능하면 $x=0$에서 연속이어야 하므로 $\lim_{x\to 0-}(3\sin x+4\tan x)=\lim_{x\to 0+}(x^2+ax+b)=f(0)$

$\therefore b=0$

또한, $f'(0)$이 존재해야 하므로

$$f'(x)=\begin{cases}3\cos x+4\sec^2 x & (x<0)\\ 2x+a & (x>0)\end{cases}$$

에서 $\lim_{x\to 0-}(3\cos x+4\sec^2 x)=\lim_{x\to 0+}(2x+a)$

$\therefore a=7$

$\therefore a+b=7+0=7$ 정답_④

290

(1) $y'=5\left(x+\frac{1}{x}\right)^4\left(x+\frac{1}{x}\right)'=5\left(x+\frac{1}{x}\right)^4\left(1-\frac{1}{x^2}\right)$

(2) $y=\frac{1}{(3x-1)^7}=(3x-1)^{-7}$이므로

$y'=-7(3x-1)^{-8}(3x-1)'$

$=-7(3x-1)^{-8}\cdot 3=-\frac{21}{(3x-1)^8}$

(3) $y'=e^{2x-1}(2x-1)'=2e^{2x-1}$

(4) $y'=\{\cos(\cos x)\}(\cos x)'=\{\cos(\cos x)\}(-\sin x)$

$=(-\sin x)\{\cos(\cos x)\}$

정답_(1) $y'=5\left(x+\frac{1}{x}\right)^4\left(1-\frac{1}{x^2}\right)$ (2) $y'=-\frac{21}{(3x-1)^8}$

(3) $y'=2e^{2x-1}$ (4) $y'=(-\sin x)\{\cos(\cos x)\}$

291

$$f'(x)=5\left(\frac{4x-3}{2x-1}\right)^4\cdot\left(\frac{4x-3}{2x-1}\right)'$$
$$=5\left(\frac{4x-3}{2x-1}\right)^4\cdot\frac{4(2x-1)-(4x-3)\cdot 2}{(2x-1)^2}$$
$$=5\left(\frac{4x-3}{2x-1}\right)^4\cdot\frac{2}{(2x-1)^2}=\frac{10(4x-3)^4}{(2x-1)^6}$$

$\therefore f'(1)=10$ 정답_⑤

292

$f(2x+1)=(x^2+1)^2$의 양변을 x에 대하여 미분하면

$f'(2x+1)\cdot 2=2(x^2+1)\cdot 2x$

$f'(2x+1)=2x(x^2+1)$

위의 식의 양변에 $x=1$을 대입하면

$f'(3)=2\cdot 1\cdot(1^2+1)=4$ 정답_④

293

$g(x)=\{xf(x)\}^2$의 양변을 x에 대하여 미분하면

$g'(x)=2\cdot xf(x)\cdot\{xf(x)\}'$

$=2xf(x)\{f(x)+xf'(x)\}$

이때, $f(1)=1$, $f'(1)=2$이므로

$g'(1)=2\cdot 1\cdot f(1)\cdot\{f(1)+1\cdot f'(1)\}$

$=2\cdot 1\cdot 1\cdot(1+1\cdot 2)=6$ 정답_②

294

$(f\circ g)(x)=f(g(x))=x^2+2x$의 양변을 x에 대하여 미분하면

$f'(g(x))g'(x)=2x+2$

이때, $g'(x)=\frac{2(x^2+1)-2x\cdot 2x}{(x^2+1)^2}=\frac{-2x^2+2}{(x^2+1)^2}$이므로

$f'\left(\frac{2x}{x^2+1}\right)\cdot\frac{-2x^2+2}{(x^2+1)^2}=2x+2$

위의 식의 양변에 $x=0$을 대입하면

$f'(0)\cdot 2=2$ $\therefore f'(0)=1$ 정답_④

295

$\lim_{x\to 1}\frac{f(x)-1}{x-1}=4$에서 극한값이 존재하고, $x\to 1$일 때

(분모) $\to 0$이므로 (분자) $\to 0$이어야 한다.

즉, $\lim_{x\to 1}\{f(x)-1\}=0$에서 $f(1)=1$

$\therefore \lim_{x\to 1}\frac{f(x)-1}{x-1}=\lim_{x\to 1}\frac{f(x)-f(1)}{x-1}=f'(1)=4$

$\lim_{x\to 1}\frac{g(x)-2}{x-1}=3$에서 극한값이 존재하고, $x\to 1$일 때

(분모) $\to 0$이므로 (분자) $\to 0$이어야 한다.

즉, $\lim_{x\to 1}\{g(x)-2\}=0$에서 $g(1)=2$

$\therefore \lim_{x\to 1}\frac{g(x)-2}{x-1}=\lim_{x\to 1}\frac{g(x)-g(1)}{x-1}=g'(1)=3$

$y'=g'(f(x))f'(x)$이므로 $y=(g\circ f)(x)$의 $x=1$에서의 미분계수는

$g'(f(1))f'(1)=g'(1)f'(1)=3\cdot 4=12$ 정답_②

296

$f'(x)=3\sec^2 2x\cdot 2=6\sec^2 2x$이므로

$f'\left(\frac{\pi}{6}\right)=6\sec^2\frac{\pi}{3}=6\cdot 2^2=24$ 정답_24

297

$h(x)=g(f(x))$라고 하면 $h(x)=g'(f(x))f'(x)$

$f\left(\frac{\pi}{4}\right)=\sin^2\frac{\pi}{4}=\frac{1}{2}, g\left(\frac{1}{2}\right)=e^{\frac{1}{2}}=\sqrt{e}$이므로

$h\left(\frac{\pi}{4}\right)=g\left(f\left(\frac{\pi}{4}\right)\right)=\sqrt{e}$

$$\therefore \lim_{x\to\frac{\pi}{4}}\frac{g(f(x))-\sqrt{e}}{x-\frac{\pi}{4}}=\lim_{x\to\frac{\pi}{4}}\frac{h(x)-h\left(\frac{\pi}{4}\right)}{x-\frac{\pi}{4}}$$

$$=h'\left(\frac{\pi}{4}\right)$$

$$=g'\left(f\left(\frac{\pi}{4}\right)\right)f'\left(\frac{\pi}{4}\right)$$

$$=g'\left(\frac{1}{2}\right)f'\left(\frac{\pi}{4}\right)$$

$f(x)=\sin^2 x$에서 $f'(x)=2\sin x\cos x$이고

$g(x)=e^x$에서 $g'(x)=e^x$이므로

$f'\left(\frac{\pi}{4}\right)=2\sin\frac{\pi}{4}\cos\frac{\pi}{4}=2\cdot\frac{\sqrt{2}}{2}\cdot\frac{\sqrt{2}}{2}=1$

$g'\left(\frac{1}{2}\right)=e^{\frac{1}{2}}=\sqrt{e}$

따라서 구하는 극한값은

$g'\left(\frac{1}{2}\right)f'\left(\frac{\pi}{4}\right)=\sqrt{e}\cdot 1=\sqrt{e}$ 정답_④

298

주어진 식의 양변을 x에 대하여 미분하면

$f'(\cos x)\cdot(-\sin x)=2\cos 2x+\sec^2 x$ ……㉠

$0<x<\frac{\pi}{2}$에서 $\cos x=\frac{1}{2}$을 만족시키는 x의 값은 $x=\frac{\pi}{3}$

㉠의 양변에 $x=\frac{\pi}{3}$를 대입하면

$f'\left(\cos\frac{\pi}{3}\right)\cdot\left(-\sin\frac{\pi}{3}\right)=2\cos\frac{2}{3}\pi+\sec^2\frac{\pi}{3}$

$f'\left(\frac{1}{2}\right)\cdot\left(-\frac{\sqrt{3}}{2}\right)=2\cdot\left(-\frac{1}{2}\right)+2^2,\ -\frac{\sqrt{3}}{2}f'\left(\frac{1}{2}\right)=3$

$\therefore f'\left(\frac{1}{2}\right)=-2\sqrt{3}$ 정답_①

299

(1) $y'=3\cdot\frac{1}{x}-\frac{1}{x\ln 3}=\frac{3}{x}-\frac{1}{x\ln 3}$

(2) $y'=2x\cdot\ln x+x^2\cdot\frac{1}{x}=2x\ln x+x=x(2\ln x+1)$

(3) $y'=\frac{\frac{1}{x}\cdot x-\ln x\cdot 1}{x^2}=\frac{1-\ln x}{x^2}$

(4) $y'=\frac{(x^2+1)'}{(x^2+1)\ln 3}=\frac{2x}{(x^2+1)\ln 3}$

정답_(1) $y'=\frac{3}{x}-\frac{1}{x\ln 3}$ (2) $y'=x(2\ln x+1)$

(3) $y'=\frac{1-\ln x}{x^2}$ (4) $y'=\frac{2x}{(x^2+1)\ln 3}$

300

$$f'(x)=\frac{\{(3x-1)^4\}'}{(3x-1)^4\ln 3}=\frac{4(3x-1)^3\cdot 3}{(3x-1)^4\ln 3}=\frac{12}{(3x-1)\ln 3}$$

$\therefore f'(1)=\frac{12}{2\ln 3}=\frac{6}{\ln 3}$ 정답_②

301

$$f'(x)=\frac{(\log_2 x)'}{\log_2 x}=\frac{\frac{1}{x\ln 2}}{\frac{\ln x}{\ln 2}}=\frac{1}{x\ln x}$$

$\therefore f'(e)=\frac{1}{e\ln e}=\frac{1}{e}$ 정답_②

302

$f(x)=x\ln ax+b$에서 $f(1)=4$이므로

$f(1)=\ln a+b=4$ ……㉠

$f'(x)=\ln ax+x\cdot\frac{a}{ax}=\ln ax+1$에서 $f'(1)=2$이므로

$f'(1)=\ln a+1=2, \ln a=1$ $\therefore a=e$

$a=e$를 ㉠에 대입하면 $\ln e+b=4$

$1+b=4$ $\therefore b=3$

따라서 $f(x)=x\ln ex+3$이므로

$f(e)=e\ln e^2+3=2e+3$ 정답_③

303

$f'(x)=\frac{(3x-a)'}{3x-a}=\frac{3}{3x-a}$

$\lim_{x\to 0}\frac{f(1+x)-f(1)}{x}=2$에서 $f'(1)=2$이므로

$\frac{3}{3-a}=2, 3=6-2a, 2a=3$ $\therefore a=\frac{3}{2}$ 정답_③

304

$$f'(x)=\frac{(\tan x+\sec x)'}{\tan x+\sec x}=\frac{\sec^2 x+\sec x\tan x}{\tan x+\sec x}$$

$$=\frac{\sec x(\sec x+\tan x)}{\sec x+\tan x}=\sec x$$

$$\therefore \lim_{h\to 0}\frac{f(2h)-f(-h)}{h}$$

$$=\lim_{h\to 0}\left\{\frac{f(2h)-f(0)}{h}-\frac{f(-h)-f(0)}{h}\right\}$$

$$=\lim_{h\to 0}\left\{\frac{f(2h)-f(0)}{2h}\cdot 2+\frac{f(-h)-f(0)}{-h}\right\}$$

$=2f'(0)+f'(0)=3f'(0)=3\cdot 1=3$ 정답_③

305

$$\lim_{x\to 0}\frac{1}{x}\ln\frac{2^x+3^x}{a}=\lim_{x\to 0}\frac{\ln\frac{2^x+3^x}{a}}{x}$$

$$=\lim_{x\to 0}\frac{\ln(2^x+3^x)-\ln a}{x}=b$$

에서 극한값이 존재하고, $x\to 0$일 때 (분모) $\to 0$이므로 (분자) $\to 0$이어야 한다.

즉, $\lim_{x\to 0}\{\ln(2^x+3^x)-\ln a\}=0$에서

$\ln 2-\ln a=0 \quad \therefore a=2$

한편, $f(x)=\ln(2^x+3^x)$으로 놓으면

$f(0)=\ln(1+1)=\ln 2$이므로

$$\lim_{x\to 0}\frac{\ln(2^x+3^x)-\ln 2}{x}=\lim_{x\to 0}\frac{f(x)-f(0)}{x-0}=f'(0)$$

$f'(x)=\dfrac{2^x\ln 2+3^x\ln 3}{2^x+3^x}$이므로

$f'(0)=\dfrac{\ln 2+\ln 3}{1+1}=\dfrac{\ln 6}{2} \qquad \therefore b=\dfrac{\ln 6}{2}$

$\therefore ab=2\cdot\dfrac{\ln 6}{2}=\ln 6$

정답_⑤

306

$f(x)=\ln(e^x+e^{2x}+\cdots+e^{9x})$으로 놓으면

$f(0)=\ln(1+1+\cdots+1)=\ln 9$이므로

$$\lim_{x\to 0}\frac{1}{x}\ln\frac{e^x+e^{2x}+\cdots+e^{9x}}{9}$$

$$=\lim_{x\to 0}\frac{\ln(e^x+e^{2x}+\cdots+e^{9x})-\ln 9}{x}$$

$$=\lim_{x\to 0}\frac{f(x)-f(0)}{x}=f'(0)$$

한편, $f'(x)=\dfrac{e^x+2e^{2x}+\cdots+9e^{9x}}{e^x+e^{2x}+\cdots+e^{9x}}$이므로

$f'(0)=\dfrac{1+2+\cdots+9}{1+1+\cdots+1}=\dfrac{45}{9}=5$

정답_②

307

$f(x)=x^{\ln x}$의 양변에 자연로그를 취하면

$\ln f(x)=\ln x^{\ln x}=(\ln x)^2$

양변을 x에 대하여 미분하면

$\dfrac{f'(x)}{f(x)}=2\ln x\cdot(\ln x)'=\dfrac{2\ln x}{x}$

$\therefore \dfrac{f'(e)}{f(e)}=\dfrac{2\ln e}{e}=\dfrac{2}{e}$

정답_③

308

$f(x)=(1+e^x)(1+e^{2x})(1+e^{3x})\cdots(1+e^{12x})$에서

$\ln|f(x)|=\ln|(1+e^x)(1+e^{2x})(1+e^{3x})\cdots(1+e^{12x})|$

$=\ln(1+e^x)+\ln(1+e^{2x})+\ln(1+e^{3x})$
$+\cdots+\ln(1+e^{12x})$

양변을 x에 대하여 미분하면

$$\frac{f'(x)}{f(x)}=\frac{e^x}{1+e^x}+\frac{2e^{2x}}{1+e^{2x}}+\frac{3e^{3x}}{1+e^{3x}}+\cdots+\frac{12e^{12x}}{1+e^{12x}}$$

$$\therefore \lim_{x\to 0}\frac{f'(x)}{f(x)}=\frac{1}{1+1}+\frac{2}{1+1}+\frac{3}{1+1}+\cdots+\frac{12}{1+1}$$

$$=\frac{1}{2}(1+2+3+\cdots+12)$$

$$=\frac{1}{2}\cdot\frac{12\cdot 13}{2}=39$$

정답_⑤

309

$f(x)=\dfrac{x(x+2)^3}{(x+1)^4}$의 양변의 절댓값에 자연로그를 취하면

$$\ln|f(x)|=\ln\left|\frac{x(x+2)^3}{(x+1)^4}\right|$$

$$=\ln|x|+3\ln|x+2|-4\ln|x+1|$$

양변을 x에 대하여 미분하면

$$\frac{f'(x)}{f(x)}=\frac{1}{x}+\frac{3}{x+2}-\frac{4}{x+1}$$

$$=\frac{(x+2)(x+1)+3x(x+1)-4x(x+2)}{x(x+2)(x+1)}$$

$$=\frac{2-2x}{x(x+2)(x+1)}$$

$$\therefore f'(x)=f(x)\cdot\frac{2-2x}{x(x+2)(x+1)}$$

$$=\frac{x(x+2)^3}{(x+1)^4}\cdot\frac{2-2x}{x(x+2)(x+1)}$$

$$=\frac{(x+2)^2(2-2x)}{(x+1)^5}$$

$\therefore f'(0)=8$

정답_⑤

310

$f(x)=\dfrac{x^4}{(x+1)(x-3)^2}$의 양변의 절댓값에 자연로그를 취하면

$$\ln|f(x)|=\ln\left|\frac{x^4}{(x+1)(x-3)^2}\right|$$

$$=4\ln|x|-\ln|x+1|-2\ln|x-3|$$

양변을 x에 대하여 미분하면

$$\frac{f'(x)}{f(x)}=\frac{4}{x}-\frac{1}{x+1}-\frac{2}{x-3}$$

$$=\frac{4(x+1)(x-3)-x(x-3)-2x(x+1)}{x(x+1)(x-3)}$$

$$=\frac{x^2-7x-12}{x(x+1)(x-3)}$$

$$\therefore f'(x)=f(x)\cdot\frac{x^2-7x-12}{x(x+1)(x-3)}$$

$$=\frac{x^4}{(x+1)(x-3)^2}\cdot\frac{x^2-7x-12}{x(x+1)(x-3)}$$

$$=\frac{x^3(x^2-7x-12)}{(x+1)^2(x-3)^3}$$

$\therefore f'(0)=0$

정답_③

311

$e^{f(x)}=\sqrt{\frac{1-\sin x}{1+\sin x}}$의 양변에 자연로그를 취하면

$\ln e^{f(x)}=\ln\sqrt{\frac{1-\sin x}{1+\sin x}}$

$f(x)=\frac{1}{2}\{\ln(1-\sin x)-\ln(1+\sin x)\}$

양변을 x에 대하여 미분하면

$$f'(x)=\frac{1}{2}\left(\frac{-\cos x}{1-\sin x}-\frac{\cos x}{1+\sin x}\right)$$
$$=\frac{1}{2}\cdot\frac{-\cos x(1+\sin x)-\cos x(1-\sin x)}{(1-\sin x)(1+\sin x)}$$
$$=\frac{1}{2}\cdot\frac{-2\cos x}{1-\sin^2 x}=-\frac{\cos x}{\cos^2 x}$$
$$=-\frac{1}{\cos x}$$

$\therefore f'\left(\frac{2}{3}\pi\right)=-\frac{1}{\cos\frac{2}{3}\pi}=2$

정답_ ③

312

$f(\pi)=\pi^{\sin\pi}=1$이므로

$\lim_{x\to\pi}\frac{f(x)-1}{x-\pi}=\lim_{x\to\pi}\frac{f(x)-f(\pi)}{x-\pi}=f'(\pi)$

$f(x)=x^{\sin x}$의 양변에 자연로그를 취하면

$\ln f(x)=\ln x^{\sin x}=\sin x\ln x$

양변을 x에 대하여 미분하면

$\frac{f'(x)}{f(x)}=\cos x\ln x+\sin x\cdot\frac{1}{x}$

$$\therefore f'(x)=f(x)\left(\cos x\ln x+\sin x\cdot\frac{1}{x}\right)$$
$$=x^{\sin x}\left(\cos x\ln x+\sin x\cdot\frac{1}{x}\right)$$

$$\therefore f'(\pi)=\pi^{\sin\pi}\left(\cos\pi\ln\pi+\sin\pi\cdot\frac{1}{\pi}\right)$$
$$=\pi^0(-\ln\pi+0)=-\ln\pi$$

정답_ ②

313

$$\lim_{h\to0}\frac{f(3+2h)-f(3)}{h}=\lim_{h\to0}\frac{f(3+2h)-f(3)}{2h}\cdot2$$
$$=2f'(3)$$

$f(x)=3x^{-2}$에서

$f'(x)=3\cdot(-2)\cdot x^{-3}=-6x^{-3}$

$\therefore 2f'(3)=2\cdot(-6\cdot3^{-3})=-\frac{4}{9}$

정답_ ③

314

$$f(x)=\frac{1}{x}+\frac{2}{x^2}+\frac{3}{x^3}+\cdots+\frac{9}{x^9}$$
$$=x^{-1}+2x^{-2}+3x^{-3}+\cdots+9x^{-9}$$

이므로

$f'(x)=-x^{-2}-2^2x^{-3}-3^2x^{-4}-\cdots-9^2x^{-10}$

$$\therefore f'(1)=-1-2^2-3^2-\cdots-9^2=-(1^2+2^2+3^2+\cdots+9^2)$$
$$=-\frac{9\cdot10\cdot19}{6}=-285$$

정답_ -285

315

$f(x)=\frac{1}{\sqrt[4]{x^3}}=\frac{1}{x^{\frac{3}{4}}}=x^{-\frac{3}{4}}$이므로

$f'(x)=-\frac{3}{4}x^{-\frac{7}{4}}$

$$\therefore f'(\sqrt[7]{16})=f'(2^{\frac{4}{7}})=-\frac{3}{4}(2^{\frac{4}{7}})^{-\frac{7}{4}}$$
$$=-\frac{3}{4}\cdot2^{-1}=-\frac{3}{8}$$

정답_ ③

316

$$f'(x)=5(\sqrt{x^2-2}+x)^4\cdot(\sqrt{x^2-2}+x)'$$
$$=5(\sqrt{x^2-2}+x)^4\left(\frac{2x}{2\sqrt{x^2-2}}+1\right)$$
$$=5(\sqrt{x^2-2}+x)^4\cdot\frac{x+\sqrt{x^2-2}}{\sqrt{x^2-2}}$$
$$=\frac{5(\sqrt{x^2-2}+x)^5}{\sqrt{x^2-2}}$$

$$\therefore 2f'(2)f'(-2)=2\cdot\frac{5(\sqrt{2}+2)^5}{\sqrt{2}}\cdot\frac{5(\sqrt{2}-2)^5}{\sqrt{2}}$$
$$=25\{(\sqrt{2}+2)(\sqrt{2}-2)\}^5$$
$$=-800$$

정답_ ①

317

$x=t^2+1, y=\frac{2}{3}t^3+10t-1$에서

$\frac{dx}{dt}=2t, \frac{dy}{dt}=2t^2+10$

$\therefore \frac{dy}{dx}=\frac{\frac{dy}{dt}}{\frac{dx}{dt}}=\frac{2t^2+10}{2t}=\frac{t^2+5}{t}$

따라서 $t=1$일 때의 $\frac{dy}{dx}$의 값은

$\frac{1+5}{1}=6$

정답_ 6

318

$x=\frac{2t}{1+t^2}, y=\frac{1-t^2}{1+t^2}$에서

$\frac{dx}{dt}=\frac{2(1+t^2)-2t\cdot2t}{(1+t^2)^2}=\frac{2-2t^2}{(1+t^2)^2}$

$\frac{dy}{dt}=\frac{-2t(1+t^2)-(1-t^2)\cdot2t}{(1+t^2)^2}=\frac{-4t}{(1+t^2)^2}$

$\therefore \frac{dy}{dx}=\frac{\frac{dy}{dt}}{\frac{dx}{dt}}=\frac{-4t}{2-2t^2}=\frac{2t}{t^2-1}$

$t=2$일 때의 $\frac{dy}{dx}$의 값은

$\frac{2\cdot 2}{2^2-1}=\frac{4}{3}$

따라서 $p=3, q=4$이므로 $p+q=3+4=7$ 정답_ ③

319

$x=t-\sin t, y=1-\cos t$에서

$\frac{dx}{dt}=1-\cos t, \frac{dy}{dt}=\sin t$

$\therefore \frac{dy}{dx}=\frac{\frac{dy}{dt}}{\frac{dx}{dt}}=\frac{\sin t}{1-\cos t}$

따라서 $t=\frac{\pi}{3}$일 때의 $\frac{dy}{dx}$의 값은

$\frac{\sin\frac{\pi}{3}}{1-\cos\frac{\pi}{3}}=\frac{\frac{\sqrt{3}}{2}}{1-\frac{1}{2}}=\sqrt{3}$ 정답_ ⑤

320

$x=\cot 2\theta, y=-\cot\left(\frac{\pi}{3}-2\theta\right)$에서

$\frac{dx}{d\theta}=(-\csc^2 2\theta)\cdot 2=-2\csc^2 2\theta$

$\frac{dy}{d\theta}=\csc^2\left(\frac{\pi}{3}-2\theta\right)\cdot(-2)=-2\csc^2\left(\frac{\pi}{3}-2\theta\right)$

$\therefore \frac{dy}{dx}=\frac{\frac{dy}{d\theta}}{\frac{dx}{d\theta}}=\frac{-2\csc^2\left(\frac{\pi}{3}-2\theta\right)}{-2\csc^2 2\theta}$

$=\frac{\csc^2\left(\frac{\pi}{3}-2\theta\right)}{\csc^2 2\theta}=\frac{1+\cot^2\left(\frac{\pi}{3}-2\theta\right)}{1+\cot^2 2\theta}$

$=\frac{1+y^2}{1+x^2}$ 정답_ ④

321

$x=(t^2+1)e^t, y=e^{3t+2}$에서

$\frac{dx}{dt}=2t\cdot e^t+(t^2+1)e^t$

$=e^t(t^2+2t+1)$

$=e^t(t+1)^2$

$\frac{dy}{dt}=e^{3t+2}\cdot 3=3e^{3t+2}$

$\therefore \frac{dy}{dx}=\frac{\frac{dy}{dt}}{\frac{dx}{dt}}=\frac{3e^{3t+2}}{e^t(t+1)^2}=\frac{3e^{2t+2}}{(t+1)^2}$

따라서 $t=0$일 때의 $\frac{dy}{dx}$의 값은

$\frac{3e^{2\cdot 0+2}}{(0+1)^2}=3e^2$ 정답_ ⑤

322

$x=t+\frac{a}{t}, y=t-\frac{a}{t}$에서

$\frac{dx}{dt}=1-\frac{a}{t^2}, \frac{dy}{dt}=1+\frac{a}{t^2}$

$\therefore \frac{dy}{dx}=\frac{\frac{dy}{dt}}{\frac{dx}{dt}}=\frac{1+\frac{a}{t^2}}{1-\frac{a}{t^2}}=\frac{t^2+a}{t^2-a}$

$t=2$일 때의 $\frac{dy}{dx}$의 값이 3이므로

$\frac{2^2+a}{2^2-a}=3, 4+a=12-3a$

$4a=8 \quad \therefore a=2$ 정답_ ②

323

$x=t^2+\frac{1}{t}, y=\sqrt{t}+\frac{1}{t}$에서

$\frac{dx}{dt}=2t-\frac{1}{t^2}=\frac{2t^3-1}{t^2}$

$\frac{dy}{dt}=\frac{1}{2\sqrt{t}}-\frac{1}{t^2}=\frac{t\sqrt{t}-2}{2t^2}$

$\therefore \lim_{t\to 0}\frac{dy}{dx}=\lim_{t\to 0}\frac{\frac{dy}{dt}}{\frac{dx}{dt}}=\lim_{t\to 0}\frac{\frac{t\sqrt{t}-2}{2t^2}}{\frac{2t^3-1}{t^2}}$

$=\lim_{t\to 0}\frac{t\sqrt{t}-2}{2(2t^3-1)}=\frac{0-2}{2(0-1)}=1$ 정답_ ①

324

$x=t+t^2+t^3+\cdots+t^n$에서

$\frac{dx}{dt}=1+2t+3t^2+\cdots+nt^{n-1}$

$y=t+\frac{3}{2}t^2+\frac{5}{3}t^3+\cdots+\frac{2n-1}{n}t^n$에서

$\frac{dy}{dt}=1+3t+5t^2+\cdots+(2n-1)t^{n-1}$

$\therefore \frac{dy}{dx}=\frac{\frac{dy}{dt}}{\frac{dx}{dt}}=\frac{1+3t+5t^2+\cdots+(2n-1)t^{n-1}}{1+2t+3t^2+\cdots+nt^{n-1}}$

$S(n)=\lim_{t\to 1}\frac{dy}{dx}$

$=\lim_{t\to 1}\frac{1+3t+5t^2+\cdots+(2n-1)t^{n-1}}{1+2t+3t^2+\cdots+nt^{n-1}}$

$=\frac{1+3+5+\cdots+(2n-1)}{1+2+3+\cdots+n}$

$=\frac{n^2}{\frac{n(n+1)}{2}}=\frac{2n}{n+1}$

$\therefore S(10)=\frac{2\cdot 10}{10+1}=\frac{20}{11}$ 정답_ ④

325

$x=t+1, y=-t^{-1}$에서

$\frac{dx}{dt}=1, \frac{dy}{dt}=-(-1)t^{-2}=\frac{1}{t^2}$

$\therefore \frac{dy}{dx}=\frac{\frac{dy}{dt}}{\frac{dx}{dt}}=\frac{\frac{1}{t^2}}{1}=\frac{1}{t^2}$

즉, 함수 $y=f(x)$에서 $\frac{dy}{dx}=f'(x)$이므로

$\frac{dy}{dx}=\frac{1}{t^2}=\frac{1}{(x-1)^2}$

$x=-1$이면 $t=-2$이므로 $y=-t^{-1}$에서

$f(-1)=-(-2)^{-1}=\frac{1}{2}$

이때, $g(x)=(f\circ f)(x)=f(f(x))$에서

$g'(x)=f'(f(x))f'(x)$이므로

$g'(-1)=f'(f(-1))f'(-1)$

$=f'\left(\frac{1}{2}\right)\cdot\frac{1}{(-1-1)^2}$

$=\frac{1}{\left(\frac{1}{2}-1\right)^2}\cdot\frac{1}{4}=1$

정답_ ①

326

$x^2-3xy+y^2=0$의 양변을 x에 대하여 미분하면

$2x-3y-3x\frac{dy}{dx}+2y\frac{dy}{dx}=0$

$(-3x+2y)\frac{dy}{dx}=-2x+3y$

$\therefore \frac{dy}{dx}=\frac{-2x+3y}{-3x+2y}=\frac{2x-3y}{3x-2y}$

정답_ ③

327

$e^{2x}\ln y=5$의 양변을 x에 대하여 미분하면

$2e^{2x}\ln y+e^{2x}\cdot\frac{1}{y}\cdot\frac{dy}{dx}=0$

$e^{2x}\cdot\frac{1}{y}\cdot\frac{dy}{dx}=-2e^{2x}\ln y$

$\therefore \frac{dy}{dx}=-2y\ln y$

정답_ ①

328

$x=y^3+y-1$의 양변을 x에 대하여 미분하면

$1=(3y^2+1)\frac{dy}{dx}$

$\therefore \frac{dy}{dx}=\frac{1}{3y^2+1}$

$\therefore \lim_{y\to1}\frac{dy}{dx}=\lim_{y\to1}\frac{1}{3y^2+1}=\frac{1}{4}$

정답_ ④

329

$\sqrt{x}+\sqrt{y}=\sqrt{2}$에서

$x^{\frac{1}{2}}+y^{\frac{1}{2}}=\sqrt{2}$

양변을 x에 대하여 미분하면

$\frac{1}{2}x^{-\frac{1}{2}}+\frac{1}{2}y^{-\frac{1}{2}}\frac{dy}{dx}=0$

$\frac{1}{2}y^{-\frac{1}{2}}\frac{dy}{dx}=-\frac{1}{2}x^{-\frac{1}{2}}$

$\therefore \frac{dy}{dx}=-\frac{x^{-\frac{1}{2}}}{y^{-\frac{1}{2}}}=-\frac{\sqrt{y}}{\sqrt{x}}=-\frac{\sqrt{xy}}{x}$

따라서 $x=1, y=4$일 때의 $\frac{dy}{dx}$의 값은

$-\frac{\sqrt{1\cdot4}}{1}=-2$

정답_ ②

330

$x^2+y^2+axy+b=0$의 양변을 x에 대하여 미분하면

$2x+2y\frac{dy}{dx}+ay+ax\frac{dy}{dx}=0$

$(ax+2y)\frac{dy}{dx}=-(2x+ay)$

$\therefore \frac{dy}{dx}=-\frac{2x+ay}{ax+2y}$

점 $(1,\ 2)$에서의 $\frac{dy}{dx}$의 값이 -3이므로 $x=1, y=2$를 대입하면

$-\frac{2+2a}{a+4}=-3, 2+2a=3a+12 \qquad \therefore a=-10$

또한, 주어진 곡선이 점 $(1,\ 2)$를 지나므로

$1+4+2a+b=0$

$a=-10$을 대입하면 $\quad b=15$

$\therefore a+b=-10+15=5$

정답_ ⑤

331

$y^3=\ln(5-x^2)+xy-1$의 양변을 x에 대하여 미분하면

$3y^2\frac{dy}{dx}=\frac{-2x}{5-x^2}+y+x\frac{dy}{dx}$

$(3y^2-x)\frac{dy}{dx}=\frac{-2x}{5-x^2}+y$

$\therefore \frac{dy}{dx}=\frac{1}{3y^2-x}\left(\frac{-2x}{5-x^2}+y\right)$

따라서 곡선 위의 점 $(2, 1)$에서의 $\frac{dy}{dx}$의 값은

$\frac{1}{3-2}\left(\frac{-4}{5-4}+1\right)=-3$

정답_ ③

332

$\sin xy=x$의 양변을 x에 대하여 미분하면

$y\cos xy+x\cos xy\frac{dy}{dx}=1$

$\cos xy\left(y+x\frac{dy}{dx}\right)=1$

$$y+x\frac{dy}{dx}=\frac{1}{\cos xy},\ x\frac{dy}{dx}=\frac{1}{\cos xy}-y$$

$$\therefore \frac{dy}{dx}=\frac{1}{x\cos xy}-\frac{y}{x}$$

따라서 곡선 위의 점 $\left(\frac{1}{2},\ \frac{\pi}{3}\right)$에서의 $\frac{dy}{dx}$의 값은

$$\frac{1}{\frac{1}{2}\cos\frac{\pi}{6}}-\frac{\frac{\pi}{3}}{\frac{1}{2}}=\frac{4}{\sqrt{3}}-\frac{2\pi}{3}=\frac{4\sqrt{3}-2\pi}{3}$$

정답_ ⑤

333

(1) $x=y^3+y^2+y$의 양변을 y에 대하여 미분하면

$$\frac{dx}{dy}=3y^2+2y+1$$

$$\therefore \frac{dy}{dx}=\frac{1}{\frac{dx}{dy}}=\frac{1}{3y^2+2y+1}$$

(2) $x=\sqrt{y^2+1}$의 양변을 y에 대하여 미분하면

$$\frac{dx}{dy}=\frac{2y}{2\sqrt{y^2+1}}=\frac{y}{\sqrt{y^2+1}}$$

$$\therefore \frac{dy}{dx}=\frac{1}{\frac{dx}{dy}}=\frac{\sqrt{y^2+1}}{y}$$

정답_ (1) $\frac{dy}{dx}=\frac{1}{3y^2+2y+1}$ (2) $\frac{dy}{dx}=\frac{\sqrt{y^2+1}}{y}$

334

$f(g(x))=x$이므로 양변을 x에 대하여 미분하면

$f'(g(x))g'(x)=1$

$$\therefore g'(x)=\frac{1}{f'(g(x))} \qquad \cdots\cdots ㉠$$

$g(a)=b$이므로 ㉠에 $x=a$를 대입하면

$$g'(a)=\frac{1}{f'(g(a))}=\frac{1}{f'(b)}$$

정답_ ②

335

$f(3)=1$에서 $g(1)=3$이고, $f'(3)=2$이므로

$$g'(1)=\frac{1}{f'(g(1))}=\frac{1}{f'(3)}=\frac{1}{2}$$

정답_ ②

336

$g(1)=k$라고 하면 $f(k)=1$에서

$k^3+k+1=1,\ k^3+k=0$

$k(k^2+1)=0 \qquad \therefore k=0\ (\because k^2>0)$

$\therefore g(1)=0$

$f(x)=x^3+x+1$에서 $f'(x)=3x^2+1$이므로

$$g'(1)=\frac{1}{f'(g(1))}=\frac{1}{f'(0)}=\frac{1}{3\cdot0^2+1}=1$$

정답_ ⑤

337

$$\lim_{h\to0}\frac{g(1+h)-g(1-h)}{h}$$

$$=\lim_{h\to0}\frac{g(1+h)-g(1)+g(1)-g(1-h)}{h}$$

$$=\lim_{h\to0}\left\{\frac{g(1+h)-g(1)}{h}+\frac{g(1-h)-g(1)}{-h}\right\}$$

$=g'(1)+g'(1)$

$=2g'(1)$

이때, $g(1)=a$라고 하면 $f(a)=1$이므로

$e^{a-1}=1$에서 $a=1$

$\therefore g(1)=1$

한편, $f(x)=e^{x-1}$에서 $f'(x)=e^{x-1}$이므로

$$2g'(1)=\frac{2}{f'(g(1))}=\frac{2}{f'(1)}=\frac{2}{e^{1-1}}=2$$

정답_ ②

338

함수 $f(x)$의 역함수가 $g(x)$이므로 $g(f(x))=x$이고 양변을 x에 대하여 미분하면

$g'(f(x))f'(x)=1$

$$g'(f(x))=\frac{1}{f'(x)} \qquad \cdots\cdots ㉠$$

이때, $0\le x\le\frac{\pi}{2}$에서 $f(x)=2\sin x+1=2$이므로

$\sin x=\frac{1}{2} \qquad \therefore x=\frac{\pi}{6}$

한편, $f'(x)=2\cos x$이므로 ㉠에 $x=\frac{\pi}{6}$를 대입하면

$$g'(2)=g'\left(f\left(\frac{\pi}{6}\right)\right)=\frac{1}{f'\left(\frac{\pi}{6}\right)}=\frac{1}{2\cos\frac{\pi}{6}}$$

$$=\frac{1}{2\cdot\frac{\sqrt{3}}{2}}=\frac{1}{\sqrt{3}}=\frac{\sqrt{3}}{3}$$

정답_ ③

339

$f(0)=\sqrt[3]{1}=1$이므로 $g(1)=0$

한편, $f(x)=\sqrt[3]{x^3+3x+1}$에서 양변을 세제곱하면

$\{f(x)\}^3=x^3+3x+1$

양변을 x에 대하여 미분하면

$3\{f(x)\}^2f'(x)=3x^2+3,\ \{f(x)\}^2f'(x)=x^2+1$

$x=0$을 대입하면 $\{f(0)\}^2f'(0)=1 \qquad \therefore f'(0)=1$

$$\therefore g'(1)=\frac{1}{f'(g(1))}=\frac{1}{f'(0)}=1$$

정답_ ⑤

340

$\lim_{x\to1}\frac{g(x)-2}{x-1}=3$에서 극한값이 존재하고, $x\to1$일 때

(분모) $\to$ 0이므로 (분자) $\to$ 0이어야 한다.

즉, $\lim_{x\to1}\{g(x)-2\}=0$에서 $g(1)=2$

이때, $f(2)=1$

$\therefore \lim_{x\to1}\frac{g(x)-2}{x-1}=\lim_{x\to1}\frac{g(x)-g(1)}{x-1}=g'(1)=3$

$\therefore f'(2)=\frac{1}{g'(f(2))}=\frac{1}{g'(1)}=\frac{1}{3}$ 정답_③

341

$\lim_{x\to1}\frac{f(x)-3}{x-1}=\frac{1}{5}$에서 극한값이 존재하고, $x\to1$일 때

(분모) $\to0$이므로 (분자) $\to0$이어야 한다.

즉, $\lim_{x\to1}\{f(x)-3\}=0$에서 $f(1)=3$

이때, $g(3)=1$

$\therefore \lim_{x\to1}\frac{f(x)-3}{x-1}=\lim_{x\to1}\frac{f(x)-f(1)}{x-1}=f'(1)=\frac{1}{5}$

$g'(3)=\frac{1}{f'(g(3))}=\frac{1}{f'(1)}=\frac{1}{\frac{1}{5}}=5$

$\therefore g(3)+g'(3)=1+5=6$ 정답_⑤

342

$x=t+5$, $y=t^3-2t^2+t-9$에서

$\frac{dx}{dt}=1$, $\frac{dy}{dt}=3t^2-4t+1$

$\therefore \frac{dx}{dy}=\frac{\frac{dx}{dt}}{\frac{dy}{dt}}=\frac{1}{3t^2-4t+1}$

한편, $y=t^3-2t^2+t-9$에서 $y=3$일 때의 t의 값을 구하면

$3=t^3-2t^2+t-9$, $t^3-2t^2+t-12=0$

$(t-3)(t^2+t+4)=0$ $\therefore t=3$ ($\because t^2+t+4>0$)

$\therefore g'(3)=\frac{1}{3\cdot3^2-4\cdot3+1}=\frac{1}{16}$ 정답_⑤

343

(1) $y'=6x^2+8x-5$

$\therefore y''=12x+8$

(2) $y'=5(4x-3)^4\cdot4=20(4x-3)^4$

$\therefore y''=80(4x-3)^3\cdot4=320(4x-3)^3$

(3) $y=\sqrt{x+8}=(x+8)^{\frac{1}{2}}$이므로

$y'=\frac{1}{2}(x+8)^{-\frac{1}{2}}$

$\therefore y''=-\frac{1}{4}(x+8)^{-\frac{3}{2}}=-\frac{1}{4(x+8)\sqrt{x+8}}$

(4) $y'=e^{-2x}\cdot(-2)=-2e^{-2x}$

$\therefore y''=-2e^{-2x}\cdot(-2)=4e^{-2x}$

(5) $y'=\ln x+x\cdot\frac{1}{x}=\ln x+1$

$\therefore y''=\frac{1}{x}$

(6) $y'=\cos x+x(-\sin x)=-x\sin x+\cos x$

$\therefore y''=-\sin x-x\cos x-\sin x=-2\sin x-x\cos x$

정답_(1) $y''=12x+8$ (2) $y''=320(4x-3)^3$

(3) $y''=-\frac{1}{4(x+8)\sqrt{x+8}}$ (4) $y''=4e^{-2x}$

(5) $y''=\frac{1}{x}$ (6) $y''=-2\sin x-x\cos x$

344

$f'(x)=e^{ax+b}+axe^{ax+b}=(ax+1)e^{ax+b}$

$f''(x)=ae^{ax+b}+a(ax+1)e^{ax+b}=(a^2x+2a)e^{ax+b}$

$f'(0)=5$에서 $e^b=5$

$f''(0)=10$에서 $2ae^b=10a=10$ $\therefore a=1$

$\therefore a+e^b=1+5=6$ 정답_⑤

345

$f'(x)=2e^{2x}\sin x+e^{2x}\cos x=e^{2x}(2\sin x+\cos x)$

$f''(x)=2e^{2x}(2\sin x+\cos x)+e^{2x}(2\cos x-\sin x)$

$=e^{2x}(4\sin x+2\cos x+2\cos x-\sin x)$

$=e^{2x}(3\sin x+4\cos x)$

방정식 $f''(x)=0$의 근이 α이므로

$f''(\alpha)=e^{2\alpha}(3\sin\alpha+4\cos\alpha)=0$

모든 실수 α에 대하여 $e^{2\alpha}>0$이므로

$3\sin\alpha+4\cos\alpha=0$, $3\sin\alpha=-4\cos\alpha$

$\frac{\sin\alpha}{\cos\alpha}=-\frac{4}{3}$ $\therefore \tan\alpha=-\frac{4}{3}$ 정답_①

346

$f'(x)=\frac{2x}{2\sqrt{x^2+3}}=\frac{x}{\sqrt{x^2+3}}$이므로

$f'(0)=0$

$\lim_{x\to0}\frac{f'(x)}{x}=\lim_{x\to0}\frac{f'(x)-f'(0)}{x-0}=f''(0)$

이때,

$f''(x)=\frac{1\cdot\sqrt{x^2+3}-x\cdot\frac{2x}{2\sqrt{x^2+3}}}{x^2+3}$

$=\frac{(x^2+3)-x^2}{(x^2+3)\sqrt{x^2+3}}$

$=\frac{3}{(x^2+3)\sqrt{x^2+3}}$

이므로 $f''(0)=\frac{3}{3\sqrt{3}}=\frac{\sqrt{3}}{3}$ 정답_⑤

347

$f'(x)=2x\ln x+x^2\cdot\frac{1}{x}=2x\ln x+x$

$f''(x)=2\ln x+2x\cdot\frac{1}{x}+1=2\ln x+3$

$f(x)-f'(x)+f''(x)=5\ln x-x+3$에서

$x^2\ln x-(2x\ln x+x)+(2\ln x+3)=5\ln x-x+3$

$(x^2-2x-3)\ln x=0$

$(x+1)(x-3)\ln x=0$

$\therefore x=-1$ 또는 $x=3$ 또는 $x=1$

그런데 $f(x)=x^2\ln x$에서 진수 조건에 의해 $x>0$이므로

$x=1$ 또는 $x=3$

따라서 주어진 등식이 성립하도록 하는 모든 x의 값의 합은

$1+3=4$ 정답_ ③

348

$\lim_{x\to a}\frac{f'(x)-f'(a)}{x-a}=0$이므로 $f''(a)=0$

$f(x)=\frac{3}{x^2+1}$에서

$f'(x)=\frac{0\cdot(x^2+1)-3\cdot 2x}{(x^2+1)^2}=\frac{-6x}{(x^2+1)^2}$

$f''(x)=\frac{-6(x^2+1)^2-(-6x)\cdot 2(x^2+1)\cdot 2x}{(x^2+1)^4}$

$=\frac{-6(x^2+1)+24x^2}{(x^2+1)^3}=\frac{18x^2-6}{(x^2+1)^3}$

$f''(a)=\frac{18a^2-6}{(a^2+1)^3}=0$

$18a^2-6=0$ ($\because a^2+1>0$)

$a^2=\frac{1}{3}$ $\therefore a=\frac{\sqrt{3}}{3}$ ($\because a>0$) 정답_ ②

349

조건 (나)의 $\lim_{x\to 1}\frac{f'(f(x))-1}{x-1}=3$에서 극한값이 존재하고,

$x\to 1$일 때 (분모) $\to 0$이므로 (분자) $\to 0$이어야 한다.

즉, $\lim_{x\to 1}\{f'(f(x))-1\}=0$이므로 $f'(f(1))=1$

$\lim_{x\to 1}\frac{f'(f(x))-1}{x-1}$

$=\lim_{x\to 1}\left\{\frac{f'(f(x))-f'(f(1))}{f(x)-f(1)}\cdot\frac{f(x)-f(1)}{x-1}\right\}$

$=f''(f(1))f'(1)$

$=f''(2)\cdot 3=3$ ($\because$ 조건 (가)에서 $f(1)=2$, $f'(1)=3$)

$\therefore f''(2)=1$ 정답_ ①

350

$f'(x)=\frac{1\cdot(x^2+1)-x\cdot 2x}{(x^2+1)^2}=\frac{1-x^2}{(x^2+1)^2}$ ❶

$f(1)=\frac{1}{1^2+1}=\frac{1}{2}$이므로

$\lim_{x\to 1}\frac{2f(x)-1}{x^2-1}=\lim_{x\to 1}\frac{2f(x)-2f(1)}{x^2-1}$

$=\lim_{x\to 1}\left\{\frac{f(x)-f(1)}{x-1}\cdot\frac{2}{x+1}\right\}$

$=f'(1)\cdot\frac{2}{1+1}=f'(1)$

$=\frac{1-1}{(1+1)^2}=0$ ❷

정답_ 0

단계	채점 기준	비율
❶	$f'(x)$ 구하기	40%
❷	$\lim_{x\to 1}\frac{2f(x)-1}{x^2-1}$ 의 값 구하기	60%

351

$g(t)=f(t^2+2t+2)$로 놓으면 $g(0)=f(2)$ ❶

$\lim_{t\to 0}\frac{f(t^2+2t+2)-f(2)}{t}=\lim_{t\to 0}\frac{g(t)-g(0)}{t}$

$=g'(0)$ ❷

$g'(x)=f'(x^2+2x+2)\cdot(2x+2)$이므로

$g'(0)=f'(2)\cdot 2=6$ $\therefore f'(2)=3$ ❸

정답_ 3

단계	채점 기준	비율
❶	$g(t)=f(t^2+2t+2)$로 놓고 $f(2)$의 값과 같은 것 찾기	20%
❷	주어진 극한이 $g'(0)$임을 알아내기	40%
❸	$f'(2)$의 값 구하기	40%

352

$x=\frac{2t}{1+t}$, $y=\frac{t^2}{1+t}$에서

$\frac{dx}{dt}=\frac{2(1+t)-2t\cdot 1}{(1+t)^2}=\frac{2}{(1+t)^2}$

$\frac{dy}{dt}=\frac{2t(1+t)-t^2\cdot 1}{(1+t)^2}=\frac{t(t+2)}{(1+t)^2}$

$\therefore \frac{dy}{dx}=\frac{\frac{dy}{dt}}{\frac{dx}{dt}}=\frac{\frac{t(t+2)}{(1+t)^2}}{\frac{2}{(1+t)^2}}=\frac{t(t+2)}{2}$ ❶

$\therefore \sum_{t=1}^{10}\frac{2F(t)}{t}=\sum_{t=1}^{10}\left\{\frac{2}{t}\cdot\frac{t(t+2)}{2}\right\}$

$=\sum_{t=1}^{10}(t+2)$

$=\frac{10\cdot 11}{2}+2\cdot 10=75$ ❷

정답_ 75

단계	채점 기준	비율
❶	$\frac{dy}{dx}$ 구하기	50%
❷	$\sum_{t=1}^{10}\frac{2F(t)}{t}$ 의 값 구하기	50%

353

주어진 곡선이 점 (2, 1)을 지나므로

$4+2a+2+b=0 \quad \therefore 2a+b=-6$ ……㉠

…… ❶

$x^2+axy+2y^2+b=0$의 양변을 x에 대하여 미분하면

$2x+ay+ax\frac{dy}{dx}+4y\frac{dy}{dx}=0$

$(ax+4y)\frac{dy}{dx}=-(2x+ay)$

$\therefore \frac{dy}{dx}=-\frac{2x+ay}{ax+4y}$ …… ❷

점 (2, 1)에서의 $\frac{dy}{dx}$의 값이 $-\frac{3}{4}$이므로 $x=2, y=1$을 대입하면

$-\frac{4+a}{2a+4}=-\frac{3}{4}, 4a+16=6a+12 \quad \therefore a=2$

$a=2$를 ㉠에 대입하면

$4+b=-6 \quad \therefore b=-10$ …… ❸

$\therefore a+b=2+(-10)=-8$ …… ❹

정답_ -8

단계	채점 기준	비율
❶	a, b에 대한 관계식 구하기	30%
❷	$\frac{dy}{dx}$ 구하기	30%
❸	a, b의 값 구하기	30%
❹	$a+b$의 값 구하기	10%

354

$f(1)=\frac{2}{1+1}=1$이므로 $g(1)=1$ …… ❶

$f'(x)=\frac{2(x+1)-2x\cdot1}{(x+1)^2}=\frac{2}{(x+1)^2}$ …… ❷

이때 $f'(1)=\frac{1}{2}$이므로

$g'(1)=\frac{1}{f'(g(1))}=\frac{1}{f'(1)}=\frac{1}{\frac{1}{2}}=2$ …… ❸

정답_ 2

단계	채점 기준	비율
❶	$g(1)$의 값 구하기	20%
❷	$f'(x)$ 구하기	30%
❸	$g'(1)$의 값 구하기	50%

355

$y=e^x\sin 2x$에서

$y'=e^x\sin 2x+e^x\cdot 2\cos 2x=e^x(\sin 2x+2\cos 2x)$ …… ❶

$y''=e^x(\sin 2x+2\cos 2x)+e^x(2\cos 2x-4\sin 2x)$

$=e^x(4\cos 2x-3\sin 2x)$ …… ❷

$y''+ay'+by=0$에서

$e^x(4\cos 2x-3\sin 2x)+ae^x(\sin 2x+2\cos 2x)+be^x\sin 2x$
$=0$

$e^x\{(a+b-3)\sin 2x+(2a+4)\cos 2x\}=0$

위의 식이 모든 실수 x에 대하여 성립해야 하므로

$a+b-3=0, 2a+4=0$

$\therefore a=-2, b=5$ …… ❸

$\therefore ab=-2\cdot5=-10$ …… ❹

정답_ -10

단계	채점 기준	비율
❶	y' 구하기	20%
❷	y'' 구하기	20%
❸	a, b의 값 구하기	50%
❹	ab의 값 구하기	10%

356

$f(x)$는 첫째항이 x, 공비가 x^2-1인 등비급수의 합이고,

$0<x^2<1$에서 $-1<x^2-1<0$이므로

$f(x)=\frac{x}{1-(x^2-1)}=\frac{x}{2-x^2}$

$f'(x)=\frac{1\cdot(2-x^2)-x(-2x)}{(2-x^2)^2}=\frac{x^2+2}{(2-x^2)^2}$

$\therefore f'\left(\frac{1}{2}\right)=\frac{\frac{1}{4}+2}{\left(2-\frac{1}{4}\right)^2}=\frac{\frac{9}{4}}{\frac{49}{16}}=\frac{36}{49}$

정답_ ⑤

357

$g(x)=2e^{-\ln(x^2+1)}=2e^{\ln(x^2+1)^{-1}}=2(x^2+1)^{-1}=\frac{2}{x^2+1}$

$x\neq1$일 때, $f(x)=\frac{g(x)-g(1)}{x-1}$

함수 $f(x)$가 $x=1$에서 연속이므로

$f(1)=\lim_{x\to1}f(x)=\lim_{x\to1}\frac{g(x)-g(1)}{x-1}=g'(1)$

이때, $g'(x)=\frac{-4x}{(x^2+1)^2}$이므로

$f(1)=g'(1)=\frac{-4\cdot1}{(1+1)^2}=-1$

정답_ -1

358

$f(x)$를 이차식 $(x-1)^2$으로 나눌 때의 몫을 $Q(x)$라고 하면 나머지는 일차 이하의 다항식이다.

즉, $f(x)=(x-1)^2Q(x)+px+q$ (p, q는 상수) ……㉠

로 놓을 수 있다.

㉠의 양변을 x에 대하여 미분하면

$f'(x)=2(x-1)Q(x)+(x-1)^2Q'(x)+p$ ……㉡

$(f\circ g)(0)=f(g(0))=f(e^0)=f(1)=3$

㉠의 양변에 $x=1$을 대입하면

$f(1)=p+q=3$ ……㉢

$g'(x)=e^{\tan x}\sec^2 x$이므로 $g'(0)=1$

또, $(f\circ g)'(x)=f'(g(x))g'(x)$이므로

$(f\circ g)'(0)=f'(g(0))g'(0)=f'(1)\cdot1=f'(1)=2$

ⓛ의 양변에 $x=1$을 대입하면

$f'(1)=p \quad \therefore p=2$

$p=2$를 ⓒ에 대입하면 $q=1$

따라서 $R(x)=2x+1$이므로

$R(4)=2\cdot4+1=9$ 정답_ 9

359

$f(x)=\tan 2x+\cos 2x$에서

$f'(x)=2\sec^2 2x-2\sin 2x$

$f(0)=1$이므로 $h(x)=g(f(x))$로 놓으면

$$\lim_{x\to0}\frac{g(f(x))-g(1)}{x}=\lim_{x\to0}\frac{g(f(x))-g(f(0))}{x}$$
$$=\lim_{x\to0}\frac{h(x)-h(0)}{x-0}$$
$$=h'(0)=4$$

$h'(x)=g'(f(x))f'(x)$에서

$h'(0)=g'(f(0))f'(0)$

$4=g'(1)f'(0)$

이때, $f'(0)=2\sec^2 0-2\sin 0=2$이므로

$4=g'(1)\cdot2 \quad \therefore g'(1)=2$ 정답_ ②

360

$f(x)=\ln\{e^x+e^{3x}+e^{5x}+\cdots+e^{(2n-1)x}\}$,

$g(x)=\ln(e^{2x}+e^{4x}+e^{6x}+\cdots+e^{2nx})$으로 놓으면

$f(0)=\ln(1+1+1+\cdots+1)=\ln n$,

$g(0)=\ln(1+1+1+\cdots+1)=\ln n$이므로

$$\lim_{x\to0}\frac{1}{x}\ln\frac{e^x+e^{3x}+e^{5x}+\cdots+e^{(2n-1)x}}{e^{2x}+e^{4x}+e^{6x}+\cdots+e^{2nx}}$$
$$=\lim_{x\to0}\frac{\ln\{e^x+e^{3x}+e^{5x}+\cdots+e^{(2n-1)x}\}-\ln(e^{2x}+e^{4x}+e^{6x}+\cdots+e^{2nx})}{x}$$
$$=\lim_{x\to0}\frac{f(x)-g(x)}{x}$$
$$=\lim_{x\to0}\frac{f(x)-f(0)+g(0)-g(x)}{x}\ (\because f(0)=g(0))$$
$$=\lim_{x\to0}\left\{\frac{f(x)-f(0)}{x}-\frac{g(x)-g(0)}{x}\right\}$$
$$=f'(0)-g'(0)$$

이때, $f'(x)=\dfrac{e^x+3e^{3x}+5e^{5x}+\cdots+(2n-1)e^{(2n-1)x}}{e^x+e^{3x}+e^{5x}+\cdots+e^{(2n-1)x}}$에서

$$f'(0)=\frac{1+3+5+\cdots+(2n-1)}{1+1+1+\cdots+1}=\frac{n^2}{n}=n$$

$g'(x)=\dfrac{2e^{2x}+4e^{4x}+6e^{6x}+\cdots+2ne^{2nx}}{e^{2x}+e^{4x}+e^{6x}+\cdots+e^{2nx}}$에서

$$g'(0)=\frac{2+4+6+\cdots+2n}{1+1+1+\cdots+1}=\frac{n(n+1)}{n}=n+1$$

$\therefore f'(0)-g'(0)=n-(n+1)=-1$ 정답_ ②

361

$g(x)=f(2^{\ln x})$으로 놓으면 $g(1)=f(2^{\ln 1})=f(1)$이므로

$$\lim_{x\to1}\frac{f(2^{\ln x})-f(1)}{x-1}=\lim_{x\to1}\frac{g(x)-g(1)}{x-1}$$
$$=g'(1)=\ln 2$$

$g'(x)=f'(2^{\ln x})(2^{\ln x})=f'(2^{\ln x})\cdot2^{\ln x}\cdot\ln 2\cdot(\ln x)'$

$=f'(2^{\ln x})\cdot2^{\ln x}\cdot\ln 2\cdot\dfrac{1}{x}$이므로

$g'(1)=f'(2^{\ln 1})\cdot2^{\ln 1}\cdot\ln 2\cdot1,\ \ln 2=f'(1)\cdot\ln 2$

$\therefore f'(1)=1$ 정답_ 1

362

$y=\dfrac{x^x}{\cos x}$으로 놓고 양변의 절댓값에 자연로그를 취하면

$\ln|y|=\ln\left|\dfrac{x^x}{\cos x}\right|=x\ln x-\ln|\cos x|\ (\because x>0)$

양변을 x에 대하여 미분하면

$\dfrac{y'}{y}=\ln x+1+\dfrac{\sin x}{\cos x},\ y'=y(\ln x+1+\tan x)$

$\therefore y'=\dfrac{x^x}{\cos x}(\ln x+1+\tan x)$

따라서 주어진 조건을 만족시키는 함수 $f(x)$는

$f(x)=\ln x+1$ 정답_ ③

363

$x=e^t,\ y=(2t^2+nt+n)e^t$에서

$\dfrac{dx}{dt}=e^t,\ \dfrac{dy}{dt}=\{2t^2+(4+n)t+2n\}e^t$

$$\therefore \frac{dy}{dx}=\frac{\{2t^2+(4+n)t+2n\}e^t}{e^t}$$
$$=2t^2+(4+n)t+2n$$
$$=(t+2)(2t+n)$$

$\dfrac{dy}{dx}=0$에서 $t=-2$ 또는 $t=-\dfrac{n}{2}$ ······ ㉠

(i) $n=3$일 때

㉠에서 $t=-2$ 또는 $t=-\dfrac{3}{2}$

즉, 함수 $y=f(x)$는 $x=a_3=e^{-\frac{3}{2}}$에서 최솟값

$b_3=\left\{2\cdot\left(-\dfrac{3}{2}\right)^2+3\cdot\left(-\dfrac{3}{2}\right)+3\right\}e^{-\frac{3}{2}}=3e^{-\frac{3}{2}}$을 갖는다.

(ii) $n=5$일 때

㉠에서 $t=-2$ 또는 $t=-\dfrac{5}{2}$

즉, 함수 $y=f(x)$는 $x=a_5=e^{-2}$에서 최솟값

$b_5=\{2\cdot(-2)^2+5\cdot(-2)+5\}e^{-2}=3e^{-2}$을 갖는다.

(i), (ii)에서

$c_3+c_5=\frac{b_3}{a_3}+\frac{b_5}{a_5}=\frac{3e^{-\frac{3}{2}}}{e^{-\frac{3}{2}}}+\frac{3e^{-2}}{e^{-2}}$

$=3+3=6$

정답_ 6

364

조건 (나)의 $\lim_{x\to3}\frac{f(x)-g(x)}{(x-3)g(x)}=\frac{8}{9}$에서 극한값이 존재하고,

$x\to3$일 때 (분모) $\to 0$이므로 (분자) $\to 0$이어야 한다.

즉, $\lim_{x\to3}\{f(x)-g(x)\}=0 \quad \therefore f(3)=g(3)$

$g(x)$는 $f(x)$의 역함수이므로 두 함수의 그래프는 $(3, 3)$에서 만난다.

$f(3)=g(3)=3$

$\lim_{x\to3}\frac{f(x)-g(x)}{(x-3)g(x)}$

$=\lim_{x\to3}\frac{\{f(x)-f(3)\}-\{g(x)-g(3)\}}{(x-3)g(x)}$

$=\lim_{x\to3}\left\{\frac{f(x)-f(3)}{x-3}-\frac{g(x)-g(3)}{x-3}\right\}\cdot\lim_{x\to3}\frac{1}{g(x)}$

$=\{f'(3)-g'(3)\}\lim_{x\to3}\frac{1}{g(x)}\ (\because g(3)=3)$

$=\frac{f'(3)-g'(3)}{3}=\frac{8}{9}$

이때, $g(x)$는 $f(x)$의 역함수이므로 $f(g(x))=x$에서

$f'(g(x))g'(x)=1$

$\therefore g'(3)=\frac{1}{f'(g(3))}=\frac{1}{f'(3)}$

즉, $\frac{f'(3)-\frac{1}{f'(3)}}{3}=\frac{8}{9}$에서

$3\{f'(3)\}^2-8f'(3)-3=0, \{3f'(3)+1\}\{f'(3)-3\}=0$

$f'(3)=3$ 또는 $f'(3)=-\frac{1}{3}$

그런데 삼차함수 $f(x)$의 최고차항의 계수가 양수이고 역함수가 존재해야 하므로 $f'(x)\ge0$

$\therefore f'(3)=3$ ……㉠

이때, 조건 (가)에서 $g'(x)=\frac{1}{f'(x)}\le\frac{1}{3}$이므로

$f'(x)\ge3$

즉, 최고차항의 계수가 1인 삼차함수 $f(x)$의 도함수 $f'(x)$는 최고차항의 계수가 3이고 ㉠에 의해 $x=3$에서 최솟값 3을 갖는 이차함수이다.

$f'(x)=3(x-3)^2+3=3x^2-18x+30$에서

$f(x)=x^3-9x^2+30x+C$ (단, C는 적분상수)

이때, $f(3)=3$이므로 $C=-33$

따라서 $f(x)=x^3-9x^2+30x-33$이므로

$f(1)=-11$

정답_ ①

365

$\frac{d}{dx}(x^n\ln x)=nx^{n-1}\ln x+x^n\cdot\frac{1}{x}$

$=nx^{n-1}\ln x+x^{n-1}$

$\frac{d^2}{dx^2}(x^n\ln x)=\frac{d}{dx}(nx^{n-1}\ln x+x^{n-1})$

$=n(n-1)x^{n-2}\ln x+nx^{n-2}+(n-1)x^{n-2}$

$=x^{n-2}\{(n^2-n)\ln x+(2n-1)\}$

$a_n=\lim_{x\to1}\left\{\frac{d^2}{dx^2}(x^n\ln x)\right\}$

$=\lim_{x\to1}[x^{n-2}\{(n^2-n)\ln x+(2n-1)\}]$

$=2n-1$

$\therefore \sum_{k=1}^{10}a_k=\sum_{k=1}^{10}(2k-1)=2\cdot\frac{10\cdot11}{2}-10=100$

정답_ 100

366

$f'(x)=ae^{ax}\cos x-e^{ax}\sin x$

$=e^{ax}(a\cos x-\sin x)$

$f''(x)=ae^{ax}(a\cos x-\sin x)+e^{ax}(-a\sin x-\cos x)$

$=e^{ax}(a^2\cos x-2a\sin x-\cos x)$

$f''(x)-2f'(x)+2f(x)=0$에서

$e^{ax}(a^2\cos x-2a\sin x-\cos x)-2e^{ax}(a\cos x-\sin x)$

$+2e^{ax}\cos x=0$

$e^{ax}(a^2\cos x-2a\cos x+\cos x-2a\sin x+2\sin x)=0$

모든 실수 x에 대하여 $e^{ax}>0$이므로

$a^2\cos x-2a\cos x+\cos x-2a\sin x+2\sin x=0$

$(a-1)^2\cos x-2(a-1)\sin x=0$

위의 식이 모든 실수 x에 대하여 성립하므로

$a=1$

정답_ ②

367

$f(x)$가 10차식이므로

$f(x)=a_0+a_1x+a_2x^2+a_3x^3+\cdots+a_{10}x^{10}$으로 놓으면

$f'(x)=a_1+2a_2x+3a_3x^2+\cdots+10a_{10}x^9$

$f''(x)=2a_2+6a_3x+\cdots+90a_{10}x^8$

$f''(0)=2a_2$이므로 구하는 값은 $f(x)$의 이차항의 계수 a_2만 구하면 된다.

한편, $f(x)=(1+x)(1+2x)\cdots(1+10x)$의 이차항의 계수는 1부터 10까지 자연수 중에서 서로 다른 두 수의 곱을 모두 합한 것과 같으므로

$a_2=1\cdot2+1\cdot3+1\cdot4+\cdots+1\cdot10+2\cdot3+2\cdot4+\cdots+2\cdot10$

$+\cdots+9\cdot10$

$=\frac{1}{2}\{(1+2+\cdots+10)^2-(1^2+2^2+\cdots+10^2)\}$

$=\frac{1}{2}(A^2-B)$

$\therefore f''(0)=2a_2=A^2-B$

정답_ ④

06 도함수의 활용 (1)

368

(1) $y=\frac{2}{x^2+1}$에서 $y'=-\frac{4x}{(x^2+1)^2}$

곡선 위의 점 (1, 1)에서의 접선의 기울기는

$-\frac{4}{(1+1)^2}=-\frac{4}{4}=-1$

(2) $y=4\sqrt{x}$에서 $y'=4\cdot\frac{1}{2\sqrt{x}}=\frac{2}{\sqrt{x}}$

곡선 위의 점 (4, 8)에서의 접선의 기울기는

$\frac{2}{\sqrt{4}}=\frac{2}{2}=1$

(3) $y=xe^x+1$에서 $y'=1\cdot e^x+xe^x=e^x(x+1)$

곡선 위의 점 (0, 1)에서의 접선의 기울기는

$e^0(0+1)=1$

(4) $y=\ln(x+1)$에서 $y'=\frac{1}{x+1}$

곡선 위의 점 (0, 0)에서의 접선의 기울기는

$\frac{1}{0+1}=1$

정답_(1) −1 (2) 1 (3) 1 (4) 1

369

$y=3^{2x-3}+1$에서 $y'=3^{2x-3}\cdot\ln 3\cdot 2=2\ln 3\cdot 3^{2x-3}$

따라서 곡선 위의 점 $\left(1, \frac{4}{3}\right)$에서의 접선의 기울기는

$2\ln 3\cdot 3^{2\cdot 1-3}=2\ln 3\cdot\frac{1}{3}=\frac{2}{3}\ln 3$

정답_②

370

$x=\frac{at}{1+t^2}, y=\frac{1-t^2}{1+t^2}$에서

$\frac{dx}{dt}=\frac{a(1+t^2)-at\cdot 2t}{(1+t^2)^2}=\frac{a(1-t^2)}{(1+t^2)^2}$

$\frac{dy}{dt}=\frac{-2t(1+t^2)-(1-t^2)\cdot 2t}{(1+t^2)^2}=\frac{-4t}{(1+t^2)^2}$

$\therefore \frac{dy}{dx}=\frac{\frac{dy}{dt}}{\frac{dx}{dt}}=\frac{\frac{-4t}{(1+t^2)^2}}{\frac{a(1-t^2)}{(1+t^2)^2}}=\frac{-4t}{a(1-t^2)}$

$t=2$에 대응하는 점에서의 접선의 기울기가 $\frac{1}{3}$이므로

$\frac{-4\cdot 2}{a(1-2^2)}=\frac{1}{3}, 3a=24 \quad \therefore a=8$

정답_④

371

$y^2+yf(2x-1)+2=0$의 양변을 x에 대하여 미분하면

$2y\frac{dy}{dx}+f(2x-1)\frac{dy}{dx}+yf'(2x-1)\cdot 2=0$

$\therefore \frac{dy}{dx}=-\frac{2yf'(2x-1)}{2y+f(2x-1)}$

점 (1, 2)가 곡선 $y^2+yf(2x-1)+2=0$ 위의 점이므로

$2^2+2f(2\cdot 1-1)+2=0, 2f(1)=-6 \quad \therefore f(1)=-3$

따라서 곡선 위의 점 (1, 2)에서의 접선의 기울기는

$-\frac{2\cdot 2f'(2\cdot 1-1)}{2\cdot 2+f(2\cdot 1-1)}=-\frac{4f'(1)}{4+f(1)}=-\frac{4\cdot 2}{4+(-3)}=-8$

정답_②

372

곡선 $y=g(x)$ 위의 점 $(6\pi, 2\pi)$에서의 접선의 기울기는 $g'(6\pi)$이다.

이때, $f'(x)=3+\cos x$이므로

$g'(6\pi)=\frac{1}{f'(g(6\pi))}=\frac{1}{f'(2\pi)}=\frac{1}{3+\cos 2\pi}$

$=\frac{1}{3+1}=\frac{1}{4}$

따라서 $p=4, q=1$이므로

$p+q=4+1=5$

정답_5

373

$0<x<\frac{\pi}{4}$인 모든 x에 대하여 $\tan 2x>ax$ ······㉠

가 항상 성립하기 위해서는 $y=\tan 2x$의 그래프가 직선 $y=ax$보다 위쪽에 위치해야 한다.

$y=\tan 2x$에서 $y'=2\sec^2 2x$이므로 곡선 $y=\tan 2x$의 원점에서의 접선의 기울기는

$2\sec^2 0=2\cdot 1=2$

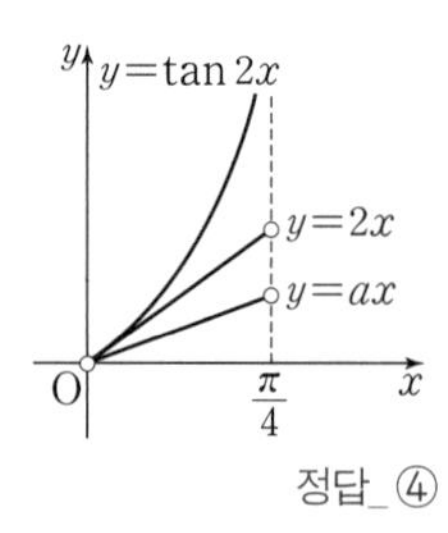

따라서 ㉠이 항상 성립하려면 $a\leq 2$가 되어야 하므로 a의 최댓값은 2이다.

정답_④

374

$y=\sqrt{1+\sin\pi x}$에서 $y'=\frac{(1+\sin\pi x)'}{2\sqrt{1+\sin\pi x}}=\frac{\pi\cos\pi x}{2\sqrt{1+\sin\pi x}}$

곡선 위의 점 (1, 1)에서의 접선의 기울기는

$\frac{\pi\cos\pi}{2\sqrt{1+\sin\pi}}=\frac{-\pi}{2\sqrt{1+0}}=-\frac{\pi}{2}$

이므로 접선의 방정식은

$y-1=-\frac{\pi}{2}(x-1) \quad \therefore y=-\frac{\pi}{2}x+\frac{\pi}{2}+1$

따라서 $a=-\frac{\pi}{2}, b=\frac{\pi}{2}+1$이므로

$a-b=-\frac{\pi}{2}-\left(\frac{\pi}{2}+1\right)=-\pi-1$

정답_①

375

점 (a, a)가 곡선 $y=x\ln x$ 위의 점이므로

$a=a\ln a$에서 $\ln a=1 \quad \therefore a=e$

$f(x)=x\ln x$에서 $f'(x)=\ln x+x\cdot\frac{1}{x}=\ln x+1$

곡선 위의 점 $(e,\ e)$에서의 접선의 기울기는

$f'(e)=\ln e+1=2$이므로 접선의 방정식은

$y-e=2(x-e)$ $\therefore y=2x-e$

따라서 접선의 y절편은 $-e$이다. 정답_①

376

$y=5e^{x-1}$에서 $y'=5e^{x-1}$

곡선 $y=5e^{x-1}$ 위의 점 A의 좌표를 $(t,\ 5e^{t-1})$이라고 하면 점 A에서의 접선의 기울기는 $5e^{t-1}$이므로 접선의 방정식은

$y-5e^{t-1}=5e^{t-1}(x-t)$ ……㉠

이때, 접선 ㉠이 원점 $(0,\ 0)$을 지나므로

$-5e^{t-1}=-5te^{t-1}$, $5e^{t-1}(t-1)=0$

$\therefore t=1$ ($\because 5e^{t-1}>0$)

따라서 점 A의 좌표는 $(1,\ 5)$이므로 선분 OA의 길이는

$\overline{\text{OA}}=\sqrt{(1-0)^2+(5-0)^2}=\sqrt{26}$ 정답_⑤

377

$t=1$에 대응하는 점 $(x,\ y)$의 좌표는 $(1^3,\ 1-1^2)$, 즉 $(1,\ 0)$이다.

$x=t^3$, $y=t-t^2$에서

$\frac{dx}{dt}=3t^2$, $\frac{dy}{dt}=1-2t$

$$\therefore \frac{dy}{dx}=\frac{\frac{dy}{dt}}{\frac{dx}{dt}}=\frac{1-2t}{3t^2}$$

$t=1$에 대응하는 점에서의 접선의 기울기는

$\frac{1-2\cdot1}{3\cdot1^2}=-\frac{1}{3}$

점 $(1,0)$을 지나고 접선의 기울기가 $-\frac{1}{3}$인 접선의 방정식은

$y-0=-\frac{1}{3}(x-1)$ $\therefore y=-\frac{1}{3}x+\frac{1}{3}$

따라서 $f(x)=-\frac{1}{3}x+\frac{1}{3}$이므로

$f(4)=-\frac{1}{3}\cdot4+\frac{1}{3}=-1$ 정답_⑤

378

$\sqrt{x}+\sqrt{y}=1$의 양변을 x에 대하여 미분하면

$\frac{1}{2\sqrt{x}}+\frac{1}{2\sqrt{y}}\cdot\frac{dy}{dx}=0$ $\therefore \frac{dy}{dx}=-\frac{\sqrt{y}}{\sqrt{x}}$

곡선 위의 점 (a,b)에서의 접선의 기울기는 $-\frac{\sqrt{b}}{\sqrt{a}}$이므로 접선의 방정식은

$y=-\frac{\sqrt{b}}{\sqrt{a}}(x-a)+b=-\frac{\sqrt{b}}{\sqrt{a}}x+\sqrt{ab}+b$

$=-\frac{\sqrt{b}}{\sqrt{a}}x+\sqrt{b}(\sqrt{a}+\sqrt{b})$

$=-\frac{\sqrt{b}}{\sqrt{a}}x+\sqrt{b}$ ($\because \sqrt{a}+\sqrt{b}=1$)

이 접선의 x절편, y절편이 각각 $\sqrt{a}$, $\sqrt{b}$이므로

$\text{A}(\sqrt{a},0)$, $\text{B}(0,\sqrt{b})$

즉, 삼각형 OAB는 밑변의 길이가 $\sqrt{a}$, 높이가 $\sqrt{b}$이므로 넓이는

$\frac{1}{2}\times\sqrt{a}\times\sqrt{b}=\frac{1}{2}\sqrt{ab}$

산술평균과 기하평균의 관계에 의해

$\sqrt{a}+\sqrt{b}\ge2\sqrt{\sqrt{a}\sqrt{b}}$ (단, 등호는 $\sqrt{a}=\sqrt{b}$일 때 성립한다.)

$\sqrt{ab}\le\frac{1}{4}$ ($\because \sqrt{a}+\sqrt{b}=1$)

$\therefore \frac{1}{2}\sqrt{ab}\le\frac{1}{2}\cdot\frac{1}{4}=\frac{1}{8}$

따라서 삼각형 OAB의 넓이의 최댓값은 $\frac{1}{8}$이다. 정답_⑤

379

$y=\frac{3}{1+x}$에서 $y'=-\frac{3}{(1+x)^2}$

곡선 위의 점 $(0,\ 3)$에서의 접선의 기울기는

$-\frac{3}{(1+0)^2}=-3$이므로 이 접선에 수직인 직선의 방정식은

$y-3=\frac{1}{3}(x-0)$ $\therefore y=\frac{1}{3}x+3$ 정답_⑤

380

$y=e^{x-1}$에서 $y'=e^{x-1}$

곡선 위의 점 $(2,\ e)$에서의 접선의 기울기는 e이므로 이 접선에 수직인 직선의 방정식은

$y-e=-\frac{1}{e}(x-2)$ $\therefore y=-\frac{1}{e}x+\frac{2}{e}+e$

따라서 y절편은 $\frac{2}{e}+e$이다. 정답_⑤

381

$y=\cos x$에서 $y'=-\sin x$

곡선 위의 점 $\text{P}\ (t,\ \cos t)$에서의 접선의 기울기는 $-\sin t$이므로 이 접선과 수직인 직선의 방정식은

$y-\cos t=\frac{1}{\sin t}(x-t)$ $\therefore y=\frac{1}{\sin t}x-\frac{t}{\sin t}+\cos t$

따라서 $g(t)=-\frac{t}{\sin t}+\cos t$

$\therefore \lim_{t\to0}g(t)=\lim_{t\to0}\left(-\frac{t}{\sin t}+\cos t\right)$

$=-1+1=0$ 정답_①

382

$x\sin y+y\sin x=\frac{\pi}{6}$의 양변을 x에 대하여 미분하면

$\sin y+x\cos y\frac{dy}{dx}+\sin x\frac{dy}{dx}+y\cos x=0$

$(x\cos y+\sin x)\frac{dy}{dx}=-\sin y-y\cos x$

$\therefore \dfrac{dy}{dx}=-\dfrac{\sin y+y\cos x}{x\cos y+\sin x}$

곡선 위의 점 $\left(\dfrac{\pi}{6},\ \dfrac{\pi}{6}\right)$에서의 접선의 기울기는

$$-\frac{\sin\frac{\pi}{6}+\frac{\pi}{6}\cos\frac{\pi}{6}}{\frac{\pi}{6}\cos\frac{\pi}{6}+\sin\frac{\pi}{6}}=-\frac{\frac{1}{2}+\frac{\pi}{6}\cdot\frac{\sqrt{3}}{2}}{\frac{\pi}{6}\cdot\frac{\sqrt{3}}{2}+\frac{1}{2}}=-1$$

이므로 점 $\left(\dfrac{\pi}{6},\ \dfrac{\pi}{6}\right)$를 지나고 접선에 수직인 직선의 방정식은

$y-\dfrac{\pi}{6}=1\cdot\left(x-\dfrac{\pi}{6}\right) \qquad \therefore y=x$ 정답_③

383

$g(x)=2f(x)\ln x^2$에서 $\quad g'(x)=2f'(x)\ln x^2+\dfrac{4f(x)}{x}$

곡선 $y=f(x)$ 위의 점 $(e,\ -e)$에서의 접선과 곡선 $y=g(x)$ 위의 점 $(e,\ -4e)$에서의 접선이 서로 수직이므로

$f'(e)\cdot g'(e)=-1,\ f'(e)\left\{2f'(e)\ln e^2+\dfrac{4f(e)}{e}\right\}=-1$

이때, $f(e)=-e$이므로 $\quad f'(e)\{4f'(e)-4\}=-1$

$4\{f'(e)\}^2-4f'(e)+1=0, \{2f'(e)-1\}^2=0$

$\therefore f'(e)=\dfrac{1}{2}$

$\therefore 10f'(e)=10\cdot\dfrac{1}{2}=5$ 정답_⑤

384

x축의 양의 방향과 이루는 각의 크기가 $45°$이므로 접선의 기울기는 $\tan 45°=1$

$y=x\ln x-x$에서 $\quad y'=\ln x+x\cdot\dfrac{1}{x}-1=\ln x$

접점의 좌표를 $(a,\ a\ln a-a)$라고 하면 접선의 기울기가 1이므로

$\ln a=1 \qquad \therefore a=e$

따라서 접점의 좌표는 $(e,\ 0)$이므로 구하는 접선의 방정식은

$y-0=x-e \qquad \therefore x-y-e=0$ 정답_②

385

직선 $x-3y=0$, 즉 $y=\dfrac{1}{3}x$의 기울기가 $\dfrac{1}{3}$이므로 이 직선과 수직인 접선의 기울기는 -3이다.

$y=\sin 3x$에서 $\quad y'=3\cos 3x$

접점의 좌표를 $(a,\ \sin 3a)$라고 하면 접선의 기울기가 -3이므로

$3\cos 3a=-3 \qquad \therefore \cos 3a=-1$

$0<a<\dfrac{\pi}{2}$에서 $0<3a<\dfrac{3}{2}\pi$이므로 $\quad 3a=\pi \qquad \therefore a=\dfrac{\pi}{3}$

이때, 접점의 좌표는 $\left(\dfrac{\pi}{3},\ 0\right)$이므로 접선의 방정식은

$y-0=-3\left(x-\dfrac{\pi}{3}\right) \qquad \therefore y=-3x+\pi$

따라서 y절편은 π이다. 정답_④

386

곡선 $y=(x+1)e^x$ 위의 점과 직선 $y=2x-9$, 즉 $2x-y-9=0$ 사이의 거리의 최솟값은 오른쪽 그림과 같이 직선 $y=2x-9$와 평행한 접선의 접점과 직선 $y=2x-9$ 사이의 거리와 같다.

$y=(x+1)e^x$에서 $\quad y'=e^x+(x+1)e^x=(x+2)e^x$

접점의 좌표를 $(a,\ (a+1)e^a)$이라고 하면 접선의 기울기가 2이므로

$(a+2)e^a=2 \qquad \therefore a=0$

따라서 접점의 좌표는 $(0,\ 1)$이므로 구하는 거리의 최솟값은 점 $(0,\ 1)$과 직선 $2x-y-9=0$ 사이의 거리인

$\dfrac{|0-1-9|}{\sqrt{2^2+(-1)^2}}=\dfrac{10}{\sqrt{5}}=2\sqrt{5}$ 정답_⑤

387

$x=\cos^3 t, y=\sin^3 t$에서

$\dfrac{dx}{dt}=-3\cos^2 t\sin t,\ \dfrac{dy}{dt}=3\sin^2 t\cos t$

$\therefore \dfrac{dy}{dx}=\dfrac{\frac{dy}{dt}}{\frac{dx}{dt}}=\dfrac{3\sin^2 t\cos t}{-3\cos^2 t\sin t}=-\tan t$

접선 l의 기울기가 $-\sqrt{3}$이므로

$-\tan t=-\sqrt{3} \qquad \therefore \tan t=\sqrt{3}$

$0\le t\le\dfrac{\pi}{2}$이므로 $\quad t=\dfrac{\pi}{3}$

접점의 좌표는 $\left(\cos^3\dfrac{\pi}{3},\ \sin^3\dfrac{\pi}{3}\right)$, 즉 $\left(\dfrac{1}{8},\ \dfrac{3\sqrt{3}}{8}\right)$이므로

접선 l의 방정식은

$y-\dfrac{3\sqrt{3}}{8}=-\sqrt{3}\left(x-\dfrac{1}{8}\right)$

$\therefore y=-\sqrt{3}x+\dfrac{\sqrt{3}}{2}$

따라서 $\mathrm{A}\left(\dfrac{1}{2},\ 0\right)$, $\mathrm{B}\left(0,\ \dfrac{\sqrt{3}}{2}\right)$이므로

$\overline{\mathrm{AB}}=\sqrt{\left(0-\dfrac{1}{2}\right)^2+\left(\dfrac{\sqrt{3}}{2}-0\right)^2}=1$ 정답_1

388

$a\sqrt{x}+\sqrt{y}=b$의 양변을 x에 대하여 미분하면

$\dfrac{a}{2\sqrt{x}}+\dfrac{1}{2\sqrt{y}}\dfrac{dy}{dx}=0,\ \dfrac{1}{2\sqrt{y}}\dfrac{dy}{dx}=-\dfrac{a}{2\sqrt{x}}$

$\therefore \dfrac{dy}{dx}=-a\sqrt{\dfrac{y}{x}}$

곡선 위의 점 $(1,\ 4)$에서의 접선의 기울기가 -4이므로

$-a\sqrt{\dfrac{4}{1}}=-2a=-4 \qquad \therefore a=2$

점 $(1,\ 4)$가 곡선 $2\sqrt{x}+\sqrt{y}=b$ 위의 점이므로

$2+2=b \quad \therefore b=4$

즉, 곡선 $2\sqrt{x}+\sqrt{y}=4$ 위의 점 $(1, 4)$에서의 접선의 방정식은

$y-4=-4(x-1) \quad \therefore 4x+y-8=0$

점 $(2, 4)$에서 직선 $4x+y-8=0$에 이르는 거리는

$\dfrac{|4\cdot 2+1\cdot 4-8|}{\sqrt{4^2+1^2}}=\dfrac{4\sqrt{17}}{17}$

따라서 $p=4, q=17$이므로

$p+q=4+17=21$ 정답_③

389

원 $x^2+y^2=e^{2t}$은 중심이 원점이고, 반지름의 길이가 e^t인 원이다. 원점을 지나고 기울기가 $\tan(\sin t)$인 직선의 방정식은

$y=\tan(\sin t)x$ ……㉠

교점의 x좌표를 구하기 위하여 ㉠을 $x^2+y^2=e^{2t}$에 대입하면

$x^2+\{\tan(\sin t)x\}^2=e^{2t}, \{1+\tan^2(\sin t)\}x^2=e^{2t}$

$x^2=\dfrac{e^{2t}}{1+\tan^2(\sin t)}=\dfrac{e^{2t}}{\sec^2(\sin t)}=e^{2t}\cos^2(\sin t)$

$\therefore x=e^t\cos(\sin t) \ (\because x>0)$ ……㉡

㉡을 ㉠에 대입하면

$y=\tan(\sin t)\cdot e^t\cos(\sin t)=e^t\sin(\sin t)$

즉, 점 P의 좌표는 $\mathrm{P}(e^t\cos(\sin t), e^t\sin(\sin t))$

$\dfrac{dx}{dt}=e^t\cos(\sin t)+e^t\{-\sin(\sin t)\}\cdot\cos t$

$=e^t\{\cos(\sin t)-\sin(\sin t)\cos t\}$

$\dfrac{dy}{dt}=e^t\sin(\sin t)+e^t\cos(\sin t)\cdot\cos t$

$=e^t\{\sin(\sin t)+\cos(\sin t)\cos t\}$

$\therefore \dfrac{dy}{dx}=\dfrac{\frac{dy}{dt}}{\frac{dx}{dt}}=\dfrac{e^t\{\sin(\sin t)+\cos(\sin t)\cos t\}}{e^t\{\cos(\sin t)-\sin(\sin t)\cos t\}}$

한편, $t=\pi$일 때 점 P의 좌표는

$\mathrm{P}(e^\pi\cos(\sin\pi), e^\pi\sin(\sin\pi)) \quad \therefore \mathrm{P}(e^\pi, 0)$

점 P에서의 접선의 기울기는

$\dfrac{e^\pi\{\sin(\sin\pi)+\cos(\sin\pi)\cos\pi\}}{e^\pi\{\cos(\sin\pi)-\sin(\sin\pi)\cos\pi\}}=\dfrac{-1}{1}=-1$

이므로 점 P에서의 접선의 방정식은

$y-0=-(x-e^\pi) \quad \therefore y=-x+e^\pi$ ……㉢

직선 ㉢의 x절편, y절편은 각각 e^π, e^π이므로 접선과 x축 및 y축으로 둘러싸인 부분은 밑변의 길이가 e^π, 높이가 e^π인 삼각형이다.

따라서 구하는 넓이는

$\dfrac{1}{2}\cdot e^\pi\cdot e^\pi=\dfrac{1}{2}e^{2\pi}$ 정답_④

390

$y=\dfrac{\ln x}{x}$에서 $y'=\dfrac{\frac{1}{x}\cdot x-\ln x\cdot 1}{x^2}=\dfrac{1-\ln x}{x^2}$

접점의 좌표를 $\left(a, \dfrac{\ln a}{a}\right)$라고 하면 접선의 방정식은

$y-\dfrac{\ln a}{a}=\dfrac{1-\ln a}{a^2}(x-a)$

이 직선이 원점을 지나므로 $-\dfrac{\ln a}{a}=\dfrac{1-\ln a}{a^2}\cdot(-a)$

$\ln a=1-\ln a, \ln a=\dfrac{1}{2} \quad \therefore a=e^{\frac{1}{2}}=\sqrt{e}$

따라서 구하는 접점의 좌표는

$\left(\sqrt{e}, \dfrac{\ln\sqrt{e}}{\sqrt{e}}\right) \quad \therefore \left(\sqrt{e}, \dfrac{1}{2\sqrt{e}}\right)$ 정답_④

391

$y=2\sqrt{x}+7$에서 $y'=\dfrac{1}{\sqrt{x}}$

접점의 좌표를 $(a, 2\sqrt{a}+7)$이라고 하면 접선의 방정식은

$y-(2\sqrt{a}+7)=\dfrac{1}{\sqrt{a}}(x-a)$

$\therefore y=\dfrac{1}{\sqrt{a}}x+\sqrt{a}+7$

이 직선이 점 $(-2, 7)$을 지나므로

$7=\dfrac{1}{\sqrt{a}}\cdot(-2)+\sqrt{a}+7$

$\dfrac{2}{\sqrt{a}}=\sqrt{a} \quad \therefore a=2$

$\therefore y=\dfrac{1}{\sqrt{2}}x+\sqrt{2}+7$

이 직선이 점 $(1, k)$를 지나므로

$k=\dfrac{1}{\sqrt{2}}\cdot 1+\sqrt{2}+7=\dfrac{3\sqrt{2}}{2}+7$ 정답_④

392

$y=xe^x$에서 $y'=e^x+xe^x=(x+1)e^x$

접점의 좌표를 (a, ae^a)이라고 하면 접선의 방정식은

$y-ae^a=(a+1)e^a(x-a)$

이 직선이 점 $(1, 0)$을 지나므로

$-ae^a=(a+1)e^a(1-a), -a=(a+1)(1-a)$

$\therefore a^2-a-1=0$ ……㉠

㉠의 두 근을 α, β라고 하면 근과 계수의 관계에 의해

$\alpha+\beta=1, \alpha\beta=-1$

접선의 기울기는 각각 $(\alpha+1)e^\alpha$, $(\beta+1)e^\beta$이므로

$m_1m_2=(\alpha+1)e^\alpha\cdot(\beta+1)e^\beta$

$=(\alpha\beta+\alpha+\beta+1)e^{\alpha+\beta}$

$=(-1+1+1)e^1=e$ 정답_④

393

$y=\ln x+1$에서 $y'=\dfrac{1}{x}$

접점의 좌표를 $\mathrm{A}(a, \ln a+1)$이라고 하면 접선의 방정식은

$y-(\ln a+1)=\frac{1}{a}(x-a)$

이 직선이 원점 O를 지나므로

$-(\ln a+1)=\frac{1}{a}\cdot(-a), \ln a=0 \quad \therefore a=1$

따라서 점 A의 좌표는 (1, 1)이므로 접선의 방정식은

$y-1=x-1 \quad \therefore y=x$

한편, 점 A를 지나고 접선에 수직인 직선의 기울기는 -1이므로 직선의 방정식은

$y-1=-(x-1) \quad \therefore y=-x+2$

따라서 점 B의 좌표는 (2, 0)이고, 오른쪽 그림에서 삼각형 OAB의 넓이는

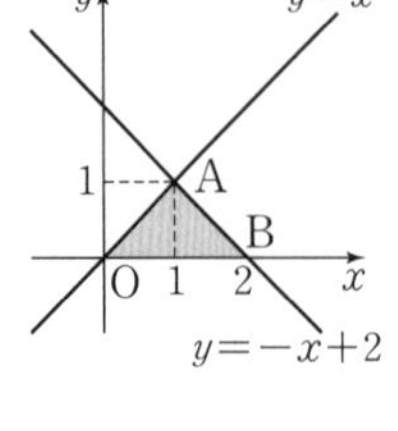

$\frac{1}{2}\cdot 2\cdot 1=1$

정답_③

394

$y=(2x+k)e^{-x}$에서

$y'=2\cdot e^{-x}+(2x+k)\cdot(-e^{-x})=-e^{-x}(2x+k-2)$

접점의 좌표를 $(t, (2t+k)e^{-t})$이라고 하면 접선의 방정식은

$y-(2t+k)e^{-t}=-e^{-t}(2t+k-2)(x-t)$

이 직선이 원점을 지나므로

$-(2t+k)e^{-t}=-e^{-t}(2t+k-2)\cdot(-t)$

$e^{-t}(2t^2+kt+k)=0$

$\therefore 2t^2+kt+k=0 \ (\because e^{-t}>0)$ ……㉠

원점에서 곡선 $y=(2x+k)e^{-x}$에 적어도 한 개의 접선을 그을 수 있으려면 방정식 ㉠이 실근을 가져야 하므로 ㉠의 판별식을 D라고 하면

$D=k^2-8k\geq 0, k(k-8)\geq 0$

$\therefore k\leq 0$ 또는 $k\geq 8$

따라서 구하는 자연수 k의 최솟값은 8이다.

정답_8

395

$f(x)=e^{x+3}$, $g(x)=ax+a$로 놓으면

$f'(x)=e^{x+3}$, $g'(x)=a$

곡선과 직선이 $x=t$에서 접한다고 하면

$f(t)=g(t)$에서 $\quad e^{t+3}=at+a$ ……㉠

$f'(t)=g'(t)$에서 $\quad e^{t+3}=a$ ……㉡

㉡을 ㉠에 대입하면 $\quad a=at+a, at=0$

이때, $a=e^{t+3}>0$이므로 $\quad t=0$

$t=0$을 ㉡에 대입하면 $\quad a=e^3$

정답_⑤

396

$f(x)=ax+\frac{b}{x}$, $g(x)=\ln x$로 놓으면

$f'(x)=a-\frac{b}{x^2}$, $g'(x)=\frac{1}{x}$

두 곡선이 점 $(e^2, 2)$에서 서로 접하므로

$f(e^2)=g(e^2)$에서 $\quad ae^2+\frac{b}{e^2}=\ln e^2=2$ ……㉠

$f'(e^2)=g'(e^2)$에서

$a-\frac{b}{e^4}=\frac{1}{e^2}, ae^2-\frac{b}{e^2}=1$ ……㉡

㉠, ㉡을 연립하여 풀면 $\quad a=\frac{3}{2e^2}, b=\frac{e^2}{2}$

$\therefore ab=\frac{3}{2e^2}\cdot\frac{e^2}{2}=\frac{3}{4}$

정답_③

397

$y=e^x$에서 $\quad y'=e^x$

곡선 $y=e^x$ 위의 점 $(1, e)$에서의 접선의 기울기는 e이므로 접선의 방정식은

$y-e=e(x-1) \quad \therefore y=ex$

이 직선이 곡선 $y=2\sqrt{x-k}$와 접하므로 $\quad ex=2\sqrt{x-k}$

양변을 제곱하여 정리하면 $\quad e^2x^2-4x+4k=0$

이 방정식이 중근을 가져야 하므로 판별식을 D라고 하면

$\frac{D}{4}=(-2)^2-e^2\cdot 4k=4-4e^2k=0 \quad \therefore k=\frac{1}{e^2}$

정답_②

398

$f(x)=a+\sin x$, $g(x)=\sin^2 x$로 놓으면

$f'(x)=\cos x$, $g'(x)=2\sin x\cos x$

두 곡선이 $x=t$에서 공통인 접선을 갖는다고 하면

$f'(t)=g'(t)$에서 $\quad \cos t=2\sin t\cos t, \cos t(2\sin t-1)=0$

$\therefore \cos t=0$ 또는 $\sin t=\frac{1}{2}$

그런데 $\sin^2 t+\cos^2 t=1$이므로

$\cos t=0$을 대입하면 $\quad \sin^2 t=1 \quad \therefore \sin t=\pm 1$

$\therefore \sin t=1$ 또는 $\sin t=-1$ 또는 $\sin t=\frac{1}{2}$ ……㉠

$f(t)=g(t)$에서 $\quad a+\sin t=\sin^2 t$

$\therefore a=\sin^2 t-\sin t$ ……㉡

㉠을 ㉡에 대입하면

$\sin t=1$일 때, $a=1-1=0$

$\sin t=-1$일 때, $a=1-(-1)=2$

$\sin t=\frac{1}{2}$일 때, $a=\frac{1}{4}-\frac{1}{2}=-\frac{1}{4}$

따라서 모든 상수 a의 값의 합은 $\quad 0+2+\left(-\frac{1}{4}\right)=\frac{7}{4}$

정답_④

399

(1) $a<b$인 임의의 두 양수 a, b에 대하여

$f(a)-f(b)=\frac{1}{a^2+1}-\frac{1}{b^2+1}=\frac{(b-a)(b+a)}{(a^2+1)(b^2+1)}>0$

$\therefore f(a)>f(b)$

따라서 함수 $f(x)$는 구간 $(0, \infty)$에서 감소한다.

(2) $e<a<b$인 임의의 두 양수 a, b에 대하여

$f(a)-f(b)=a\ln a-b\ln b<b\ln b-b\ln b=0$

$\therefore f(a)<f(b)$

따라서 함수 $f(x)$는 구간 (e, ∞)에서 증가한다.

정답_ (1) 감소 (2) 증가

400

(1) $f'(x)=\cos x-2$

모든 실수 x에 대하여 $-1\le\cos x\le1$이므로

$-3\le\cos x-2\le-1$

즉, 모든 실수 x에 대하여 $f'(x)<0$이므로 주어진 함수는 실수 전체에서 감소한다.

(2) $f'(x)=e^x-1$

$f'(x)>0$에서 $e^x>1$ $\quad\therefore x>0$

$f'(x)<0$에서 $e^x<1$ $\quad\therefore x<0$

따라서 함수 $f(x)$가 증가하는 구간은 $(0, \infty)$이고, 감소하는 구간은 $(-\infty, 0)$이다.

정답_ (1) 구간 $(-\infty, \infty)$에서 감소

(2) 구간 $(-\infty, 0)$에서 감소, 구간 $(0, \infty)$에서 증가

401

$f(x)=\dfrac{x-\ln x}{x}$에서 진수의 조건에 의해 $x>0$

$f'(x)=\dfrac{\left(1-\frac{1}{x}\right)\cdot x-(x-\ln x)\cdot1}{x^2}=\dfrac{\ln x-1}{x^2}$

$f'(x)>0$에서 $\ln x-1>0$ ($\because x^2>0$)

$\ln x>1$ $\quad\therefore x>e$

정답_ ⑤

402

$f(x)=e^{x+1}(x^2+3x+1)$에서

$f'(x)=e^{x+1}(x^2+3x+1)+e^{x+1}(2x+3)$

$=e^{x+1}(x^2+5x+4)$

$=e^{x+1}(x+1)(x+4)$

$f'(x)<0$에서 $(x+1)(x+4)<0$ ($\because e^{x+1}>0$)

$\therefore -4<x<-1$

따라서 함수 $f(x)$는 구간 $(-4, -1)$에서 감소하므로 $b-a$의 최댓값은 $-1-(-4)=3$이다.

정답_ ③

403

$f(x)=(1+\sin x)\cos x$에서

$f'(x)=\cos x\cos x+(1+\sin x)\cdot(-\sin x)$

$=\cos^2 x-\sin^2 x-\sin x$

$=(1-\sin^2 x)-\sin^2 x-\sin x$

$=-2\sin^2 x-\sin x+1$

$=-(\sin x+1)(2\sin x-1)$

$f'(x)<0$에서 $(\sin x+1)(2\sin x-1)>0$

$\therefore \sin x>\dfrac{1}{2}$ ($\because 0<x<\pi$에서 $\sin x>0$)

이때, $0<x<\pi$이므로 $\dfrac{\pi}{6}<x<\dfrac{5}{6}\pi$

따라서 $a=\dfrac{\pi}{6}, b=\dfrac{5}{6}\pi$이므로

$a+b=\dfrac{\pi}{6}+\dfrac{5}{6}\pi=\pi$

정답_ ③

404

$f(x)=x+\sqrt{18-x^2}$에서 $18-x^2\ge0$이고 $x>0$이므로

$0<x\le3\sqrt{2}$

$f'(x)=1+\dfrac{-2x}{2\sqrt{18-x^2}}=\dfrac{\sqrt{18-x^2}-x}{\sqrt{18-x^2}}$

$f'(x)>0$에서 $\sqrt{18-x^2}>x$

양변을 제곱하면 $18-x^2>x^2, x^2-9<0$

$(x-3)(x+3)<0$ $\quad\therefore 0<x<3$ ($\because 0<x\le3\sqrt{2}$)

따라서 함수 $f(x)$가 증가하는 구간은 $(0, 3)$이므로 이 구간에 속하는 정수 x는 1, 2이고 그 합은

$1+2=3$

정답_ 3

405

$f(x)=(x-k)e^{x^2}$에서

$f'(x)=e^{x^2}+(x-k)e^{x^2}\cdot2x$

$=(2x^2-2kx+1)e^{x^2}$

함수 $f(x)$가 구간 $(-\infty, \infty)$에서 증가하려면 모든 실수 x에 대하여 $f'(x)\ge0$이어야 한다.

모든 실수 x에 대하여 $e^{x^2}>0$이므로 $2x^2-2kx+1\ge0$

이차방정식 $2x^2-2kx+1=0$의 판별식을 D라고 하면

$\dfrac{D}{4}=k^2-2\le0, (k+\sqrt{2})(k-\sqrt{2})\le0$

$\therefore -\sqrt{2}\le k\le\sqrt{2}$

따라서 $\alpha=-\sqrt{2}, \beta=\sqrt{2}$이므로

$\alpha\beta=-\sqrt{2}\cdot\sqrt{2}=-2$

정답_ ②

406

$f(x)=e^x(a+\cos x)$에서

$f'(x)=e^x(a+\cos x)+e^x(-\sin x)$

$=e^x(a+\cos x-\sin x)$

함수 $f(x)$가 실수 전체에서 증가하려면 모든 실수 x에 대하여 $f'(x)\ge0$이어야 한다. 모든 실수 x에 대하여 $e^x>0$이므로

$a+\cos x-\sin x\ge0$ $\quad\therefore \sin x-\cos x\le a$

$\sin x-\cos x=\sqrt{2}\sin\left(x-\dfrac{\pi}{4}\right)$이므로

$-\sqrt{2}\le\sin x-\cos x\le\sqrt{2}$ $\quad\therefore a\ge\sqrt{2}$

정답_ ⑤

407

$f(x)=-x-\ln(x^2+k)$에서 $x^2+k>0$이고

$f'(x)=-1-\frac{2x}{x^2+k}=\frac{-(x^2+2x+k)}{x^2+k}$

실수 전체에서 감소하려면 모든 실수 x에 대하여 $f'(x)\le 0$이어야 한다.

$x^2+k>0$이므로 $-(x^2+2x+k)\le 0$에서 $x^2+2x+k\ge 0$

이차방정식 $x^2+2x+k=0$의 판별식을 D라고 하면

$\frac{D}{4}=1^2-k\le 0 \quad \therefore k\ge 1$

따라서 상수 k의 최솟값은 1이다. 정답_①

408

$f(x)=ax+\ln(x^2+4)$에서

$f'(x)=a+\frac{2x}{x^2+4}=\frac{ax^2+2x+4a}{x^2+4}$

함수 $f(x)$가 실수 전체에서 증가하려면 모든 실수 x에 대하여 $f'(x)\ge 0$이어야 한다.

모든 실수 x에 대하여 $x^2+4>0$이므로 $ax^2+2x+4a\ge 0$

(i) 이 부등식이 모든 실수 x에 대하여 성립해야 하므로 $a>0$

(ii) 이차방정식 $ax^2+2x+4a=0$의 판별식을 D라고 하면

$\frac{D}{4}=1-4a^2\le 0,\ 4a^2-1\ge 0$

$(2a+1)(2a-1)\ge 0$

$\therefore a\le -\frac{1}{2}$ 또는 $a\ge\frac{1}{2}$

(i), (ii)에서 $a\ge\frac{1}{2}$이므로 상수 a의 최솟값은 $\frac{1}{2}$이다. 정답_①

409

$f(x)=k^2\ln x+x^2-8x$에서

$f'(x)=\frac{k^2}{x}+2x-8=\frac{2x^2-8x+k^2}{x}$

$0<x_1<x_2$인 임의의 두 실수 x_1, x_2에 대하여 $f(x_1)<f(x_2)$를 만족시키려면 함수 $f(x)$가 구간 $(0, \infty)$에서 증가해야 한다.

함수 $f(x)$가 구간 $(0, \infty)$에서 증가하려면 $x>0$일 때 $f'(x)\ge 0$이어야 한다.

$x>0$이므로 $2x^2-8x+k^2\ge 0$

이차방정식 $2x^2-8x+k^2=0$의 판별식을 D라고 하면

$\frac{D}{4}=16-2k^2\le 0$

$(k+2\sqrt{2})(k-2\sqrt{2})\ge 0$

$\therefore k\le -2\sqrt{2}$ 또는 $k\ge 2\sqrt{2}$ 정답_⑤

410

(1) $f(x)=x\ln x$에서 $x>0$이고

$f'(x)=\ln x+x\cdot\frac{1}{x}=\ln x+1$

$f'(x)=0$에서 $\ln x=-1 \quad \therefore x=\frac{1}{e}$

$x=\frac{1}{e}$을 기준으로 $x>0$에서 함수 $f(x)$의 증가, 감소를 표로 나타내면 오른쪽과 같다.

x	(0)	$\cdots$	$\frac{1}{e}$	$\cdots$
$f'(x)$		$-$	0	$+$
$f(x)$		↘	$-\frac{1}{e}$	↗

따라서 함수 $f(x)$는 $x=\frac{1}{e}$일 때 극솟값 $-\frac{1}{e}$을 갖는다.

(2) $f(x)=\frac{x}{e^x}$에서 $f'(x)=\frac{e^x-xe^x}{e^{2x}}=\frac{1-x}{e^x}$

$f'(x)=0$에서 $x=1$

$x=1$을 기준으로 함수 $f(x)$의 증가, 감소를 표로 나타내면 오른쪽과 같다.

x	$\cdots$	1	$\cdots$
$f'(x)$	$+$	0	$-$
$f(x)$	↗	$\frac{1}{e}$	↘

따라서 함수 $f(x)$는 $x=1$일 때 극댓값 $\frac{1}{e}$을 갖는다.

(3) $f(x)=x+2\cos x$에서 $f'(x)=1-2\sin x$

$f'(x)=0$에서 $1-2\sin x=0, \sin x=\frac{1}{2}$

$\therefore x=\frac{\pi}{6}\left(\because 0\le x\le\frac{\pi}{2}\right)$

$x=\frac{\pi}{6}$를 기준으로 $0\le x\le\frac{\pi}{2}$에서 함수 $f(x)$의 증가, 감소를 표로 나타내면 다음과 같다.

x	0	$\cdots$	$\frac{\pi}{6}$	$\cdots$	$\frac{\pi}{2}$
$f'(x)$		$+$	0	$-$	
$f(x)$	2	↗	$\frac{\pi}{6}+\sqrt{3}$	↘	$\frac{\pi}{2}$

따라서 함수 $f(x)$는 $x=\frac{\pi}{6}$일 때 극댓값 $\frac{\pi}{6}+\sqrt{3}$을 갖는다.

정답_(1) 극솟값: $-\frac{1}{e}$ (2) 극댓값: $\frac{1}{e}$ (3) 극댓값: $\frac{\pi}{6}+\sqrt{3}$

411

(1) $f(x)=\sin x+\cos x$에서

$f'(x)=\cos x-\sin x,\ f''(x)=-\sin x-\cos x$

$f'(x)=0$에서 $\cos x=\sin x$

양변을 $\cos x$로 나누면 $\tan x=1$

$\therefore x=\frac{\pi}{4}\ (\because 0\le x\le\pi)$

이때, $f''\left(\frac{\pi}{4}\right)=-\sin\frac{\pi}{4}-\cos\frac{\pi}{4}=-\sqrt{2}<0$이므로

함수 $f(x)$는 $x=\frac{\pi}{4}$에서 극댓값

$f\left(\frac{\pi}{4}\right)=\sin\frac{\pi}{4}+\cos\frac{\pi}{4}=\sqrt{2}$를 갖는다.

(2) $f(x)=x-\ln x$에서

$f'(x)=1-\frac{1}{x},\ f''(x)=\frac{1}{x^2}$

$f'(x)=0$에서 $\frac{1}{x}=1 \quad \therefore x=1$

이때, $f''(1)=1>0$이므로 함수 $f(x)$는 $x=1$에서 극솟값 $f(1)=1-\ln 1=1$을 갖는다.

정답_(1) 극댓값: $\sqrt{2}$ (2) 극솟값: 1

412

$f(x)=\frac{2ax-a}{x^2+2}$에서

$f'(x)=\frac{2a(x^2+2)-(2ax-a)\cdot 2x}{(x^2+2)^2}$

$=\frac{-2ax^2+2ax+4a}{(x^2+2)^2}$

$=\frac{-2a(x+1)(x-2)}{(x^2+2)^2}$

$f'(x)=0$에서 $x=-1$ 또는 $x=2$ ($\because a>0$)

$x=-1, x=2$를 기준으로 함수 $f(x)$의 증가, 감소를 표로 나타내면 다음과 같다.

x	$\cdots$	-1	$\cdots$	2	$\cdots$
$f'(x)$	$-$	0	$+$	0	$-$
$f(x)$	↘	극소	↗	극대	↘

따라서 $f(x)$는 $x=-1$에서 극솟값, $x=2$에서 극댓값을 가지므로 $\alpha=2, \beta=-1$

$\therefore \alpha-\beta=2-(-1)=3$

정답_⑤

413

$f(x)=\sqrt{x}+\sqrt{6-x}$에서 $x\geq 0, 6-x\geq 0$이므로 $0\leq x\leq 6$

$f'(x)=\frac{1}{2\sqrt{x}}-\frac{1}{2\sqrt{6-x}}=\frac{\sqrt{6-x}-\sqrt{x}}{2\sqrt{x}\sqrt{6-x}}$

$f'(x)=0$에서 $\sqrt{6-x}=\sqrt{x}$

양변을 제곱하면 $6-x=x$ $\therefore x=3$

$x=3$을 기준으로 $0\leq x\leq 6$에서 함수 $f(x)$의 증가, 감소를 표로 나타내면 다음과 같다.

x	0	$\cdots$	3	$\cdots$	6
$f'(x)$		$+$	0	$-$	
$f(x)$	$\sqrt{6}$	↗	$2\sqrt{3}$	↘	$\sqrt{6}$

따라서 함수 $f(x)$는 $x=3$일 때 극댓값 $2\sqrt{3}$을 가지므로

$a=3, b=2\sqrt{3}$

$\therefore \frac{b^2}{a}=\frac{(2\sqrt{3})^2}{3}=4$

정답_④

414

$f(x)=(x^2-8)e^{-x+1}$에서

$f'(x)=2xe^{-x+1}+(x^2-8)e^{-x+1}\cdot(-1)$

$=(-x^2+2x+8)e^{-x+1}$

$=-(x+2)(x-4)e^{-x+1}$

$f(x)=0$에서 $x=-2$ 또는 $x=4$

$x=-2, x=4$를 기준으로 함수 $f(x)$의 증가, 감소를 표로 나타내면 다음과 같다.

x	$\cdots$	-2	$\cdots$	4	$\cdots$
$f'(x)$	$-$	0	$+$	0	$-$
$f(x)$	↘	극소	↗	극대	↘

따라서 함수 $f(x)$는 $x=-2$에서 극솟값, $x=4$에서 극댓값을 가지므로

$a=f(-2)=\{(-2)^2-8\}e^{-(-2)+1}=-4e^3$

$b=f(4)=(4^2-8)e^{-4+1}=8e^{-3}$

$\therefore ab=-4e^3\cdot 8e^{-3}=-32$

정답_②

415

$f(x)=e^x+4e^{-x}$에서

$f'(x)=e^x-4e^{-x}=\frac{e^{2x}-4}{e^x}=\frac{(e^x-2)(e^x+2)}{e^x}$

$f'(x)=0$에서 $e^x=2$ ($\because e^x>0$) $\therefore x=\ln 2$

$x=\ln 2$를 기준으로 $f(x)$의 증가, 감소를 표로 나타내면 오른쪽과 같다.

x	$\cdots$	$\ln 2$	$\cdots$
$f'(x)$	$-$	0	$+$
$f(x)$	↘	4	↗

따라서 $f(x)$는 $x=\ln 2$에서 극솟값 4를 가지므로

$a=\ln 2, b=4$

$\therefore e^{ab}=e^{4\ln 2}=e^{\ln 16}=16$

정답_④

416

$f(x)=x(\ln x)^2$에서 $x>0$

$f'(x)=(\ln x)^2+x\cdot 2\ln x\cdot\frac{1}{x}=(\ln x+2)\ln x$

$f'(x)=0$에서 $\ln x=-2$ 또는 $\ln x=0$

$\therefore x=\frac{1}{e^2}$ 또는 $x=1$

$x=\frac{1}{e^2}, x=1$을 기준으로 $x>0$에서 함수 $f(x)$의 증가, 감소를 표로 나타내면 다음과 같다.

x	(0)	$\cdots$	$\frac{1}{e^2}$	$\cdots$	1	$\cdots$
$f'(x)$		$+$	0	$-$	0	$+$
$f(x)$		↗	$\frac{4}{e^2}$	↘	0	↗

따라서 $f(x)$는 $x=\frac{1}{e^2}$에서 극댓값 $\frac{4}{e^2}$를 갖는다.

정답_①

417

$f(x)=x-\sqrt{2}\sin x$에서 $f'(x)=1-\sqrt{2}\cos x$

$f'(x)=0$에서 $\cos x=\frac{1}{\sqrt{2}}$

$\therefore x=\frac{\pi}{4}$ 또는 $x=\frac{7}{4}\pi$ ($\because 0\leq x\leq 2\pi$)

$x=\frac{\pi}{4}, x=\frac{7}{4}\pi$를 기준으로 $0\leq x\leq 2\pi$에서 함수 $f(x)$의 증가, 감소를 표로 나타내면 다음과 같다.

x	0	$\cdots$	$\frac{\pi}{4}$	$\cdots$	$\frac{7}{4}\pi$	$\cdots$	2π
$f'(x)$		$-$	0	$+$	0	$-$	
$f(x)$	0	↘	$\frac{\pi}{4}-1$	↗	$\frac{7}{4}\pi+1$	↘	2π

따라서 함수 $f(x)$는 $x=\frac{\pi}{4}$일 때 극솟값 $\frac{\pi}{4}-1$, $x=\frac{7}{4}\pi$일 때 극댓값 $\frac{7}{4}\pi+1$을 가지므로

$M=\frac{7}{4}\pi+1, m=\frac{\pi}{4}-1$

$\therefore \frac{M+m}{\pi}=\frac{2\pi}{\pi}=2$ 정답_④

418

$f(x)=2\sin x-\cos 2x$에서

$f'(x)=2\cos x+2\sin 2x=2\cos x+2\sin(x+x)$

$=2\cos x+4\sin x\cos x=2\cos x(2\sin x+1)$

$f'(x)=0$에서 $\cos x=0$ 또는 $\sin x=-\frac{1}{2}$

$0<x<\pi$에서 $\sin x>0$이므로 $x=\frac{\pi}{2}$

$x=\frac{\pi}{2}$를 기준으로 $0<x<\pi$에서 함수 $f(x)$의 증가, 감소를 표로 나타내면 다음과 같다.

x	(0)	$\cdots$	$\frac{\pi}{2}$	$\cdots$	(π)
$f'(x)$		$+$	0	$-$	
$f(x)$		↗	3	↘	

따라서 함수 $f(x)$는 $x=\frac{\pi}{2}$일 때 극댓값 3을 가지므로

$a=\frac{\pi}{2}, b=3$

$\therefore 2ab=2\cdot\frac{\pi}{2}\cdot 3=3\pi$ 정답_③

419

$y=\ln x$에서 $y'=\frac{1}{x}$

즉, 점 $\mathrm{P}(t, \ln t)$에서의 접선의 기울기는 $\frac{1}{t}$이므로 점 P에서의 접선의 방정식은

$y-\ln t=\frac{1}{t}(x-t)$ $\therefore y=\frac{1}{t}x-1+\ln t$

점 R는 이 접선과 x축이 만나는 점이므로 $y=0$을 대입하면

$0=\frac{1}{t}x-1+\ln t, \frac{1}{t}x=1-\ln t$ $\therefore x=t-t\ln t$

$\therefore r(t)=t-t\ln t$

또, 점 $\mathrm{Q}(2t, \ln 2t)$에서의 접선의 기울기는 $\frac{1}{2t}$이므로 점 Q에서의 접선의 방정식은

$y-\ln 2t=\frac{1}{2t}(x-2t)$ $\therefore y=\frac{1}{2t}x-1+\ln 2t$

점 S는 이 접선과 x축이 만나는 점이므로 $y=0$을 대입하면

$0=\frac{1}{2t}x-1+\ln 2t, \frac{1}{2t}x=1-\ln 2t$

$\therefore x=2t-2t\ln t$

$\therefore s(t)=2t-2t\ln 2t=2t-2t\ln 2-2t\ln t$

한편,

$f(t)=r(t)-s(t)$

$=(t-t\ln t)-(2t-2t\ln 2-2t\ln t)$

$=(2\ln 2-1)t+t\ln t$

이므로

$f'(t)=2\ln 2-1+\ln t+t\cdot\frac{1}{t}=2\ln 2+\ln t$

$f'(t)=0$에서 $t=\frac{1}{4}$

$t=\frac{1}{4}$을 기준으로 $t>0$에서 함수 $f(t)$의 증가, 감소를 표로 나타내면 다음과 같다.

t	(0)	$\cdots$	$\frac{1}{4}$	$\cdots$
$f'(t)$		$-$	0	$+$
$f(t)$		↘	극소	↗

따라서 함수 $f(t)$는 $t=\frac{1}{4}$에서 극솟값

$f\left(\frac{1}{4}\right)=(2\ln 2-1)\cdot\frac{1}{4}+\frac{1}{4}\ln\frac{1}{4}=-\frac{1}{4}$을 갖는다. 정답_③

420

$f(x)=e^{-x}(\sin x+\cos x)$에서

$f'(x)=-e^{-x}(\sin x+\cos x)+e^{-x}(\cos x-\sin x)$

$=-2e^{-x}\sin x$

$f'(x)=0$에서 $\sin x=0$

$\therefore x=k\pi$ (단, $k=1, 2, 3, \cdots$)

$x=k\pi$를 기준으로 $x>0$에서 함수 $f(x)$의 증가, 감소를 표로 나타내면 다음과 같다.

x	(0)	$\cdots$	π	$\cdots$	2π	$\cdots$	3π	$\cdots$	4π	$\cdots$
$f'(x)$		$-$	0	$+$	0	$-$	0	$+$	0	$-$
$f(x)$		↘	극소	↗	극대	↘	극소	↗	극대	↘

위의 표에서 함수 $f(x)$가 $x=2m\pi$ $(m=1, 2, 3, \cdots)$일 때 극댓값을 가지므로

$f(2m\pi)=e^{-2m\pi}(\sin 2m\pi+\cos 2m\pi)=e^{-2m\pi}$

$a_n=e^{-2n\pi}$이므로 $\ln a_n=-2n\pi$

$\therefore \ln a_{99}-\ln a_{100}=-2\cdot 99\pi-(-2\cdot 100\pi)=2\pi$ 정답_④

421

$f(x)=e^{4x}-ae^{2x}$에서 $f'(x)=4e^{4x}-2ae^{2x}=2e^{2x}(2e^{2x}-a)$

$f'(x)=0$에서 $2e^{2x}-a=0, e^{2x}=\frac{a}{2}, 2x=\ln\frac{a}{2}$

$\therefore x=\frac{1}{2}\ln\frac{a}{2}=\ln\left(\frac{a}{2}\right)^{\frac{1}{2}}$

함수 $f(x)$가 극솟값을 가지므로 $x=\ln\left(\frac{a}{2}\right)^{\frac{1}{2}}$을 기준으로 함수 $f(x)$의 증가, 감소를 표로 나타내면 위와 같다.

x	$\cdots$	$\ln\left(\frac{a}{2}\right)^{\frac{1}{2}}$	$\cdots$
$f'(x)$	$-$	0	$+$
$f(x)$	↘	극소	↗

극솟값이 -4이므로

$f\left(\ln\left(\frac{a}{2}\right)^{\frac{1}{2}}\right)=e^{4\ln\left(\frac{a}{2}\right)^{\frac{1}{2}}}-ae^{2\ln\left(\frac{a}{2}\right)^{\frac{1}{2}}}=e^{\ln\left(\frac{a}{2}\right)^{2}}-ae^{\ln\frac{a}{2}}$

$=\frac{a^2}{4}-\frac{a^2}{2}=-\frac{a^2}{4}=-4$

$a^2=16 \quad \therefore a=4\ (\because a>0)$ 정답_ ②

422

$f(x)=\frac{1}{2}x^2-a\ln x\ (a>0)$에서

$f'(x)=x-\frac{a}{x}=\frac{x^2-a}{x}$

$f'(x)=0$에서 $\frac{x^2-a}{x}=0,\ \frac{(x+\sqrt{a})(x-\sqrt{a})}{x}=0$

$\therefore x=\sqrt{a}\ (\because x>0)$

함수 $f(x)$가 극솟값을 가지므로 $x=\sqrt{a}$를 기준으로 $x>0$에서 함수 $f(x)$의 증가, 감소를 표로 나타내면 다음과 같다.

x	(0)	$\cdots$	$\sqrt{a}$	$\cdots$
$f'(x)$		$-$	0	$+$
$f(x)$		↘	극소	↗

극솟값이 0이므로

$f(\sqrt{a})=\frac{1}{2}a-a\ln\sqrt{a}=a\left(\frac{1}{2}-\ln\sqrt{a}\right)=0$

$\ln\sqrt{a}=\frac{1}{2},\ \frac{1}{2}\ln a=\frac{1}{2} \quad \therefore a=e$ 정답_ ④

423

$f(x)=a\ln x^2+bx^2-2x$에서 $f'(x)=\frac{2a}{x}+2bx-2$

$x=-1,\ x=2$에서 극값을 가지므로

$f'(-1)=0$에서 $-2a-2b-2=0$

$\therefore a+b=-1$ ······㉠

$f'(2)=0$에서 $a+4b-2=0$

$\therefore a+4b=2$ ······㉡

㉠, ㉡을 연립하여 풀면 $a=-2,\ b=1$

$\therefore ab=-2\cdot 1=-2$ 정답_ ②

424

$f(x)=xe^{ax+b}$에서 $f'(x)=e^{ax+b}+axe^{ax+b}=e^{ax+b}(1+ax)$

$x=-1$에서 극솟값 $-\frac{1}{e^2}$을 가지므로

$f'(-1)=e^{-a+b}(1-a)=0$

$e^{-a+b}>0$이므로 $1-a=0 \quad \therefore a=1$

$f(-1)=-e^{-a+b}=-e^{-1+b}=-\frac{1}{e^2}=-e^{-2}$

$-1+b=-2 \quad \therefore b=-1$

$\therefore 2a+b=2\cdot 1+(-1)=1$ 정답_ ⑤

425

$f(x)=a\sin x-b\cos x$에서 $f'(x)=a\cos x+b\sin x$

$x=\frac{\pi}{6}$에서 극댓값 2를 가지므로

$f'\left(\frac{\pi}{6}\right)=0$에서 $\frac{\sqrt{3}}{2}a+\frac{1}{2}b=0$ ······㉠

$f\left(\frac{\pi}{6}\right)=2$에서 $\frac{1}{2}a-\frac{\sqrt{3}}{2}b=2$ ······㉡

㉠, ㉡을 연립하여 풀면 $a=1,\ b=-\sqrt{3}$

$\therefore ab=1\cdot(-\sqrt{3})=-\sqrt{3}$ 정답_ ③

426

$f(x)=\frac{ax^2+2x+b}{x^2+1}$에서

$f'(x)=\frac{(2ax+2)(x^2+1)-(ax^2+2x+b)\cdot 2x}{(x^2+1)^2}$

$=\frac{-2x^2+2(a-b)x+2}{(x^2+1)^2}$

함수 $f(x)$가 $x=1$에서 극댓값 5를 가지므로

$f'(1)=0$에서 $\frac{-2+2(a-b)+2}{4}=0$

$\therefore a-b=0$ ······㉠

$f(1)=5$에서 $\frac{a+2+b}{2}=5 \quad \therefore a+b=8$ ······㉡

㉠, ㉡을 연립하여 풀면 $a=4,\ b=4$

즉, $f'(x)=\frac{-2x^2+2}{(x^2+1)^2}=\frac{-2(x+1)(x-1)}{(x^2+1)^2}$이므로

$f'(x)=0$에서 $x=-1$ 또는 $x=1$

$x=-1,\ x=1$을 기준으로 함수 $f(x)$의 증가, 감소를 표로 나타내면 다음과 같다.

x	$\cdots$	-1	$\cdots$	1	$\cdots$
$f'(x)$	$-$	0	$+$	0	$-$
$f(x)$	↘	극소	↗	극대	↘

따라서 함수 $f(x)$는 $x=-1$에서 극솟값을 가지므로

$c=-1$ 정답_ ②

427

$f(x)=e^{-x}(x^2+ax+a+1)$에서

$f'(x)=-e^{-x}(x^2+ax+a+1)+e^{-x}(2x+a)$

$=-e^{-x}\{x^2+(a-2)x+1\}$

모든 실수 x에 대하여 $-e^{-x}<0$이므로 함수 $f(x)$가 극값을 가지려면 이차방정식 $x^2+(a-2)x+1=0$이 서로 다른 두 실근을 가져야 한다. 따라서 판별식 D에 대하여

$D=(a-2)^2-4>0,\ a^2-4a>0$

$a(a-4)>0 \quad \therefore a<0$ 또는 $a>4$

따라서 구하는 자연수 a의 최솟값은 5이다. 정답_ ⑤

428

$f(x)=2\cos x+ax$에서 $f'(x)=-2\sin x+a$

모든 실수 x에 대하여 $-2\le -2\sin x\le 2$,

즉 $-2+a\le -2\sin x+a\le 2+a$이므로 함수 $f(x)$가 극값을 갖지 않으려면 $f'(x)\ge 0$이어야 한다.

즉, $-2+a\ge 0$에서 $a\ge 2$

따라서 구하는 자연수 a의 최솟값은 2이다. 정답_ ②

429

$f(x)=x-2a\ln x-\frac{2a}{x}$에서

$f'(x)=1-\frac{2a}{x}+\frac{2a}{x^2}=\frac{x^2-2ax+2a}{x^2}$

$x^2>0$이므로 함수 $f(x)$가 극값을 갖지 않으려면 이차방정식 $x^2-2ax+2a=0$이 중근 또는 허근을 가져야 한다.

따라서 판별식 D에 대하여

$\frac{D}{4}=a^2-2a\le0,\ a(a-2)\le0 \quad \therefore 0\le a\le2$

따라서 구하는 모든 정수 a의 값의 합은

$0+1+2=3$

정답_ ⑤

430

$f(x)=\ln x+\frac{a}{x}-x$에서

$f'(x)=\frac{1}{x}-\frac{a}{x^2}-1=\frac{-x^2+x-a}{x^2}$

함수 $f(x)$가 $x>0$에서 극댓값과 극솟값을 모두 가지려면 이차방정식 $-x^2+x-a=0$이 $x>0$에서 서로 다른 두 실근을 가져야 한다.

즉, 이차방정식 $-x^2+x-a=0$의 두 근 α, β와 판별식 D에 대하여 $D=1-4a>0$에서 $a<\frac{1}{4}$이고, $\alpha+\beta=1>0, \alpha\beta=a>0$이므로

$0<a<\frac{1}{4}$

따라서 $k_1=0,\ k_2=\frac{1}{4}$이므로

$k_1+k_2=0+\frac{1}{4}=\frac{1}{4}$

정답_ ②

431

$\lim_{h\to0}\frac{f(1+h)-1}{h}=2$에서 극한값이 존재하고, $h\to0$일 때 (분모) → 0이므로 (분자) → 0이어야 한다.

즉, $\lim_{h\to0}\{f(1+h)-1\}=0$에서 $\lim_{h\to0}f(1+h)=1$

이때, 함수 $f(x)$가 연속함수이므로 $\lim_{h\to0}f(1+h)=f(1)=1$

$\therefore \lim_{h\to0}\frac{f(1+h)-1}{h}=\lim_{h\to0}\frac{f(1+h)-f(1)}{h}=f'(1)=2$ ❶

한편, 점 $\mathrm{A}(1, a)$가 곡선 $f(x)\sqrt[3]{y}=1$ 위의 점이므로

$f(1)\sqrt[3]{a}=1, \sqrt[3]{a}=1 \quad \therefore a=1$ ❷

$f(x)\sqrt[3]{y}=1$의 양변을 x에 대하여 미분하면

$f'(x)\sqrt[3]{y}+f(x)\cdot\frac{1}{3\sqrt[3]{y^2}}\frac{dy}{dx}=0$

$\therefore \frac{dy}{dx}=-\frac{3yf'(x)}{f(x)}$

점 A의 좌표는 $\mathrm{A}(1, 1)$이므로 점 A에서의 접선의 기울기 m은

$m=-\frac{3\cdot1\cdot f'(1)}{f(1)}=-\frac{3\cdot1\cdot2}{1}=-6$ ❸

$\therefore a+m=1+(-6)=-5$ ❹

정답_ -5

단계	채점 기준	비율
❶	$f(1), f'(1)$의 값 구하기	30%
❷	a의 값 구하기	30%
❸	m의 값 구하기	30%
❹	$a+m$의 값 구하기	10%

432

$y=\ln x$에서 $y'=\frac{1}{x}$

점 $(a, \ln a)$에서의 접선의 기울기는 $\frac{1}{a}$이므로 접선의 방정식은

$y-\ln a=\frac{1}{a}(x-a) \quad \therefore y=\frac{1}{a}x-1+\ln a \quad \cdots\cdots$ ㉠

❶

또한, 원 $x^2+y^2-2y=0$, 즉 $x^2+(y-1)^2=1$의 중심의 좌표는 $(0, 1)$이다.

따라서 직선 ㉠이 점 $(0, 1)$를 지날 때 이 원의 넓이를 이등분하므로 ❷

$1=-1+\ln a, \ln a=2$

$\therefore a=e^2$ ❸

정답_ e^2

단계	채점 기준	비율
❶	접선의 방정식 구하기	40%
❷	접선이 원의 넓이를 이등분하는 조건 구하기	30%
❸	a의 값 구하기	30%

433

$y=\cos 2x$에서 $y'=-2\sin 2x$

곡선 위의 점 $\mathrm{T}(t, \cos 2t)$에서의 접선의 기울기는 $-2\sin 2t$이므로 접선에 수직인 직선의 방정식은

$y-\cos 2t=\frac{1}{2\sin 2t}(x-t)$

$\therefore y=\frac{1}{2\sin 2t}x-\frac{t}{2\sin 2t}+\cos 2t$ ❶

이 직선의 y절편 $f(t)$는 $f(t)=-\frac{t}{2\sin 2t}+\cos 2t$ ❷

$\therefore \lim_{t\to0}f(t)=\lim_{t\to0}\left(-\frac{t}{2\sin 2t}+\cos 2t\right)$

$=\lim_{t\to0}\left(-\frac{1}{4}\cdot\frac{2t}{\sin 2t}+\cos 2t\right)$

$=-\frac{1}{4}+1=\frac{3}{4}$ ❸

정답_ $\frac{3}{4}$

단계	채점 기준	비율
❶	접선에 수직인 직선의 방정식 구하기	50%
❷	$f(t)$ 구하기	10%
❸	$\lim_{t\to 0} f(t)$의 값 구하기	40%

434

$f(x)=a\sin x-\cos x-3x$에서

$f'(x)=a\cos x+\sin x-3$

$=\sqrt{a^2+1}\left(\frac{a}{\sqrt{a^2+1}}\cos x+\frac{1}{\sqrt{a^2+1}}\sin x\right)-3$

$=\sqrt{a^2+1}\sin(x+\alpha)-3$

$\left(\text{단}, \sin\alpha=\frac{a}{\sqrt{a^2+1}}, \cos\alpha=\frac{1}{\sqrt{a^2+1}}\right)$ ❶

함수 $f(x)$가 실수 전체의 집합에서 감소하려면 $f'(x)\le 0$이어야 하므로

$\sqrt{a^2+1}\sin(x+\alpha)-3\le 0$ ❷

이때, $\sqrt{a^2+1}\sin(x+\alpha)\le 3$이고 $-1\le\sin(x+\alpha)\le 1$이므로

$\sqrt{a^2+1}\le 3$

즉, $a^2+1\le 9$, $a^2\le 8$

$\therefore -2\sqrt{2}\le a\le 2\sqrt{2}$ ❸

따라서 조건을 만족시키는 정수 a는 $-2, -1, 0, 1, 2$의 5개이다. ❹

정답_ 5

단계	채점 기준	비율
❶	$f'(x)$ 구하기	40%
❷	$f(x)$가 실수 전체의 집합에서 감소하는 조건 구하기	30%
❸	a의 값의 범위 구하기	20%
❹	정수 a의 개수 구하기	10%

435

$f(x)=\frac{ax+b}{x^2+1}$에서

$f'(x)=\frac{a(x^2+1)-(ax+b)\cdot 2x}{(x^2+1)^2}$

$=\frac{-ax^2-2bx+a}{(x^2+1)^2}$ ❶

$f(0)=-1$이므로 $b=-1$

$f'(0)=\sqrt{3}$이므로 $a=\sqrt{3}$ ❷

즉, $f(x)=\frac{\sqrt{3}x-1}{x^2+1}$이고,

$f'(x)=\frac{-\sqrt{3}x^2+2x+\sqrt{3}}{(x^2+1)^2}=\frac{-(\sqrt{3}x+1)(x-\sqrt{3})}{(x^2+1)^2}$

$f'(x)=0$에서 $x=-\frac{1}{\sqrt{3}}$ 또는 $x=\sqrt{3}$

$x=-\frac{1}{\sqrt{3}}$, $x=\sqrt{3}$을 기준으로 함수 $f(x)$의 증가, 감소를 표로 나타내면 다음과 같다.

x	$\cdots$	$-\frac{1}{\sqrt{3}}$	$\cdots$	$\sqrt{3}$	$\cdots$
$f'(x)$	$-$	0	$+$	0	$-$
$f(x)$	↘	$-\frac{3}{2}$	↗	$\frac{1}{2}$	↘

따라서 $f(x)$는 $x=\sqrt{3}$일 때 극댓값 $\frac{1}{2}$, $x=-\frac{1}{\sqrt{3}}$일 때 극솟값 $-\frac{3}{2}$을 갖는다. ❸

정답_ 극댓값: $\frac{1}{2}$, 극솟값: $-\frac{3}{2}$

단계	채점 기준	비율
❶	$f'(x)$ 구하기	30%
❷	a, b의 값 구하기	30%
❸	극댓값과 극솟값 구하기	40%

436

$f(x)=a\sin x+b\cos x+x$에서

$f'(x)=a\cos x-b\sin x+1$ ❶

함수 $f(x)$가 $x=\frac{\pi}{3}$, $x=\pi$에서 극값을 가지므로

$f'\left(\frac{\pi}{3}\right)=\frac{1}{2}a-\frac{\sqrt{3}}{2}b+1=0$ ······ ㉠

$f'(\pi)=-a+1=0$ ······ ㉡

㉠, ㉡을 연립하여 풀면 $a=1, b=\sqrt{3}$ ❷

즉, $g(x)=x+\sqrt{3}-\ln x$에서 $x>0$

$g'(x)=1-\frac{1}{x}=\frac{x-1}{x}$ ❸

$g'(x)=0$에서 $x=1$

$x=1$을 기준으로 $x>0$에서 함수 $g(x)$의 증가, 감소를 표로 나타내면 오른쪽과 같다.

x	(0)	$\cdots$	1	$\cdots$
$g'(x)$		$-$	0	$+$
$g(x)$		↘	$1+\sqrt{3}$	↗

따라서 함수 $g(x)$는 $x=1$일 때 극솟값 $1+\sqrt{3}$을 갖는다. ❹

정답_ $1+\sqrt{3}$

단계	채점 기준	비율
❶	$f'(x)$ 구하기	20%
❷	a, b의 값 구하기	30%
❸	$g(x), g'(x)$ 구하기	20%
❹	$g(x)$의 극솟값 구하기	30%

437

$y=4\ln x$에서 $y'=\frac{4}{x}$이므로 두 점 P, Q에서의 접선의 기울기는 각각 $\frac{4}{a}, \frac{4}{b}$이다.

두 점 P, Q에서의 두 접선이 x축의 양의 방향과 이루는 각의 크기를 각각 α, β라고 하면 $\tan\alpha=\frac{4}{a}$, $\tan\beta=\frac{4}{b}$

두 접선이 이루는 예각의 크기를 θ라고 하면 $\theta=45°$이므로

$\tan\theta=|\tan(\alpha-\beta)|=\left|\frac{\tan\alpha-\tan\beta}{1+\tan\alpha\tan\beta}\right|$에서

$\tan 45° = \dfrac{\frac{4}{a}-\frac{4}{b}}{1+\frac{4}{a}\cdot\frac{4}{b}}$, $1=\dfrac{4b-4a}{ab+16}$

$ab+4a-4b+16=0$, $a(b+4)-4(b+4)+32=0$

$\therefore (a-4)(b+4)=-32$

이때, a, b는 정수이고 $1<a<b$에서

$a-4>-3$, $b+4>a+4>a-4$이므로

$\begin{cases} a-4=-2 \\ b+4=16 \end{cases}$ 또는 $\begin{cases} a-4=-1 \\ b+4=32 \end{cases}$

$\therefore a=2, b=12$ 또는 $a=3, b=28$

정답_ $a=2$, $b=12$ 또는 $a=3$, $b=28$

438

함수 $g(x)=a^x$ $(a>1)$의 그래프가 y축과 만나는 점 A의 좌표는 $A(0, 1)$이므로 점 B의 y좌표는 점 A의 y좌표와 같은 1이다.

이때, 점 B의 x좌표를 b라고 하면 점 $B(b, 1)$은 함수

$f(x)=\log_2\left(x+\frac{1}{2}\right)$의 그래프 위의 점이므로

$1=\log_2\left(b+\frac{1}{2}\right)$에서 $b+\frac{1}{2}=2$ $\therefore b=\frac{3}{2}$

즉, 점 B의 좌표는 $B\left(\frac{3}{2},\ 1\right)$이다.

또한, 점 C의 x좌표는 점 B의 x좌표와 같으므로 $\frac{3}{2}$이고, 점 C의 y좌표를 c라고 하면 점 $C\left(\frac{3}{2},\ c\right)$는 함수 $g(x)=a^x$의 그래프 위의 점이므로 $c=a^{\frac{3}{2}}$이다. 즉, 점 C의 좌표는 $C\left(\frac{3}{2},\ a^{\frac{3}{2}}\right)$이다.

$g'(x)=a^x\ln a$이므로 점 $C\left(\frac{3}{2},\ a^{\frac{3}{2}}\right)$에서의 접선의 기울기는

$g'\left(\frac{3}{2}\right)=a^{\frac{3}{2}}\ln a$

즉, 곡선 $y=g(x)$ 위의 점 $C\left(\frac{3}{2},\ a^{\frac{3}{2}}\right)$에서의 접선의 방정식은

$y-a^{\frac{3}{2}}=a^{\frac{3}{2}}(\ln a)\left(x-\frac{3}{2}\right)$ ……㉠

이 직선이 x축과 만나는 점이 D이므로 ㉠에 $y=0$을 대입하면

$-a^{\frac{3}{2}}=a^{\frac{3}{2}}(\ln a)\left(x-\frac{3}{2}\right)$, $x-\frac{3}{2}=-\frac{1}{\ln a}$

$\therefore x=\frac{3}{2}-\frac{1}{\ln a}$

즉, 점 D의 좌표는 $D\left(\frac{3}{2}-\frac{1}{\ln a},\ 0\right)$이다.

$\overline{AD}=\overline{BD}$에서 $\overline{AD}^2=\overline{BD}^2$이므로

$\left(\frac{3}{2}-\frac{1}{\ln a}-0\right)^2+(0-1)^2=\left\{\left(\frac{3}{2}-\frac{1}{\ln a}\right)-\frac{3}{2}\right\}^2+(0-1)^2$

$\frac{1}{\ln a}=\frac{3}{4}$, $\ln a=\frac{4}{3}$ $\therefore a=e^{\frac{4}{3}}$

따라서 $g(x)=e^{\frac{4}{3}x}$이므로

$g(2)=e^{\frac{4}{3}\cdot 2}=e^{\frac{8}{3}}$

정답_ ③

439

$\lim_{t\to 1}\frac{f(t)-1}{t-1}=2$에서 극한값이 존재하고, $t\to 1$일 때 (분모) $\to$ 0이므로 (분자) $\to$ 0이어야 한다.

즉, $\lim_{t\to 1}\{f(t)-1\}=0$에서 $f(1)=1$

$\therefore \lim_{t\to 1}\frac{f(t)-1}{t-1}=\lim_{t\to 1}\frac{f(t)-f(1)}{t-1}=f'(1)=2$

또한, $\lim_{h\to 0}\frac{g(1+2h)+2}{h}=3$에서 극한값이 존재하고, $h\to 0$일 때 (분모) $\to$ 0이므로 (분자) $\to$ 0이어야 한다.

즉, $\lim_{h\to 0}\{g(1+2h)+2\}=0$에서 $g(1)=-2$

$$\lim_{h\to 0}\frac{g(1+2h)+2}{h}=\lim_{h\to 0}\frac{g(1+2h)-g(1)}{h}=\lim_{h\to 0}\frac{g(1+2h)-g(1)}{2h}\cdot 2=2g'(1)=3$$

이므로 $g'(1)=\frac{3}{2}$

한편, $t=1$에 대응하는 점을 A라고 하면 $A(f(1),\ g(1))$이므로 $A(1,\ -2)$

따라서 점 A에서의 접선의 기울기는

$\frac{g'(1)}{f'(1)}=\frac{\frac{3}{2}}{2}=\frac{3}{4}$

정답_ $\frac{3}{4}$

440

$xy=1$의 양변을 x에 대하여 미분하면

$y+x\frac{dy}{dx}=0$ $\therefore \frac{dy}{dx}=-\frac{y}{x}=-\frac{1}{x^2}$

점 P의 좌표를 $P\left(t,\ \frac{1}{t}\right)$ $(t>0)$로 놓으면 점 P에서의 접선의 기울기는 $-\frac{1}{t^2}$이므로 접선의 방정식은

$y-\frac{1}{t}=-\frac{1}{t^2}(x-t)$ $\therefore y=-\frac{1}{t^2}x+\frac{2}{t}$

이 접선의 x절편, y절편은 각각 $2t$, $\frac{2}{t}$이므로 두 점 Q, R의 좌표는 각각 $Q(2t,\ 0)$, $R\left(0,\ \frac{2}{t}\right)$이다.

ㄱ은 옳다.

선분 QR의 중점의 좌표는 $\left(\frac{2t+0}{2},\ \frac{0+\frac{2}{t}}{2}\right)$, 즉 $\left(t,\ \frac{1}{t}\right)$이므로 점 P는 선분 QR의 중점이다.

ㄴ도 옳다.

$\overline{QR}=\sqrt{(0-2t)^2+\left(\frac{2}{t}-0\right)^2}=\sqrt{4t^2+\frac{4}{t^2}}$

$\geq\sqrt{2\sqrt{4t^2\cdot\frac{4}{t^2}}}$

$=\sqrt{8}=2\sqrt{2}$ $\left(\text{단, 등호는 } 4t^2=\frac{4}{t^2}\text{일 때 성립한다.}\right)$

ㄷ도 옳다.

삼각형 OQR의 넓이는 $\frac{1}{2}\times 2t\times\frac{2}{t}=2$

즉, t의 값에 관계없이 2로 일정하다.

따라서 옳은 것은 ㄱ, ㄴ, ㄷ이다. 정답_ ⑤

441

ㄱ은 옳지 않다.

$h(3)=f(g(3))=f(1)=5$

ㄴ은 옳다.

$h'(x)=f'(g(x))g'(x)$이므로 $x=2$를 대입하면

$h'(2)=f'(g(2))g'(2)$

이때, $g(2)=a$라고 하면 $2<a<3$이고 $h'(2)=f'(a)g'(2)$

즉, 주어진 그래프에서 $f'(a)<0$이고, $g'(2)<0$이므로

$h'(2)>0 \quad \therefore h(2)\geq 0$

ㄷ은 옳다.

$h'(x)=f'(g(x))g'(x)$에 대하여 $3<x<4$에서 함수 $g(x)$는 감소하므로 $g'(x)<0$

$3<x<4$에서 $0<g(x)<1$이고 함수 $f(x)$는 $0<x<1$에서 증가하므로 $f'(g(x))>0$

즉, 열린구간 $(3,\ 4)$에서 $h'(x)=f'(g(x))g'(x)<0$이므로 $h(x)$는 감소한다.

따라서 옳은 것은 ㄴ, ㄷ이다. 정답_ ⑤

442

$y=\cos^3 x+a\cos^2 x+a\cos x$에서

$\cos x=t\ (-1<t<1)$로 놓으면 $y=t^3+at^2+at$

이때, $f(t)=t^3+at^2+at$로 놓으면

$f'(t)=3t^2+2at+a$

함수 $f(t)$가 $-1<t<1$에서 극댓값과 극솟값을 모두 가지려면 오른쪽 그림과 같이 이차방정식 $f'(t)=0$이 $-1<t<1$에서 서로 다른 두 실근을 가져야 하므로

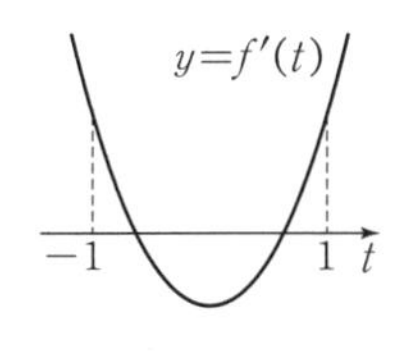

(i) $3t^2+2at+a=0$의 판별식을 D라고 하면

$\frac{D}{4}=a^2-3a>0,\ a(a-3)>0 \quad \therefore a<0$ 또는 $a>3$

(ii) $f'(-1)=3-a>0$에서 $a<3$ ……㉠

$f'(1)=3+3a>0$에서 $a>-1$ ……㉡

㉠, ㉡에서 $-1<a<3$

(iii) $y=f'(x)$의 그래프의 축의 방정식이 $x=-\frac{a}{3}$이므로

$-1<-\frac{a}{3}<1$에서 $-3<a<3$

(i), (ii), (iii)에서 구하는 실수 a의 값의 범위는

$-1<a<0$ 정답_ $-1<a<0$

07 도함수의 활용 (2)

443

(1) $y=-x^3+3x^2+1$에서

$y'=-3x^2+6x,\ y''=-6x+6=-6(x-1)$

$y''=0$에서 $x=1$

$x<1$일 때 $y''>0$, $x>1$일 때 $y''<0$이므로 주어진 곡선은 $x<1$일 때 아래로 볼록하고, $x>1$일 때 위로 볼록하다.

(2) $y=6\cos x-6x$에서

$y'=-6\sin x-6,\ y''=-6\cos x$

$y''=0$에서 $x=\frac{\pi}{2}\ (\because 0<x<\pi)$

$0<x<\frac{\pi}{2}$일 때 $y''<0$, $\frac{\pi}{2}<x<\pi$일 때 $y''>0$이므로 주어진 곡선은 $0<x<\frac{\pi}{2}$일 때 위로 볼록하고, $\frac{\pi}{2}<x<\pi$일 때 아래로 볼록하다.

(3) $y=xe^x+\frac{1}{2}x+2$에서

$y'=e^x+xe^x+\frac{1}{2}=(x+1)e^x+\frac{1}{2}$

$y''=e^x+(x+1)e^x=(x+2)e^x$

$y''=0$에서 $x=-2$

$x<-2$일 때 $y''<0$, $x>-2$일 때 $y''>0$이므로 주어진 곡선은 $x<-2$일 때 위로 볼록하고, $x>-2$일 때 아래로 볼록하다.

정답_ 풀이 참조

444

$y=x^2(\ln x-1)$에서

$y'=2x(\ln x-1)+x^2\cdot\frac{1}{x}=x(2\ln x-1)$

$y''=2\ln x-1+x\cdot\frac{2}{x}=2\ln x+1$

주어진 곡선이 위로 볼록하려면 $y''<0$이어야 하므로

$2\ln x+1<0,\ \ln x<-\frac{1}{2},\ x<e^{-\frac{1}{2}} \quad \therefore x<\frac{1}{\sqrt{e}}$

로그의 진수 조건에서 $x>0$이므로 구하는 x의 값의 범위는

$0<x<\frac{1}{\sqrt{e}}$ 정답_ ④

445

$y=(x+1)(x-3)^3$에서

$y'=(x-3)^3+3(x+1)(x-3)^2=4x(x-3)^2$

$y''=4(x-3)^2+8x(x-3)=12(x-1)(x-3)$

$y''=0$에서 $x=1$ 또는 $x=3$

$x<1$ 또는 $x>3$일 때 $y''>0$

$1<x<3$일 때 $y''<0$

따라서 주어진 곡선은 $x<1$ 또는 $x>3$일 때 아래로 볼록하고, $1<x<3$일 때 위로 볼록하다. 정답_ ④

446

(1) $y=x^4-4x^3+5$에서

$y'=4x^3-12x^2, y''=12x^2-24x=12x(x-2)$

$y''=0$에서　$x=0$ 또는 $x=2$

이때, $x=0$ 또는 $x=2$의 좌우에서 y''의 부호가 바뀌므로 변곡점은 $(0, 5)$, $(2, -11)$이다.

(2) $y=x^2+\frac{1}{x}+4$에서

$y'=2x-\frac{1}{x^2}, y''=2+\frac{2}{x^3}$

$y''=0$에서　$x=-1$

이때, $x=-1$의 좌우에서 y''의 부호가 바뀌므로 변곡점은 $(-1, 4)$이다.

(3) $y=x^2-2x\ln x+1$에서

$y'=2x-2\ln x-2x\cdot\frac{1}{x}=2x-2\ln x-2$

$y''=2-\frac{2}{x}=\frac{2(x-1)}{x}$

$y''=0$에서　$x=1$

이때, $x=1$의 좌우에서 y''의 부호가 바뀌므로 변곡점은 $(1, 2)$이다.

정답_(1) $(0, 5)$, $(2, -11)$　(2) $(-1, 4)$　(3) $(1, 2)$

447

$f(x)=(3x^2+4x-9)e^x$에서

$f'(x)=(6x+4)e^x+(3x^2+4x-9)e^x$
$=(3x^2+10x-5)e^x$

$f''(x)=(6x+10)e^x+(3x^2+10x-5)e^x$
$=(3x^2+16x+5)e^x=(x+5)(3x+1)e^x$

$f''(x)=0$에서　$x=-5$ 또는 $x=-\frac{1}{3}$

이때, $x=-5$ 또는 $x=-\frac{1}{3}$의 좌우에서 $f''(x)$의 부호가 바뀌므로 모든 변곡점의 x좌표의 합은

$-5+\left(-\frac{1}{3}\right)=-\frac{16}{3}$　　정답_②

448

$y=\ln(x^2+k)$에서　$y'=\frac{2x}{x^2+k}$

$y''=\frac{2(x^2+k)-2x\cdot 2x}{(x^2+k)^2}=\frac{-2(x+\sqrt{k})(x-\sqrt{k})}{(x^2+k)^2}$

$y''=0$에서　$x=-\sqrt{k}$ 또는 $x=\sqrt{k}$

이때, $x=-\sqrt{k}$ 또는 $x=\sqrt{k}$의 좌우에서 y''의 부호가 바뀌므로 변곡점은 $(-\sqrt{k},\ \ln 2k)$, $(\sqrt{k},\ \ln 2k)$이다.

선분 PQ의 길이가 2이므로

$\sqrt{k}-(-\sqrt{k})=2, 2\sqrt{k}=2$

$\sqrt{k}=1$　　$\therefore k=1\ (\because k>0)$　　정답_1

449

$y=\left(\ln\frac{1}{ax}\right)^2=(\ln ax)^2$에서

$y'=2\ln ax\cdot\frac{a}{ax}=\frac{2\ln ax}{x}$

$y''=\frac{\frac{2a}{ax}\cdot x-2\ln ax\cdot 1}{x^2}=\frac{2(1-\ln ax)}{x^2}$

$y''=0$에서 $x^2>0$이므로

$1-\ln ax=0, \ln ax=1$

$ax=e$　　$\therefore x=\frac{e}{a}$

이때, $x=\frac{e}{a}$의 좌우에서 y''의 부호가 바뀌므로 변곡점은 $\left(\frac{e}{a},\ 1\right)$이다.

한편, 변곡점이 직선 $y=2x$ 위에 있으므로

$1=2\cdot\frac{e}{a}$　　$\therefore a=2e$　　정답_⑤

450

$y=\sin^2 x$에서

$y'=2\sin x\cos x=\sin x\cos x+\cos x\sin x=\sin 2x$

$y''=2\cos 2x$

$y''=0$에서　$\cos 2x=0, 2x=\frac{\pi}{2}\ (\because 0\le 2x\le\pi)$　　$\therefore x=\frac{\pi}{4}$

이때, $x=\frac{\pi}{4}$의 좌우에서 y''의 부호가 바뀌므로 변곡점은 $\left(\frac{\pi}{4},\ \sin^2\frac{\pi}{4}\right)$, 즉 $\left(\frac{\pi}{4},\ \frac{1}{2}\right)$이다.

$x=\frac{\pi}{4}$일 때 $y'=\sin\frac{\pi}{2}=1$이므로 점 $\left(\frac{\pi}{4},\ \frac{1}{2}\right)$에서의 접선의 방정식은

$y-\frac{1}{2}=1\cdot\left(x-\frac{\pi}{4}\right)$　　$\therefore y=x+\frac{1}{2}-\frac{\pi}{4}$

따라서 $a=1, b=\frac{1}{2}$이므로　$4ab=4\cdot 1\cdot\frac{1}{2}=2$　　정답_②

451

$f(x)=ax^3+bx^2+c$에서

$f'(x)=3ax^2+2bx$

$f''(x)=6ax+2b$

$x=3$인 점에서의 접선의 기울기가 9이므로

$f'(3)=27a+6b=9$

$\therefore 9a+2b=3$　　……㉠

또, 점 $(1, 3)$이 곡선 $y=f(x)$의 변곡점이므로

$f''(1)=6a+2b=0$　　$\therefore 3a+b=0$　　……㉡

$f(1)=a+b+c=3$　　……㉢

㉠, ㉡, ㉢을 연립하여 풀면

$a=1, b=-3, c=5$

$\therefore a+b-c=1+(-3)-5=-7$　　정답_-7

452

$f(x)=x^2+ax+b\ln x$에서 로그의 진수 조건에 의해 $x>0$

$f'(x)=2x+a+b\cdot\frac{1}{x}=2x+\frac{b}{x}+a$

$f''(x)=2-\frac{b}{x^2}$

$x=\frac{1}{2}$에서 극댓값을 가지므로

$f'\left(\frac{1}{2}\right)=1+2b+a=0$ ······ ㉠

곡선 $y=f(x)$의 변곡점의 x좌표가 1이므로

$f''(1)=2-b=0$ $\therefore b=2$

$b=2$를 ㉠에 대입하면 $a=-5$

$\therefore f(x)=x^2-5x+2\ln x$

$f'(x)=2x+\frac{2}{x}-5=\frac{2x^2-5x+2}{x}=\frac{(2x-1)(x-2)}{x}$

$f'(x)=0$에서 $x=\frac{1}{2}$ 또는 $x=2$

$x=\frac{1}{2}$, $x=2$를 기준으로 $x>0$에서 함수 $f(x)$의 증가, 감소를 표로 나타내면 다음과 같다.

x	(0)	$\cdots$	$\frac{1}{2}$	$\cdots$	2	$\cdots$
$f'(x)$		+	0	−	0	+
$f(x)$		↗	극대	↘	극소	↗

따라서 함수 $f(x)$는 $x=2$일 때 극솟값

$f(2)=4-10+2\ln 2=-6+2\ln 2$를 갖는다. 정답_ ③

453

곡선 $y=f(x)$가 변곡점을 가지려면 방정식 $f''(x)=0$이 근을 갖고, 이 근의 좌우에서 $f''(x)$의 부호가 바뀌어야 한다.

$f'(x)=2ax+6\cos x$, $f''(x)=2a-6\sin x$

$f''(x)=0$에서 $2a-6\sin x=0$ $\therefore \sin x=\frac{a}{3}$ ······ ㉠

㉠이 근을 가지려면 $-1\le\frac{a}{3}\le 1$이어야 하므로 $-3\le a\le 3$

$a=-3$이면 $f''(x)=-6(1+\sin x)\le 0$

$a=3$이면 $f''(x)=6(1-\sin x)\ge 0$

이므로 $f''(x)$의 부호가 바뀌지 않는다.

따라서 변곡점을 가질 조건은 $-3<a<3$이므로 구하는 정수 a는 $-2, -1, 0, 1, 2$의 5개이다. 정답_ ②

454

$f''(b)=f''(0)=f''(c)=f''(e)=0$이고 $x=b$, $x=0$, $x=c$, $x=e$의 좌우에서 $f''(x)$의 부호가 바뀌므로 $x=b$, $x=0$, $x=c$, $x=e$에서 함수 $y=f(x)$의 그래프는 변곡점을 갖는다.

따라서 변곡점의 개수는 4이다. 정답_ ④

455

함수 $y=f'(x)$의 그래프 위의 점에서의 접선의 기울기는 $f''(x)$이므로 $f''(x)$의 부호를 조사하면 다음과 같다.

x	$\cdots$	1	$\cdots$	2	$\cdots$	3	$\cdots$	4	$\cdots$
$f''(x)$	+	0	−	−	−	0	+	+	+

함수 $y=f(x)$의 그래프의 모양이 위로 볼록하려면 $f''(x)<0$이어야 하므로 구하는 구간은 $(1, 3)$이다. 정답_ ③

456

함수 $y=f(x)$에 대하여 $\frac{dy}{dx}<0$이려면 감소, $\frac{d^2y}{dx^2}<0$이려면 위로 볼록인 구간의 점이어야 하므로 구하는 점은 E이다.

정답_ ⑤

457

$f(x)=\frac{x}{x^2+2x+4}$에서

$f'(x)=\frac{1\cdot(x^2+2x+4)-x(2x+2)}{(x^2+2x+4)^2}=\frac{-(x+2)(x-2)}{(x^2+2x+4)^2}$

$f'(x)=0$에서 $x=-2$ 또는 $x=2$

$x=-2$, $x=2$를 기준으로 $-2\le x\le 4$에서 함수 $f(x)$의 증가, 감소를 표로 나타내면 다음과 같다.

x	−2	$\cdots$	2	$\cdots$	4
$f'(x)$	0	+	0	−	−
$f(x)$	$-\frac{1}{2}$	↗	$\frac{1}{6}$	↘	$\frac{1}{7}$

따라서 함수 $f(x)$는 $x=2$일 때 최댓값 $\frac{1}{6}$, $x=-2$일 때 최솟값 $-\frac{1}{2}$을 가지므로 구하는 최댓값과 최솟값의 합은

$\frac{1}{6}+\left(-\frac{1}{2}\right)=-\frac{1}{3}$ 정답_ $-\frac{1}{3}$

458

$f(x)=x+\sqrt{6-x^2}$에서 $-\sqrt{6}\le x\le\sqrt{6}$

$f'(x)=1+\frac{-2x}{2\sqrt{6-x^2}}=\frac{\sqrt{6-x^2}-x}{\sqrt{6-x^2}}$

$f'(x)=0$에서 $\sqrt{6-x^2}=x$ ······ ㉠

양변을 제곱하면 $6-x^2=x^2$, $x^2=3$

이때, ㉠에서 $x\ge 0$이므로 $x=\sqrt{3}$

$x=\sqrt{3}$을 기준으로 $-\sqrt{6}\le x\le\sqrt{6}$에서 함수 $f(x)$의 증가, 감소를 표로 나타내면 다음과 같다.

x	$-\sqrt{6}$	$\cdots$	$\sqrt{3}$	$\cdots$	$\sqrt{6}$
$f'(x)$		+	0	−	
$f(x)$	$-\sqrt{6}$	↗	$2\sqrt{3}$	↘	$\sqrt{6}$

따라서 함수 $f(x)$는 $x=\sqrt{3}$일 때 최댓값 $M=2\sqrt{3}$, $x=-\sqrt{6}$일 때 최솟값 $m=-\sqrt{6}$을 가지므로

$M^2+m^2=12+6=18$ 정답_ ⑤

459

$f(x)=x^2e^x$에서 $f'(x)=2xe^x+x^2e^x=x(x+2)e^x$

$f'(x)=0$에서 $x=0$ 또는 $x=-2$

$x=-2, x=0$을 기준으로 $-3\le x\le 1$에서 함수 $f(x)$의 증가, 감소를 표로 나타내면 다음과 같다.

x	-3	$\cdots$	-2	$\cdots$	0	$\cdots$	1
$f'(x)$	$+$	$+$	0	$-$	0	$+$	$+$
$f(x)$	$\frac{9}{e^3}$	↗	$\frac{4}{e^2}$	↘	0	↗	e

따라서 함수 $f(x)$는 $x=1$일 때 최댓값 $M=e$, $x=0$일 때 최솟값 $m=0$을 가지므로 $M-m=e-0=e$

정답_ ④

460

$f(x)=-\cos x(1+\sin x)$에서

$$\begin{aligned}f'(x)&=\sin x(1+\sin x)-\cos x\cos x\\&=\sin^2 x+\sin x-(1-\sin^2 x)\\&=2\sin^2 x+\sin x-1\\&=(2\sin x-1)(\sin x+1)\end{aligned}$$

$f'(x)=0$에서 $\sin x=\frac{1}{2}$ 또는 $\sin x=-1$

$\therefore x=\frac{\pi}{6}$ 또는 $x=\frac{5}{6}\pi$ ($\because 0\le x\le \pi$)

$x=\frac{\pi}{6}, x=\frac{5}{6}\pi$를 기준으로 $0\le x\le\pi$에서 함수 $f(x)$의 증가, 감소를 표로 나타내면 다음과 같다.

x	0	$\cdots$	$\frac{\pi}{6}$	$\cdots$	$\frac{5}{6}\pi$	$\cdots$	π
$f'(x)$	$-$	$-$	0	$+$	0	$-$	$-$
$f(x)$	-1	↘	$-\frac{3\sqrt{3}}{4}$	↗	$\frac{3\sqrt{3}}{4}$	↘	1

따라서 함수 $f(x)$는 $x=\frac{\pi}{6}$일 때 최솟값 $-\frac{3\sqrt{3}}{4}$을 갖는다.

정답_ ①

461

$f(x)=e^{-x}(\sin x+\cos x)$에서

$$\begin{aligned}f'(x)&=-e^{-x}(\sin x+\cos x)+e^{-x}(\cos x-\sin x)\\&=-2e^{-x}\sin x\end{aligned}$$

$f'(x)=0$에서 $\sin x=0$

$\therefore x=0$ 또는 $x=\pi$ 또는 $x=2\pi$ ($\because 0\le x\le 2\pi$)

$x=0, x=\pi, x=2\pi$를 기준으로 $0\le x\le 2\pi$에서 함수 $f(x)$의 증가, 감소를 표로 나타내면 다음과 같다.

x	0	$\cdots$	π	$\cdots$	2π
$f'(x)$	0	$-$	0	$+$	0
$f(x)$	1	↘	$-\frac{1}{e^\pi}$	↗	$\frac{1}{e^{2\pi}}$

따라서 함수 $f(x)$는 $x=\pi$일 때 최솟값 $-\frac{1}{e^\pi}$을 갖는다.

정답_ ③

462

$f(x)=\frac{x^3}{x-2}$에서

$f'(x)=\frac{3x^2(x-2)-x^3\cdot 1}{(x-2)^2}=\frac{2x^2(x-3)}{(x-2)^2}$

$f'(x)=0$에서 $x=3$ ($\because x>2$)

$x=3$을 기준으로 $x>2$에서 함수 $f(x)$의 증가, 감소를 표로 나타내면 오른쪽과 같다.

x	(2)	$\cdots$	3	$\cdots$
$f'(x)$		$-$	0	$+$
$f(x)$		↘	27	↗

따라서 함수 $f(x)$는 $x=3$일 때 최솟값 27을 가지므로

$a=3, b=27$ $\quad\therefore a+b=3+27=30$

정답_ ⑤

463

$f(x)=\frac{\ln x-1}{x}$에서 $x>0$

$f'(x)=\frac{\frac{1}{x}\cdot x-(\ln x-1)\cdot 1}{x^2}=\frac{2-\ln x}{x^2}$

$f'(x)=0$에서 $\ln x=2$ $\quad\therefore x=e^2$

$x=e^2$을 기준으로 $x>0$에서 함수 $f(x)$의 증가, 감소를 표로 나타내면 오른쪽과 같다.

x	(0)	$\cdots$	e^2	$\cdots$
$f'(x)$		$+$	0	$-$
$f(x)$		↗	$\frac{1}{e^2}$	↘

따라서 함수 $f(x)$는 $x=e^2$일 때 최댓값 $\frac{1}{e^2}$을 가지므로

$a=e^2, b=\frac{1}{e^2}$ $\quad\therefore ab=e^2\cdot\frac{1}{e^2}=1$

정답_ ③

464

$f(x)=\frac{2\sin x}{2+\cos x}$에서

$$\begin{aligned}f'(x)&=\frac{2\cos x(2+\cos x)-2\sin x\cdot(-\sin x)}{(2+\cos x)^2}\\&=\frac{2(2\cos x+1)}{(2+\cos x)^2}\end{aligned}$$

$f'(x)=0$에서 $2\cos x+1=0, \cos x=-\frac{1}{2}$

$\therefore x=\frac{2}{3}\pi$ 또는 $x=\frac{4}{3}\pi$

$x=\frac{2}{3}x, x=\frac{4}{3}x$를 기준으로 $0\le x\le 2\pi$에서 함수 $f(x)$의 증가, 감소를 표로 나타내면 다음과 같다.

x	0	$\cdots$	$\frac{2}{3}\pi$	$\cdots$	$\frac{4}{3}\pi$	$\cdots$	2π
$f'(x)$	$+$	$+$	0	$-$	0	$+$	$+$
$f(x)$	0	↗	$\frac{2\sqrt{3}}{3}$	↘	$-\frac{2\sqrt{3}}{3}$	↗	0

따라서 함수 $f(x)$는 $x=\frac{4}{3}\pi$일 때 최솟값 $-\frac{2\sqrt{3}}{3}$, $x=\frac{2}{3}\pi$일 때 최댓값 $\frac{2\sqrt{3}}{3}$을 가지므로 $a=\frac{2}{3}\pi, b=\frac{4}{3}\pi$

$\therefore b-a=\frac{4}{3}\pi-\frac{2}{3}\pi=\frac{2}{3}\pi$

정답_ ③

465

$f(x)=a\sqrt{2-x^2}e^x$에서 $-\sqrt{2}\le x\le\sqrt{2}$

$f'(x)=\dfrac{-2ax}{2\sqrt{2-x^2}}e^x+a\sqrt{2-x^2}e^x$

$=-\dfrac{a(x-1)(x+2)}{\sqrt{2-x^2}}e^x$ (단, $a>0$)

$f'(x)=0$에서 $x=1$ ($\because -\sqrt{2}\le x\le\sqrt{2}$)

$x=1$을 기준으로 $-\sqrt{2}\le x\le\sqrt{2}$에서 함수 $f(x)$의 증가, 감소를 표로 나타내면 다음과 같다.

x	$-\sqrt{2}$	$\cdots$	1	$\cdots$	$\sqrt{2}$
$f'(x)$	+	+	0	−	−
$f(x)$	0	↗	ae	↘	0

따라서 함수 $f(x)$는 $x=1$일 때 최댓값 ae를 가지므로

$ae=e$ $\quad\therefore a=1$ 정답_①

466

$f(x)=x\ln x-3x+k$에서 $x>0$

$f'(x)=\ln x+x\cdot\dfrac{1}{x}-3=\ln x-2$

$f'(x)=0$에서 $\ln x=2$ $\quad\therefore x=e^2$

$x=e^2$을 기준으로 $x>0$에서 함수 $f(x)$의 증가, 감소를 표로 나타내면 다음과 같다.

x	(0)	$\cdots$	e^2	$\cdots$
$f'(x)$		−	0	+
$f(x)$		↘	$-e^2+k$	↗

따라서 함수 $f(x)$는 $x=e^2$일 때 최솟값 $-e^2+k$를 가지므로

$-e^2+k=2$ $\quad\therefore k=e^2+2$ 정답_④

467

$f(x)=\log_9(5-x)+\log_3(x+4)$에서 로그의 진수 조건에 의해 $5-x>0, x+4>0$ $\quad\therefore -4<x<5$

$f(x)=\log_9(5-x)+\log_9(x+4)^2=\log_9(5-x)(x+4)^2$

$f'(x)=\dfrac{-(x+4)^2+2(5-x)(x+4)}{(5-x)(x+4)^2\ln 9}$

$=\dfrac{-3(x-2)}{(5-x)(x+4)\ln 9}$

$f'(x)=0$에서 $x=2$

$x=2$를 기준으로 $-4<x<5$에서 함수 $f(x)$의 증가, 감소를 표로 나타내면 다음과 같다.

x	(-4)	$\cdots$	2	$\cdots$	(5)
$f'(x)$		+	0	−	
$f(x)$		↗	$\frac{3}{2}+\log_3 2$	↘	

따라서 함수 $f(x)$는 $x=2$일 때 최댓값 $\dfrac{3}{2}+\log_3 2$를 갖는다.

정답_④

468

$f(x)=a\sin x+b\cos x$에서

$f'(x)=a\cos x-b\sin x$

$f'\left(\dfrac{5}{6}\pi\right)=-\dfrac{\sqrt{3}}{2}a-\dfrac{b}{2}=0$

$\therefore b=-\sqrt{3}a$ ……㉠

$f\left(\dfrac{5}{6}\pi\right)=\dfrac{a}{2}-\dfrac{\sqrt{3}}{2}b=2$

$\therefore a-\sqrt{3}b=4$ ……㉡

㉠을 ㉡에 대입하면

$a-\sqrt{3}\cdot(-\sqrt{3}a)=4$에서 $a=1$

$a=1$을 ㉠에 대입하면 $b=-\sqrt{3}$

이때, $g(x)=\ln x-\sqrt{3}x$ $(x>0)$에서

$g'(x)=\dfrac{1}{x}-\sqrt{3}=\dfrac{1-\sqrt{3}x}{x}$

$g'(x)=0$에서 $1-\sqrt{3}x=0$ $\quad\therefore x=\dfrac{1}{\sqrt{3}}$

$x=\dfrac{1}{\sqrt{3}}$을 기준으로 $x>0$에서 함수 $g(x)$의 증가, 감소를 표로 나타내면 다음과 같다.

x	(0)	$\cdots$	$\frac{1}{\sqrt{3}}$	$\cdots$
$g'(x)$		+	0	−
$g(x)$		↗	$-1-\frac{1}{2}\ln 3$	↘

함수 $g(x)$는 $x=\dfrac{1}{\sqrt{3}}$일 때 극대이고 동시에 최대이다.

따라서 최댓값은 $-1-\dfrac{1}{2}\ln 3$이다. 정답_③

469

$\sin x=t$로 치환하면 $-1\le t\le 1$

$g(t)=t^4+2(1-t^2)+k=t^4-2t^2+2+k$라고 하면

$g'(t)=4t^3-4t=4t(t+1)(t-1)$

$g'(t)=0$에서 $t=-1$ 또는 $t=0$ 또는 $t=1$

$t=-1, t=0, t=1$을 기준으로 $-1\le t\le 1$에서 함수 $g(t)$의 증가, 감소를 표로 나타내면 다음과 같다.

t	-1	$\cdots$	0	$\cdots$	1
$g'(t)$	0	+	0	−	0
$g(t)$	$1+k$	↗	$2+k$	↘	$1+k$

따라서 함수 $g(x)$는 $x=0$일 때 최댓값 $2+k$, $x=-1, 1$일 때 최솟값 $1+k$를 가지므로 최댓값과 최솟값의 합은

$(2+k)+(1+k)=9, 3+2k=9$ $\quad\therefore k=3$ 정답_③

470

$y=\dfrac{2}{3}\cdot 27^x-3\cdot 9^x+2=\dfrac{2}{3}\cdot(3^x)^3-3\cdot(3^x)^2+2$

이때, $3^x=t(t>0)$로 놓으면 $y=\dfrac{2}{3}t^3-3t^2+2$

$f(t)=\dfrac{2}{3}t^3-3t^2+2$로 놓으면 $f'(t)=2t^2-6t=2t(t-3)$

$f'(t)=0$에서 $t=3$ ($\because t>0$)

$t=3$을 기준으로 $t>0$에서 함수 $f(t)$의 증가, 감소를 표로 나타내면 오른쪽과 같다.

t	(0)	$\cdots$	3	$\cdots$
$f'(t)$		$-$	0	$+$
$f(t)$		↘	-7	↗

따라서 함수 $f(t)$는 $t=3$일 때 최솟값 -7을 갖는다.

$t=3$에서 $3^x=3$ $\quad\therefore x=1$

따라서 $a=1, b=-7$이므로

$a+b=1+(-7)=-6$ 정답_③

471

제1사분면에 있는 직사각형의 꼭짓점을 $(t,\ e^{-t})(t>0)$이라고 하면 직사각형의 가로, 세로의 길이는 각각 $2t,\ e^{-t}$

직사각형의 넓이를 $S(t)$라고 하면 $S(t)=2te^{-t}$

$S'(t)=2e^{-t}-2te^{-t}=-2(t-1)e^{-t}$

$S'(t)=0$에서 $t=1\ (\because t>0)$

$t=1$을 기준으로 $t>0$에서 함수 $S(t)$의 증가, 감소를 표로 나타내면 오른쪽과 같다.

t	(0)	$\cdots$	1	$\cdots$
$S'(t)$		$+$	0	$-$
$S(t)$		↗	$\frac{2}{e}$	↘

따라서 함수 $S(t)$는 $t=1$일 때 최댓값 $\frac{2}{e}$를 가지므로 구하는 직사각형의 넓이의 최댓값은 $\frac{2}{e}$이다. 정답_$\frac{2}{e}$

472

$y=2e^{-x}$에서 $y'=-2e^{-x}$

점 $P(t,\ 2e^{-t})$에서의 접선의 기울기는 $-2e^{-t}$이므로 점 P에서의 접선의 방정식은 $y-2e^{-t}=-2e^{-t}(x-t)$

$\therefore y=-2e^{-t}x+2te^{-t}+2e^{-t}$

$A(0,\ 2e^{-t}), B(0,\ 2te^{-t}+2e^{-t})$이므로

$\overline{AB}=2te^{-t},\ \overline{AP}=t$

삼각형 APB의 넓이를 $S(t)$라고 하면

$S(t)=\frac{1}{2}\cdot t\cdot 2te^{-t}=t^2e^{-t}$

$S'(t)=2te^{-t}-t^2e^{-t}=(2-t)te^{-t}$

$S'(t)=0$에서 $(2-t)te^{-t}=0$

$\therefore t=2\ (\because te^{-t}>0)$

$t=2$를 기준으로 $t>0$에서 함수 $S(t)$의 증가, 감소를 표로 나타내면 오른쪽과 같다.

t	(0)	$\cdots$	2	$\cdots$
$S'(t)$		$+$	0	$-$
$S(t)$		↗	$\frac{4}{e^2}$	↘

따라서 함수 $S(t)$는 $t=2$에서 최댓값 $\frac{4}{e^2}$를 갖는다. 정답_④

473

점 A, D에서 $\overline{BC}$에 내린 수선의 발을 각각 E, F라 하고

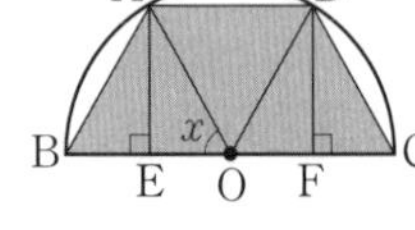

$\angle AOE=x\left(0<x<\frac{\pi}{2}\right)$라고 하면

$\overline{OE}=2\cos x, \overline{AE}=2\sin x$

사다리꼴 ABCD의 넓이를 $S(x)$라고 하면 $\overline{AD}=\overline{EF}$이므로

$S(x)=\frac{1}{2}\cdot(4\cos x+4)\cdot 2\sin x$

$=4(\cos x+1)\sin x$

$S'(x)=4\cdot(-\sin x)\cdot\sin x+4(\cos x+1)\cdot\cos x$

$=-4\sin^2 x+4\cos^2 x+4\cos x$

$=8\cos^2 x+4\cos x-4$

$=4(2\cos x-1)(\cos x+1)$

$S'(x)=0$에서 $\cos x=-1$ 또는 $\cos x=\frac{1}{2}$

$\therefore x=\frac{\pi}{3}\left(\because 0<x<\frac{\pi}{2}\right)$

$x=\frac{\pi}{3}$를 기준으로 $0<x<\frac{\pi}{2}$에서 함수 $S(x)$의 증가, 감소를 표로 나타내면 다음과 같다.

x	(0)	$\cdots$	$\frac{\pi}{3}$	$\cdots$	$\left(\frac{\pi}{2}\right)$
$S'(x)$		$+$	0	$-$	
$S(x)$		↗	$3\sqrt{3}$	↘	

따라서 함수 $S(x)$는 $x=\frac{\pi}{3}$에서 최댓값 $3\sqrt{3}$을 가지므로 사다리꼴 ABCD의 넓이의 최댓값은 $3\sqrt{3}$이다. 정답_③

474

(1) $f(x)=e^x-x+1$로 놓으면 $f'(x)=e^x-1$

$f'(x)=0$에서 $e^x=1$ $\quad\therefore x=0$

$x=0$을 기준으로 함수 $f(x)$의 증가, 감소를 표로 나타내면 오른쪽과 같다.

x	$\cdots$	0	$\cdots$
$f'(x)$	$-$	0	$+$
$f(x)$	↘	2	↗

따라서 $y=f(x)$의 그래프는 오른쪽 그림과 같으므로 주어진 방정식의 서로 다른 실근의 개수는 0이다.

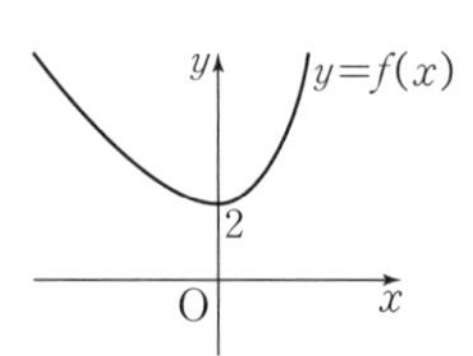

(2) $f(x)=x-\sin x+2$로 놓으면 $f'(x)=1-\cos x$

모든 실수 x에 대하여 $f'(x)\geq 0$이므로 함수 $f(x)$는 실수 전체에서 증가한다.

이때,

$\lim_{x\to-\infty}f(x)=-\infty,\ \lim_{x\to\infty}f(x)=\infty$

이므로 $y=f(x)$의 그래프는 오른쪽 그림과 같다.

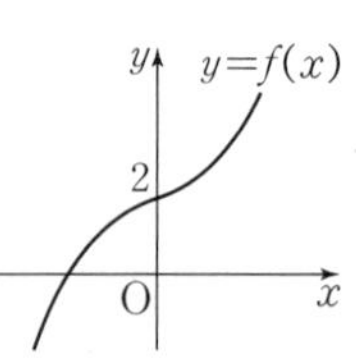

따라서 주어진 방정식의 서로 다른 실근의 개수는 1이다.

(3) $f(x)=x-\ln x-3$으로 놓으면 $x>0$

$f'(x)=1-\frac{1}{x}=\frac{x-1}{x}$

$f'(x)=0$에서 $x=1$

$x=1$을 기준으로 $x>0$에서 함수 $f(x)$의 증가, 감소를 표로 나타내면 오른쪽과 같다.

x	(0)	$\cdots$	1	$\cdots$
$f'(x)$		$-$	0	$+$
$f(x)$		↘	-2	↗

이때,

$\lim_{x\to 0+} f(x)=\infty$, $\lim_{x\to\infty} f(x)=\infty$

이므로 $y=f(x)$의 그래프는 오른쪽 그림과 같다.

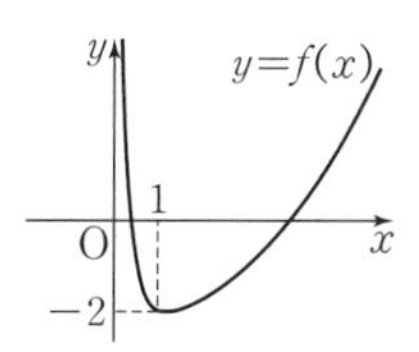

따라서 주어진 방정식의 서로 다른 실근의 개수는 2이다.

정답_(1) 0 (2) 1 (3) 2

475

$\frac{2}{x}=-x^2+a$에서 $a=x^2+\frac{2}{x}$

주어진 방정식이 서로 다른 실근을 가지려면 곡선 $y=x^2+\frac{2}{x}$와 직선 $y=a$가 서로 다른 두 점에서 만나야 한다.

$f(x)=x^2+\frac{2}{x}$로 놓으면

$f'(x)=2x-\frac{2}{x^2}=\frac{2x^3-2}{x^2}=\frac{2(x-1)(x^2+x+1)}{x^2}$

$f'(x)=0$에서 $x=1$

$x=0$, $x=1$을 기준으로 함수 $f(x)$의 증가, 감소를 표로 나타내면 다음과 같다.

x	$\cdots$	(0)	$\cdots$	1	$\cdots$
$f'(x)$	$-$		$-$	0	$+$
$f(x)$	↘		↘	3	↗

이때, $\lim_{x\to 0-} f(x)=-\infty$,

$\lim_{x\to 0+} f(x)=\infty$이므로 함수 $f(x)$의 그래프는 오른쪽 그림과 같다. 따라서 곡선 $y=f(x)$와 직선 $y=a$가 서로 다른 두 점에서 만나기 위한 a의 값은 3이다.

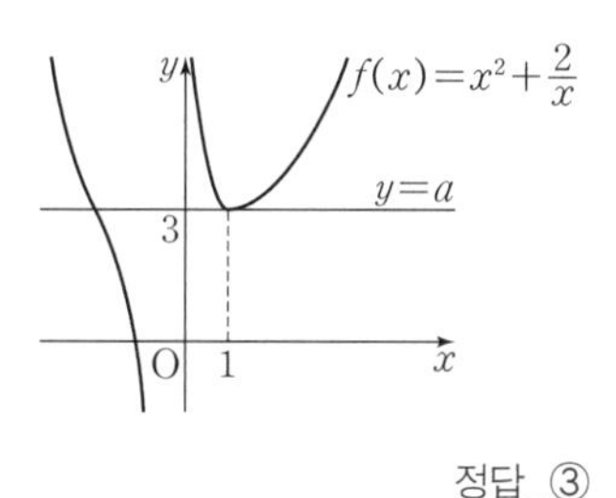

정답_③

476

$e^x=k-e^{-x}$에서 $k=e^x+e^{-x}$

주어진 방정식이 오직 한 개의 실근을 가지려면 곡선 $y=e^x+e^{-x}$과 직선 $y=k$가 한 점에서 만나야 한다.

$f(x)=e^x+e^{-x}$으로 놓으면 $f'(x)=e^x-e^{-x}$

$f'(x)=0$에서 $e^x-e^{-x}=0$ $\therefore x=0$

$x=0$을 기준으로 함수 $f(x)$의 증가, 감소를 표로 나타내면 오른쪽과 같다.

x	$\cdots$	0	$\cdots$
$f'(x)$	$-$	0	$+$
$f(x)$	↘	2	↗

이때, $\lim_{x\to -\infty} f(x)=\infty$, $\lim_{x\to\infty} f(x)=\infty$이므로 함수 $f(x)$의 그래프는 오른쪽 그림과 같다. 따라서 곡선 $y=f(x)$와 직선 $y=k$가 한 점에서 만나기 위한 k의 값은 2이다.

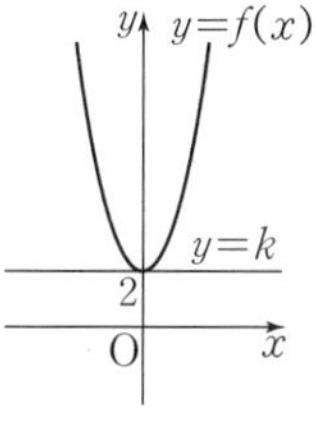

정답_④

477

$\frac{1}{4}x^2=\frac{1}{2}\ln ax$에서 $a>0$이므로 $x>0$

$\ln ax=\frac{1}{2}x^2$에서 $ax=e^{\frac{1}{2}x^2}$이므로 $a=\frac{e^{\frac{1}{2}x^2}}{x}$

주어진 방정식이 오직 한 개의 실근을 가지려면 곡선 $y=\frac{e^{\frac{1}{2}x^2}}{x}$과 직선 $y=a$가 한 점에서 만나야 한다.

$f(x)=\frac{e^{\frac{1}{2}x^2}}{x}$으로 놓으면 $f'(x)=\frac{e^{\frac{1}{2}x^2}(x-1)}{x^2}$

$f'(x)=0$에서 $x=1$

$x=1$을 기준으로 $x>0$에서 함수 $f(x)$의 증가, 감소를 표로 나타내면 오른쪽과 같다.

x	(0)	$\cdots$	1	$\cdots$
$f'(x)$		$-$	0	$+$
$f(x)$		↘	$\sqrt{e}$	↗

이때, $\lim_{x\to 0+} f(x)=\infty$, $\lim_{x\to\infty} f(x)=\infty$이므로 함수 $f(x)$의 그래프는 오른쪽 그림과 같다. 따라서 곡선 $y=f(x)$와 직선 $y=a$가 오직 한 점에서 만나기 위한 a의 값은 $\sqrt{e}$이다.

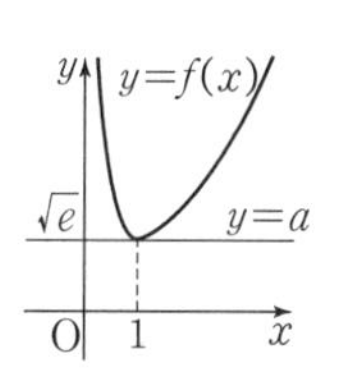

정답_③

478

$\ln x-x+8-a=0$에서 $x>0$이고 $a=\ln x-x+8$

주어진 방정식의 해가 존재하려면 곡선 $y=\ln x-x+8$과 직선 $y=a$가 서로 만나야 한다.

$f(x)=\ln x-x+8$로 놓으면 $f'(x)=\frac{1}{x}-1=\frac{1-x}{x}$

$f'(x)=0$에서 $x=1$

$x=1$을 기준으로 $x>0$에서 함수 $f(x)$의 증가, 감소를 표로 나타내면 오른쪽과 같다.

x	(0)	$\cdots$	1	$\cdots$
$f'(x)$		$+$	0	$-$
$f(x)$		↗	7	↘

이때, $\lim_{x\to 0+} f(x)=-\infty$,

$\lim_{x\to\infty} f(x)=-\infty$이므로 함수 $f(x)$의 그래프는 오른쪽 그림과 같다. 따라서 곡선 $y=f(x)$와 직선 $y=a$가 만나기 위한 a의 값의 범위는 $a\le 7$이므로 자연수 a는 $1, 2, \cdots, 7$의 7개이다.

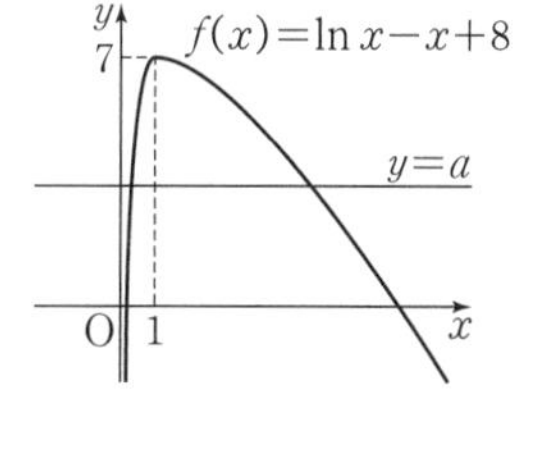

정답_③

479

$\sin x-x\cos x-k=0$에서 $k=\sin x-x\cos x$

주어진 방정식의 서로 다른 실근의 개수가 2가 되려면 곡선 $y=\sin x-x\cos x$와 직선 $y=k$가 서로 다른 두 점에서 만나야 한다.

$f(x)=\sin x-x\cos x$로 놓으면

$f'(x)=\cos x-\cos x+x\sin x=x\sin x$

$f'(x)=0$에서 $x=0$ 또는 $\sin x=0$

$\therefore x=0$ 또는 $x=\pi$ 또는 $x=2\pi$

$x=0$, $x=\pi$, $x=2\pi$를 기준으로 $0\le x\le 2\pi$에서 함수 $f(x)$의 증가, 감소를 표로 나타내면 다음과 같다.

x	0	$\cdots$	π	$\cdots$	2π
$f'(x)$	0	+	0	−	0
$f(x)$	0	↗	π	↘	-2π

함수 $f(x)$의 그래프는 오른쪽 그림과 같으므로 곡선 $y=f(x)$와 직선 $y=k$가 서로 다른 두 점에서 만나기 위한 k의 값의 범위는 $0\le k<\pi$이다.

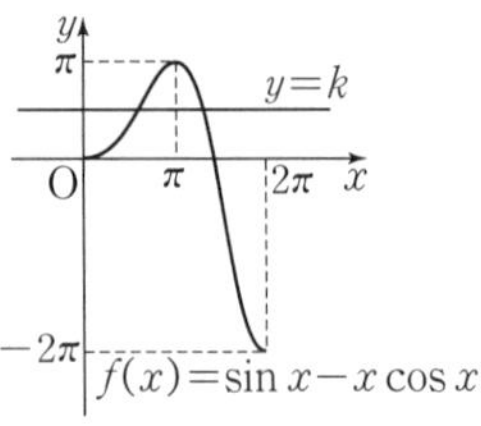

따라서 정수 k는 0, 1, 2, 3이므로 그 합은

$0+1+2+3=6$ 정답_⑤

480

$f(x)=\dfrac{\ln x}{x}$에서 $x>0$

$$f'(x)=\frac{\frac{1}{x}\cdot x-\ln x\cdot 1}{x^2}=\frac{1-\ln x}{x^2}$$

$$f''(x)=\frac{-\frac{1}{x}\cdot x^2-(1-\ln x)\cdot 2x}{x^4}=\frac{2\ln x-3}{x^3}$$

$f'(x)=0$에서 $1-\ln x=0$ $\quad\therefore x=e$

$f''(x)=0$에서 $2\ln x-3=0$ $\quad\therefore x=e\sqrt{e}$

$x=e$, $x=e\sqrt{e}$를 기준으로 $x>0$에서 함수 $f(x)$의 증가, 감소를 표로 나타내면 다음과 같다.

x	(0)	$\cdots$	e	$\cdots$	$e\sqrt{e}$	$\cdots$
$f'(x)$		+	0	−	−	−
$f''(x)$		−	−	−	0	+
$f(x)$		↗	$\frac{1}{e}$	↘	$\frac{3}{2e\sqrt{e}}$	↘

이때, $\lim_{x\to 0+} f(x)=-\infty$,

$\lim_{x\to\infty} f(x)=0$이므로 함수 $f(x)$의 그래프는 오른쪽 그림과 같다.

ㄱ은 옳지 않다.

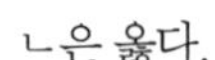

치역은 $\left\{y \middle| y\le\frac{1}{e}\right\}$이다.

ㄴ은 옳다.

점근선은 x축과 y축이다.

ㄷ도 옳다.

열린구간 $(0, e\sqrt{e})$에서 $f''(x)<0$이므로 위로 볼록하다.

따라서 옳은 것은 ㄴ, ㄷ이다. 정답_④

481

$f(x)=e^x+\dfrac{1}{x}$에서 $f'(x)=e^x-\dfrac{1}{x^2}$

$f''(x)=e^x+\dfrac{2}{x^3}$

$x=\alpha$를 기준으로 $x>0$에서 함수 $f(x)$의 증가, 감소를 표로 나타내면 오른쪽과 같다.

x	(0)	$\cdots$	α	$\cdots$
$f'(x)$		−	0	+
$f''(x)$		+	+	+
$f(x)$		↘	극소	↗

이때, $\lim_{x\to 0+} f(x)=\infty$,

$\lim_{x\to\infty} f(x)=\infty$이므로 함수 $f(x)$의 그래프는 오른쪽 그림과 같다.

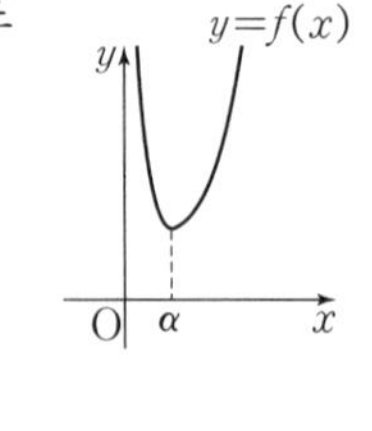

ㄱ은 옳다.

함수 $f(x)$가 $x=\alpha$에서 극값을 가지므로

$f'(\alpha)=e^\alpha-\dfrac{1}{\alpha^2}=0$ $\quad\therefore e^\alpha=\dfrac{1}{\alpha^2}$

ㄴ은 옳지 않다.

모든 양의 실수 x에 대하여 $f''(x)>0$이므로 곡선 $y=f(x)$의 변곡점은 존재하지 않는다.

ㄷ도 옳다.

ㄴ에서 $x>0$일 때 $f''(x)>0$이므로 $x>0$인 모든 실수 x에 대하여 함수 $f(x)$의 그래프는 아래로 볼록하고 $x=\alpha$에서 극값을 가지므로 함수 $f(x)$는 $x=\alpha$에서 극소이면서 최소이다.

즉, 함수 $f(x)$는 $x=\alpha$에서 최솟값을 갖는다.

따라서 옳은 것은 ㄱ, ㄷ이다. 정답_④

482

ㄱ은 옳다.

$$\int_a^b f(x)dx=\Big[F(x)\Big]_a^b=F(b)-F(a)=3$$

$\therefore F(b)=F(a)+3$

ㄴ은 옳지 않다.

$y=F(x)$에서 $F'(x)=f(x)$, $F''(x)=f'(x)$

주어진 그래프에서 $x=c$일 때, $F''(c)=f'(c)>0$

따라서 점 $(c, F(c))$는 곡선 $y=F(x)$의 변곡점이 아니다.

ㄷ도 옳다.

$$\int_a^c f(x)dx=\Big[F(x)\Big]_a^c=F(c)-F(a)=0$$

$\therefore F(a)=F(c)$

$-3<F(a)<0$이면 $0<F(b)<3$,

$-3<F(c)<0$이므로 함수 $y=F(x)$의 그래프의 개형은 오른쪽 그림과 같다.

함수 $y=F(x)$의 그래프와 x축이 서로 다른 네 점에서 만나므로 방정식 $F(x)=0$은 서로 다른 네 실근을 갖는다.

따라서 옳은 것은 ㄱ, ㄷ이다. 정답_③

483

$f(x)=e^x-x$로 놓으면 $f'(x)=e^x-1$

이때, $x>0$에서 $f'(x)>0$이므로 함수 $f(x)$는 $x>0$에서 증가하고, $f(0)=1$이므로 $x>0$일 때 $f(x)>1$이다.

따라서 $x>0$일 때, 부등식 $e^x-x>1$이 항상 성립한다.

정답_ 풀이 참조

484

$f(x)=x\ln x-2x+a$로 놓으면

$f'(x)=\ln x+x\cdot\frac{1}{x}-2=\ln x-1$

이때, $x>e$에서 $f'(x)>0$이므로 함수 $f(x)$는 $x>e$에서 증가한다.

따라서 $x>e$일 때 $f(x)>0$이려면

$f(e)=e-2e+a\geq0\qquad\therefore a\geq e$

정답_ ③

485

$f(x)=e^x-x+a$로 놓으면 $\quad f'(x)=e^x-1$

이때, $0<x<1$에서 $f'(x)>0$이므로 함수 $f(x)$는 $0<x<1$에서 증가한다.

$0<x<1$일 때 $f(x)<0$이려면

$f(1)=e-1+a\leq0\qquad\therefore a\leq1-e$

따라서 상수 a의 최댓값은 $1-e$이다.

정답_ ②

486

$x\geq1$일 때 $y=f(x)$의 그래프가 $y=g(x)$의 그래프보다 항상 위쪽에 있으려면 $x\geq1$에서 $f(x)>g(x)$이어야 한다.

$f(x)>g(x)$에서 $\quad f(x)-g(x)>0$

이때, $h(x)=f(x)-g(x)$로 놓으면 $\quad h(x)=x\ln x-x-a$

$h'(x)=\ln x+x\cdot\frac{1}{x}-1=\ln x$

$x\geq1$에서 $h'(x)\geq0$이므로 함수 $h(x)$는 $x\geq1$에서 증가한다.

$x\geq1$일 때 $h(x)>0$이려면

$h(1)=0-1-a>0\qquad\therefore a<-1$

따라서 정수 a의 최댓값은 -2이다.

정답_ ①

487

$\sin2x\geq a-2\sin x$에서 $\quad\sin2x+2\sin x\geq a$

$f(x)=\sin2x+2\sin x$로 놓으면 함수 $f(x)$는 주기가 2π인 주기함수이므로 $0\leq x\leq2\pi$에서 조건을 만족시키면 된다.

$$\begin{aligned}f'(x)&=2\cos2x+2\cos x\\&=2\cos(x+x)+2\cos x\\&=2(\cos^2x-\sin^2x)+2\cos x\\&=2(2\cos^2x-1)+2\cos x\\&=2(2\cos^2x+\cos x-1)\\&=2(2\cos x-1)(\cos x+1)\end{aligned}$$

$f'(x)=0$에서 $\quad\cos x=-1$ 또는 $\cos x=\frac{1}{2}$

$\therefore x=\frac{\pi}{3}$ 또는 $x=\pi$ 또는 $x=\frac{5}{3}\pi$

$x=\frac{\pi}{3}, x=\pi, x=\frac{5}{3}\pi$를 기준으로 $0\leq x\leq2\pi$에서 함수 $f(x)$의 증가, 감소를 표로 나타내면 다음과 같다.

x	0	$\cdots$	$\frac{\pi}{3}$	$\cdots$	π	$\cdots$	$\frac{5}{3}\pi$	$\cdots$	2π
$f'(x)$	$+$	$+$	0	$-$	0	$-$	0	$+$	$+$
$f(x)$	0	↗	$\frac{3\sqrt{3}}{2}$	↘	0	↘	$-\frac{3\sqrt{3}}{2}$	↗	0

함수 $f(x)$는 $x=\frac{5}{3}\pi$에서 최솟값 $-\frac{3\sqrt{3}}{2}$을 가지므로

$f(x)\geq f\left(\frac{5}{3}\pi\right)\geq a$에서 $\quad a\leq-\frac{3\sqrt{3}}{2}$

따라서 a의 최댓값은 $-\frac{3\sqrt{3}}{2}$이다.

정답_ ①

488

$f(t)=\sin t+\cos t-1$로 놓고, 시각 t에서 점 P의 속도를 v, 가속도를 a라고 하면

$v=f'(t)=\cos t-\sin t,\ a=f''(t)=-\sin t-\cos t$

$t=\frac{\pi}{2}$일 때 점 P의 속도 α는 $\quad\alpha=f'\left(\frac{\pi}{2}\right)=0-1=-1$

$t=\frac{\pi}{2}$일 때 점 P의 가속도 β는 $\quad\beta=f''\left(\frac{\pi}{2}\right)=-1-0=-1$

$\therefore\alpha+\beta=-1+(-1)=-2$

정답_ ①

489

$f(t)=t+\frac{20}{\pi^2}\cos(2\pi t)$로 놓고 시각 t에서 점 P의 속도를 v, 가속도를 a라고 하면

$v=f'(t)=1+\frac{20}{\pi^2}\cdot2\pi\cdot\{-\sin(2\pi t)\}=1-\frac{40}{\pi}\sin(2\pi t)$

$a=f''(t)=-\frac{40}{\pi}\cdot2\pi\cdot\cos(2\pi t)=-80\cos(2\pi t)$

따라서 $t=\frac{1}{3}$에서 점 P의 가속도는

$f''\left(\frac{1}{3}\right)=-80\cos\frac{2}{3}\pi=-80\cdot\left(-\frac{1}{2}\right)=40$

정답_ ④

490

$f(t)=t+\ln(t^2+4)$로 놓고 시각 t에서 점 P의 속도를 v, 가속도를 a라고 하면

$v=f'(t)=1+\frac{2t}{t^2+4}$

$a=f''(t)=\frac{2(t^2+4)-2t\cdot2t}{(t^2+4)^2}=-\frac{2(t^2-4)}{(t^2+4)^2}$

$t=p$에서의 가속도가 0이므로

$f''(p)=-\frac{2(p^2-4)}{(p^2+4)^2}=0$

$p^2+4>0$이므로 $\quad p^2-4=0$

$\therefore p=2\ (\because p>0)$

정답_ ②

491

두 점 P, Q의 시각 t에서의 속도를 각각 v_1, v_2라고 하면

$v_1=\frac{d}{dt}x_1(t)=2e^t,\ v_2=\frac{d}{dt}x_2(t)=2at$

$v_1=v_2$에서 $e^t=at$ $\quad\therefore \frac{e^t}{t}=a$

$f(t)=\frac{e^t}{t}\ (t>0)$으로 놓으면

$f'(t)=\frac{e^t\cdot t-e^t\cdot 1}{t^2}=\frac{e^t(t-1)}{t^2}$

$f'(t)=0$에서 $t=1$

$t=1$을 기준으로 $t>0$에서 함수 $f(t)$의 증가, 감소를 표로 나타내면 오른쪽과 같다.

t	(0)	$\cdots$	1	$\cdots$
$f'(t)$		−	0	+
$f(t)$		↘	e	↗

이때, $\lim_{t\to 0+}f(t)=\infty,\ \lim_{t\to\infty}f(t)=\infty$이므로 함수 $y=f(t)$의 그래프는 오른쪽 그림과 같다. 따라서 곡선 $y=f(t)$와 직선 $y=a$가 두 점에서 만나기 위한 a의 값의 범위는 $a>e$

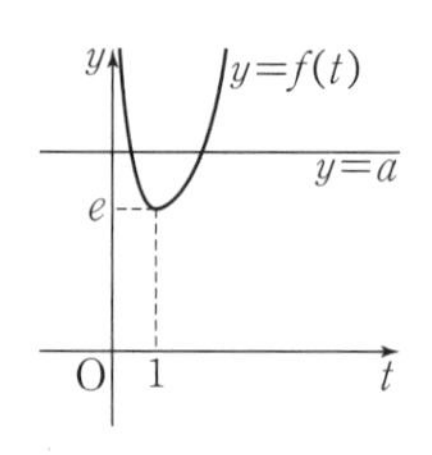

정답_ ⑤

492

$x=t^2+1,\ y=4t-t^2$에서

$\frac{dx}{dt}=2t,\ \frac{dy}{dt}=4-2t$

이므로 $t=2$에서의 점 P의 속도 v는 $v=(4, 0)$

$\frac{dx^2}{d^2t}=2,\ \frac{dy^2}{d^2t}=-2$

이므로 $t=2$에서의 점 P의 가속도 a는 $a=(2, -2)$

따라서 $m=4, n=0, p=2, q=-2$이므로

$m+n+p+q=4+0+2+(-2)=4$

정답_ ②

493

$x=t-\sin t,\ y=1-\cos t$에서

$\frac{dx}{dt}==1-\cos t,\ \frac{dy}{dt}=\sin t$

이므로 점 P의 속도 v는 $v=(1-\cos t, \sin t)$

$\frac{dx^2}{d^2t}=\sin t,\ \frac{dy^2}{d^2t}=\cos t$

이므로 점 P의 가속도 a는 $a=(\sin t, \cos t)$

$t=\frac{\pi}{3}$에서의 점 P의 속도 v와 가속도 a는 각각

$v=\left(\frac{1}{2}, \frac{\sqrt{3}}{2}\right), a=\left(\frac{\sqrt{3}}{2}, \frac{1}{2}\right)$이므로

$m=\sqrt{\left(\frac{1}{2}\right)^2+\left(\frac{\sqrt{3}}{2}\right)^2}=1,\ n=\sqrt{\left(\frac{\sqrt{3}}{2}\right)^2+\left(\frac{1}{2}\right)^2}=1$

$\therefore m+n=1+1=2$

정답_ ①

494

$x=t+e^t,\ y=t-e^t$에서

$\frac{dx}{dt}=1+e^t,\ \frac{dy}{dt}=1-e^t$

$\frac{d^2x}{dt^2}=e^t,\ \frac{d^2y}{dt^2}=-e^t$

점 P의 가속도 a는 $a=(e^t, -e^t)$이므로 $t=1$에서 점 P의 가속도 a는 $a=(e, -e)$

따라서 가속도의 크기는 $\sqrt{e^2+(-e)^2}=\sqrt{2}e$

정답_ ②

495

$x=t^2-2t+2,\ y=-t^2+3t+2$에서

$\frac{dx}{dt}=2t-2,\ \frac{dy}{dt}=-2t+3$

이므로 점 P의 속도 v는 $v=(2t-2, -2t+3)$

이때, 점 P의 속력은

$\sqrt{(2t-2)^2+(-2t+3)^2}=\sqrt{8t^2-20t+13}$

$=\sqrt{8\left(t-\frac{5}{4}\right)^2+\frac{1}{2}}$

따라서 점 P의 속력은 $t=\frac{5}{4}$일 때 최소이고, 최솟값은

$\sqrt{\frac{1}{2}}=\frac{\sqrt{2}}{2}$이다.

정답_ ①

496

벽에서부터 사다리의 아래 끝 점 A까지의 거리를 x cm, 지면에서 사다리의 위 끝 점 B까지의 거리를 y cm라고 하면

$x^2+y^2=300^2$ ⋯⋯ ㉠

양변을 t에 대하여 미분하면

$2x\frac{dx}{dt}+2y\frac{dy}{dt}=0,\ \frac{dy}{dt}=-\frac{x}{y}\cdot\frac{dx}{dt}$

$x=180$일 때, ㉠에서 $y=\sqrt{300^2-180^2}=240$이고,

$\frac{dx}{dt}=8$이므로 $\frac{dy}{dt}=-\frac{180}{240}\cdot 8=-6$

따라서 A가 벽으로부터 180 cm인 위치에 있을 때, B가 벽을 따라 내려오는 속력은 6 cm/s이므로 $a=6$

정답_ ②

497

주어진 곡선이 변곡점을 갖지 않으려면 방정식 $f''(x)=0$이 근을 갖지 않거나 $f''(x)=0$의 근의 좌우에서 $f''(x)$의 부호가 바뀌지 않아야 한다. ⋯⋯ ❶

$f(x)=x^2+a\cos x$에서

$f'(x)=2x-a\sin x,\ f''(x)=2-a\cos x$

$f''(x)=0$에서 $2-a\cos x=0$ $\quad\therefore \cos x=\frac{2}{a}$ ⋯⋯ ❷

(i) 이 방정식이 근을 갖지 않으려면 $\left|\frac{2}{a}\right|>1$이어야 하므로

$\frac{2}{|a|}>1,\ |a|<2$

$\therefore -2<a<0$ 또는 $0<a<2$ ($\because a\neq 0$)

(ii) $a=-2$이면 $f''(x)=2(1+\cos x)\geq 0$

$a=2$이면 $f''(x)=2(1-\cos x)\geq 0$

이므로 $f''(x)$의 부호가 바뀌지 않는다.
(i), (ii)에서 변곡점을 갖지 않을 조건은
$-2\le a<0$ 또는 $0<a\le 2$ ❸
따라서 구하는 정수 a는 $-2, -1, 1, 2$의 4개이다. ❹

정답_ 4

단계	채점 기준	비율
❶	변곡점을 갖지 않을 조건 구하기	20%
❷	$f''(x)=0$을 만족시키는 $\cos x$의 값 구하기	30%
❸	변곡점을 갖지 않을 a의 값의 범위 구하기	40%
❹	정수 a의 개수 구하기	10%

498

$f(x)=a(x-\sin 2x)$에서 $f'(x)=a(1-2\cos 2x)$

$f'(x)=0$에서 $\cos 2x=\frac{1}{2}$ ($\because a>0$)

$2x=\frac{\pi}{3}$ ($\because 0\le 2x\le\pi$) $\therefore x=\frac{\pi}{6}$ ❶

$x=\frac{\pi}{6}$를 기준으로 $0\le x\le\frac{\pi}{2}$에서 함수 $f(x)$의 증가, 감소를 표로 나타내면 다음과 같다.

x	0	$\cdots$	$\frac{\pi}{6}$	$\cdots$	$\frac{\pi}{2}$
$f'(x)$	$-$	$-$	0	$+$	$+$
$f(x)$	0	↘	$a\left(\frac{\pi}{6}-\frac{\sqrt{3}}{2}\right)$	↗	$\frac{\pi}{2}a$

따라서 함수 $f(x)$는 $x=\frac{\pi}{2}$일 때 최댓값 $\frac{\pi}{2}a$, $x=\frac{\pi}{6}$일 때 최솟값 $a\left(\frac{\pi}{6}-\frac{\sqrt{3}}{2}\right)$을 갖는다. ❷

이때, 최댓값이 π이므로 $\frac{\pi}{2}a=\pi$ $\therefore a=2$ ❸

따라서 구하는 최솟값은 $2\left(\frac{\pi}{6}-\frac{\sqrt{3}}{2}\right)=\frac{\pi}{3}-\sqrt{3}$ ❹

정답_ $\frac{\pi}{3}-\sqrt{3}$

단계	채점 기준	비율
❶	$f'(x)=0$을 만족시키는 x의 값 구하기	30%
❷	함수 $f(x)$의 증감표 만들기	30%
❸	a의 값 구하기	20%
❹	함수 $f(x)$의 최솟값 구하기	20%

499

$\overline{AB}$가 원의 지름으로 삼각형 ABP는 직각삼각형이다.
$\triangle AQP\backsim\triangle PQB$이므로 $\overline{AQ}=x$ $(0<x<2)$라고 하면
$\overline{AQ}:\overline{PQ}=\overline{PQ}:\overline{BQ}$, $x:\overline{PQ}=\overline{PQ}:(2-x)$
$\overline{PQ}^2=x(2-x)$
$\therefore \overline{PQ}=\sqrt{x(2-x)}$ ($\because \overline{PQ}>0$) ❶
삼각형 PAQ의 넓이를 $S(x)$라고 하면

$S(x)=\frac{1}{2}x\sqrt{x(2-x)}=\frac{1}{2}\sqrt{2x^3-x^4}$ ❷

$S'(x)=\frac{6x^2-4x^3}{4\sqrt{2x^3-x^4}}=\frac{x^2(3-2x)}{2\sqrt{2x^3-x^4}}$

$S'(x)=0$에서 $3-2x=0$ $\therefore x=\frac{3}{2}$

$x=\frac{3}{2}$을 기준으로 $0<x<2$에서 함수 $S(x)$의 증가, 감소를 표로 나타내면 다음과 같다.

x	(0)	$\cdots$	$\frac{3}{2}$	$\cdots$	(2)
$S'(x)$		$+$	0	$-$	
$S(x)$		↗	$\frac{3\sqrt{3}}{8}$	↘	

따라서 함수 $S(x)$는 $x=\frac{3}{2}$일 때 최댓값 $\frac{3\sqrt{3}}{8}$을 가지므로 삼각형 PAQ의 넓이의 최댓값은 $\frac{3\sqrt{3}}{8}$이다. ❸

정답_ $\frac{3\sqrt{3}}{8}$

단계	채점 기준	비율
❶	$\overline{PQ}$를 x의 식으로 나타내기	40%
❷	삼각형 PAQ의 넓이에 대한 식 세우기	20%
❸	삼각형 PAQ의 넓이의 최댓값 구하기	40%

다른 풀이

$\angle POQ=\theta\left(0<\theta<\frac{\pi}{2}\right)$라고 하면 삼각형 POQ에서
$\overline{OQ}=\cos\theta$, $\overline{PQ}=\sin\theta$이므로

$\triangle PAQ=\frac{1}{2}(1+\cos\theta)\sin\theta$

$f(\theta)=(1+\cos\theta)\sin\theta$로 놓으면

$$\begin{aligned}f'(\theta)&=-\sin\theta\cdot\sin\theta+(1+\cos\theta)\cos\theta\\&=-\sin^2\theta+\cos^2\theta+\cos\theta\\&=-(1-\cos^2\theta)+\cos^2\theta+\cos\theta\\&=2\cos^2\theta+\cos\theta-1\\&=(\cos\theta+1)(2\cos\theta-1)\end{aligned}$$

$f'(\theta)=0$에서 $\cos\theta=-1$ 또는 $\cos\theta=\frac{1}{2}$

$\therefore \theta=\frac{\pi}{3}$ $\left(\because 0<\theta<\frac{\pi}{2}\right)$

따라서 함수 $f(\theta)$는 $\theta=\frac{\pi}{3}$에서 극대이면서 최대이므로 삼각형 PAQ의 넓이의 최댓값은

$\frac{1}{2}f\left(\frac{\pi}{3}\right)=\frac{1}{2}\cdot\left(1+\frac{1}{2}\right)\cdot\frac{\sqrt{3}}{2}=\frac{3\sqrt{3}}{8}$

500

두 방정식 $e^x=ax$, $\ln x=ax$가 모두 실근을 갖지 않으려면 두 곡선 $y=e^x$, $y=\ln x$가 모두 직선 $y=ax$와 만나지 않아야 한다.
$f(x)=e^x$, $g(x)=\ln x$, $h(x)=ax$로 놓으면

$f'(x)=e^x$, $g'(x)=\frac{1}{x}$, $h'(x)=a$ ❶

곡선 $y=f(x)$와 직선 $y=h(x)$가 $x=t$에서 접한다고 하면
$f(t)=h(t)$에서 $e^t=at$, $f'(t)=h'(t)$에서 $e^t=a$
$\therefore t=1, a=e$ ❷
곡선 $y=g(x)$와 직선 $y=h(x)$가 $x=s$에서 접한다고 하면

$g(s)=h(s)$에서 $\ln s=as$, $g'(s)=h'(s)$에서 $\frac{1}{s}=a$

$\therefore s=e, a=\frac{1}{e}$ ❸

두 곡선 $y=e^x$, $y=\ln x$가 모두 직선 $y=ax$와 만나지 않으려면 오른쪽 그림에서 $\frac{1}{e}<a<e$이어야 하므로

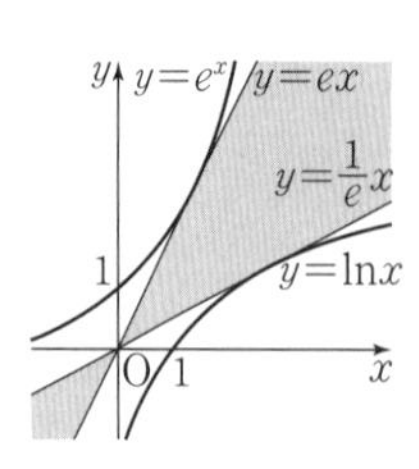

$\alpha=\frac{1}{e}, \beta=e$

$\therefore \alpha\beta=\frac{1}{e}\cdot e=1$ ❹

정답_1

단계	채점 기준	비율
❶	$f(x)=e^x$, $g(x)=\ln x$, $h(x)=ax$로 놓고, $f'(x)$, $g'(x)$, $h'(x)$ 구하기	10%
❷	두 곡선 $y=f(x)$, $y=h(x)$가 접할 때의 x좌표, a의 값 구하기	30%
❸	두 곡선 $y=g(x)$, $y=h(x)$가 접할 때의 x좌표, a의 값 구하기	30%
❹	$\alpha\beta$의 값 구하기	30%

501

$x^2\ge k\ln x$에서 $x^2-k\ln x\ge 0$

$f(x)=x^2-k\ln x$로 놓으면 $f'(x)=2x-\frac{k}{x}=\frac{2x^2-k}{x}$

$f'(x)=0$에서 $x^2=\frac{k}{2}$ $\quad\therefore x=\sqrt{\frac{k}{2}}\ (\because x>0)$

$x=\sqrt{\frac{k}{2}}$를 기준으로 $x>0$에서 함수 $f(x)$의 증가, 감소를 표로 나타내면 다음과 같다.

x	(0)	$\cdots$	$\sqrt{\frac{k}{2}}$	$\cdots$
$f'(x)$		$-$	0	$+$
$f(x)$		↘	$\frac{k}{2}-\frac{k}{2}\ln\frac{k}{2}$	↗

함수 $f(x)$가 $x=\sqrt{\frac{k}{2}}$일 때, 최솟값 $\frac{k}{2}-\frac{k}{2}\ln\frac{k}{2}$를 갖는다.

❶

따라서 $x>0$일 때 $f(x)\ge 0$이려면

$\frac{k}{2}-\frac{k}{2}\ln\frac{k}{2}\ge 0, 1-\ln\frac{k}{2}\ge 0\ (\because k>0)$

$\ln\frac{k}{2}\le 1, 0<\frac{k}{2}\le e$ $\quad\therefore 0<k\le 2e$ ❷

따라서 k의 최댓값은 $2e$이다. ❸

정답_$2e$

단계	채점 기준	비율
❶	$f(x)=x^2-k\ln x$의 최솟값 구하기	50%
❷	(최솟값)$\ge$0임을 이용하여 k의 값의 범위 구하기	40%
❸	k의 최댓값 구하기	10%

502

$f(t)=\sin\pi t+k\cos\pi t$로 놓고 시각 t에서의 점 P의 속도를 v, 가속도를 a라고 하면

$v=f'(t)=\pi\cos\pi t-k\pi\sin\pi t$

$t=\frac{3}{2}$일 때의 속도가 2π이므로

$\pi\cos\frac{3}{2}\pi-k\pi\sin\frac{3}{2}\pi=0-k\pi\cdot(-1)=k\pi=2\pi$

$\therefore k=2$ ❶

$a=f''(t)=-\pi^2\sin\pi t-2\pi^2\cos\pi t$

따라서 $t=3$일 때 점 P의 가속도는

$f''(3)=-\pi^2\sin 3\pi-2\pi^2\cos 3\pi$

$=0-2\pi^2\cdot(-1)=2\pi^2$ ❷

정답_$2\pi^2$

단계	채점 기준	비율
❶	k의 값 구하기	50%
❷	$t=3$에서 점 P의 가속도 구하기	50%

503

ㄱ은 옳다.

$f(x)=x+\sin x$, $f'(x)=1+\cos x$, $f''(x)=-\sin x$

열린구간 $(0, \pi)$에서 $f''(x)<0$이므로 함수 $f(x)$의 그래프는 위로 볼록하다.

ㄴ도 옳다.

$g'(x)=f'(f(x))f'(x)=\{1+\cos(x+\sin x)\}(1+\cos x)$

열린구간 $(0, \pi)$에서 $0<x+\sin x<\pi$, $1+\cos x>0$이므로 $g'(x)>0$

따라서 열린구간 $(0, \pi)$에서 함수 $g(x)$는 증가한다.

ㄷ도 옳다.

함수 $g(x)$는 미분가능하므로 평균값 정리에 의해

$\frac{g(x)-g(0)}{x-0}=g'(x)$인 x가 열린구간 $(0, \pi)$에 존재한다.

$g(0)=f(f(0))=f(0)=0$, $g(\pi)=f(f(\pi))=f(\pi)=\pi$

에서 $\frac{g(\pi)-g(0)}{\pi-0}=1$이므로 $g'(x)=1$인 x가 열린구간 $(0, \pi)$에 존재한다.

따라서 옳은 것은 ㄱ, ㄴ, ㄷ이다.

정답_⑤

504

함수 $f(x)$가 역함수를 가지려면 일대일대응이어야 하므로 함수 $f(x)$는 실수 전체의 집합에서 증가하거나 감소한다.

$\lim_{x\to\infty}f(x)=\infty$이므로 함수 $f(x)$는 증가한다.

즉, 실수 전체의 집합에서 $f'(x)\ge 0$이 성립해야 한다. ······㉠

$f(x)=e^{x+1}\{x^2+(n-2)x-n+3\}+ax$에서

$f'(x)=e^{x+1}\{x^2+(n-2)x-n+3\}+e^{x+1}(2x+n-2)+a$

$=e^{x+1}(x^2+nx+1)+a$

한편, $h(x)=e^{x+1}(x^2+nx+1)$이라고 하면

$h'(x)=e^{x+1}(x^2+nx+1)+e^{x+1}(2x+n)$

$=e^{x+1}\{x^2+(n+2)x+(n+1)\}$

$=e^{x+1}(x+n+1)(x+1)$

$h'(x)=0$에서 $x=-n-1$ 또는 $x=-1$ ($\because e^{x+1}>0$)

2 이상의 자연수 n에 대하여 $x=-n-1$, $x=-1$을 기준으로 함수 $h(x)$의 증가, 감소를 표로 나타내면 다음과 같다.

x	$\cdots$	$-n-1$	$\cdots$	-1	$\cdots$
$h'(x)$	$+$	0	$-$	0	$+$
$h(x)$	↗	극대	↘	극소	↗

이때, $\lim_{x\to-\infty} h(x)=0$이고 n은 2 이상의 자연수이므로 함수 $h(x)$는 $x=-1$에서 극소이면서 최소이다.

즉, 함수 $h(x)$의 최솟값 $h(-1)=-n+2$에서 함수 $f'(x)=h(x)+a$의 최솟값은 $-n+2+a$이고, ㉠이어야 하므로

$-n+2+a\ge0$ $\quad\therefore a\ge n-2$

따라서 실수 a의 최솟값은 $g(n)=n-2$이다.

$1\le g(n)\le8$에서 $1\le n-2\le8$ $\quad\therefore 3\le n\le10$

따라서 주어진 조건을 만족시키는 모든 자연수 n의 값의 합은

$3+4+5+\cdots+10=\dfrac{8(3+10)}{2}=52$

정답_④

505

$y=e^{-x}$에서 $y'=-e^{-x}$

곡선 위의 점 $(a,\ e^{-a})$에서의 접선의 방정식은

$y-e^{-a}=-e^{-a}(x-a)$ $\quad\therefore y=-e^{-a}x+e^{-a}(a+1)$

이 직선의 x절편과 y절편은 각각 $a+1$, $e^{-a}(a+1)$이므로 오른쪽 그림에서

$S(a)=\dfrac{1}{2}\cdot(a+1)\cdot e^{-a}(a+1)$

$=\dfrac{1}{2}e^{-a}(a+1)^2$

$S'(a)=\dfrac{1}{2}\{-e^{-a}(a+1)^2+2e^{-a}(a+1)\}$

$=-\dfrac{1}{2}e^{-a}(a+1)(a-1)$

$S'(a)=0$에서 $a=1$ ($\because a>0$)

$a=1$을 기준으로 $a>0$에서 함수 $S(a)$의 증가, 감소를 표로 나타내면 오른쪽과 같다.

a	(0)	$\cdots$	1	$\cdots$
$S'(a)$		$+$	0	$-$
$S(a)$		↗	$\frac{2}{e}$	↘

따라서 삼각형의 넓이 $S(a)$는 $a=1$일 때 최댓값 $\dfrac{2}{e}$를 갖는다.

정답_④

506

함수 $f(x)=4\ln x+\ln(10-x)$의 정의역은 $\{x\,|\,0<x<10\}$

$f'(x)=\dfrac{4}{x}-\dfrac{1}{10-x}=\dfrac{-5(x-8)}{x(10-x)}$

$f'(x)=0$에서 $x=8$

$x=8$을 기준으로 $0<x<10$에서 함수 $f(x)$의 증가, 감소를 표로 나타내면 다음과 같다.

x	(0)	$\cdots$	8	$\cdots$	(10)
$f'(x)$		$+$	0	$-$	
$f(x)$		↗	13 ln 2	↘	

이때, $\lim_{x\to0+} f(x)=-\infty$, $\lim_{x\to10-} f(x)=-\infty$

함수 $f(x)$의 그래프는 오른쪽 그림과 같다.

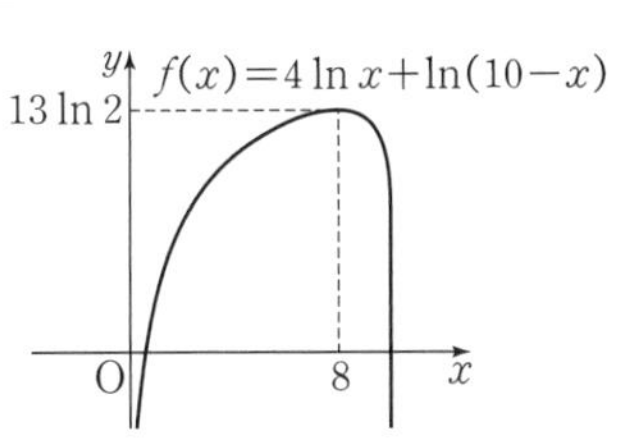

ㄱ은 옳다.

위의 그래프에서 함수 $f(x)$는 $x=8$에서 최댓값 $13\ln2$를 갖는다.

ㄴ도 옳다.

위의 그래프에서 방정식 $f(x)=0$은 서로 다른 두 실근을 갖는다.

ㄷ은 옳지 않다.

$y=e^{f(x)}=e^{4\ln x+\ln(10-x)}=x^4(10-x)=-x^5+10x^4$에서

$y'=-5x^4+40x^3$, $y''=-20x^3+120x^2=-20x^2(x-6)$

이때, $0<x<6$일 때 $y''>0$, $6<x<10$일 때 $y''<0$이므로 곡선 $y=e^{f(x)}$은 $0<x<6$일 때 아래로 볼록하고, $6<x<10$일 때 위로 볼록하다.

따라서 옳은 것은 ㄱ, ㄴ이다.

정답_③

507

시각 t에서의 점 P, Q의 좌표를 각각 $\mathrm{P}(x,\ 10\sin x)$, $\mathrm{Q}(q,\ 0)$이라고 하면

$(x-q)^2=10^2-(10\sin x)^2=10^2\cos^2x$이므로

$x-q=|10\cos x|$ $\quad\therefore q=x-|10\cos x|$

한편, 점 P의 속도를 v_P라고 하면 $v_\mathrm{P}=\left(\dfrac{dx}{dt},\ 10\cos x\dfrac{dx}{dt}\right)$

이므로 속력은

$\sqrt{\left(\dfrac{dx}{dt}\right)^2+\left(10\cos x\dfrac{dx}{dt}\right)^2}=\sqrt{1+100\cos^2x}\,\dfrac{dx}{dt}=10$

$\therefore \dfrac{dx}{dt}=\dfrac{10}{\sqrt{1+100\cos^2x}}$

$\dfrac{\pi}{2}<x<\dfrac{3}{2}\pi$일 때, $q=x+10\cos x$이므로

$\dfrac{dq}{dt}=(1-10\sin x)\dfrac{dx}{dt}$

점 Q의 속도를 v_Q라고 하면 $v_\mathrm{Q}=\left(\dfrac{dq}{dt},\ 0\right)$

이므로 속력은 $\sqrt{\left(\dfrac{dq}{dt}\right)^2+0^2}=\dfrac{dq}{dt}$

$x=\pi$를 대입하면

$k=(1-10\sin\pi)\dfrac{10}{\sqrt{1+100\cos^2\pi}}=\dfrac{10}{\sqrt{101}}$

$\therefore k^2=\dfrac{100}{101}$

정답_①

III 적분법

08 여러 가지 적분법

508

(1) $\int \frac{2}{x}dx=2\int \frac{1}{x}dx=2\ln|x|+C$

(2) $\int \frac{1}{x^3}dx=\int x^{-3}dx=-\frac{1}{2}x^{-2}+C=-\frac{1}{2x^2}+C$

(3) $\int \sqrt[3]{x}\,dx=\int x^{\frac{1}{3}}dx=\frac{3}{4}x^{\frac{4}{3}}+C=\frac{3}{4}x\sqrt[3]{x}+C$

(4) $\int \frac{\sqrt{x}-1}{x}dx=\int x^{-\frac{1}{2}}dx-\int \frac{1}{x}dx=\int\left(\frac{1}{\sqrt{x}}-\frac{1}{x}\right)dx$

$=2x^{\frac{1}{2}}-\ln|x|+C=2\sqrt{x}-\ln|x|+C$

정답_(1) $2\ln|x|+C$ (2) $-\frac{1}{2x^2}+C$

(3) $\frac{3}{4}x\sqrt[3]{x}+C$ (4) $2\sqrt{x}-\ln|x|+C$

509

$\int \frac{x^2-x+2}{x}dx=\int x\,dx-\int 1\,dx+2\int \frac{1}{x}dx$

$=\frac{1}{2}x^2-x+2\ln|x|+C$

따라서 $a=\frac{1}{2}, b=-1, c=2$이므로

$abc=\frac{1}{2}\cdot(-1)\cdot 2=-1$

정답_②

510

$f(x)=\int \sqrt{x^5}\,dx=\int x^{\frac{5}{2}}dx$

$=\frac{2}{7}x^{\frac{7}{2}}+C=\frac{2}{7}x^3\sqrt{x}+C$

$f(1)=\frac{2}{7}$이므로 $f(1)=\frac{2}{7}+C=\frac{2}{7}$ $\quad\therefore C=0$

따라서 $f(x)=\frac{2}{7}x^3\sqrt{x}$이므로

$f(4)=\frac{2}{7}\cdot 4^3\sqrt{4}=\frac{256}{7}$

정답_⑤

511

$f(x)=\int \frac{(\sqrt{x}-1)^2}{x}dx=\int \frac{x-2\sqrt{x}+1}{x}dx$

$=\int 1\,dx-2\int x^{-\frac{1}{2}}dx+\int \frac{1}{x}dx$

$=x-4\sqrt{x}+\ln|x|+C$

$f(1)=1$이므로 $1-4+0+C=1$ $\quad\therefore C=4$

따라서 $f(x)=x-4\sqrt{x}+\ln|x|+4$이므로

$f(e^2)=e^2-4e+6$

정답_⑤

512

$f(x+h)-f(x)=\left(3x^2-\frac{1}{x}\right)h$이므로

$f'(x)=\lim_{h\to 0}\frac{f(x+h)-f(x)}{h}=\lim_{h\to 0}\frac{\left(3x^2-\frac{1}{x}\right)h}{h}$

$=\lim_{h\to 0}\left(3x^2-\frac{1}{x}\right)=3x^2-\frac{1}{x}$

따라서 $f(x)=\int\left(3x^2-\frac{1}{x}\right)dx=x^3-\ln|x|+C$이므로

$f(e)-f(1)=(e^3-\ln e+C)-(1-\ln 1+C)$

$=e^3-2$

정답_①

513

$\int \frac{1}{x^2}dx=\int x^{-2}dx=-\frac{1}{x}+C_1$

$\int (3x^2+1)dx=x^3+x+C_2$

이므로

$f(x)=\begin{cases}-\frac{1}{x}+C_1 & (x<-1)\\ x^3+x+C_2 & (x\geq -1)\end{cases}$

$f(-2)=\frac{1}{2}$이므로

$f(-2)=-\frac{1}{-2}+C_1=\frac{1}{2}+C_1=\frac{1}{2}$ $\quad\therefore C_1=0$

함수 $f(x)$는 $x=-1$에서 연속이므로

$-\frac{1}{-1}+C_1=(-1)^3+(-1)+C_2, 1=-2+C_2$

$\therefore C_2=3$

따라서 $f(x)=\begin{cases}-\frac{1}{x} & (x<-1)\\ x^3+x+3 & (x\geq -1)\end{cases}$이므로

$f(0)=3$

정답_③

514

(1) $\int (2e^x+4^x)dx=2\int e^x dx+\int 4^x dx=2e^x+\frac{4^x}{\ln 4}+C$

(2) $\int e^{x+3}dx=e^3\int e^x dx=e^3\cdot e^x+C=e^{x+3}+C$

(3) $\int \frac{x\cdot 2^x+3}{x}dx=\int 2^x dx+3\int \frac{1}{x}dx=\frac{2^x}{\ln 2}+3\ln|x|+C$

(4) $\int 3^{2x+1}dx=3\int (3^2)^x dx=3\cdot\frac{(3^2)^x}{\ln 3^2}+C=\frac{3^{2x+1}}{2\ln 3}+C$

정답_(1) $2e^x+\frac{4^x}{\ln 4}+C$ (2) $e^{x+3}+C$

(3) $\frac{2^x}{\ln 2}+3\ln|x|+C$ (4) $\frac{3^{2x+1}}{2\ln 3}+C$

515

$\int \frac{4^x-1}{2^x-1}dx=\int \frac{(2^x-1)(2^x+1)}{2^x-1}dx$

$$=\int (2^x+1)dx$$
$$=\frac{2^x}{\ln 2}+x+C$$

따라서 $a=\frac{1}{\ln 2}$, $b=1$이므로

$\frac{b}{a}=\frac{1}{\frac{1}{\ln 2}}=\ln 2$ 정답_①

516

$$f(x)=\int (3^x-1)(9^x+3^x+1)dx$$
$$=\int (3^x-1)(3^{2x}+3^x+1)dx$$
$$=\int (3^{3x}-1)dx$$
$$=\int (27^x-1)dx$$
$$=\frac{27^x}{3\ln 3}-x+C$$

$f(0)=\frac{1}{3\ln 3}$이므로

$f(0)=\frac{1}{3\ln 3}+C=\frac{1}{3\ln 3}$ $\quad\therefore C=0$

따라서 $f(x)=\frac{27^x}{3\ln 3}-x$이므로

$f(1)=\frac{9}{\ln 3}-1$ 정답_④

517

$$f(x)=\int f'(x)dx=\int (2e^{2x}+e^x)dx$$
$$=2\int (e^2)^x dx+\int e^x dx=e^{2x}+e^x+C$$

$f(0)=-4$이므로

$1+1+C=-4$ $\quad\therefore C=-6$

$\therefore f(x)=e^{2x}+e^x-6$

방정식 $f(x)=0$, 즉 $e^{2x}+e^x-6=0$에서

$(e^x+3)(e^x-2)=0$ $\quad\therefore e^x=2$ ($\because e^x+3>0$)

$\therefore x=\ln 2$ 정답_④

518

조건 (나)에서 $\lim_{h\to 0}\frac{f(x+h)-f(x)}{h}=f'(x)$이므로

$f'(x)=\frac{xe^x-1}{x}=e^x-\frac{1}{x}$

$\therefore f(x)=\int\left(e^x-\frac{1}{x}\right)dx=e^x-\ln|x|+C$

조건 (가)에서 $f(1)=e$이므로

$e-0+C=e$ $\quad\therefore C=0$

따라서 $f(x)=e^x-\ln|x|$이므로

$f(e)=e^e-1$ 정답_⑤

519

$y=\ln(x+2)-1$로 놓고 x와 y를 서로 바꾸면

$x=\ln(y+2)-1$, $x+1=\ln(y+2)$

$e^{x+1}=y+2$ $\quad\therefore y=e^{x+1}-2$

$$G(x)=\int g(x)dx=\int (e^{x+1}-2)dx$$
$$=e^{x+1}-2x+C$$

$G(-1)=4$이므로

$G(-1)=1+2+C=4$ $\quad\therefore C=1$

따라서 $G(x)=e^{x+1}-2x+1$이므로

$G(0)=e+1$ 정답_④

520

곡선 $y=f(x)$ 위의 점 (x, y)에서의 접선의 기울기가 e^x에 정비례하므로 $f'(x)=ke^x$ $(k\neq 0)$으로 놓으면

$f(x)=\int f'(x)dx=\int ke^x dx=ke^x+C$

곡선 $y=f(x)$는 두 점 $(0, 5)$, $(1, 2e+3)$을 지나므로

$f(0)=k+C=5$ ……㉠

$f(1)=ke+C=2e+3$ ……㉡

㉠, ㉡을 연립하여 풀면 $k=2$, $C=3$

따라서 $f(x)=2e^x+3$

$f(2)=2e^2+3$ 정답_⑤

521

$W(t)=\int 0.02e^{0.1t}dt=0.02\int (e^{0.1})^t dt=0.2e^{0.1t}+C$

처음 효모의 질량이 2 g이므로 $W(0)=2$에서

$0.2+C=2$ $\quad\therefore C=1.8$

$W(t)=0.2e^{0.1t}+1.8$이므로

$W(10)=0.2e+1.8$

따라서 10시간 후 효모의 질량은 $(0.2e+1.8)$g이다. 정답_④

522

$\frac{d}{dx}\{f(x)+g(x)\}=e^x$에서

$f(x)+g(x)=\int e^x dx=e^x+C_1$

양변에 $x=1$을 대입하면 $f(1)=1$, $g(1)=-1$이므로

$f(1)+g(1)=e+C_1=0$ $\quad\therefore C_1=-e$

$\therefore f(x)+g(x)=e^x-e$ ……㉠

$\frac{d}{dx}\{f(x)-g(x)\}=e^{-x}$에서

$f(x)-g(x)=\int e^{-x}dx=-e^{-x}+C_2$

양변에 $x=1$을 대입하면 $f(1)=1$, $g(1)=-1$이므로

$f(1)-g(1)=-e^{-1}+C_2=2$ $\quad\therefore C_2=e^{-1}+2$

$\therefore f(x)-g(x)=-e^{-x}+e^{-1}+2$ ……㉡

㉠−㉡을 하면 $2g(x)=(e^x+e^{-x})-(e+e^{-1})-2$

따라서 $g(x)=\frac{1}{2}(e^x+e^{-x})-\frac{1}{2}(e+e^{-1})-1$이므로

$\therefore g(-1)=\frac{1}{2}(e+e^{-1})-\frac{1}{2}(e+e^{-1})-1=-1$ 정답_ ②

523

(1) $\int(3\sin x+2\cos x)dx=-3\cos x+2\sin x+C$

(2) $\int(\sec x+\tan x)\sec x\,dx$

$=\int\sec^2 x\,dx+\int\sec x\tan x\,dx$

$=\tan x+\sec x+C$

(3) $\int\frac{1-\sin^2 x}{\sin^2 x}dx=\int\left(\frac{1}{\sin^2 x}-1\right)dx$

$=\int(\csc^2 x-1)dx$

$=-\cot x-x+C$

(4) $\tan^2 x=\sec^2 x-1$이므로

$\int\tan^2 x\,dx=\int(\sec^2 x-1)dx=\tan x-x+C$

정답_(1) $-3\cos x+2\sin x+C$ (2) $\tan x+\sec x+C$
(3) $-\cot x-x+C$ (4) $\tan x-x+C$

524

$\int\frac{(\sin x-\cos x)^2}{\sin^2 x}dx+\int\frac{(\sin x+\cos x)^2}{\sin^2 x}dx$

$=\int\frac{(\sin x-\cos x)^2+(\sin x+\cos x)^2}{\sin^2 x}dx$

$=\int\frac{2}{\sin^2 x}dx$

$=2\int\csc^2 x\,dx$

$=-2\cot x+C$ 정답_ ④

525

$f(x)=\int\tan x\cos x\,dx=\int\sin x\,dx=-\cos x+C$

$\therefore f\left(\frac{\pi}{3}\right)-f(0)=\left(-\cos\frac{\pi}{3}+C\right)-(-\cos 0+C)$

$=-\frac{1}{2}+1=\frac{1}{2}$ 정답_ $\frac{1}{2}$

526

$f(x)=\int\frac{\sin^2 x}{1-\cos x}dx=\int\frac{1-\cos^2 x}{1-\cos x}dx$

$=\int(1+\cos x)dx=x+\sin x+C$

$f(0)=0$이므로 $0+C=0$ $\therefore C=0$

따라서 $f(x)=x+\sin x$이므로

$f(\pi)=\pi+0=\pi$ 정답_ ④

527

$\int(-\sin x)dx=\cos x+C_1$,

$\int(1+\cos x)dx=x+\sin x+C_2$이므로

$f(x)=\begin{cases}\cos x+C_1 & (x<0)\\ x+\sin x+C_2 & (x\ge 0)\end{cases}$

$f\left(\frac{\pi}{2}\right)=\frac{\pi}{2}$이므로 $\frac{\pi}{2}+1+C_2=\frac{\pi}{2}$ $\therefore C_2=-1$

함수 $f(x)$는 $x=0$에서 연속이므로

$1+C_1=0+C_2,\ 1+C_1=-1$ $\therefore C_1=-2$

따라서 $f(x)=\begin{cases}\cos x-2 & (x<0)\\ x+\sin x-1 & (x\ge 0)\end{cases}$이므로

$f(-\pi)+f(\pi)=-3+(\pi-1)=\pi-4$ 정답_ ①

528

접선의 기울기가 $\cot^2 x$이므로 $f'(x)=\cot^2 x$

$f(x)=\int\cot^2 x\,dx=\int(\csc^2 x-1)dx=-\cot x-x+C$

곡선 $y=f(x)$가 점 $\left(\frac{\pi}{2},\ -\frac{\pi}{2}\right)$를 지나므로

$f\left(\frac{\pi}{2}\right)=-\frac{\pi}{2}$에서 $0-\frac{\pi}{2}+C=-\frac{\pi}{2}$ $\therefore C=0$

따라서 $f(x)=-\cot x-x$이므로

$f\left(\frac{\pi}{4}\right)=-1-\frac{\pi}{4}$ 정답_ ①

529

$F(x)=xf(x)-(x\sin x+\cos x)$에서

$F'(x)=f(x)+xf'(x)-(\sin x+x\cos x-\sin x)$

$f(x)=f(x)+xf'(x)-x\cos x,\ xf'(x)=x\cos x$

$x>0$이므로 양변을 x로 나누면 $f'(x)=\cos x$

$\therefore f(x)=\int\cos x\,dx=\sin x+C$

$f(\pi)=0$이므로 $C=0$

따라서 $f(x)=\sin x$이므로 $f\left(\frac{\pi}{2}\right)=1$ 정답_ ④

530

$\lim_{x\to\frac{\pi}{6}}\frac{f(x)}{x-\frac{\pi}{6}}=k-1$에서 극한값이 존재하고 $x\to\frac{\pi}{6}$일 때

(분모) $\to 0$이므로 (분자) $\to 0$이어야 한다.

즉, $\lim_{x\to\frac{\pi}{6}}f(x)=0$에서 $f\left(\frac{\pi}{6}\right)=0$

$\lim_{x\to\frac{\pi}{6}}\frac{f(x)}{x-\frac{\pi}{6}}=\lim_{x\to\frac{\pi}{6}}\frac{f(x)-f\left(\frac{\pi}{6}\right)}{x-\frac{\pi}{6}}=f'\left(\frac{\pi}{6}\right)$

$=k\cos\frac{\pi}{3}=\frac{1}{2}k$

즉, $\frac{1}{2}k=k-1$이므로 $k=2$

$f'(x)=2\cos 2x$이므로

$f(x)=\int 2\cos 2x dx=\sin 2x+C$ ······㉠

$f\left(\frac{\pi}{6}\right)=0$이므로

$\sin\frac{\pi}{3}+C=0,\ \frac{\sqrt{3}}{2}+C=0 \quad \therefore C=-\frac{\sqrt{3}}{2}$

따라서 $f(x)=\sin 2x-\frac{\sqrt{3}}{2}$이므로

$f\left(\frac{\pi}{2}\right)=\sin\pi-\frac{\sqrt{3}}{2}=-\frac{\sqrt{3}}{2}$

정답_②

531

$f(x)=\int\frac{1}{x^2+x}dx=\int\left(\frac{1}{x}-\frac{1}{x+1}\right)dx$

$=\ln|x|-\ln|x+1|+C$

$f(1)=-\ln 2$이므로 $-\ln 2+C=-\ln 2 \quad \therefore C=0$

따라서 $f(x)=\ln|x|-\ln|x+1|$이므로

$f(2)=\ln 2-\ln 3=\ln\frac{2}{3}$

정답_①

532

$\frac{x-8}{x^2-x-6}=\frac{a}{x+2}+\frac{b}{x-3}$ (a, b는 상수)로 놓으면

$\frac{x-8}{x^2-x-6}=\frac{(a+b)x-3a+2b}{(x+2)(x-3)}$이므로

$a+b=1,\ -3a+2b=-8$

위의 두 식을 연립하여 풀면 $a=2, b=-1$

즉, $\frac{x-8}{x^2-x-6}=\frac{2}{x+2}-\frac{1}{x-3}$이므로

$f(x)=\int\frac{x-8}{x^2-x-6}dx=\int\left(\frac{2}{x+2}-\frac{1}{x-3}\right)dx$

$=2\ln|x+2|-\ln|x-3|+C$

$f(2)=4\ln 2$이므로 $2\ln 4+C=4\ln 2 \quad \therefore C=0$

따라서 $f(x)=2\ln|x+2|-\ln|x-3|$이므로

$f(4)=2\ln 6-0=2\ln 6$

정답_②

533

$\frac{6}{x^2+2x-8}=\frac{6}{(x-2)(x+4)}=\frac{1}{x-2}-\frac{1}{x+4}$이므로

$f(x)=\int\frac{6}{x^2+2x-8}dx=\int\left(\frac{1}{x-2}-\frac{1}{x+4}\right)dx$

$=\ln|x-2|-\ln|x+4|+C$

$f(3)=\ln 7$이므로 $-\ln 7+C=\ln 7 \quad \therefore C=2\ln 7$

따라서 $f(x)=\ln|x-2|-\ln|x+4|+2\ln 7$이므로

$f(-5)=\ln 7+2\ln 7=3\ln 7$

정답_②

534

$\frac{x+1}{x(x-1)^2}=\frac{a}{x}+\frac{b}{x-1}+\frac{c}{(x-1)^2}$ (a, b, c는 상수)

로 놓으면

$\frac{x+1}{x(x-1)^2}=\frac{a(x-1)^2+bx(x-1)+cx}{x(x-1)^2}$

이므로 $x+1=a(x-1)^2+bx(x-1)+cx$에서

$x+1=(a+b)x^2+(-2a-b+c)x+a$

$a+b=0,\ -2a-b+c=1,\ a=1$

위의 세 식을 연립하여 풀면

$a=1, b=-1, c=2$

즉, $\frac{x+1}{x(x-1)^2}=\frac{1}{x}-\frac{1}{x-1}+\frac{2}{(x-1)^2}$이므로

$f(x)=\int\frac{x+1}{x(x-1)^2}dx$

$=\int\left\{\frac{1}{x}-\frac{1}{x-1}+\frac{2}{(x-1)^2}\right\}dx$

$=\ln|x|-\ln|x-1|-\frac{2}{x-1}+C$

$=\ln\left|\frac{x}{x-1}\right|-\frac{2}{x-1}+C$

$f(2)=-2$이므로 $\ln 2-2+C=-2 \quad \therefore C=-\ln 2$

따라서 $f(x)=\ln\left|\frac{x}{x-1}\right|-\frac{2}{x-1}-\ln 2$이므로

$f(3)=\ln\frac{3}{2}-1-\ln 2=\ln\frac{3}{4}-1$

정답_④

535

$2x+3=t$로 놓으면 $\frac{dt}{dx}=2$이므로

$f(x)=\int(2x+3)^3dx=\frac{1}{2}\int t^3dt$

$=\frac{1}{8}t^4+C=\frac{1}{8}(2x+3)^4+C$

따라서 $a=8, b=4$이므로

$a+b=8+4=12$

정답_②

536

$3x^2-x+1=t$로 놓으면 $\frac{dt}{dx}=6x-1$이므로

$f(x)=\int(6x-1)(3x^2-x+1)^4dx$

$=\int t^4dt=\frac{1}{5}t^5+C$

$=\frac{1}{5}(3x^2-x+1)^5+C$

$f(0)=\frac{1}{5}$이므로 $\frac{1}{5}+C=\frac{1}{5} \quad \therefore C=0$

따라서 $f(x)=\frac{1}{5}(3x^2-x+1)^5$이므로

$f(1)=\frac{1}{5}\cdot 3^5=\frac{243}{5}$

정답_⑤

537

$x^4+1=t$로 놓으면 $\frac{dt}{dx}=4x^3$이므로

$$f(x)=\int \frac{x^3}{x^4+1}dx=\frac{1}{4}\int \frac{4x^3}{x^4+1}dx$$
$$=\frac{1}{4}\int \frac{1}{t}dt=\frac{1}{4}\ln|t|+C$$
$$=\frac{1}{4}\ln(x^4+1)+C\ (\because x^4+1>0)$$

$f(0)=\frac{1}{4}$이므로 $\frac{1}{4}\ln(0+1)+C=\frac{1}{4}$ $\quad\therefore C=\frac{1}{4}$

따라서 $f(x)=\frac{1}{4}\ln(x^4+1)+\frac{1}{4}$이므로

$f(\sqrt[4]{e^2-1})=\frac{1}{4}\ln(e^2-1+1)+\frac{1}{4}=\frac{2}{4}+\frac{1}{4}=\frac{3}{4}$ 정답_③

538

$$\frac{x^3+2x}{x^2+x+1}=x-1+\frac{2x+1}{x^2+x+1}$$

$x^2+x+1=t$로 놓으면 $\frac{dt}{dx}=2x+1$이므로

$$f(x)=\int \frac{x^3+2x}{x^2+x+1}dx$$
$$=\int(x-1)dx+\int\frac{2x+1}{x^2+x+1}dx$$
$$=\int(x-1)dx+\int\frac{1}{t}dt$$
$$=\frac{1}{2}x^2-x+\ln|t|+C$$
$$=\frac{1}{2}x^2-x+\ln(x^2+x+1)+C\ (\because x^2+x+1>0)$$

$f(0)=0$이므로 $0+C=0$ $\quad\therefore C=0$

따라서 $f(x)=\frac{1}{2}x^2-x+\ln(x^2+x+1)$이므로

$f(-1)=\frac{1}{2}+1+0=\frac{3}{2}$ 정답_⑤

539

$0<x<1$이므로 $f(x)=1+x+x^2+x^3+\cdots=\frac{1}{1-x}$

$1-x=t$로 놓으면 $\frac{dt}{dx}=-1$이므로

$$F(x)=\int\frac{1}{1-x}dx=-\int\frac{1}{t}dt$$
$$=-\ln|t|+C=-\ln|1-x|+C$$

$F(0)=0$이므로 $-\ln 1+C=0$ $\quad\therefore C=0$

따라서 $F(x)=-\ln|1-x|$이므로

$F(e^3+1)=-\ln e^3=-3$ 정답_①

540

$2x+1=t$로 놓으면 $\frac{dt}{dx}=2$이므로

$$\int\sqrt{2x+1}\,dx=\frac{1}{2}\int\sqrt{t}\,dt=\frac{1}{2}\cdot\frac{2}{3}t^{\frac{3}{2}}+C=\frac{1}{3}t\sqrt{t}+C$$
$$=\frac{1}{3}(2x+1)\sqrt{2x+1}+C$$

$\therefore k=\frac{1}{3}$ 정답_$\frac{1}{3}$

541

$x^2+1=t$로 놓으면 $\frac{dt}{dx}=2x$이므로

$$f(x)=\int x\sqrt{x^2+1}\,dx=\frac{1}{2}\int\sqrt{t}\,dt=\frac{1}{2}\cdot\frac{2}{3}t^{\frac{3}{2}}+C$$
$$=\frac{1}{3}t\sqrt{t}+C=\frac{1}{3}(x^2+1)\sqrt{x^2+1}+C$$

$f(0)=\frac{1}{3}$이므로 $\frac{1}{3}+C=\frac{1}{3}$ $\quad\therefore C=0$

따라서 $f(x)=\frac{1}{3}(x^2+1)\sqrt{x^2+1}$이므로

$f(2\sqrt{2})=\frac{1}{3}(8+1)\sqrt{8+1}=9$ 정답_⑤

542

$\sqrt{x+1}=t$로 놓으면 $\frac{dt}{dx}=\frac{1}{2\sqrt{x+1}}$이므로

$$f(x)=\int\frac{\sqrt{x+1}-1}{\sqrt{x+1}+1}dx$$
$$=\int\frac{t-1}{t+1}\cdot 2t\,dt$$
$$=\int\frac{2t^2-2t}{t+1}dt$$
$$=\int\left(2t-4+\frac{4}{t+1}\right)dt$$
$$=t^2-4t+4\ln|t+1|+C$$
$$=x+1-4\sqrt{x+1}+4\ln(\sqrt{x+1}+1)+C$$

$f(0)=4\ln 2$이므로 $-3+4\ln 2+C=4\ln 2$ $\quad\therefore C=3$

따라서 $f(x)=x+1-4\sqrt{x+1}+4\ln(\sqrt{x+1}+1)+3$이므로

$f(e^2-1)=e^2-4e+4\ln(e+1)+3$ 정답_⑤

543

$x^2+1=t$로 놓으면 $\frac{dt}{dx}=2x$이므로

$$f(x)=\int\frac{4x}{\sqrt{x^2+1}}dx=\int\frac{2}{\sqrt{t}}dt$$
$$=4\sqrt{t}+C=4\sqrt{x^2+1}+C$$

$\therefore f(\sqrt{3})-f(0)=(8+C)-(4+C)=4$ 정답_④

544

$x^3+5=t$로 놓으면 $\frac{dt}{dx}=3x^2$이므로

$$f(x)=\int 3x^2e^{x^3+5}dx=\int e^t dt$$
$$=e^t+C=e^{x^3+5}+C$$

$f(0)=-e^5$이므로 $e^5+C=-e^5$ $\quad\therefore C=-2e^5$

$\therefore f(x)=e^{x^3+5}-2e^5$ 정답_①

545

$\ln x = t$로 놓으면 $\frac{dt}{dx} = \frac{1}{x}$이므로

$f(x) = \int \frac{(\ln x)^2}{x} dx = \int t^2 dt$

$= \frac{1}{3}t^3 + C = \frac{1}{3}(\ln x)^3 + C$

$f(e) = \frac{1}{3}$이므로 $\frac{1}{3} \cdot 1^3 + C = \frac{1}{3}$ $\quad \therefore C = 0$

따라서 $f(x) = \frac{1}{3}(\ln x)^3$이므로

$f(e^3) = \frac{1}{3} \cdot 3^3 = 9$ 정답_9

546

$\ln x + 1 = t$로 놓으면 $\frac{dt}{dx} = \frac{1}{x}$이므로

$\int \frac{\ln x}{x(\ln x + 1)^2} dx = \int \frac{t-1}{t^2} dt = \int \left(\frac{1}{t} - \frac{1}{t^2}\right) dt$

$= \ln|t| + \frac{1}{t} + C$

$= \ln|\ln x + 1| + \frac{1}{\ln x + 1} + C$

따라서 $a = 1, b = 1$이므로

$a + b = 1 + 1 = 2$ 정답_②

547

$1 - e^x = t$로 놓으면 $\frac{dt}{dx} = -e^x$이므로

$f(x) = \int \frac{e^x}{1 - e^x} dx = -\int \frac{1}{1 - e^x} \cdot (-e^x) dx$

$= -\int \frac{1}{t} dt = -\ln|t| + C = \ln\left|\frac{1}{1 - e^x}\right| + C$

$\therefore f(1) - f(2) = \ln \frac{1}{e - 1} - \ln \frac{1}{e^2 - 1}$

$= \ln \frac{e^2 - 1}{e - 1} = \ln(e + 1)$ 정답_⑤

548

$e^x + 1 = t$로 놓으면 $\frac{dt}{dx} = e^x$이므로

$f(x) = \int \frac{1}{e^x + 1} dx = \int \frac{e^x}{(e^x + 1)e^x} dx$

$= \int \frac{1}{t(t-1)} dt = \int \left(\frac{1}{t-1} - \frac{1}{t}\right) dt$

$= \ln|t - 1| - \ln|t| + C = \ln\left|\frac{t-1}{t}\right| + C$

$= \ln\left|\frac{e^x}{e^x + 1}\right| + C$

$= \ln \frac{e^x}{e^x + 1} + C \left(\because \frac{e^x}{e^x + 1} > 0\right)$

$f(0) = 0$이므로

$\ln \frac{1}{2} + C = 0 \quad \therefore C = \ln 2$

따라서 $f(x) = \ln \frac{e^x}{e^x + 1} + \ln 2$이므로

$f(\ln 3) = \ln \frac{e^{\ln 3}}{e^{\ln 3} + 1} + \ln 2$

$= \ln \frac{3}{4} + \ln 2 = \ln \frac{3}{2}$ 정답_①

549

$xf'(x) = 2(\ln x)^3$에서 $f'(x) = \frac{2(\ln x)^3}{x}$

$\ln x = t$로 놓으면 $\frac{dt}{dx} = \frac{1}{x}$이므로

$f(x) = \int \frac{2(\ln x)^3}{x} dx = \int 2t^3 dt$

$= \frac{1}{2}t^4 + C = \frac{1}{2}(\ln x)^4 + C$

$f(e) = \frac{7}{2}$이므로 $\frac{1}{2} + C = \frac{7}{2}$ $\quad \therefore C = 3$

$\therefore f(x) = \frac{1}{2}(\ln x)^4 + 3$

방정식 $f(x) = 11$에서

$\frac{1}{2}(\ln x)^4 + 3 = 11, (\ln x)^4 = 16$

$\ln x = -2$ 또는 $\ln x = 2$ ($\because x$는 실수)

$\therefore x = \frac{1}{e^2}$ 또는 $x = e^2$

따라서 주어진 방정식을 만족시키는 모든 실수 x의 값의 곱은

$\frac{1}{e^2} \cdot e^2 = 1$ 정답_①

550

$-x^2 = t$로 놓으면 $\frac{dt}{dx} = -2x$이므로

$P(x) = \int 2xe^{-x^2} dx = -\int e^t dt = -e^t + C = -e^{-x^2} + C$

새로운 기술로 제품을 생산한 지 1개월 후의 이익이 1천만 원이므로 $P(1) = 1$에서

$-e^{-1^2} + C = 1 \quad \therefore C = 1 + \frac{1}{e}$

$\therefore P(x) = -e^{-x^2} + 1 + \frac{1}{e}$ 정답_④

551

곡선 $y = f(x)$ 위의 임의의 점 (x, y)에서의 접선에 수직인 직선의 기울기가 $-(2 + e^x)$이므로

$f'(x) = \frac{1}{2 + e^x}$

$f(x) = \int \frac{1}{2 + e^x} dx = \int \frac{e^{-x}}{2e^{-x} + 1} dx$

$2e^{-x}+1=t$로 놓으면 $\frac{dt}{dx}=-2e^{-x}$

$f(x)=\int \frac{e^{-x}}{2e^{-x}+1}dx=-\frac{1}{2}\int \frac{1}{t}dt$

$=-\frac{1}{2}\ln|t|+C$

$=-\frac{1}{2}\ln(2e^{-x}+1)+C$ ($\because 2e^{-x}+1>0$)

곡선 $y=f(x)$가 점 $\left(0,\ -\frac{\ln 3}{2}\right)$을 지나므로

$f(0)=-\frac{1}{2}\ln 3+C=-\frac{\ln 3}{2}$ $\quad\therefore C=0$

따라서 $f(x)=-\frac{1}{2}\ln(2e^{-x}+1)$이므로

$f(\ln 2)=-\frac{1}{2}\ln(2e^{-\ln 2}+1)=-\frac{1}{2}\ln 2=\ln\frac{\sqrt{2}}{2}$ 정답_①

552

$\cos^3 x=\cos^2 x\cos x=(1-\sin^2 x)\cos x$

$\sin x=t$로 놓으면 $\frac{dt}{dx}=\cos x$이므로

$f(x)=\int \cos^3 x dx=\int(1-\sin^2 x)\cos x dx$

$=\int(1-t^2)dt=t-\frac{1}{3}t^3+C$

$=\sin x-\frac{1}{3}\sin^3 x+C$

$f(0)=0$이므로 $C=0$

$f(x)=\sin x-\frac{1}{3}\sin^3 x=\sin x\left(1-\frac{1}{3}\sin^2 x\right)$

따라서 $a=1, b=-\frac{1}{3}$이므로

$a+b=1+\left(-\frac{1}{3}\right)=\frac{2}{3}$ 정답_$\frac{2}{3}$

553

$\sqrt{x}=t$로 놓으면 $\frac{dt}{dx}=\frac{1}{2\sqrt{x}}$이므로

$f(x)=\int\frac{\cos\sqrt{x}}{\sqrt{x}}dx=2\int\cos t\,dt$

$=2\sin t+C=2\sin\sqrt{x}+C$

$f(0)=1$이므로 $2\cdot 0+C=1$ $\quad\therefore C=1$

따라서 $f(x)=2\sin\sqrt{x}+1$이므로

$f\left(\frac{\pi^2}{4}\right)=2\sin\sqrt{\frac{\pi^2}{4}}+1=2\sin\frac{\pi}{2}+1=3$ 정답_3

554

$\ln x=t$로 놓으면 $\frac{dt}{dx}=\frac{1}{x}$이므로

$f(x)=\int\frac{\cos(\ln x)}{x}dx=\int\cos t\,dt$

$=\sin t+C=\sin(\ln x)+C$

$f(e^{-\pi})=-1$이므로 $\sin(\ln e^{-\pi})+C=-1$ $\quad\therefore C=-1$

$\therefore f(x)=\sin(\ln x)-1$ 정답_①

555

$f(x)=\int\frac{1}{\cos^2 x(1+\tan x)}dx=\int\frac{\sec^2 x}{1+\tan x}dx$

$\tan x=t$로 놓으면 $\frac{dt}{dx}=\sec^2 x$이므로

$f(x)=\int\frac{\sec^2 x}{1+\tan x}dx=\int\frac{1}{1+t}dt=\ln|1+t|+C$

$=\ln|1+\tan x|+C$

$f\left(\frac{\pi}{4}\right)=\ln 2$이므로 $\ln(1+1)+C=\ln 2$ $\quad\therefore C=0$

따라서 $f(x)=\ln|1+\tan x|$이므로

$f(0)=\ln(1+0)=0$ 정답_①

556

$f(x)=\int\tan x\,dx=\int\frac{\sin x}{\cos x}dx$

$\cos x=t$로 놓으면 $\frac{dt}{dx}=-\sin x$이므로

$f(x)=\int\frac{\sin x}{\cos x}dx=-\int\frac{1}{t}dt$

$=-\ln|t|+C=-\ln|\cos x|+C$

$f(0)=1$이므로 $-\ln|1|+C=1$ $\quad\therefore C=1$

$\therefore f(x)=-\ln|\cos x|+1$ 정답_⑤

557

$f'(x)=2\sin x\cos x-\cos x=(2\sin x-1)\cos x$

$\sin x=t$로 놓으면 $\frac{dt}{dx}=\cos x$이므로

$f(x)=\int(2\sin x-1)\cos x\,dx=\int(2t-1)dt$

$=t^2-t+C=\sin^2 x-\sin x+C$

한편, $f(x)$가 극댓값을 가지므로 $f'(x)=0$에서

$(2\sin x-1)\cos x=0$ $\quad\therefore \sin x=\frac{1}{2}$ 또는 $\cos x=0$

$\therefore x=\frac{\pi}{6}$ 또는 $x=\frac{\pi}{2}$ $\left(\because 0<x<\frac{3}{4}\pi\right)$

$x=\frac{\pi}{6}, x=\frac{\pi}{2}$를 기준으로 $0<x<\frac{3}{4}\pi$에서 함수 $f(x)$의 증가, 감소를 표로 나타내면 다음과 같다.

x	(0)	$\cdots$	$\frac{\pi}{6}$	$\cdots$	$\frac{\pi}{2}$	$\cdots$	$\left(\frac{3}{4}\pi\right)$
$f'(x)$		$-$	0	$+$	0	$-$	
$f(x)$		↘	극소	↗	극대	↘	

따라서 함수 $f(x)$는 $x=\frac{\pi}{6}$에서 극솟값을 갖고, $x=\frac{\pi}{2}$에서 극댓값을 갖는다.

극댓값이 0이므로 $f\left(\frac{\pi}{2}\right)=0$에서 $1^2-1+C=0$ $\quad\therefore C=0$

따라서 $f(x)=\sin^2 x-\sin x$이므로 구하는 극솟값은

$f\left(\frac{\pi}{6}\right)=\left(\frac{1}{2}\right)^2-\frac{1}{2}=\frac{1}{4}-\frac{1}{2}=-\frac{1}{4}$ 정답_②

558

$f(x)>0$이므로 $\int \frac{f'(x)}{f(x)}dx=x$에서 $\ln f(x)+C_1=x$

$\ln f(x)=x+C$ (단, $C=-C_1$) $\quad \therefore f(x)=e^{x+C}$

$f(0)=1$이므로 $e^C=1 \quad \therefore C=0$

따라서 $f(x)=e^x$이므로 $f(e)=e^e$

정답_ ⑤

559

$f'(x)+2g(x)=0$과 $g'(x)+2f(x)=0$의 양변을 변끼리 더하면

$f'(x)+g'(x)+2\{f(x)+g(x)\}=0$

$f'(x)+g'(x)=-2\{f(x)+g(x)\}$

$\therefore \frac{f'(x)+g'(x)}{f(x)+g(x)}=-2$

$f(x)+g(x)>0$이므로 위 등식의 양변을 x에 대하여 적분하면

$\int \frac{f'(x)+g'(x)}{f(x)+g(x)}dx=-\int 2\,dx$

$\ln\{f(x)+g(x)\}=-2x+C$

$\therefore f(x)+g(x)=e^{-2x+C}$

$f(1)+g(1)=e^3$이므로 $e^{-2+C}=e^3 \quad \therefore C=5$

따라서 $f(x)+g(x)=e^{-2x+5}$이므로 $f(x)+g(x)=e$에서

$e^{-2x+5}=e,\ -2x+5=1 \quad \therefore x=2$

정답_ ④

560

$\frac{d}{dx}\{f(x)g(x)\}=f(x)\left\{g(x)+\frac{d}{dx}g(x)\right\}$에서

$f'(x)g(x)+f(x)g'(x)=f(x)g(x)+f(x)g'(x)$

$\therefore f'(x)g(x)=f(x)g(x)$ ……㉠

$f(x)>0, g(x)\neq 0$이므로 ㉠의 양변을 $f(x)g(x)$로 나누면

$\frac{f'(x)}{f(x)}=1$

이 등식의 양변을 적분하면 $\int \frac{f'(x)}{f(x)}dx=\int 1\,dx$

$\ln f(x)+C_1=x+C_2$, 즉 $\ln f(x)=x+C$ (단, $C=C_2-C_1$)

$\therefore f(x)=e^{x+C}$

$f(0)=e$이므로 $e^C=e \quad \therefore C=1$

따라서 $f(x)=e^{x+1}$이므로 $f(-1)=e^0=1$

정답_ ①

561

(1) $f'(x)=e^x,\ g(x)=x$로 놓으면

$f(x)=e^x,\ g'(x)=1$이므로

$\int xe^x dx=xe^x-\int e^x dx=xe^x-e^x+C$

(2) $f'(x)=1,\ g(x)=\ln x$로 놓으면

$f(x)=x,\ g'(x)=\frac{1}{x}$이므로

$\int \ln x\,dx=x\ln x-\int 1\,dx=x\ln x-x+C$

(3) $f'(x)=\cos x,\ g(x)=x$로 놓으면

$f(x)=\sin x,\ g'(x)=1$이므로

$\int x\cos x\,dx=x\sin x-\int \sin x\,dx$

$=x\sin x+\cos x+C$

정답_ (1) xe^x-e^x+C (2) $x\ln x-x+C$
(3) $x\sin x+\cos x+C$

562

$f'(x)=(x-2)e^x$이므로 $f(x)=\int (x-2)e^x dx$

$u'(x)=e^x, v(x)=x-2$로 놓으면

$u(x)=e^x, v'(x)=1$이므로

$f(x)=\int (x-2)e^x dx=(x-2)e^x-\int e^x dx$

$=(x-2)e^x-e^x+C=(x-3)e^x+C$

$f(1)=-e$이므로 $-2e+C=-e \quad \therefore C=e$

따라서 $f(x)=(x-3)e^x+e$이므로

$f(2)=(2-3)e^2+e=-e^2+e$

정답_ ①

563

$f'(x)=x^2\ln x$이므로 $f(x)=\int x^2\ln x\,dx$

$u'(x)=x^2, v(x)=\ln x$로 놓으면

$u(x)=\frac{1}{3}x^3, v'(x)=\frac{1}{x}$이므로

$f(x)=\int x^2\ln x\,dx=\frac{1}{3}x^3\ln x-\frac{1}{3}\int x^2 dx$

$=\frac{1}{3}x^3\ln x-\frac{1}{9}x^3+C$

$f(1)=-\frac{1}{9}$이므로 $-\frac{1}{9}+C=-\frac{1}{9} \quad \therefore C=0$

$\therefore f(x)=\frac{1}{3}x^3\ln x-\frac{1}{9}x^3$

$f(x)=0$에서 $\frac{1}{3}x^3\ln x-\frac{1}{9}x^3=0, \frac{1}{3}x^3\left(\ln x-\frac{1}{3}\right)=0$

$x>0$이므로 $\ln x-\frac{1}{3}=0, \ln x=\frac{1}{3}$

$\therefore x=\sqrt[3]{e}$

정답_ ①

564

$\int xe^x dx$에서 $u'(x)=e^x,\ v(x)=x$로 놓으면

$u(x)=e^x, v'(x)=1$

$\therefore \int xe^x dx=xe^x-\int e^x dx=xe^x-e^x+C_1=(x-1)e^x+C_1$

$\int x^2 dx=\frac{1}{3}x^3+C_2$이므로

$$f(x)=\begin{cases}(x-1)e^x+C_1 & (x<0)\\ \frac{1}{3}x^3+C_2 & (x\geq 0)\end{cases}$$

$f(1)=\frac{1}{3}$이므로 $\frac{1}{3}+C_2=\frac{1}{3} \quad \therefore C_2=0$

함수 $f(x)$가 $x=0$에서 연속이므로

$-1+C_1=C_2,\ -1+C_1=0 \quad \therefore C_1=1$

따라서 $f(x)=\begin{cases}(x-1)e^x+1 & (x<0)\\ \frac{1}{3}x^3 & (x\geq 0)\end{cases}$ 이므로

$f(-1)=-2e^{-1}+1=1-\frac{2}{e}$ 정답_②

565

$\frac{d}{dx}e^{f(x)}=x\cos x\cdot e^{f(x)}$에서

$e^{f(x)}f'(x)=x\cos x\cdot e^{f(x)}$

$f'(x)=x\cos x\ (\because e^{f(x)}>0)$

$f(x)=\int x\cos x\,dx$에서

$u'(x)=\cos x,\ v(x)=x$로 놓으면

$u(x)=\sin x,\ v'(x)=1$

$f(x)=x\sin x-\int \sin x\,dx=x\sin x+\cos x+C$

$f(\pi)=-1$이므로

$0+(-1)+C=-1 \quad \therefore C=0$

따라서 $f(x)=x\sin x+\cos x$이므로

$f\left(\frac{\pi}{2}\right)=\frac{\pi}{2}+0=\frac{\pi}{2}$ 정답_①

566

곡선 $y=f(x)$ 위의 임의의 점 $(x,\ y)$에서의 접선의 기울기가

$x\sin x$이므로 $f'(x)=x\sin x \quad \therefore f(x)=\int x\sin x\,dx$

$u'(x)=\sin x,\ v(x)=x$로 놓으면

$u(x)=-\cos x,\ v'(x)=1$이므로

$f(x)=\int x\sin x\,dx=-x\cos x+\int \cos x\,dx$

$=-x\cos x+\sin x+C$

곡선 $y=f(x)$가 원점 $(0,\ 0)$을 지나므로

$f(0)=0$에서 $0+C=0 \quad \therefore C=0$

따라서 $f(x)=-x\cos x+\sin x$이므로 $f(\pi)=\pi$ 정답_⑤

567

함수 $f(x)$의 한 부정적분이 $F(x)$이므로 $F'(x)=f(x)$이고

$\{xF(x)\}'=F(x)+xF'(x)=F(x)+xf(x)$

즉, 조건 (가)에서 $F(x)+xf(x)=(2x+2)e^x$이므로

$\{xF(x)\}'=(2x+2)e^x$

$\int \{xF(x)\}'dx=\int (2x+2)e^x\,dx$에서

$u'(x)=e^x,\ v(x)=2x+2$로 놓으면

$u(x)=e^x,\ v'(x)=2$이므로

$\int (2x+2)e^x\,dx=(2x+2)e^x-\int 2e^x\,dx$

$=(2x+2)e^x-2e^x+C=2xe^x+C$

$\therefore xF(x)=2xe^x+C$ ……㉠

조건 (나)에서 $F(1)=2e$이므로 ㉠의 양변에 $x=1$을 대입하면

$1\cdot F(1)=2e+C=2e \quad \therefore C=0$

따라서 $xF(x)=2xe^x$이므로

$F(x)=2e^x\ (\because x>0) \quad \therefore F(3)=2e^3$ 정답_④

568

$xf'(x)+f(x)=x\ln x$에서

$\frac{d}{dx}\{xf(x)\}=xf'(x)+f(x)$이므로 $xf(x)=\int x\ln x\,dx$

$u'(x)=x,\ v(x)=\ln x$로 놓으면

$u(x)=\frac{1}{2}x^2,\ v'(x)=\frac{1}{x}$이므로

$\int x\ln x\,dx=\frac{1}{2}x^2\ln x-\frac{1}{2}\int x\,dx$

$=\frac{1}{2}x^2\ln x-\frac{1}{4}x^2+C$

$\therefore xf(x)=\frac{1}{2}x^2\ln x-\frac{1}{4}x^2+C$

위의 등식의 양변에 $x=e$를 대입하면

$ef(e)=\frac{e^2}{2}-\frac{e^2}{4}+C=\frac{e^2}{4}+C$

$ef(e)=\frac{e^2}{4}$이므로 $\frac{e^2}{4}+C=\frac{e^2}{4} \quad \therefore C=0$

$\therefore xf(x)=\frac{1}{2}x^2\ln x-\frac{1}{4}x^2$

위의 등식의 양변에 $x=1$을 대입하면

$1\cdot f(1)=\frac{1}{2}\cdot 1\cdot 0\cdot-\frac{1}{4}\cdot 1 \quad \therefore f(1)=-\frac{1}{4}$ 정답_ $-\frac{1}{4}$

569

$\frac{d}{dx}f(g(x))=f'(g(x))g'(x)=e^x\sin x$에서

$f(g(x))=\int e^x\sin x\,dx$

$u'(x)=e^x,\ v(x)=\sin x$로 놓으면

$u(x)=e^x,\ v'(x)=\cos x$이므로

$\int e^x\sin x\,dx=e^x\sin x-\int e^x\cos x\,dx$ ……㉠

이때, $\int e^x\cos x\,dx$에서

$h'(x)=e^x,\ k(x)=\cos x$로 놓으면

$h(x)=e^x,\ k'(x)=-\sin x$이므로

$\int e^x\cos x\,dx=e^x\cos x+\int e^x\sin x\,dx$ ……㉡

㉡을 ㉠에 대입하면

$\int e^x\sin x\,dx=e^x\sin x-\left(e^x\cos x+\int e^x\sin x\,dx\right)$

$=e^x\sin x-e^x\cos x-\int e^x\sin x\,dx$

$\therefore f(g(x))=\int e^x\sin x\,dx$

$=\frac{e^x}{2}(\sin x-\cos x)+C$ ……㉢

$g(x)=e^x$에서 $g(0)=1$이고, $f(1)=-\frac{1}{2}$이므로 ㉢에서

$f(g(0))=-\frac{1}{2}+C=-\frac{1}{2}$ $\quad\therefore C=0$

$\therefore f(g(x))=\frac{e^x}{2}(\sin x-\cos x)$

이때, $g(\pi)=e^\pi$이므로

$f(e^\pi)=f(g(\pi))=\frac{e^\pi}{2}(0+1)=\frac{e^\pi}{2}$

정답_ ③

570

$f(x)=\int\frac{x-\sqrt[3]{x}}{\sqrt[3]{x}}\,dx=\int(x^{\frac{2}{3}}-1)\,dx$

$=\frac{3}{5}x^{\frac{5}{3}}-x+C=\frac{3}{5}x\sqrt[3]{x^2}-x+C$ ❶

$f(0)=1$이므로 $C=1$

따라서 $f(x)=\frac{3}{5}x\sqrt[3]{x^2}-x+1$이므로 ❷

$f(1)=\frac{3}{5}-1+1=\frac{3}{5}$ ❸

정답_ $\frac{3}{5}$

단계	채점 기준	비율
❶	부정적분을 이용하여 $f(x)$ 구하기	60%
❷	$f(0)=1$을 이용하여 $f(x)$의 식 완성하기	20%
❸	$f(1)$의 값 구하기	20%

571

조건 (나)에서 $g(x)=xf(x)-x$이므로

$g'(x)=f(x)+xf'(x)-1$

이때, 조건 (가)에서 $g'(x)=f(x)$이므로

$f(x)=f(x)+xf'(x)-1,\ xf'(x)=1$

$x\neq0$인 모든 실수 x에 대하여 $f'(x)=\frac{1}{x}$ ❶

$f(x)=\int\frac{1}{x}\,dx=\ln|x|+C$ ……㉠

❷

또한, 조건 (다)에서 $g(e)=e$이므로

$g(e)=ef(e)-e=e(\ln e+C)-e=e\cdot C=e$ $\quad\therefore C=1$

$\therefore f(x)=\ln|x|+1$ ❸

정답_ $f(x)=\ln|x|+1$

단계	채점 기준	비율
❶	$f'(x)$ 구하기	40%
❷	$f(x)$ 구하기 (적분상수 C 제외)	30%
❸	적분상수 C의 값과 $f(x)$ 구하기	30%

572

$f(x)+g(x)=2e^x$ ……㉠

$f'(x)-g'(x)=6e^x$의 양변을 x에 대하여 적분하면

$\int\{f'(x)-g'(x)\}dx=\int6e^x dx$에서

$f(x)-g(x)=6e^x+C$

위의 식에 $x=0$을 대입하면

$f(0)-g(0)=6+C,\ 2-0=6+C$ $\quad\therefore C=-4$

$\therefore f(x)-g(x)=6e^x-4$ ……㉡

❶

㉠, ㉡을 연립하여 풀면

$f(x)=4e^x-2,\ g(x)=-2e^x+2$ ❷

정답_ $f(x)=4e^x-2,\ g(x)=-2e^x+2$

단계	채점 기준	비율
❶	$f(x)-g(x)$ 구하기	50%
❷	$f(x),\ g(x)$ 구하기	50%

573

$h'(x)=2f(x)+g(x)$이므로

$h(x)=\int\{2f(x)+g(x)\}dx$

$=2\int f(x)dx+\int g(x)dx$ ……㉠

(i) $\int f(x)dx=\int(-e^{-x})dx=e^{-x}+C_1$ ……㉡

(ii) $\int g(x)dx=\int\cos^2x\sin x\,dx$에서 $\cos x=t$로 놓으면

$\frac{dt}{dx}=-\sin x$이므로

$\int g(x)dx=-\int t^2\,dt=-\frac{1}{3}t^3+C_2$

$=-\frac{1}{3}\cos^3x+C_2$ ……㉢

㉡, ㉢을 ㉠에 대입하면

$h(x)=2e^{-x}-\frac{1}{3}\cos^3x+C$ ❶

$h(0)=0$이므로 $2-\frac{1}{3}+C=0$ $\quad\therefore C=-\frac{5}{3}$

따라서 $h(x)=2e^{-x}-\frac{1}{3}\cos^3x-\frac{5}{3}$이므로 ❷

$h\left(\frac{\pi}{2}\right)=2e^{-\frac{\pi}{2}}-\frac{1}{3}\cos^3\frac{\pi}{2}-\frac{5}{3}=2e^{-\frac{\pi}{2}}-\frac{5}{3}$ ❸

정답_ $2e^{-\frac{\pi}{2}}-\frac{5}{3}$

단계	채점 기준	비율
❶	$h(x)$ 구하기 (적분상수 C 제외)	50%
❷	적분상수 C의 값과 $h(x)$ 구하기	30%
❸	$h\left(\frac{\pi}{2}\right)$의 값 구하기	20%

574

$F(x)=xf(x)-x^2\sin x$의 양변을 x에 대하여 미분하면

$f(x)=f(x)+xf'(x)-2x\sin x-x^2\cos x$

$xf'(x)=2x\sin x+x^2\cos x$

$x>0$이므로 양변을 x로 나누면

$f'(x)=2\sin x+x\cos x$ ❶

$\int x\cos x\,dx$에서 $u'(x)=\cos x,\ v(x)=x$로 놓으면

$u(x)=\sin x, v'(x)=1$이므로

$\int x\cos x\,dx = x\sin x - \int \sin dx$

$\therefore f(x)=\int(2\sin x + x\cos x)dx$

$= -2\cos x + x\sin x - \int \sin x\,dx$

$= -2\cos x + x\sin x + \cos x + C$

$= x\sin x - \cos x + C$ ❷

$f(\pi)=1$이므로 $0+1+C=1$ $\therefore C=0$

$\therefore f(x)=x\sin x - \cos x$ ❸

정답_ $f(x)=x\sin x-\cos x$

단계	채점 기준	비율
❶	$f'(x)$ 구하기	40%
❷	$f(x)$ 구하기 (적분상수 C 제외)	40%
❸	적분상수 C의 값과 $f(x)$ 구하기	20%

575

점 (x, y)에서 접선의 기울기는 $f'(x)$이므로

$f'(x)\cdot\left(-\frac{1}{\ln x}\right)=-1$ $\therefore f'(x)=\ln x$ ❶

$f(x)=\int \ln x\,dx = x\ln x - x + C$ ❷

곡선 $y=f(x)$가 점 $(1, 0)$을 지나므로

$f(1)=-1+C=0$ $\therefore C=1$

$\therefore f(x)=x\ln x - x + 1$ ❸

정답_ $f(x)=x\ln x-x+1$

단계	채점 기준	비율
❶	$f'(x)$ 구하기	40%
❷	$f(x)$ 구하기 (적분상수 C 제외)	30%
❸	적분상수 C의 값과 $f(x)$ 구하기	30%

576

$f(x)=ae^x$에서 $f'(x)=ae^x$

$g(x)=\int e^x f(x)dx$의 양변을 x에 대하여 미분하면

$g'(x)=e^x f(x)$

$\therefore f'(x)+g'(x)=ae^x+e^x f(x)=ae^x+e^x\cdot ae^x=ae^{2x}+ae^x$

$f'(x)+g'(x)=e^{2x}+e^x$이므로 $ae^{2x}+ae^x=e^{2x}+e^x$

이 등식이 x에 대한 항등식이므로 $a=1$

따라서 $f(x)=e^x$이므로 $f(2)=e^2$

정답_ ⑤

577

$f(\theta)=\int 2\sin\theta\cos\theta\,d\theta - \int(\sin\theta+\cos\theta)^2 d\theta$

$=\int 2\sin\theta\cos\theta\,d\theta - \int(1+2\sin\theta\cos\theta)d\theta$

$=\int(-1)d\theta = -\theta + C$

$f(\theta^2)=-\theta^2+C$이므로

$f(\theta^2)=f(\theta)-6$에서 $-\theta^2+C=-\theta+C-6$

$\theta^2-\theta-6=0$, $(\theta+2)(\theta-3)=0$

$\therefore \theta=3$ ($\because \theta>0$)

정답_ ③

578

$F(x)=xf(x)+x\cos x-\sin x$의 양변을 x에 대하여 미분하면

$F'(x)=f(x)+xf'(x)+\cos x - x\sin x - \cos x$

$f(x)=f(x)+xf'(x)-x\sin x$

$\therefore xf'(x)=x\sin x$

$x\neq 0$이므로 양변을 x로 나누면 $f'(x)=\sin x$

$\therefore f(x)=\int \sin x\,dx = -\cos x + C$

$f(\pi)=1$이므로 $1+C=1$ $\therefore C=0$

따라서 $f(x)=-\cos x$이므로

$f\left(\frac{\pi}{2}\right)=0$

정답_ ③

579

(i) $-\frac{\pi}{4}<x<\frac{\pi}{4}$일 때

$|\sin x|<|\cos x|$이므로 $\left|\frac{\sin x}{\cos x}\right|<1$

$(\sin^n x+\cos^n x)^{\frac{1}{n}}=\left\{\left(\frac{\sin^n x}{\cos^n x}+1\right)\cos^n x\right\}^{\frac{1}{n}}$

$=\left\{\left(\frac{\sin x}{\cos x}\right)^n+1\right\}^{\frac{1}{n}}\cos x$

$f'(x)=\lim_{n\to\infty}\cos x\left\{\left(\frac{\sin x}{\cos x}\right)^n+1\right\}^{\frac{1}{n}}=\cos x$

$\therefore f(x)=\int\cos x\,dx=\sin x+C_1$

$f(0)=0$이므로 $C_1=0$ $\therefore f(x)=\sin x$ ⋯⋯㉠

(ii) $\frac{\pi}{4}<x<\frac{3}{4}\pi$일 때

$|\sin x|>|\cos x|$이므로 $\left|\frac{\cos x}{\sin x}\right|<1$

$(\sin^n x+\cos^n x)^{\frac{1}{n}}=\left\{\left(1+\frac{\cos^n x}{\sin^n x}\right)\sin^n x\right\}^{\frac{1}{n}}$

$=\left\{1+\left(\frac{\cos x}{\sin x}\right)^n\right\}^{\frac{1}{n}}\sin x$

$f'(x)=\lim_{n\to\infty}\sin x\left\{1+\left(\frac{\cos x}{\sin x}\right)^n\right\}^{\frac{1}{n}}=\sin x$

$\therefore f(x)=\int\sin x\,dx=-\cos x+C_2$ ⋯⋯㉡

함수 $f(x)$가 $x=\frac{\pi}{4}$에서 연속이므로 ㉠, ㉡에서

$\frac{\sqrt{2}}{2}=-\frac{\sqrt{2}}{2}+C_2$ $\therefore C_2=\sqrt{2}$

따라서 $f(x)=-\cos x+\sqrt{2}\left(\frac{\pi}{4}<x<\frac{3}{4}\pi\right)$이므로

$f\left(\frac{\pi}{2}\right)=\sqrt{2}$

정답_ ⑤

580

$x^2+ax+b=(x+1)(x-2)$이므로

$$\frac{x-5}{x^2+ax+b}=\frac{x-5}{(x+1)(x-2)}=\frac{A}{x+1}+\frac{B}{x-2}$$

로 놓고, 양변에 $(x+1)(x-2)$를 곱하여 정리하면

$x-5=(A+B)x+(-2A+B)$

위의 등식이 x에 대한 항등식이므로

$A+B=1, -2A+B=-5$

위의 두 식을 연립하여 풀면 $A=2, B=-1$

$$\therefore \int \frac{x-5}{x^2+ax+b}dx=\int\left(\frac{2}{x+1}-\frac{1}{x-2}\right)dx$$

$$=2\ln|x+1|-\ln|x-2|+C$$

$\therefore f(3)-f(1)$

$=(2\ln 4-\ln 1+C)-(2\ln 2-\ln 1+C)$

$=2\ln 2$

정답_②

581

$$f(x)=\int \sin^2 x\cos^4 x\sin x\,dx$$

$$=\int(1-\cos^2 x)\cos^4 x\sin x\,dx$$

$\cos x=t$로 놓으면 $\frac{dt}{dx}=-\sin x$이므로

$$f(x)=-\int(1-\cos^2 x)\cos^4 x(-\sin x)dx$$

$$=\int(t^2-1)t^4dt=\int(t^6-t^4)dt$$

$$=\frac{1}{7}t^7-\frac{1}{5}t^5+C$$

$$=\frac{1}{7}\cos^7 x-\frac{1}{5}\cos^5 x+C$$

$f\left(\frac{\pi}{2}\right)=0$이므로 $C=0$

따라서 $f(x)=\frac{1}{7}\cos^7 x-\frac{1}{5}\cos^5 x$이므로

$f(0)=\frac{1}{7}-\frac{1}{5}=-\frac{2}{35}$

정답_①

582

$2f'(x)-f(x)=0, 2g'(x)-g(x)=0$의 양변을 변끼리 더하면

$2\{f'(x)+g'(x)\}-\{f(x)+g(x)\}=0$

$f'(x)+g'(x)=\frac{1}{2}\{f(x)+g(x)\}$

$$\therefore \frac{f'(x)+g'(x)}{f(x)+g(x)}=\frac{1}{2}$$

위의 식의 양변을 x에 대하여 적분하면

$$\int\frac{f'(x)+g'(x)}{f(x)+g(x)}dx=\int\frac{1}{2}dx$$

$\ln|f(x)+g(x)|=\frac{1}{2}x+C$

$\ln\{f(x)+g(x)\}=\frac{1}{2}x+C$ ($\because f(x)+g(x)>0$)

$\therefore f(x)+g(x)=e^{\frac{1}{2}x+C}$

이때, $f(0)=e, g(0)=0$이므로

$f(0)+g(0)=e^C$에서 $e=e^C$ $\therefore C=1$

따라서 $f(x)+g(x)=e^{\frac{1}{2}x+1}$이므로 방정식 $f(x)+g(x)=1$의 해는

$e^{\frac{1}{2}x+1}=1, \frac{1}{2}x+1=0$ $\therefore x=-2$

정답_$x=-2$

583

$(x+2)f'(x)-2f(x)+2=0$에서

$2\{f(x)-1\}=(x+2)f'(x)$

$$\frac{f'(x)}{f(x)-1}=\frac{2}{x+2}$$

위의 식의 양변을 x에 대하여 적분하면

$$\int\frac{f'(x)}{f(x)-1}dx=\int\frac{2}{x+2}dx$$에서

$\ln|f(x)-1|=2\ln|x+2|+C$

$\ln|f(x)-1|=\ln|x+2|^2+\ln e^C=\ln e^C(x+2)^2$

$|f(x)-1|=e^C(x+2)^2$

$f(0)=0$이므로 $1=4e^C$ $\therefore e^C=\frac{1}{4}$

따라서 $\{f(2)-1\}^2=|f(2)-1|^2=\left\{\frac{1}{4}(2+2)^2\right\}^2=16$ 정답_①

584

$y=e^x-1$로 놓고 x와 y를 서로 바꾸면 $x=e^y-1$

$x+1=e^y$ $\therefore y=\ln(x+1)$

$\therefore f^{-1}(x)=\ln(x+1)$

$x+1=t$로 놓으면 $\frac{dt}{dx}=1$이므로

$$g(x)=\int\ln(x+1)dx=\int\ln t\,dt$$

$$=t\ln t-\int 1\,dt=t\ln t-t+C$$

$$=(x+1)\ln(x+1)-(x+1)+C$$

$g(0)=0$이므로 $-1+C=0$ $\therefore C=1$

$g(x)=(x+1)\ln(x+1)-(x+1)+1$

$=(x+1)\ln(x+1)-x$

이므로 $g(e-1)=e-(e-1)=1$

정답_①

585

$\int f(x)dx=xf(x)-x^2e^{-x}$의 양변을 x에 대하여 미분하면

$f(x)=f(x)+xf'(x)-(2-x)xe^{-x}$

$xf'(x)=(2-x)xe^{-x}$

위의 등식이 x에 대한 항등식이므로 $f'(x)=(2-x)e^{-x}$
이때, $(2-x)e^{-x}=0$에서 $x=2$이므로 $f(x)$는 $x=2$에서 극값을 갖는다.
$u'(x)=e^{-x}, v(x)=2-x$로 놓으면
$u(x)=-e^{-x}, v'(x)=-1$이므로
$$f(x)=\int(2-x)e^{-x}dx=-(2-x)e^{-x}-\int e^{-x}dx$$
$$=(x-2)e^{-x}+e^{-x}+C=(x-1)e^{-x}+C$$
곡선 $y=f(x)$가 점 $(1, 0)$을 지나므로
$f(1)=C=0$
따라서 $f(x)=(x-1)e^{-x}$이므로 구하는 극값은
$f(2)=\frac{1}{e^2}$ 정답_①

586

$\{f(x)g(x)\}'=f'(x)g(x)+f(x)g'(x)$이므로
조건 (가)에서 $\{f(x)g(x)\}'=h(x)$
위의 식의 양변을 x에 대하여 적분하면
$$f(x)g(x)=\int h(x)dx \quad \cdots\cdots ㉠$$
이때, $f(x)=x, h(x)=\ln x$를 ㉠에 대입하면
$$xg(x)=\int \ln x\,dx=x\ln x-\int dx+C=x\ln x-x+C$$
$g(x)=\ln x-1+\frac{C}{x}$ $(\because x>0)$
한편, 조건 (나)에서 $g(1)=-1$이므로
$-1=-1+C \quad \therefore C=0$
따라서 $g(x)=\ln x-1$이므로
$g(e)=\ln e-1=0$ 정답_③

587

조건 (가), (나)에서
$$f_2(x)=\int f_1(x)dx=\int xe^x dx=xe^x-\int e^x dx$$
$$=xe^x-e^x+C_1=(x-1)e^x+C_1$$
조건 (다)에서 $f_2(1)=0$이므로 $0+C_1=0 \quad \therefore C_1=0$
$\therefore f_2(x)=(x-1)e^x \quad \cdots\cdots ㉠$
조건 (나)와 ㉠에서
$$f_3(x)=\int f_2(x)dx=\int(x-1)e^x dx=(x-1)e^x-\int e^x dx$$
$$=(x-1)e^x-e^x+C_2=(x-2)e^x+C_2$$
조건 (다)에서 $f_3(2)=0$이므로 $0+C_2=0 \quad \therefore C_2=0$
$\therefore f_3(x)=(x-2)e^x$
같은 방법으로
$f_4(x)=(x-3)e^x, \cdots, f_n(x)=(x-n+1)e^x$
$\therefore \sum_{k=2}^{10} f_k(0)=(-1-2-\cdots-9)e^0=-45$ 정답_①

09 정적분

588

(1) $\int_1^2 \frac{2x+1}{x}dx=\int_1^2\left(2+\frac{1}{x}\right)dx=\left[2x+\ln|x|\right]_1^2$
$=(4+\ln 2)-2=2+\ln 2$

(2) $\int_1^8 \sqrt[3]{x}\,dx=\left[\frac{3}{4}x^{\frac{4}{3}}\right]_1^8=12-\frac{3}{4}=\frac{45}{4}$

(3) $\int_0^{\ln 3} e^x dx=\left[e^x\right]_0^{\ln 3}=3-1=2$

(4) $\int_1^4 2^x dx=\left[\frac{2^x}{\ln 2}\right]_1^4=\frac{2^4-2^1}{\ln 2}=\frac{14}{\ln 2}$

정답_(1) $2+\ln 2$ (2) $\frac{45}{4}$ (3) 2 (4) $\frac{14}{\ln 2}$

589

$$\int_0^1 \frac{e^{2x}}{e^x-1}dx-\int_0^1\frac{1}{e^x-1}dx$$
$$=\int_0^1\frac{e^{2x}-1}{e^x-1}dx=\int_0^1\frac{(e^x+1)(e^x-1)}{e^x-1}dx$$
$$=\int_0^1(e^x+1)dx=\left[e^x+x\right]_0^1$$
$=(e+1)-1=e$ 정답_②

590

$$\int_1^2\frac{3x+2}{x^2}dx=\int_1^2\left(\frac{3}{x}+\frac{2}{x^2}\right)dx=\left[3\ln|x|-\frac{2}{x}\right]_1^2$$
$=(3\ln 2-1)-(-2)=3\ln 2+1$ 정답_⑤

591

$$\int_1^3\left(\frac{1}{x+1}+\frac{1}{x}\right)dx=\left[\ln|x+1|+\ln|x|\right]_1^3$$
$$=\ln 4+\ln 3-\ln 2$$
$$=\ln\frac{4\cdot 3}{2}=\ln 6$$
$\therefore a=6$ 정답_②

592

$$\int_0^a\frac{1}{1-\sin^2 x}dx=\int_0^a\frac{1}{\cos^2 x}dx=\int_0^a\sec^2 x\,dx$$
$$=\left[\tan x\right]_0^a=\tan a=1$$
이때, $0<a<\frac{\pi}{2}$이므로 $\tan a=1 \quad \therefore a=\frac{\pi}{4}$ 정답_③

593

$$\int_2^4 f(x)dx-\int_3^4 f(x)dx+\int_1^2 f(x)dx$$
$$=\int_2^4 f(x)dx+\int_4^3 f(x)dx+\int_1^2 f(x)dx$$

$=\int_2^3 f(x)dx+\int_1^2 f(x)dx$

$=\int_1^3 f(x)dx$

$=\int_1^3 (e^{x-1}+\sin\pi x)dx$

$=\left[e^{x-1}-\frac{1}{\pi}\cos\pi x\right]_1^3$

$=\left(e^2-\frac{1}{\pi}\cos 3\pi\right)-\left(1-\frac{1}{\pi}\cos\pi\right)$

$=\left(e^2+\frac{1}{\pi}\right)-\left(1+\frac{1}{\pi}\right)=e^2-1$

정답_③

594

$\int_0^{\frac{\pi}{2}} \frac{\sin^2 x}{\sin x-\cos x}dx+\int_{\frac{\pi}{2}}^0 \frac{\cos^2 x}{\sin x-\cos x}dx$

$=\int_0^{\frac{\pi}{2}} \frac{\sin^2 x}{\sin x-\cos x}dx-\int_0^{\frac{\pi}{2}} \frac{\cos^2 x}{\sin x-\cos x}dx$

$=\int_0^{\frac{\pi}{2}} \frac{\sin^2 x-\cos^2 x}{\sin x-\cos x}dx$

$=\int_0^{\frac{\pi}{2}} (\sin x+\cos x)dx$

$=\left[-\cos x+\sin x\right]_0^{\frac{\pi}{2}}$

$=1-(-1)=2$

정답_⑤

595

$\int_2^3 \frac{8^x}{2^x-1}dx+\int_3^2 \frac{1}{2^y-1}dy$

$=\int_2^3 \frac{8^x}{2^x-1}dx-\int_2^3 \frac{1}{2^x-1}dx=\int_2^3 \frac{8^x-1}{2^x-1}dx$

$=\int_2^3 (4^x+2^x+1)dx=\left[\frac{4^x}{\ln 4}+\frac{2^x}{\ln 2}+x\right]_2^3$

$=\left(\frac{64}{\ln 4}+\frac{8}{\ln 2}+3\right)-\left(\frac{16}{\ln 4}+\frac{4}{\ln 2}+2\right)$

$=\frac{48}{2\ln 2}+\frac{4}{\ln 2}+1=\frac{28}{\ln 2}+1$

따라서 $a=28, b=1$이므로

$a-b=28-1=27$

정답_②

596

점 $\mathrm{A}(1,\ 0)$을 θ만큼 회전한 점 $\mathrm{A'}$의 좌표는 $(\cos\theta,\ \sin\theta)$이고 점 $\mathrm{A'}$에서 $\overline{\mathrm{AB}}$에 내린 수선의 발을 H라고 하면 삼각형 A′AB는 밑변의 길이가 $\overline{\mathrm{AB}}=1$이고 높이가 $\overline{\mathrm{A'H}}=1-\cos\theta$이다.

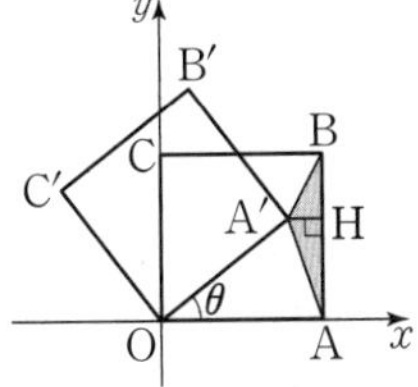

$\therefore f(\theta)=\frac{1}{2}\cdot\overline{\mathrm{AB}}\cdot\overline{\mathrm{A'H}}=\frac{1}{2}\cdot 1\cdot(1-\cos\theta)=\frac{1}{2}(1-\cos\theta)$

$\therefore \int_0^{\frac{\pi}{2}} f(\theta)d\theta=\int_0^{\frac{\pi}{2}} \frac{1}{2}(1-\cos\theta)d\theta=\frac{1}{2}\left[\theta-\sin\theta\right]_0^{\frac{\pi}{2}}$

$=\frac{1}{2}\left(\frac{\pi}{2}-\sin\frac{\pi}{2}\right)=\frac{\pi}{4}-\frac{1}{2}$

정답_④

597

$f(x)=e^x-1$로 놓으면

$-1\le x\le 0$일 때 $f(x)\le 0$, $0\le x\le 1$일 때, $f(x)\ge 0$이므로

$\int_{-1}^1 |e^x-1|dx=\int_{-1}^0 (1-e^x)dx+\int_0^1 (e^x-1)dx$

$=\left[x-e^x\right]_{-1}^0+\left[e^x-x\right]_0^1$

$=\{(-1)-(-1-e^{-1})\}+\{(e-1)-1\}$

$=e+\frac{1}{e}-2$

정답_①

598

$f(x)=\cos x-\sin x$로 놓으면

$0\le x\le\frac{\pi}{4}$일 때 $f(x)\ge 0$, $\frac{\pi}{4}\le x\le\frac{\pi}{2}$일 때 $f(x)\le 0$이므로

$\int_0^{\frac{\pi}{2}} |\cos x-\sin x|dx$

$=\int_0^{\frac{\pi}{4}} (\cos x-\sin x)dx+\int_{\frac{\pi}{4}}^{\frac{\pi}{2}} (-\cos x+\sin x)dx$

$=\left[\sin x+\cos x\right]_0^{\frac{\pi}{4}}+\left[-\sin x-\cos x\right]_{\frac{\pi}{4}}^{\frac{\pi}{2}}$

$=(\sqrt{2}-1)+\{-1-(-\sqrt{2})\}=2\sqrt{2}-2$

따라서 $a=2, b=-2$이므로

$a^2+b^2=2^2+(-2)^2=8$

정답_④

599

$f(x)=\ln x$로 놓으면

$\frac{1}{e^2}\le x\le 1$일 때 $f(x)<0$, $1\le x\le e$일 때 $f(x)>0$이므로

$\int_{\frac{1}{e^2}}^e \sqrt[4]{(\ln x)^4}dx=\int_{\frac{1}{e^2}}^e |\ln x|dx$

$=-\int_{\frac{1}{e^2}}^1 \ln x\,dx+\int_1^e \ln x\,dx$

$=\left[-x\ln x+x\right]_{\frac{1}{e^2}}^1+\left[x\ln x-x\right]_1^e$

$=\left\{1-\left(\frac{2}{e^2}+\frac{1}{e^2}\right)\right\}+\{0-(-1)\}$

$=2-\frac{3}{e^2}$

정답_④

600

$f(x)=\frac{x-2}{x+2}=1-\frac{4}{x+2}$로 놓으면

$-1\le x\le 2$일 때 $f(x)\le 0$, $2\le x\le 6$일 때 $f(x)\ge 0$이므로

$\int_{-1}^6 \left|\frac{x-2}{x+2}\right|dx=\int_{-1}^2\left(\frac{4}{x+2}-1\right)dx+\int_2^6\left(1-\frac{4}{x+2}\right)dx$

$=\left[4\ln|x+2|-x\right]_{-1}^2+\left[x-4\ln|x+2|\right]_2^6$

$=(8\ln 2-3)+(4-4\ln 2)$

$=4\ln 2+1$

정답_⑤

601

$f(-x)=|-x+1|$이므로 $xf(-x)=\begin{cases} x-x^2 & (x<1) \\ x^2-x & (x\ge1) \end{cases}$

$\therefore \int_0^2 xf(-x)dx=\int_0^1 (x-x^2)dx+\int_1^2 (x^2-x)dx$

$=\left[\frac{1}{2}x^2-\frac{1}{3}x^3\right]_0^1+\left[\frac{1}{3}x^3-\frac{1}{2}x^2\right]_1^2$

$=\left(\frac{1}{2}-\frac{1}{3}\right)+\left\{\left(\frac{8}{3}-2\right)-\left(\frac{1}{3}-\frac{1}{2}\right)\right\}$

$=\frac{1}{6}+\frac{2}{3}+\frac{1}{6}=1$ 정답_ ⑤

602

(1) $f(x)=e^x+e^{-x}$으로 놓으면 $f(-x)=e^{-x}+e^x=f(x)$이므로

$\int_{-3}^3(e^x+e^{-x})dx=2\int_0^3(e^x+e^{-x})dx$

$=2\left[e^x-e^{-x}\right]_0^3=2\left(e^3-\frac{1}{e^3}\right)$

(2) $f(x)=\sin|x|$로 놓으면

$f(-x)=\sin|-x|=\sin|x|=f(x)$이므로

$\int_{-\pi}^{\pi}\sin|x|dx=2\int_0^{\pi}\sin|x|dx=2\int_0^{\pi}\sin x\,dx$

$=2\left[-\cos x\right]_0^{\pi}=2(1+1)=4$

(3) $f(x)=x^3\ln(x^2+1)$로 놓으면

$f(-x)=-x^3\ln(x^2+1)=-f(x)$이므로

$\int_{-3}^3 x^3\ln(x^2+1)dx=0$

(4) $f(x)=x\sqrt{x^2+1}$로 놓으면

$f(-x)=-x\sqrt{x^2+1}=-f(x)$이므로

$\int_{-2}^2 x\sqrt{x^2+1}dx=0$ 정답_ (1) $2\left(e^3-\frac{1}{e^3}\right)$ (2) 4 (3) 0 (4) 0

603

$f(x)=|x|-1$이므로 $f(-x)=f(x)$

$g(x)=\sin x$로 놓으면 $g(-x)=-g(x)$

즉, $f(-x)g(-x)=-f(x)g(x)$이므로

$\int_{-\frac{\pi}{2}}^{\frac{\pi}{2}} f(x)\sin x\,dx=0$ 정답_ ③

604

$f(x)=\sin x$, $g(x)=x\cos x$로 놓으면

$f(-x)=\sin(-x)=-\sin x=-f(x)$,

$g(-x)=-x\cos(-x)=-x\cos x=-g(x)$이고,

곡선 $y=3x^2+1$은 y축에 대하여 대칭이므로

$\int_{-1}^1(\sin x+x\cos x+3x^2+1)dx$

$=\int_{-1}^1(\sin x+x\cos x)dx+\int_{-1}^1(3x^2+1)dx$

$=0+2\int_0^1(3x^2+1)dx$

$=2\left[x^3+x\right]_0^1=2\cdot2=4$ 정답_ ④

605

$(\sin\theta+\cos\theta)^2=1+2\sin\theta\cos\theta$

이때, $f(\theta)=\sin\theta\cos\theta$로 놓으면

$f(-\theta)=\sin(-\theta)\cos(-\theta)=-\sin\theta\cos\theta=-f(\theta)$이므로

$\int_{-\pi}^{\pi}(\sin\theta+\cos\theta)^2d\theta=\int_{-\pi}^{\pi}(1+2\sin\theta\cos\theta)d\theta$

$=\int_{-\pi}^{\pi}1d\theta+2\int_{-\pi}^{\pi}\sin\theta\cos\theta\,d\theta$

$=\left[\theta\right]_{-\pi}^{\pi}+0=2\pi$ 정답_ ⑤

606

$f(-x)=(-x)^2+1=x^2+1=f(x)$이므로

$(f\circ f)(-x)=f(f(-x))=f(f(x))=(f\circ f)(x)$

또한, $g(-x)=\sin(-x)+(-x)=-(\sin x+x)=-g(x)$

이므로

$(g\circ g)(-x)=g(g(-x))=g(-g(x))$

$=-g(g(x))=-(g\circ g)(x)$

$\therefore \int_{-1}^1\{(f\circ f)(x)+(g\circ g)(x)\}dx$

$=\int_{-1}^1(f\circ f)(x)dx+\int_{-1}^1(g\circ g)(x)dx$

$=2\int_0^1(f\circ f)(x)dx+0$

$=2\int_0^1\{(x^2+1)^2+1\}dx=2\int_0^1(x^4+2x^2+2)dx$

$=2\left[\frac{1}{5}x^5+\frac{2}{3}x^3+2x\right]_0^1=2\left(\frac{1}{5}+\frac{2}{3}+2\right)=\frac{86}{15}$

따라서 $p=15$, $q=86$이므로

$p+q=15+86=101$ 정답_ ⑤

607

$1+x^2=t$로 놓으면 $\frac{dt}{dx}=2x$이고, $x=0$일 때 $t=1$, $x=1$일 때 $t=2$이므로

$\int_0^1 10x(1+x^2)^4dx=\int_1^2 5t^4dt=\left[t^5\right]_1^2$

$=32-1=31$ 정답_ ③

608

$x^2+1=t$로 놓으면 $\frac{dt}{dx}=2x$이고, $x=0$일 때 $t=1$, $x=2$일 때 $t=5$이므로

$\int_0^2\frac{x}{x^2+1}dx=\frac{1}{2}\int_1^5\frac{1}{t}dt=\frac{1}{2}\left[\ln|t|\right]_1^5=\frac{\ln5}{2}$ 정답_ ⑤

609

$\lim_{h\to0}\frac{f(x+h)-f(x)}{h}=f'(x)$이므로

$$f'(x)=\frac{2(x^2+x+1)}{x^2+1}=2+\frac{2x}{x^2+1}$$

$$\therefore \int_0^{\sqrt{e-1}} f'(x)dx=\int_0^{\sqrt{e-1}}\left(2+\frac{2x}{x^2+1}\right)dx$$
$$=\Big[2x+\ln(x^2+1)\Big]_0^{\sqrt{e-1}}$$
$$=\{2\sqrt{e-1}+\ln(e-1+1)\}-(0+0)$$
$$=2\sqrt{e-1}+1$$

정답_ ③

610

$$\int_0^4 f(x)dx-\int_3^5 f(x)dx+\int_4^5 f(x)dx$$
$$=\int_0^4 f(x)dx+\int_4^5 f(x)dx-\int_3^5 f(x)dx$$
$$=\int_0^5 f(x)dx+\int_5^3 f(x)dx$$
$$=\int_0^3 f(x)dx=\int_0^3 \sqrt{2x+1}dx$$

이때, $2x+1=t$로 놓으면 $\frac{dt}{dx}=2$이고, $x=0$일 때 $t=1$, $x=3$일 때 $t=7$이므로

$$\int_0^3 \sqrt{2x+1}\,dx=\frac{1}{2}\int_1^7 \sqrt{t}\,dt=\frac{1}{2}\left[\frac{2}{3}t^{\frac{3}{2}}\right]_1^7$$
$$=\frac{1}{2}\left(\frac{2}{3}\cdot 7\sqrt{7}-\frac{2}{3}\right)=\frac{1}{3}(7\sqrt{7}-1)$$

따라서 $a=3$, $b=7$이므로

$a^2b=3^2\cdot 7=63$

정답_ ⑤

611

$2-x=t$로 놓으면 $\frac{dt}{dx}=-1$이고, $x=1$일 때 $t=1$, $x=2$일 때 $t=0$이므로

$$\int_1^2 x\sqrt{2-x}\,dx=-\int_1^0 (2-t)\sqrt{t}\,dt=\int_0^1 (2\sqrt{t}-t\sqrt{t})dt$$
$$=\left[\frac{4}{3}t\sqrt{t}-\frac{2}{5}t^2\sqrt{t}\right]_0^1=\frac{4}{3}-\frac{2}{5}=\frac{14}{15}$$

정답_ ⑤

612

$2^x+1=t$로 놓으면 $\frac{dt}{dx}=2^x\ln 2$이고, $x=0$일 때 $t=2$, $x=3$일 때 $t=9$이므로

$$\int_0^3 \frac{2^x\ln 2}{2^x+1}dx=\int_2^9 \frac{1}{t}dt=\Big[\ln|t|\Big]_2^9=\ln 9-\ln 2=\ln\frac{9}{2}$$

정답_ ⑤

613

$\sin x=t$로 놓으면 $\frac{dt}{dx}=\cos x$이고, $x=0$일 때 $t=0$, $x=\frac{\pi}{2}$일 때 $t=1$이므로

$$\int_0^{\frac{\pi}{2}} \cos x\sin^3 x\,dx=\int_0^1 t^3dt=\left[\frac{1}{4}t^4\right]_0^1=\frac{1}{4}$$

정답_ ②

614

$\ln x=t$로 놓으면 $\frac{dt}{dx}=\frac{1}{x}$이고, $x=e^2$일 때 $t=2$, $x=e^3$일 때 $t=3$이므로

$$\int_{e^2}^{e^3} \frac{a+\ln x}{x}dx=\int_2^3 (a+t)dt=\left[at+\frac{1}{2}t^2\right]_2^3$$
$$=\left(3a+\frac{9}{2}\right)-(2a+2)=a+\frac{5}{2} \quad \cdots\cdots ㉠$$

$\sin x=s$로 놓으면 $\frac{ds}{dx}=\cos x$이고, $x=0$일 때 $s=0$, $x=\frac{\pi}{2}$일 때 $s=1$이므로

$$\int_0^{\frac{\pi}{2}} (1+\sin x)\cos x\,dx=\int_0^1 (1+s)ds$$
$$=\left[s+\frac{1}{2}s^2\right]_0^1=\frac{3}{2} \quad \cdots\cdots ㉡$$

㉠, ㉡에서 $a+\frac{5}{2}=\frac{3}{2}$ $\quad \therefore a=-1$

정답_ ②

615

$1+\tan^2\theta=\sec^2\theta$이므로 $x=2\tan\theta\left(-\frac{\pi}{2}<\theta<\frac{\pi}{2}\right)$로 놓으면

$\frac{dx}{d\theta}=2\sec^2\theta$이고, $x=0$일 때 $\theta=0$, $x=2$일 때 $\theta=\frac{\pi}{4}$이므로

$$\int_0^2 \frac{1}{x^2+4}dx=\int_0^{\frac{\pi}{4}} \frac{1}{4(1+\tan^2\theta)}\cdot 2\sec^2\theta\,d\theta$$
$$=\int_0^{\frac{\pi}{4}} \frac{2\sec^2\theta}{4\sec^2\theta}d\theta$$
$$=\int_0^{\frac{\pi}{4}} \frac{1}{2}d\theta=\left[\frac{1}{2}\theta\right]_0^{\frac{\pi}{4}}=\frac{\pi}{8}$$

정답_ ①

616

$\int_{-3}^0 f(3x+9)dx$에서 $3x+9=t$로 놓으면 $\frac{dt}{dx}=3$이고, $x=-3$일 때 $t=0$, $x=0$일 때 $t=9$이므로

$$\int_{-3}^0 f(3x+9)dx=\frac{1}{3}\int_0^9 f(t)dt=\frac{1}{3}\int_0^9 f(x)dx$$
$$=\frac{1}{3}\cdot 6=2$$

정답_ ②

617

$\frac{d}{dx}\{f(x)\}=g(x)$이므로 $g(x)=f'(x)$

$\int_a^b f(x)g(x)dx=\int_a^b f(x)f'(x)dx$에서

$f(x)=t$로 놓으면 $\frac{dt}{dx}=f'(x)$이고, $x=a$일 때 $t=f(a)=0$, $x=b$일 때 $t=f(b)=4$이므로

$$\int_a^b f(x)g(x)dx=\int_a^b f(x)f'(x)dx=\int_0^4 t\,dt=\left[\frac{1}{2}t^2\right]_0^4=8$$

정답_ ④

618

$\tan\theta=\dfrac{\overline{\mathrm{PH}}}{\overline{\mathrm{OH}}}$이므로 $f(\theta)=\dfrac{1}{\tan\theta}$

$\therefore \int_{\frac{\pi}{6}}^{\frac{\pi}{3}} f(\theta)d\theta=\int_{\frac{\pi}{6}}^{\frac{\pi}{3}} \dfrac{1}{\tan\theta}d\theta=\int_{\frac{\pi}{6}}^{\frac{\pi}{3}} \dfrac{\cos\theta}{\sin\theta}d\theta$

$\sin\theta=t$로 놓으면 $\dfrac{dt}{d\theta}=\cos\theta$이고, $x=\dfrac{\pi}{6}$일 때 $t=\dfrac{1}{2}$,

$x=\dfrac{\pi}{3}$일 때 $t=\dfrac{\sqrt{3}}{2}$이므로

$$\int_{\frac{\pi}{6}}^{\frac{\pi}{3}} \frac{\cos\theta}{\sin\theta}d\theta=\int_{\frac{1}{2}}^{\frac{\sqrt{3}}{2}} \frac{1}{t}dt=\Big[\ln|t|\Big]_{\frac{1}{2}}^{\frac{\sqrt{3}}{2}}$$
$$=\ln\frac{\sqrt{3}}{2}-\ln\frac{1}{2}$$
$$=\ln\sqrt{3}=\frac{1}{2}\ln 3$$

정답_ ①

619

$\int_{-\frac{\pi}{2}}^{\frac{\pi}{2}} f(-x)dx$에서 $-x=t$로 놓으면 $\dfrac{dt}{dx}=-1$이고,

$x=-\dfrac{\pi}{2}$일 때 $t=\dfrac{\pi}{2}$, $x=\dfrac{\pi}{2}$일 때 $t=-\dfrac{\pi}{2}$이므로

$$\int_{-\frac{\pi}{2}}^{\frac{\pi}{2}} f(-x)dx=\int_{-\frac{\pi}{2}}^{\frac{\pi}{2}} f(t)dt=\int_{-\frac{\pi}{2}}^{\frac{\pi}{2}} f(x)dx$$

한편, $\int_{-\frac{\pi}{2}}^{\frac{\pi}{2}}\{f(x)+f(-x)\}dx=\int_{-\frac{\pi}{2}}^{\frac{\pi}{2}}(2\cos x+1)dx$에서

$$2\int_{-\frac{\pi}{2}}^{\frac{\pi}{2}} f(x)dx=\int_{-\frac{\pi}{2}}^{\frac{\pi}{2}}(2\cos x+1)dx$$
$$=\Big[2\sin x+x\Big]_{-\frac{\pi}{2}}^{\frac{\pi}{2}}=4+\pi$$

$\therefore \int_{-\frac{\pi}{2}}^{\frac{\pi}{2}} f(x)dx=2+\dfrac{\pi}{2}$

정답_ $2+\frac{\pi}{2}$

620

조건 (가)에 의해 $\int_0^a f(x)dx=\int_a^{2a} f(x)dx$이고

$f(2a-x)=f(a+(a-x))=f(a-(a-x))=f(x)$이므로

$$\int_0^a\{f(2x)+f(2a-x)\}dx=\int_0^a\{f(2x)+f(x)\}dx$$
$$=\int_0^a f(2x)dx+\int_0^a f(x)dx$$
$$=\int_0^a f(2x)dx+13$$

$2x=t$로 놓으면 $\dfrac{dt}{dx}=2$이고, $x=0$일 때 $t=0$, $x=a$일 때

$t=2a$이므로

$$\int_0^a f(2x)dx=\frac{1}{2}\int_0^{2a} f(t)dt$$
$$=\frac{1}{2}\left\{\int_0^a f(t)dt+\int_a^{2a} f(t)dt\right\}$$
$$=\frac{1}{2}\left\{\int_0^a f(t)dt+\int_0^a f(t)dt\right\}$$
$$=\int_0^a f(t)dt=13$$

$\therefore \int_0^a\{f(2x)+f(2a-x)\}dx=\int_0^a f(2x)dx+13$
$=13+13=26$

정답_ 26

621

$\int_0^1 xe^x dx$에서 $f'(x)=e^x$, $g(x)=x$로 놓으면

$f(x)=e^x$, $g'(x)=1$이므로

$$\int_0^1 xe^x dx=\Big[xe^x\Big]_0^1-\int_0^1 e^x dx=e-\Big[e^x\Big]_0^1$$
$$=e-(e-1)=1$$

정답_ ①

622

$\int_1^e x(1-\ln x)dx$에서 $f'(x)=x$, $g(x)=1-\ln x$로 놓으면

$f(x)=\dfrac{1}{2}x^2$, $g'(x)=-\dfrac{1}{x}$이므로

$$\int_1^e x(1-\ln x)dx=\Big[\frac{1}{2}x^2(1-\ln x)\Big]_1^e-\int_1^e\left(-\frac{1}{2}x\right)dx$$
$$=\left(0-\frac{1}{2}\right)+\Big[\frac{1}{4}x^2\Big]_1^e$$
$$=\frac{1}{4}e^2-\frac{3}{4}=\frac{1}{4}(e^2-3)$$

정답_ $\frac{1}{4}(e^2-3)$

623

$$\int_1^e \ln\frac{x}{e}dx=\int_1^e(\ln x-1)dx$$
$$=\int_1^e \ln x\,dx-\int_1^e 1\,dx$$

$\int_1^e \ln x\,dx$에서 $f'(x)=1$, $g(x)=\ln x$로 놓으면

$f(x)=x$, $g'(x)=\dfrac{1}{x}$이므로

$$\int_1^e \ln x\,dx=\Big[x\ln x\Big]_1^e-\int_1^e 1\,dx=e-\Big[x\Big]_1^e$$
$$=e-(e-1)=1$$

$$\int_1^e 1\,dx=\Big[x\Big]_1^e=e-1$$

$\therefore \int_1^e \ln\dfrac{x}{e}dx=\int_1^e \ln x\,dx-\int_1^e 1\,dx=1-(e-1)=2-e$

정답_ ⑤

624

$\int_0^{\frac{\pi}{2}} x\sin x\,dx$에서 $f'(x)=\sin x$, $g(x)=x$로 놓으면

$f(x)=-\cos x$, $g'(x)=1$이므로

$$\int_0^{\frac{\pi}{2}} x\sin x\,dx=\Big[-x\cos x\Big]_0^{\frac{\pi}{2}}-\int_0^{\frac{\pi}{2}}(-\cos x)dx$$
$$=0+\Big[\sin x\Big]_0^{\frac{\pi}{2}}=1$$

정답_ ①

625

$\int_{-2\pi}^{\pi} x\sin|x|\,dx=\int_{-2\pi}^{-\pi} x\sin|x|\,dx+\int_{-\pi}^{\pi} x\sin|x|\,dx$에서

$f(x)=x\sin|x|$로 놓으면 $f(-x)=-f(x)$이므로

$$\begin{aligned}\int_{-2\pi}^{\pi} x\sin|x|\,dx&=-\int_{-2\pi}^{-\pi} x\sin x\,dx+0\\&=\Big[x\cos x\Big]_{-2\pi}^{-\pi}-\int_{-2\pi}^{-\pi}\cos x\,dx\\&=(\pi+2\pi)-\Big[\sin x\Big]_{-2\pi}^{-\pi}\\&=3\pi\end{aligned}$$

정답_⑤

626

$\int_0^1 f(x)g'(x)dx=\frac{1}{10}$에서

$\Big[f(x)g(x)\Big]_0^1-\int_0^1 f'(x)g(x)dx=\frac{1}{10}$

$f'(x)=\frac{1}{(1+x^3)^2}$, $g(x)=x^2$이므로

$f(1)g(1)-f(0)g(0)-\int_0^1 \frac{x^2}{(1+x^3)^2}dx=\frac{1}{10}$

$f(1)=\int_0^1 \frac{x^2}{(1+x^3)^2}dx+\frac{1}{10}$

$1+x^3=t$로 놓으면 $\frac{dt}{dx}=3x^2$이고, $x=0$일 때 $t=1$, $x=1$일 때 $t=2$이므로

$$\begin{aligned}f(1)&=\int_1^2\left(\frac{1}{t^2}\cdot\frac{1}{3}\right)dt+\frac{1}{10}=-\frac{1}{3}\Big[\frac{1}{t}\Big]_1^2+\frac{1}{10}\\&=-\frac{1}{3}\left(\frac{1}{2}-1\right)+\frac{1}{10}=\frac{4}{15}\end{aligned}$$

정답_③

627

$f(x)=ax\ln x+b$에서 $f'(x)=a\ln x+a$

$\lim_{x\to e}\frac{f(x)-f(e)}{x-e}=f'(e)=a\ln e+a=2a=2$이므로 $a=1$

$\therefore f(x)=x\ln x+b$

$$\begin{aligned}\int_1^e f(x)dx&=\int_1^e (x\ln x+b)dx\\&=\int_1^e x\ln x\,dx+\int_1^e b\,dx \quad \cdots\cdots ㉠\end{aligned}$$

$\int_1^e x\ln x\,dx$에서 $u'(x)=x$, $v(x)=\ln x$로 놓으면

$u(x)=\frac{1}{2}x^2$, $v'(x)=\frac{1}{x}$이므로

$$\begin{aligned}\int_1^e x\ln x\,dx&=\Big[\frac{1}{2}x^2\ln x\Big]_1^e-\int_1^e\frac{1}{2}x\,dx\\&=\frac{1}{2}e^2-\Big[\frac{1}{4}x^2\Big]_1^e=\frac{1}{2}e^2-\left(\frac{1}{4}e^2-\frac{1}{4}\right)\\&=\frac{1}{4}e^2+\frac{1}{4} \quad \cdots\cdots ㉡\end{aligned}$$

㉡을 ㉠에 대입하면

$$\begin{aligned}\int_1^e x\ln x\,dx+\int_1^e b\,dx&=\frac{1}{4}e^2+\frac{1}{4}+\Big[bx\Big]_1^e\\&=\frac{1}{4}e^2+\frac{1}{4}+be-b\\&=\frac{1}{4}e(e+4b)+\frac{1}{4}-b\end{aligned}$$

$4b=1$, $\frac{1}{4}-b=0$이므로 $b=\frac{1}{4}$

$\therefore a+b=1+\frac{1}{4}=\frac{5}{4}$

정답_⑤

628

$\int_0^{2\pi} e^t\cos t\,dt$에서 $f'(t)=e^t$, $g(t)=\cos t$로 놓으면

$f(t)=e^t$, $g'(t)=-\sin t$이므로

$$\begin{aligned}\int_0^{2\pi} e^t\cos t\,dt&=\Big[e^t\cos t\Big]_0^{2\pi}-\int_0^{2\pi}(-e^t\sin t)dt\\&=e^{2\pi}-1+\int_0^{2\pi}e^t\sin t\,dt \quad \cdots\cdots ㉠\end{aligned}$$

$\int_0^{2\pi} e^t\sin t\,dt$에서 $u'(t)=e^t$, $v(t)=\sin t$로 놓으면

$u(t)=e^t$, $v'(t)=\cos t$이므로

$$\begin{aligned}\int_0^{2\pi} e^t\sin t\,dt&=\Big[e^t\sin t\Big]_0^{2\pi}-\int_0^{2\pi}e^t\cos t\,dt\\&=-\int_0^{2\pi}e^t\cos t\,dt \quad \cdots\cdots ㉡\end{aligned}$$

㉡을 ㉠에 대입하면

$\int_0^{2\pi} e^t\cos t\,dt=e^{2\pi}-1-\int_0^{2\pi}e^t\cos t\,dt$

$\therefore \int_0^{2\pi} e^t\cos t\,dt=\frac{e^{2\pi}-1}{2}$

정답_④

629

$\int_0^1 f(t)dt=a$ (a는 상수)로 놓으면 $f(x)=\frac{1}{x+1}+2a$

$$\begin{aligned}\int_0^1 f(x)dx&=\int_0^1\left(\frac{1}{x+1}+2a\right)dx=\Big[\ln|x+1|+2ax\Big]_0^1\\&=\ln 2+2a=a\end{aligned}$$

$\therefore a=-\ln 2$

따라서 $f(x)=\frac{1}{x+1}-2\ln 2$이므로

$f(0)=1-2\ln 2$

정답_②

630

$\int_0^{\frac{\pi}{2}} f(t)dt=a$ (a는 상수)로 놓으면 $f(x)=x\cos x+a$

$$\begin{aligned}\int_0^{\frac{\pi}{2}} f(x)dx&=\int_0^{\frac{\pi}{2}}(x\cos x+a)dx\\&=\int_0^{\frac{\pi}{2}}x\cos x\,dx+\int_0^{\frac{\pi}{2}}a\,dx=a \quad \cdots\cdots ㉠\end{aligned}$$

$\int_0^{\frac{\pi}{2}} x\cos x\,dx$에서 $u'=\cos x$, $v(x)=x$로 놓으면

$u(x)=\sin x$, $v'(x)=1$이므로

$\int_0^{\frac{\pi}{2}} x\cos x\,dx=\Big[x\sin x\Big]_0^{\frac{\pi}{2}}-\int_0^{\frac{\pi}{2}}\sin x\,dx$

$$=\frac{\pi}{2}-\left[-\cos x\right]_0^{\frac{\pi}{2}}=\frac{\pi}{2}-1 \qquad \cdots\cdots ㉡$$

㉡을 ㉠에 대입하면

$$\int_0^{\frac{\pi}{2}} x\cos x\,dx+\int_0^{\frac{\pi}{2}} a\,dx=\frac{\pi}{2}-1+\left[ax\right]_0^{\frac{\pi}{2}}$$

$$=\frac{\pi}{2}-1+\frac{a}{2}\pi=a$$

$\therefore a=-1$

따라서 $f(x)=x\cos x-1$이므로

$f(0)=-1$ 정답_ -1

631

$\int_0^1 tf(t)dt=a$ (a는 상수)로 놓으면 $f(x)=e^{x^2}+a$

$$\int_0^1 tf(t)dt=\int_0^1 t(e^{t^2}+a)dt=\int_0^1 (te^{t^2}+at)dt$$

$$=\int_0^1 te^{t^2}dt+\int_0^1 at\,dt=a \qquad \cdots\cdots ㉠$$

$\int_0^1 te^{t^2}dt$에서 $t^2=x$로 놓으면 $\frac{dx}{dt}=2t$

$t=0$일 때 $x=0$, $t=1$일 때 $x=1$이므로

$$\int_0^1 te^{t^2}dt=\int_0^1 \frac{1}{2}e^x dx \qquad \cdots\cdots ㉡$$

㉡을 ㉠에 대입하면

$$\int_0^1 \frac{1}{2}e^x dx+\int_0^1 at\,dt=\left[\frac{1}{2}e^x\right]_0^1+\left[\frac{1}{2}at^2\right]_0^1$$

$$=\left(\frac{e}{2}-\frac{1}{2}\right)+\frac{1}{2}a=a$$

$\therefore a=e-1$

$\therefore \int_0^1 xf(x)dx=a=e-1$ 정답_ ④

632

$\int_e^x f(t)dt=x\ln x-x+k$의 양변을 x에 대하여 미분하면

$f(x)=\ln x+x\cdot\frac{1}{x}-1=\ln x$

$\int_e^x f(t)dt=x\ln x-x+k$의 양변에 $x=e$를 대입하면

$0=e\ln e-e+k \quad \therefore k=0$

$\therefore f(e)+k=1+0=1$ 정답_ ②

633

$\int_0^x f(t)dt=\cos 2x+ax^2+a$에 $x=0$에 대입하면

$0=1+a \quad \therefore a=-1$

$\int_0^x f(t)dt=\cos 2x-x^2-1$의 양변을 x에 대하여 미분하면

$f(x)=-2\sin 2x-2x$

$\therefore f\left(\frac{\pi}{4}\right)=-2\sin\frac{\pi}{2}-\frac{\pi}{2}=-2-\frac{\pi}{2}$ 정답_ ①

634

$\int_1^x\left\{\frac{d}{dx}f(t)\right\}dt=\int_1^x f'(t)dt=\left[f(t)\right]_1^x=f(x)-f(1)$,

$\frac{d}{dx}\int_1^x f(t)dt=f(x)$이므로 $f(x)-f(1)=f(x)$

즉, $f(1)=0$이므로 $f(1)=a=0 \quad \therefore a=0$

따라서 $f(x)=\ln|x|$이므로 $f(e)=1$ 정답_ ②

635

$f(x)=\int_0^x e^t f(t)dt+k$의 양변에 $x=0$을 대입하면

$f(0)=\int_0^0 e^t f(t)dt+k=0+k=k$

$f(0)=1$이므로 $k=1$

$$\therefore f(x)=\int_0^x e^t f(t)dt+1 \qquad \cdots\cdots ㉠$$

㉠의 양변을 x에 대하여 미분하면 $f'(x)=e^x f(x)$ $\cdots\cdots$ ㉡

$\therefore f'(0)=e^0 f(0)=1\cdot 1=1$

㉡의 양변을 x에 대하여 미분하면 $f''(x)=e^x f(x)+e^x f'(x)$

$\therefore f''(0)=e^0 f(0)+e^0 f'(0)=1\cdot1+1\cdot1=2$ 정답_ ①

636

$\sin x=\int_{\frac{\pi}{2}}^x (x-t)f(t)dt+1=x\int_{\frac{\pi}{2}}^x f(t)dt-\int_{\frac{\pi}{2}}^x tf(t)dt+1$

이므로 양변을 x에 대하여 미분하면

$\cos x=\int_{\frac{\pi}{2}}^x f(t)dt+xf(x)-xf(x)=\int_{\frac{\pi}{2}}^x f(t)dt$

위의 식의 양변을 x에 대하여 미분하면 $f(x)=-\sin x$

$\therefore f\left(\frac{\pi}{2}\right)=-\sin\frac{\pi}{2}=-1$ 정답_ -1

637

$$\int_0^x (x-t)f(t)dt=e^{-x}+g(x)=e^{-x}+ax+b \qquad \cdots\cdots ㉠$$

㉠의 양변에 $x=0$을 대입하면 $0=1+b \quad \therefore b=-1$

또, $\int_0^x (x-t)f(t)dt=x\int_0^x f(t)dt-\int_0^x tf(t)dt=e^{-x}+ax+b$

에서 양변을 x에 대하여 미분하면

$\int_0^x f(t)dt+xf(x)-xf(x)=-e^{-x}+a$

$$\therefore \int_0^x f(t)dt=-e^{-x}+a \qquad \cdots\cdots ㉡$$

㉡의 양변에 $x=0$을 대입하면 $0=-1+a \quad \therefore a=1$

따라서 $g(x)=x-1$이므로 $g(2)=1$ 정답_ ①

638

$f(x)=\int_0^x \cos t(1+\sin t)dt$의 양변을 x에 대하여 미분하면

$f'(x)=\cos x(1+\sin x)$

$f'(x)=0$에서 $\cos x=0$ 또는 $\sin x=-1$

$\therefore x=\frac{\pi}{2}$ ($\because 0<x<\pi$)

$x=\frac{\pi}{2}$를 기준으로 $0<x<\pi$에서 함수 $f(x)$의 증가, 감소를 표로 나타내면 다음과 같다.

x	(0)	$\cdots$	$\frac{\pi}{2}$	$\cdots$	π
$f'(x)$		+	0	−	
$f(x)$		↗	극대	↘	

따라서 $f(x)$는 $x=\frac{\pi}{2}$에서 극댓값을 가지므로 극댓값은

$$f\left(\frac{\pi}{2}\right)=\int_0^{\frac{\pi}{2}}\cos t(1+\sin t)dt$$
$$=\int_0^{\frac{\pi}{2}}\cos t\,dt+\int_0^{\frac{\pi}{2}}\sin t\cos t\,dt$$

$\int_0^{\frac{\pi}{2}}\sin t\cos t\,dt$에서 $\sin t=s$로 놓으면

$\frac{ds}{dt}=\cos t$이고 $t=0$일 때 $s=0$, $t=\frac{\pi}{2}$일 때 $s=1$이므로

$$\int_0^{\frac{\pi}{2}}\sin t\cos t\,dt=\int_0^1 s\,ds$$
$$\therefore f\left(\frac{\pi}{2}\right)=\int_0^{\frac{\pi}{2}}\cos t\,dt+\int_0^1 s\,ds$$
$$=\Big[\sin t\Big]_0^{\frac{\pi}{2}}+\left[\frac{1}{2}s^2\right]_0^1$$
$$=(1-0)+\left(\frac{1}{2}-0\right)=\frac{3}{2}$$

정답_③

639

$f(x)=ax(x-2)\,(a>0)$로 놓으면

$$g(x)=\int_x^{x+1}e^{at(t-2)}dt \quad \cdots\cdots ㉠$$

㉠의 양변을 x에 대하여 미분하면

$$g'(x)=e^{a(x+1)(x-1)}-e^{ax(x-2)}$$
$$=e^{ax^2-a}-e^{ax^2-2ax}=e^{ax^2-a}(1-e^{a-2ax})$$

$g'(x)=0$에서 $e^{ax^2-a}>0$이므로 $1=e^{a-2ax}$ $\quad\therefore x=\frac{1}{2}$

$a>0$이고 $x<\frac{1}{2}$일 때 $g'(x)<0$, $x>\frac{1}{2}$일 때 $g'(x)>0$이므로

함수 $g(x)$는 $x=\frac{1}{2}$에서 극소이면서 동시에 최솟값을 갖는다.

정답_②

640

$f(t)=\frac{1}{2+3\cos t}$로 놓으면

$$\lim_{x\to\frac{\pi}{2}}\frac{1}{x-\frac{\pi}{2}}\int_{\frac{\pi}{2}}^{x}\frac{1}{2+3\cos t}dt$$
$$=\lim_{x\to\frac{\pi}{2}}\frac{1}{x-\frac{\pi}{2}}\int_{\frac{\pi}{2}}^{x}f(t)dt$$
$$=f\left(\frac{\pi}{2}\right)=\frac{1}{2}$$

정답_②

641

$f(x)=e^x$으로 놓으면

$$\lim_{x\to1}\frac{1}{x^3-1}\int_1^x e^t dt=\lim_{x\to1}\frac{1}{x^3-1}\int_1^x f(t)dt$$
$$=\lim_{x\to1}\frac{1}{(x^2+x+1)(x-1)}\int_1^x f(t)dt$$
$$=\lim_{x\to1}\left\{\frac{1}{x^2+x+1}\cdot\frac{1}{x-1}\int_1^x f(t)dt\right\}$$
$$=\frac{1}{3}f(1)=\frac{e}{3}$$

정답_②

642

$f(x)=\ln(x^3+x)$로 놓으면

$$\lim_{x\to0}\frac{1}{\sin 3x}\int_1^{x+1}\ln(t^3+t)dt$$
$$=\lim_{x\to0}\frac{1}{\sin 3x}\int_1^{x+1}f(t)dt$$
$$=\frac{1}{3}\lim_{x\to0}\left\{\frac{3x}{\sin 3x}\cdot\frac{1}{x}\int_1^{x+1}f(t)dt\right\}$$
$$=\frac{1}{3}\cdot1\cdot f(1)=\frac{1}{3}\ln 2$$

정답_①

643

$f(x)=e^x-k$, $\lim_{x\to0}\frac{1}{x}\int_0^x f(t)dt=f(0)$

$f(0)=6$이므로 $1-k=6$ $\quad\therefore k=-5$

정답_①

644

$f(t)f'(t)$의 한 부정적분을 $F(t)$라고 하면

$F'(t)=f(t)f'(t)$이므로

$$\lim_{x\to1}\frac{1}{x-1}\int_1^{x^2}f(t)f'(t)dt$$
$$=\lim_{x\to1}\frac{1}{x-1}\int_1^{x^2}F'(t)dt$$
$$=\lim_{x\to1}\left\{\frac{F(x^2)-F(1)}{x-1}\right\}$$
$$=\lim_{x\to1}\left\{\frac{F(x^2)-F(1)}{x^2-1}\cdot(x+1)\right\}$$
$$=2F'(1)=2f(1)f'(1)=2\cdot3\cdot3=18$$

정답_②

645

$\frac{x+3}{x(x+1)}=\frac{A}{x}+\frac{B}{x+1}$ (A, B는 상수)라고 하면

$$\frac{x+3}{x(x+1)}=\frac{(A+B)x+A}{x(x+1)}$$

$A+B=1$, $A=3$에서 $A=3$, $B=-2$

$\therefore \frac{x+3}{x(x+1)}=\frac{3}{x}-\frac{2}{x+1}$ ············ ❶

$$\int_1^2\frac{x+3}{x(x+1)}dx=\int_1^2\left(\frac{3}{x}-\frac{2}{x+1}\right)dx$$

$=3\Big[\ln|x|\Big]_1^2-2\Big[\ln|x+1|\Big]_1^2$

$=3\ln 2-2(\ln 3-\ln 2)$

$=5\ln 2-\ln 9=\ln\dfrac{32}{9}$ ······ ❷

정답_ $\ln\dfrac{32}{9}$

단계	채점 기준	비율
❶	$\dfrac{x+3}{x(x+1)}$의 식 변형하기	40%
❷	$\displaystyle\int_1^2 \dfrac{x+3}{x(x+1)}dx$의 값 구하기	60%

646

$\displaystyle\int_{-2}^2 \frac{f(x)}{e^{-x}+1}dx=\int_{-2}^0 \frac{f(x)}{e^{-x}+1}dx+\int_0^2 \frac{f(x)}{e^{-x}+1}dx$ ······ ❶

$\displaystyle\int_{-2}^0 \frac{f(x)}{e^{-x}+1}dx$에서 $-x=t$로 놓으면 $\dfrac{dt}{dx}=-1$이고,

$x=-2$일 때 $t=2$, $x=0$일 때 $t=0$이므로 ($\because f(x)=f(-x)$)

$\displaystyle\int_{-2}^0 \frac{f(x)}{e^{-x}+1}dx=\int_2^0 \frac{f(-t)}{e^t+1}(-dt)=\int_0^2 \frac{f(t)}{e^t+1}dt$ ······ ❷

$\displaystyle\therefore \int_{-2}^2 \frac{f(x)}{e^{-x}+1}dx=\int_0^2 \frac{f(x)}{e^x+1}dx+\int_0^2 \frac{f(x)}{e^{-x}+1}dx$

$\displaystyle=\int_0^2 \frac{e^x+e^{-x}+2}{e^x+e^{-x}+2}f(x)dx$

$\displaystyle=\int_0^2 f(x)dx=5$ ······ ❸

정답_ 5

단계	채점 기준	비율
❶	$\displaystyle\int_{-2}^2 \frac{f(x)}{e^{-x}+1}dx$의 식 변형하기	20%
❷	$\displaystyle\int_{-2}^0 \frac{f(x)}{e^{-x}+1}dx$의 식 변형하기	40%
❸	$\displaystyle\int_{-2}^2 \frac{f(x)}{e^{-x}+1}dx$의 값 구하기	40%

647

$f(x+y)=f(x)+f(y)$에 $x=y=0$을 대입하면

$f(0)=f(0)+f(0)$ $\quad\therefore f(0)=0$ ······ ❶

$\displaystyle f'(x)=\lim_{h\to 0}\frac{f(x+h)-f(x)}{h}=\lim_{h\to 0}\frac{f(x)+f(h)-f(x)}{h}$

$\displaystyle=\lim_{h\to 0}\frac{f(h)}{h}=\lim_{h\to 0}\frac{f(0+h)-f(0)}{h}=f'(0)=a$

$f(x)=ax+C$이고 $f(0)=0$이므로 $C=0$

$\therefore f(x)=ax$ ······ ❷

$\displaystyle\int_0^\pi f(x)\{f(x)-4\sin x\}dx$

$\displaystyle=\int_0^\pi (a^2x^2-4ax\sin x)dx$

$\displaystyle=a^2\int_0^\pi x^2dx-4a\int_0^\pi x\sin x dx$

$\displaystyle=a^2\Big[\frac{1}{3}x^3\Big]_0^\pi-4a\Big\{\Big[-x\cos x\Big]_0^\pi+\int_0^\pi \cos x dx\Big\}$

$=\dfrac{1}{3}\pi^3a^2-4\pi a$ ······ ❸

$=\dfrac{1}{3}\pi^3\Big(a-\dfrac{6}{\pi^2}\Big)^2-\dfrac{12}{\pi}$

따라서 $a=\dfrac{6}{\pi^2}$일 때 $\displaystyle\int_0^\pi f(x)\{f(x)-4\sin x\}dx$는 최솟값을 가지므로

$f(x)=\dfrac{6}{\pi^2}x$ ······ ❹

정답_ $f(x)=\dfrac{6}{\pi^2}x$

단계	채점 기준	비율
❶	$f(0)$의 값 구하기	20%
❷	$f(x)$를 a에 대한 식으로 나타내기	20%
❸	$\displaystyle\int_0^\pi f(x)\{f(x)-4\sin x\}dx$를 a에 대한 이차식으로 나타내기	30%
❹	$\displaystyle\int_0^\pi f(x)\{f(x)-4\sin x\}dx$가 최소가 되는 $f(x)$ 구하기	30%

648

조건 (가)에서 극한값이 존재하고, $x\to 1$일 때 (분모) $\to 0$이므로 (분자) $\to 0$이어야 한다.

즉, $\displaystyle\lim_{x\to 1}\{f(x)-3\}=0$에서 $f(1)=3$

$\displaystyle\therefore \lim_{x\to 1}\frac{f(x)-3}{x-1}=\lim_{x\to 1}\frac{f(x)-f(1)}{x-1}=f'(1)=2$ ······ ❶

또한, 조건 (나)에서 극한값이 존재하고, $x\to 2$일 때 (분모) $\to 0$이므로 (분자) $\to 0$이어야 한다.

즉, $\displaystyle\lim_{x\to 2}\{f(x)-4\}=0$에서 $f(2)=4$

$\displaystyle\therefore \lim_{x\to 2}\frac{f(x)-4}{x-2}=\lim_{x\to 2}\frac{f(x)-f(2)}{x-2}=f'(2)=3$ ······ ❷

$\displaystyle\therefore \int_1^2 xf''(x)dx=\int_1^2 x\{f'(x)\}'dx$

$\displaystyle=\Big[xf'(x)\Big]_1^2-\int_1^2 f'(x)dx$

$=\Big[xf'(x)\Big]_1^2-\Big[f(x)\Big]_1^2$

$=\{2f'(2)-f'(1)\}-\{f(2)-f(1)\}$

$=(2\cdot 3-2)-(4-3)=3$ ······ ❸

정답_ 3

단계	채점 기준	비율
❶	조건 (가)를 이용하여 $f(1)$, $f'(1)$의 값 구하기	30%
❷	조건 (나)를 이용하여 $f(2)$, $f'(2)$의 값 구하기	30%
❸	$\displaystyle\int_1^2 xf''(x)dx$의 값 구하기	40%

649

$\displaystyle xf(x)-x=\int_1^x f(t)dt-1$ ······㉠

㉠의 양변을 x에 대하여 미분하면

$f(x)+xf'(x)-1=f(x)$ $\quad\therefore f'(x)=\dfrac{1}{x}$ ······ ❶

$\therefore f(x)=\int f'(x)dx=\int \frac{1}{x}dx=\ln x+C$

㉠의 양변에 $x=1$을 대입하면 $f(1)-1=-1, f(1)=0$

$\therefore f(1)=C=0 \quad \therefore f(x)=\ln x$ ······ ❷

한편, $1\le x<2$이면 $[x]=1$, $2\le x<e$이면 $[x]=2$이므로

$$\begin{aligned}\int_1^e [x]f(x)dx&=\int_1^2 \ln x\,dx+\int_2^e 2\ln x\,dx\\&=\Big[x\ln x\Big]_1^2-\int_1^2 1dx+2\left\{\Big[x\ln x\Big]_2^e-\int_2^e 1\,dx\right\}\\&=2\ln 2-\Big[x\Big]_1^2+2\left\{e-2\ln 2-\Big[x\Big]_2^e\right\}\\&=2\ln 2-1+2\{e-2\ln 2-(e-2)\}\\&=2\ln 2-1+2(-2\ln 2+2)\\&=-2\ln 2+3\end{aligned}$$ ······ ❸

정답_ $-2\ln 2+3$

단계	채점 기준	비율
❶	$f'(x)$ 구하기	30%
❷	$f(x)$ 구하기	30%
❸	$\int_1^e [x]f(x)dx$의 값 구하기	40%

650

조건 (가)에서 $\lim_{x\to 0}\frac{1}{x}\int_0^x f(t)dt=f(0)=-4$

조건 (나)에서

$$\begin{aligned}\lim_{x\to 2}\frac{1}{x^2-4}\int_2^x f(t)dt&=\lim_{x\to 2}\frac{1}{x+2}\cdot\frac{1}{x-2}\int_2^x f(t)dt\\&=\lim_{x\to 2}\frac{1}{x+2}\cdot\lim_{x\to 2}\frac{1}{x-2}\int_2^x f(t)dt\\&=\frac{1}{4}f(2)=\frac{1}{2}(e^2+1)\end{aligned}$$

$\therefore f(2)=2(e^2+1)$ ······ ❶

$f(x)=2e^x+ax+b$에서

$f(0)=2+b=-4 \quad \therefore b=-6$

$f(2)=2e^2+2a+b=2e^2+2a-6=2(e^2+1) \quad \therefore a=4$

따라서 $f(x)=2e^x+4x-6$이므로 ······ ❷

$$\begin{aligned}&\int_0^2 \{f(x)+f(-x)\}dx\\&=\int_0^2 \{(2e^x+4x-6)+(2e^{-x}-4x-6)\}dx\\&=\int_0^2 \{2(e^x+e^{-x})-12\}dx=\Big[2(e^x-e^{-x})-12x\Big]_0^2\\&=2\left(e^2-\frac{1}{e^2}\right)-24\end{aligned}$$ ······ ❸

정답_ $2\left(e^2-\frac{1}{e^2}\right)-24$

단계	채점 기준	비율
❶	$f(0)$, $f(2)$의 값 구하기	30%
❷	$f(x)$ 구하기	30%
❸	$\int_0^2 \{f(x)+f(-x)\}dx$의 값 구하기	40%

651

$$g(x)=\frac{4-|x-4|}{2}=\begin{cases}\frac{1}{2}x & (0\le x\le 4)\\ -\frac{1}{2}x+4 & (4<x\le 8)\end{cases}$$

이때, $S(a)=\int_0^a f(x)dx+\int_a^8 g(x)dx$로 놓으면

(i) $0\le a\le 4$일 때,

$$\begin{aligned}S(a)&=\int_0^a\left(\frac{5}{2}-\frac{10x}{x^2+4}\right)dx+\int_a^4 \frac{1}{2}x\,dx\\&\quad+\int_4^8\left(-\frac{1}{2}x+4\right)dx\\&=\left[\frac{5}{2}x-5\ln(x^2+4)\right]_0^a+\left[\frac{1}{4}x^2\right]_a^4+\left[-\frac{1}{4}x^2+4x\right]_4^8\\&=\left\{\frac{5}{2}a-5\ln(a^2+4)+5\ln 4\right\}+\left(4-\frac{1}{4}a^2\right)+4\\&=\frac{5}{2}a-5\ln(a^2+4)-\frac{1}{4}a^2+5\ln 4+8\end{aligned}$$

$$\begin{aligned}S'(a)&=\frac{5}{2}-\frac{10a}{a^2+4}-\frac{1}{2}a\\&=-\frac{a^3-5a^2+24a-20}{2(a^2+4)}\\&=-\frac{(a-1)(a^2-4a+20)}{2(a^2+4)}\end{aligned}$$

$S'(a)=0$에서 $a=1$ ($\because a^2-4a+20>0$)

$a=1$의 좌우에서 $S'(a)$의 부호가 양($+$)에서 음($-$)으로 바뀌므로 $S(a)$는 $a=1$에서 극댓값을 갖는다.

또한, $S(0)=-5\ln 4+5\ln 4+8=8$,

$S(4)=10-5\ln 20-4+5\ln 4+8=14-5\ln 5$이므로

$0\le a\le 4$일 때 $S(a)$의 최솟값은

$S(4)=14-5\ln 5$ ······㉠

(ii) $4<a\le 8$일 때,

$$\begin{aligned}S(a)&=\int_0^a\left(\frac{5}{2}-\frac{10x}{x^2+4}\right)dx+\int_a^8\left(-\frac{1}{2}x+4\right)dx\\&=\left[\frac{5}{2}x-5\ln(x^2+4)\right]_0^a+\left[-\frac{1}{4}x^2+4x\right]_a^8\\&=\left\{\frac{5}{2}a-5\ln(a^2+4)+5\ln 4\right\}+\left(16+\frac{1}{4}a^2-4a\right)\\&=\frac{1}{4}a^2-\frac{3}{2}a-5\ln(a^2+4)+5\ln 4+16\end{aligned}$$

$$\begin{aligned}S'(a)&=\frac{1}{2}a-\frac{3}{2}-\frac{10a}{a^2+4}\\&=\frac{a^3-3a^2-16a-12}{2(a^2+4)}\\&=\frac{(a+1)(a+2)(a-6)}{2(a^2+4)}\end{aligned}$$

$S'(a)=0$에서 $a=6$ ($\because 4<a\le 8$)

$a=6$의 좌우에서 $S'(a)$의 부호가 음($-$)에서 양($+$)으로 바뀌므로 $S(a)$는 $a=6$에서 극소이면서 최솟값을 갖는다.

즉, $4<a\le 8$일 때 $S(a)$의 최솟값은

$S(6)=9-9-5\ln 40+5\ln 4+16$
$=16-5\ln 10$ ……ⓛ

ⓖ, ⓛ에 의해 $S(a)=\int_0^a f(x)dx+\int_a^8 g(x)dx$의 최솟값은 $S(6)=16-5\ln 10$이다.

정답_ ④

652

$$\int_{-2}^{2}\frac{f(x)}{1+f(x)}dx=\int_{-2}^{0}\frac{f(x)}{1+f(x)}dx+\int_{0}^{2}\frac{f(x)}{1+f(x)}dx$$ ……ⓖ

$\int_{-2}^{0}\frac{f(x)}{1+f(x)}dx$에서 $x=-t$로 놓으면 $\frac{dt}{dx}=-1$이고,
$x=-2$일 때 $t=2$, $x=0$일 때 $t=0$이므로

$$\int_{-2}^{0}\frac{f(x)}{1+f(x)}dx=-\int_{2}^{0}\frac{f(-t)}{1+f(-t)}dt$$
$$=\int_0^2\frac{\frac{1}{f(t)}}{1+\frac{1}{f(t)}}dt\left(\because f(-x)=\frac{1}{f(x)}\right)$$
$$=\int_0^2\frac{1}{1+f(x)}dx$$ ……ⓛ

ⓛ을 ⓖ에 대입하면

$$\int_{-2}^{2}\frac{f(x)}{1+f(x)}dx=\int_0^2\frac{1}{1+f(x)}dx+\int_0^2\frac{f(x)}{1+f(x)}dx$$
$$=\int_0^2 1\,dx=\Big[x\Big]_0^2=2$$

정답_ ②

653

$y=e^x+1$에서 $e^x=y-1$이므로 $x=\ln|y-1|$
$\therefore g(x)=\ln(x-1)$ ($\because e^x+1>1$)

$$\int_2^{e+1}g(t)dt=\int_2^{e+1}\ln(t-1)dt=\int_2^{e+1}\ln(x-1)dx$$

에서 $u'(x)=1, v(x)=\ln(x-1)$로 놓으면
$u(x)=x,\ v'(x)=\frac{1}{x-1}$이므로

$$\int_2^{e+1}\ln(x-1)dx=\Big[x\ln(x-1)\Big]_2^{e+1}-\int_2^{e+1}\frac{x}{x-1}dx$$
$$=(e+1)-\int_2^{e+1}\left(1+\frac{1}{x-1}\right)dx$$
$$=e+1-\Big[x+\ln|x-1|\Big]_2^{e+1}$$
$$=e+1-(e+1+1-2)=1$$

정답_ ①

654

$f(x)=\int_a^x \sin t^2\,dt$의 양변을 x에 대하여 미분하면
$f'(x)=\sin x^2$
$f''(x)=(\cos x^2)\cdot 2x=2x\cos x^2$
이때, $f''(a)=a$이므로
$f''(a)=2a\cos a^2=a$ $\quad\therefore \cos a^2=\frac{1}{2}$ ($\because a\neq 0$)

$0<a<\sqrt{\frac{\pi}{2}}$에서 각 변을 제곱하면
$0<a^2<\frac{\pi}{2}$이므로 $\cos a^2=\frac{1}{2}$에서 $a^2=\frac{\pi}{3}$
함수 $f(x)$의 역함수 $f^{-1}(x)$에 대하여
$f^{-1}(0)=b$로 놓으면 $f(b)=0$이므로
$f(b)=\int_a^b \sin t^2\,dt=0$에서 $b=a$
$\therefore f'(b)=f'(a)=\sin a^2=\sin\frac{\pi}{3}=\frac{\sqrt{3}}{2}$
$\therefore (f^{-1})'(0)=\frac{1}{f'(b)}=\frac{2\sqrt{3}}{3}$

정답_ ⑤

655

조건 (나)에서 $\int_0^{\frac{\pi}{2}}f(t)dt=k$ (k는 상수)로 놓으면
$g(x)=k\cos x+3$
조건 (가)에서 양변에 $x=0$을 대입하면
$\int_{\frac{\pi}{2}}^{0}f(t)dt=\{g(0)+a\}\sin 0-2$
이때 $-k=-2$ $\quad\therefore k=2$
$\therefore \int_0^{\frac{\pi}{2}}f(t)dt=2$
또한, 조건 (가)에서 양변에 $x=\frac{\pi}{2}$를 대입하면
$\int_{\frac{\pi}{2}}^{\frac{\pi}{2}}f(t)dt=\left\{g\left(\frac{\pi}{2}\right)+a\right\}\sin\frac{\pi}{2}-2$
$g\left(\frac{\pi}{2}\right)=3$이므로 $0=(3+a)-2$ $\quad\therefore a=-1$
$g(x)=2\cos x+3, a=-1$을 조건 (가)에 대입하면
$\int_{\frac{\pi}{2}}^{x}f(t)dt=(2\cos x+2)\sin x-2$
위의 식의 양변을 x에 대하여 미분하면
$f(x)=(-2\sin x)\sin x+(2\cos x+2)\cos x$
$=-2\sin^2 x+2\cos^2 x+2\cos x$
$\therefore f(0)=0+2\cdot 1^2+2\cdot 1=4$

정답_ ④

656

$F'(t)=f(t)$로 놓으면

$$\lim_{h\to 0}\frac{1}{h}\int_{x-h}^{x+h}f(t)dt$$
$$=\lim_{h\to 0}\frac{F(x+h)-F(x-h)}{h}$$
$$=\lim_{h\to 0}\frac{F(x+h)-F(x)+F(x)-F(x-h)}{h}$$
$$=\lim_{h\to 0}\frac{F(x+h)-F(x)}{h}+\lim_{h\to 0}\frac{F(x-h)-F(x)}{-h}$$
$$=2F'(x)=2f(x)=2^x$$

$\therefore f(x)=2^{x-1}$
$\therefore \int_1^2 f(x)dx=\int_1^2 2^{x-1}dx=\left[\frac{2^{x-1}}{\ln 2}\right]_1^2=\frac{1}{\ln 2}$

정답_ ①

10 정적분의 활용

657

S_n은 밑변의 길이가 $\frac{1}{n}$이고, 높이가 각각

$\left(\frac{1}{n}\right)^2, \left(\frac{2}{n}\right)^2, \left(\frac{3}{n}\right)^2, \cdots, \left(\frac{n}{n}\right)^2$

인 n개의 직사각형의 넓이의 합이므로

$$S_n=\frac{1}{n}\left(\frac{1}{n}\right)^2+\frac{1}{n}\left(\frac{2}{n}\right)^2+\frac{1}{n}\left(\frac{3}{n}\right)^2+\cdots+\frac{1}{n}\left(\frac{n}{n}\right)^2$$

$$=\sum_{k=1}^{n}\frac{1}{n}\left(\frac{k}{n}\right)^2=\boxed{^{(가)}\sum_{k=1}^{n}\frac{k^2}{n^3}}$$

따라서 구하는 넓이 S는

$$S=\lim_{n\to\infty}S_n=\lim_{n\to\infty}\boxed{^{(가)}\sum_{k=1}^{n}\frac{k^2}{n^3}}=\lim_{n\to\infty}\frac{1}{n^3}\sum_{k=1}^{n}k^2$$

$$=\lim_{n\to\infty}\frac{1}{n^3}\cdot\frac{n(n+1)(2n+1)}{6}$$

$$=\lim_{n\to\infty}\frac{(n+1)(2n+1)}{6n^2}=\frac{2}{6}=\boxed{^{(나)}\frac{1}{3}}$$

정답_④

658

원뿔을 자른 단면의 반지름의 길이는 위에서부터 차례대로

$\frac{r}{n}, \frac{2r}{n}, \frac{3r}{n}, \cdots, \frac{(n-1)r}{n}$

이때, $(n-1)$개의 원기둥의 부피의 합을 V_n이라고 하면 각 원기둥의 높이는 $\boxed{^{(가)}\frac{h}{n}}$이므로

$$V_n=\pi\left(\frac{r}{n}\right)^2\frac{h}{n}+\pi\left(\frac{2r}{n}\right)^2\frac{h}{n}+\pi\left(\frac{3r}{n}\right)^2\frac{h}{n}+\cdots+\pi\left\{\frac{(n-1)r}{n}\right\}^2\frac{h}{n}$$

$$=\frac{\pi r^2h}{n^3}\{1^2+2^2+3^2+\cdots+(n-1)^2\}$$

$$=\frac{\pi r^2h}{n^3}\cdot\boxed{^{(나)}\sum_{k=1}^{n-1}k^2}$$

따라서 구하는 부피 V는

$$V=\lim_{n\to\infty}V_n=\lim_{n\to\infty}\frac{\pi r^2h}{n^3}\cdot\sum_{k=1}^{n-1}k^2$$

$$=\lim_{n\to\infty}\frac{\pi r^2h}{n^3}\cdot\frac{(n-1)n(2n-1)}{6}$$

$$=\pi r^2h\lim_{n\to\infty}\frac{(n-1)(2n-1)}{6n^2}$$

$$=\frac{1}{3}\pi r^2h$$

정답_①

659

$$\lim_{n\to\infty}\sum_{k=1}^{n}f\left(1+\frac{2k}{n}\right)\frac{2}{n}=\int_1^3 f(x)dx=\int_1^3\frac{1}{x}dx$$

$$=\Big[\ln|x|\Big]_1^3=\ln 3$$

정답_②

660

$$\lim_{n\to\infty}\sum_{k=1}^{n}f\left(\frac{k}{n}\right)\cdot\frac{1}{n}+\lim_{n\to\infty}\sum_{k=1}^{n}f\left(1+\frac{3k}{n}\right)\cdot\frac{3}{n}-\int_2^4 f(x)dx$$

$$=\int_0^1 f(x)dx+\int_1^4 f(x)dx-\int_2^4 f(x)dx$$

$$=\int_0^1 f(x)dx+\int_1^4 f(x)dx+\int_4^2 f(x)dx$$

$$=\int_0^2 f(x)dx$$

정답_②

661

$$\lim_{n\to\infty}\frac{2}{n^3}\{(2n+1)^2+(2n+2)^2+\cdots+(2n+n)^2\}$$

$$=\lim_{n\to\infty}\frac{2}{n^3}\sum_{k=1}^{n}(2n+k)^2=2\lim_{n\to\infty}\sum_{k=1}^{n}\frac{(2n+k)^2}{n^2}\cdot\frac{1}{n}$$

$$=2\lim_{n\to\infty}\sum_{k=1}^{n}\left(2+\frac{k}{n}\right)^2\cdot\frac{1}{n}=2\int_2^3 x^2dx=2\left[\frac{1}{3}x^3\right]_2^3=\frac{38}{3}$$

정답_④

662

$$\lim_{n\to\infty}\frac{1}{n}\left(\sqrt{\frac{n}{2}}+\sqrt{\frac{n}{4}}+\sqrt{\frac{n}{6}}+\cdots+\sqrt{\frac{n}{2n}}\right)$$

$$=\lim_{n\to\infty}\frac{1}{n}\sum_{k=1}^{n}\sqrt{\frac{n}{2k}}=\lim_{n\to\infty}\frac{1}{n}\sum_{k=1}^{n}\sqrt{\frac{1}{\frac{2k}{n}}}$$

$$=\frac{1}{2}\lim_{n\to\infty}\sum_{k=1}^{n}\frac{1}{\sqrt{\frac{2k}{n}}}\cdot\frac{2}{n}=\frac{1}{2}\int_0^2\frac{1}{\sqrt{x}}dx$$

$$=\frac{1}{2}\Big[2\sqrt{x}\Big]_0^2=\sqrt{2}$$

정답_③

663

$$\lim_{n\to\infty}\sum_{k=1}^{n}\frac{n}{2n^2+3nk+k^2}$$

$$=\lim_{n\to\infty}\sum_{k=1}^{n}\frac{1}{2+3\frac{k}{n}+\left(\frac{k}{n}\right)^2}\cdot\frac{1}{n}$$

$$=\int_0^1\frac{1}{2+3x+x^2}dx=\int_0^1\frac{1}{(x+1)(x+2)}dx$$

$$=\int_0^1\left(\frac{1}{x+1}-\frac{1}{x+2}\right)dx$$

$$=\Big[\ln|x+1|-\ln|x+2|\Big]_0^1$$

$$=(\ln 2-\ln 3)-(0-\ln 2)=\ln\frac{4}{3}$$

정답_②

664

점 $A_1, A_2, A_3, \cdots, A_{n-1}$이 x축 위의 닫힌구간 $[0, 3]$을 n등분하였으므로

$A_k\left(\frac{3k}{n}, 0\right) \quad \therefore \overline{A_kB_k}=\left(\frac{3k}{n}\right)^2$

$$\therefore \lim_{n\to\infty}\frac{1}{n}\sum_{k=1}^{n}\overline{A_kB_k}=\lim_{n\to\infty}\frac{1}{n}\sum_{k=1}^{n}\left(\frac{3k}{n}\right)^2$$

$$=9\lim_{n\to\infty}\sum_{k=1}^{n}\left(\frac{k}{n}\right)^2\cdot\frac{1}{n}=9\int_0^1 x^2dx$$

$$=9\left[\frac{1}{3}x^3\right]_0^1=9\cdot\frac{1}{3}=3$$

정답_ 3

665

$\angle AOP_k=\frac{\pi}{2}\cdot\frac{k}{n}=\frac{k\pi}{2n}$

$\angle BOQ_k=\frac{\pi}{2}-\angle AOP_k=\frac{\pi}{2}-\frac{k\pi}{2n}$

이때, $\overline{OB}=8$이므로

$\overline{OQ_k}=\overline{OB}\cos\left(\frac{\pi}{2}-\frac{k\pi}{2n}\right)=8\sin\frac{k\pi}{2n}$

$\overline{BQ_k}=\overline{OB}\sin\left(\frac{\pi}{2}-\frac{k\pi}{2n}\right)=8\cos\frac{k\pi}{2n}$

$$S_k=\frac{1}{2}\cdot\overline{OQ_k}\cdot\overline{BQ_k}$$

$$=\frac{1}{2}\cdot 8\sin\frac{k\pi}{2n}\cdot 8\cos\frac{k\pi}{2n}$$

$$=16\left(2\sin\frac{k\pi}{2n}\cos\frac{k\pi}{2n}\right)$$

$$=16\left(\sin\frac{k\pi}{2n}\cos\frac{k\pi}{2n}+\cos\frac{k\pi}{2n}\sin\frac{k\pi}{2n}\right)$$

$$=16\sin\left(\frac{k\pi}{2n}+\frac{k\pi}{2n}\right)$$

$$=16\sin\frac{k\pi}{n}$$

$$\lim_{n\to\infty}\frac{1}{n}\sum_{k=1}^{n-1}S_k=\lim_{n\to\infty}\frac{1}{n}\sum_{k=1}^{n-1}16\sin\frac{k\pi}{n}$$

$$=\frac{16}{\pi}\lim_{n\to\infty}\sum_{k=1}^{n-1}\sin\frac{k\pi}{n}\cdot\frac{\pi}{n}$$

$$=\frac{16}{\pi}\int_0^{\pi}\sin x\,dx$$

$$=\frac{16}{\pi}\left[-\cos x\right]_0^{\pi}$$

$$=\frac{16}{\pi}(1+1)=\frac{32}{\pi}$$

$\therefore a=32$

정답_ 32

666

주어진 조건을 그림으로 나타내면 오른쪽 그림과 같다.

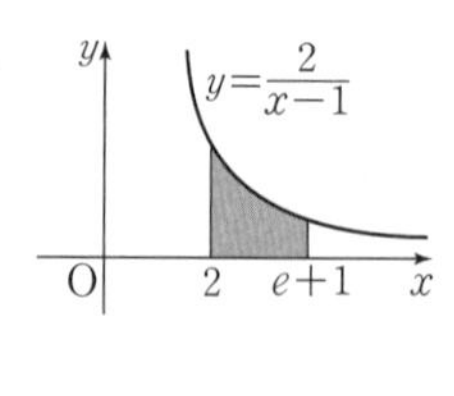

따라서 구하는 넓이는

$$\int_2^{e+1}\frac{2}{x-1}dx=2\left[\ln|x-1|\right]_2^{e+1}$$

$$=2(1-0)=2$$

정답_ ②

667

$(x^2+1)'=2x$이므로 구하는 넓이는

$$\int_0^1\frac{4x}{x^2+1}dx=2\int_0^1\frac{2x}{x^2+1}dx=2\left[\ln(x^2+1)\right]_0^1$$

$$=2(\ln 2-\ln 1)=2\ln 2$$

정답_ ⑤

668

주어진 조건을 그림으로 나타내면 오른쪽 그림과 같다.

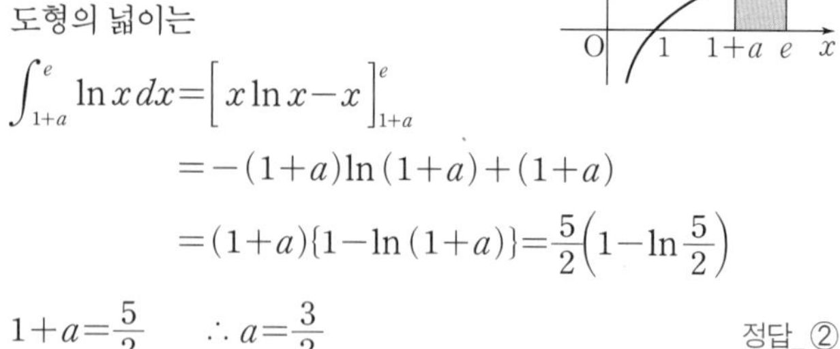

도형의 넓이는

$$\int_{1+a}^{e}\ln x\,dx=\left[x\ln x-x\right]_{1+a}^{e}$$

$$=-(1+a)\ln(1+a)+(1+a)$$

$$=(1+a)\{1-\ln(1+a)\}=\frac{5}{2}\left(1-\ln\frac{5}{2}\right)$$

$1+a=\frac{5}{2}$ $\quad\therefore a=\frac{3}{2}$

정답_ ②

669

$(\ln x)^2-3\ln x+2=(\ln x-1)(\ln x-2)$이므로

$f(x)=0$을 만족시키는 x의 값을 구하면

$\ln x-1=0$ 또는 $\ln x-2=0$

$\therefore x=e$ 또는 $x=e^2$

한편, $e<x<e^2$에서 $f(x)<0$이므로 구하는 도형의 넓이는

$$-\int_e^{e^2}\frac{(\ln x)^2-3\ln x+2}{x}dx$$

이때, $\ln x=t$로 놓으면 $\frac{dt}{dx}=\frac{1}{x}$이고,

$x=e$일 때 $t=1$, $x=e^2$일 때 $t=2$이므로

$$-\int_e^{e^2}\frac{(\ln x)^2-3\ln x+2}{x}dx$$

$$=-\int_1^2(t^2-3t+2)dt=-\left[\frac{1}{3}t^3-\frac{3}{2}t^2+2t\right]_1^2$$

$$=-\left\{\left(\frac{8}{3}-6+4\right)-\left(\frac{1}{3}-\frac{3}{2}+2\right)\right\}=\frac{1}{6}$$

정답_ ①

670

$0\le x\le\frac{\pi}{2}$에서 $y=1$일 때 $x=\frac{\pi}{2}$,

$y=\frac{1}{2}$일 때 $x=\frac{\pi}{6}$

주어진 조건을 그림으로 나타내면 오른쪽 그림과 같다.

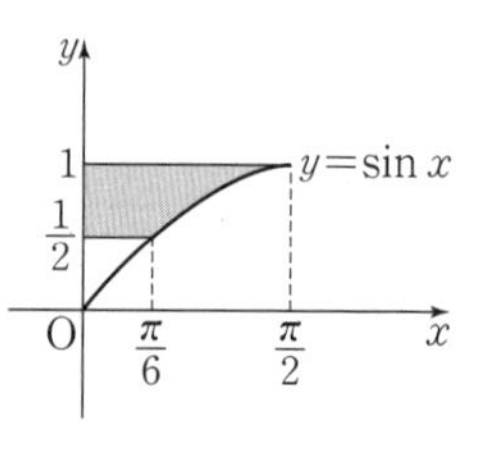

따라서 구하는 넓이는

$$1\times\frac{\pi}{2}-\frac{1}{2}\times\frac{\pi}{6}-\int_{\frac{\pi}{6}}^{\frac{\pi}{2}}\sin x\,dx$$

$$=\frac{\pi}{2}-\frac{\pi}{12}-\left[-\cos x\right]_{\frac{\pi}{6}}^{\frac{\pi}{2}}$$

$$=\frac{5}{12}\pi-\frac{\sqrt{3}}{2}$$

정답_ ⑤

671

$0\le x\le\pi$에서 $y=\frac{1}{4}$일 때 $x=\frac{\pi}{3}$,

$y=1$일 때 $x=\pi$

주어진 조건을 그림으로 나타내면 오른쪽 그림과 같다.

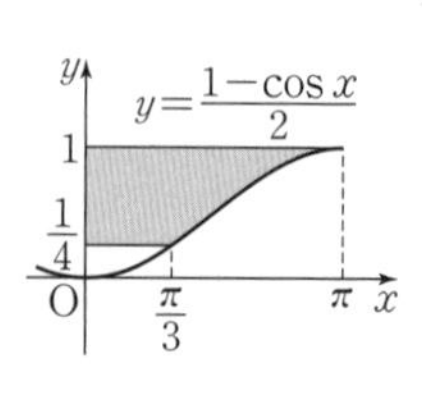

도형의 넓이는

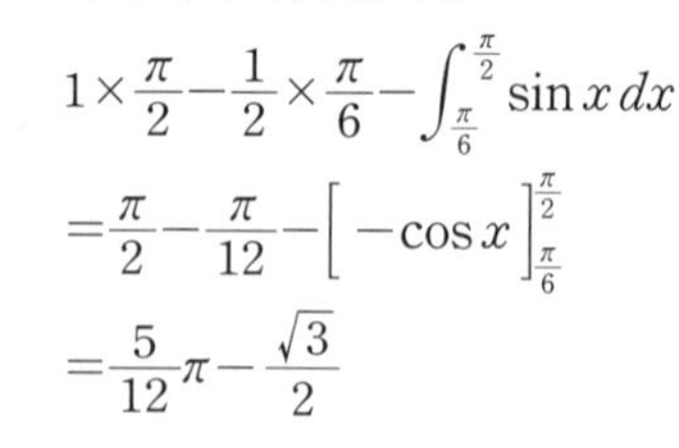

$$1\times\pi-\frac{1}{4}\times\frac{\pi}{3}-\int_{\frac{\pi}{3}}^{\pi}\frac{1-\cos x}{2}dx$$

$$=\pi-\frac{\pi}{12}-\frac{1}{2}\int_{\frac{\pi}{3}}^{\pi}(1-\cos x)dx$$

$$=\frac{11}{12}\pi-\frac{1}{2}\Big[x-\sin x\Big]_{\frac{\pi}{3}}^{\pi}$$

$$=\frac{11}{12}\pi-\frac{1}{2}\left\{(\pi-\sin\pi)-\left(\frac{\pi}{3}-\sin\frac{\pi}{3}\right)\right\}$$

$$=\frac{11}{12}\pi-\frac{1}{2}\left(\frac{2}{3}\pi+\frac{\sqrt{3}}{2}\right)=\frac{7}{12}\pi-\frac{\sqrt{3}}{4}$$

따라서 $a=\frac{7}{12}$, $b=-\frac{1}{4}$이므로

$a+b=\frac{7}{12}+\left(-\frac{1}{4}\right)=\frac{1}{3}$ 정답_②

672

$y=\sqrt{x+1}$에서 양변을 제곱하면

$y^2=x+1$ $\therefore x=y^2-1$

주어진 조건을 그림으로 나타내면 오른쪽 그림과 같다.

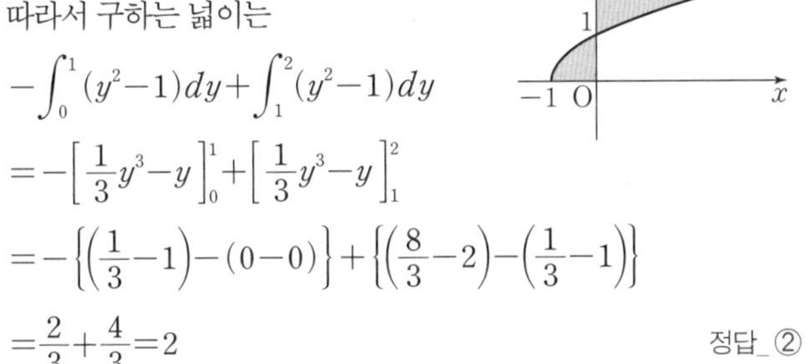

따라서 구하는 넓이는

$$-\int_0^1(y^2-1)dy+\int_1^2(y^2-1)dy$$

$$=-\Big[\frac{1}{3}y^3-y\Big]_0^1+\Big[\frac{1}{3}y^3-y\Big]_1^2$$

$$=-\left\{\left(\frac{1}{3}-1\right)-(0-0)\right\}+\left\{\left(\frac{8}{3}-2\right)-\left(\frac{1}{3}-1\right)\right\}$$

$=\frac{2}{3}+\frac{4}{3}=2$ 정답_②

673

$y=e^{2x}$에서 $\ln y=2x$ $\therefore x=\frac{1}{2}\ln y$

주어진 조건을 그림으로 나타내면 오른쪽 그림과 같다.

따라서 구하는 넓이는

$$\int_1^e\frac{1}{2}\ln y\,dy=\frac{1}{2}\Big[y\ln y-y\Big]_1^e$$

$$=\frac{1}{2}\{(e-e)-(0-1)\}$$

$=\frac{1}{2}$ 정답_②

674

$y=\sqrt{1-\sqrt{x}}$에서 양변을 제곱하면

$y^2=1-\sqrt{x}$, $\sqrt{x}=1-y^2$ $\therefore x=(1-y^2)^2=y^4-2y^2+1$

따라서 구하는 넓이는

$$\int_0^1(y^4-2y^2+1)dy=\Big[\frac{1}{5}y^5-\frac{2}{3}y^3+y\Big]_0^1$$

$$=\left(\frac{1}{5}-\frac{2}{3}+1\right)-0$$

$=\frac{8}{15}$ 정답_②

675

$y=\ln(a-x)$에서 $e^y=a-x$ $\therefore x=a-e^y$

주어진 조건을 그림으로 나타내면 오른쪽 그림과 같다.

도형의 넓이는

$$\int_0^{\ln a}(a-e^y)dy$$

$$=\Big[ay-e^y\Big]_0^{\ln a}$$

$$=(a\ln a-e^{\ln a})-(0-1)$$

$$=a\ln a-a+1$$

$a\ln a-a+1=a+1$에서 $a(\ln a-2)=0$

$\ln a=2\ (\because a>1)$ $\therefore a=e^2$ 정답_⑤

676

$xy=4$에서 $y=\frac{4}{x}$

$x+y=5$에서 $y=-x+5$

곡선 $y=\frac{4}{x}$와 직선 $y=-x+5$의 교점의

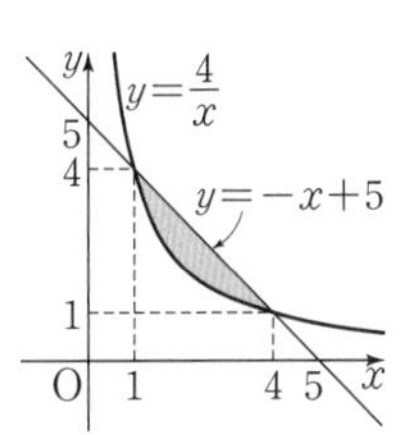

x좌표는 $\frac{4}{x}=-x+5$에서

$x^2-5x+4=0$, $(x-1)(x-4)=0$

$\therefore x=1$ 또는 $x=4$

한편, $1\le x\le 4$에서 $\frac{4}{x}\le -x+5$이므로

도형의 넓이는

$$\int_1^4\left\{(-x+5)-\frac{4}{x}\right\}dx$$

$$=\Big[-\frac{1}{2}x^2+5x-4\ln|x|\Big]_1^4$$

$$=\left\{(-8+20-4\ln 4)-\left(-\frac{1}{2}+5-0\right)\right\}$$

$$=\frac{15}{2}-4\ln 4=\frac{15}{2}-8\ln 2$$

따라서 $a=\frac{15}{2}$, $b=-8$이므로

$a+b=\frac{15}{2}+(-8)=-\frac{1}{2}$ 정답_②

677

$y=\frac{1}{x}$에서 $x=\frac{1}{y}$

$y=-\frac{1}{x}$에서 $x=-\frac{1}{y}$

주어진 조건을 그림으로 나타내면 오른쪽 그림과 같다.

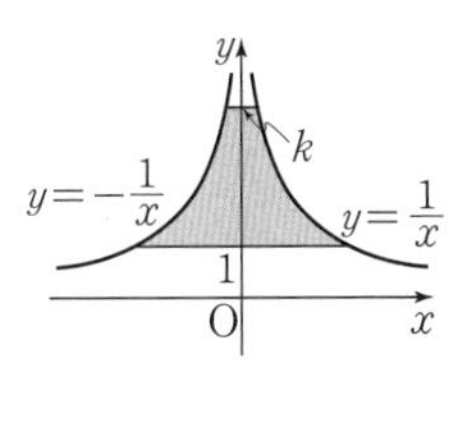

도형의 넓이는

$$\int_1^k\left\{\frac{1}{y}-\left(-\frac{1}{y}\right)\right\}dy=2\int_1^k\frac{1}{y}dy$$

$$=2\Big[\ln|y|\Big]_1^k$$

$=2\ln k$

$2\ln k=4$에서 $\ln k=2$ $\therefore k=e^2$ 정답_ ⑤

678

구하는 넓이는

$$\int_0^1 \left\{2^x-\left(\frac{1}{2}\right)^x\right\}dx=\left[\frac{2^x}{\ln 2}-\frac{\left(\frac{1}{2}\right)^x}{\ln\frac{1}{2}}\right]_0^1$$

$$=\left(\frac{2}{\ln 2}-\frac{\frac{1}{2}}{\ln\frac{1}{2}}\right)-\left(\frac{1}{\ln 2}-\frac{1}{\ln\frac{1}{2}}\right)$$

$$=\frac{5}{2\ln 2}-\frac{2}{\ln 2}=\frac{1}{2\ln 2}$$ 정답_ ④

679

곡선 $y=x\cos x$와 직선 $y=x$의 교점의 x좌표는

$x\cos x=x$, $x(\cos x-1)=0$, $x=0$ 또는 $\cos x=1$

$\therefore x=0$ 또는 $x=2\pi$ ($\because 0\le x\le 2\pi$)

$0\le x\le 2\pi$에서 $x\cos x\le x$이므로 구하는 넓이는

$$\int_0^{2\pi}(x-x\cos x)dx$$

$$=\left[\frac{1}{2}x^2\right]_0^{2\pi}-\left\{\left[x\sin x\right]_0^{2\pi}-\int_0^{2\pi}\sin x\,dx\right\}$$

$$=2\pi^2-0+\left[-\cos x\right]_0^{2\pi}$$

$$=2\pi^2+(-1+1)=2\pi^2$$ 정답_ $2\pi^2$

680

닫힌구간 $[0,\ 4]$에서 함수 $f(x)$는 주기가 $\dfrac{2\pi}{\frac{\pi}{4}}=8$인 함수로 직선 $x=2$에 대하여 대칭이다. 오른쪽 그림과 같이 곡선 $y=f(x)$와 직선 $g(x)=2$의 교점의 x좌표는 $x=1$, $x=3$이다.

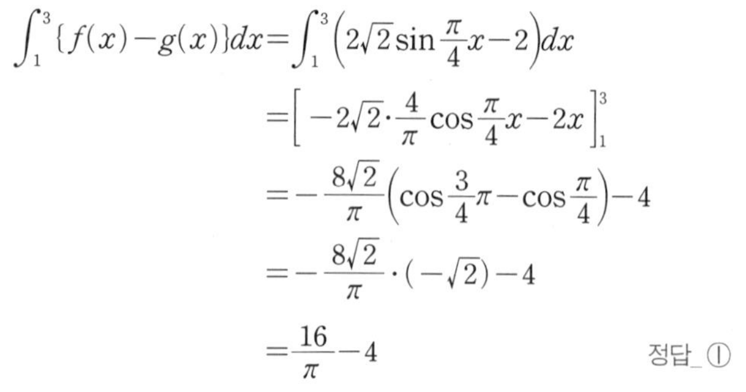

따라서 구하는 넓이는

$$\int_1^3\{f(x)-g(x)\}dx=\int_1^3\left(2\sqrt{2}\sin\frac{\pi}{4}x-2\right)dx$$

$$=\left[-2\sqrt{2}\cdot\frac{4}{\pi}\cos\frac{\pi}{4}x-2x\right]_1^3$$

$$=-\frac{8\sqrt{2}}{\pi}\left(\cos\frac{3}{4}\pi-\cos\frac{\pi}{4}\right)-4$$

$$=-\frac{8\sqrt{2}}{\pi}\cdot(-\sqrt{2})-4$$

$$=\frac{16}{\pi}-4$$ 정답_ ①

681

곡선 $y=xe^x$과 직선 $y=2x$의 교점의 x좌표는

$xe^x=2x$, $x(e^x-2)=0$ $\therefore x=0$ 또는 $x=\ln 2$

한편, $0\le x\le \ln 2$에서 $xe^x\le 2x$이므로 구하는 넓이는

$$\int_0^{\ln 2}(2x-xe^x)dx$$

$$=\int_0^{\ln 2}2x\,dx-\int_0^{\ln 2}xe^x\,dx$$

$$=\left[x^2\right]_0^{\ln 2}-\left\{\left[xe^x\right]_0^{\ln 2}-\int_0^{\ln 2}e^x\,dx\right\}$$

$$=(\ln 2)^2-\left(2\ln 2-\left[e^x\right]_0^{\ln 2}\right)$$

$$=(\ln 2)^2-2\ln 2+1$$ 정답_ ④

682

오른쪽 그림과 같이 곡선 $y=\sqrt{x}$와 직선 $y=ax$의 교점의 x좌표를 c라고 하자.

두 도형 A, B의 넓이가 서로 같으므로

$$\int_0^c(\sqrt{x}-ax)dx=\int_c^4(ax-\sqrt{x})dx$$

$$\int_0^c(\sqrt{x}-ax)dx-\int_c^4(ax-\sqrt{x})dx=0$$

$$\int_0^c(\sqrt{x}-ax)dx+\int_c^4(\sqrt{x}-ax)dx=0$$

$\displaystyle\int_0^4(\sqrt{x}-ax)dx=0$에서 $\left[\dfrac{2}{3}x\sqrt{x}-\dfrac{a}{2}x^2\right]_0^4=0$

$\dfrac{16}{3}-8a=0$ $\therefore a=\dfrac{2}{3}$ 정답_ $\dfrac{2}{3}$

683

두 도형 A, B의 넓이가 서로 같으므로 $\displaystyle\int_0^1 f(x)\,dx=0$

$\displaystyle\int_0^1 f'(\sqrt{x})dx$에서 $\sqrt{x}=t$로 놓으면 $\dfrac{dt}{dx}=\dfrac{1}{2\sqrt{x}}$이고, $x=0$일 때 $t=0$, $x=1$일 때 $t=1$이므로

$$\int_0^1 f'(\sqrt{x})dx=2\int_0^1 tf'(t)dt=2\left\{\left[tf(t)\right]_0^1-\int_0^1 f(t)dt\right\}$$

$$=2f(1)=2\cdot 1=2$$ 정답_ ②

684

[그림 1]에서 곡선 $y=\ln x$와 x축 및 직선 $x=4$로 둘러싸인 도형의 넓이는

$$\int_1^4\ln x\,dx=\left[x\ln x\right]_1^4-\int_1^4 1\,dx$$

$$=(4\ln 4-\ln 1)-\left[x\right]_1^4$$

$$=4\ln 4-3$$ ……㉠

또, [그림 2]에서 색칠한 도형의 넓이는

$(4-1)\ln k=3\ln k$ ……㉡

㉠, ㉡이 서로 같으므로 $4\ln 4-3=3\ln k$

$\ln k=\frac{4}{3}\ln 4-1=\ln 4^{\frac{4}{3}}-\ln e=\ln\frac{4\sqrt[3]{4}}{e}$

$\therefore k=\frac{4\sqrt[3]{4}}{e}$ 정답_④

685

곡선 $y=\frac{1}{x}$과 x축 및 두 직선 $x=1$, $x=e$로 둘러싸인 도형의 넓이는

$\int_1^e \frac{1}{x}dx=\Big[\ln|x|\Big]_1^e=\ln e-\ln 1=1$

직선 $x=a$가 넓이를 이등분하므로 $\int_1^a \frac{1}{x}dx=\frac{1}{2}$

$\Big[\ln|x|\Big]_1^a=\frac{1}{2}$, $\ln a=\frac{1}{2}$

$\therefore a=e^{\frac{1}{2}}=\sqrt{e}$ 정답_②

686

곡선 $y=\cos 2x$와 x축, y축 및 직선 $x=\frac{\pi}{12}$로 둘러싸인 도형의 넓이는

$\int_0^{\frac{\pi}{12}}\cos 2x\,dx=\Big[\frac{1}{2}\sin 2x\Big]_0^{\frac{\pi}{12}}=\frac{1}{2}\sin\frac{\pi}{6}=\frac{1}{2}\cdot\frac{1}{2}=\frac{1}{4}$

이때, 직선 $y=a$가 넓이를 이등분하고 이등분된 아래쪽 영역은 가로, 세로의 길이가 각각 $\frac{\pi}{12}$, a인 직사각형이므로

$\frac{\pi}{12}\cdot a=\frac{1}{2}\cdot\frac{1}{4}$ $\therefore a=\frac{3}{2\pi}$ 정답_③

687

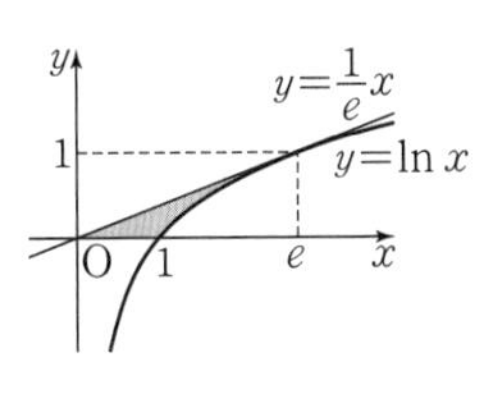

$y=\ln x$에서 $y'=\frac{1}{x}$이므로 이 곡선 위의 점 $(e,\ 1)$에서의 접선의 방정식은

$y-1=\frac{1}{e}(x-e)$ $\therefore y=\frac{1}{e}x$

따라서 구하는 넓이는

$\frac{1}{2}\cdot e\cdot 1-\int_1^e \ln x\,dx=\frac{e}{2}-\left\{\Big[x\ln x\Big]_1^e-\int_1^e 1\,dx\right\}$

$=\frac{e}{2}-\left\{e-\Big[x\Big]_1^e\right\}$

$=\frac{e}{2}-\{e-(e-1)\}=\frac{e}{2}-1$ 정답_①

688

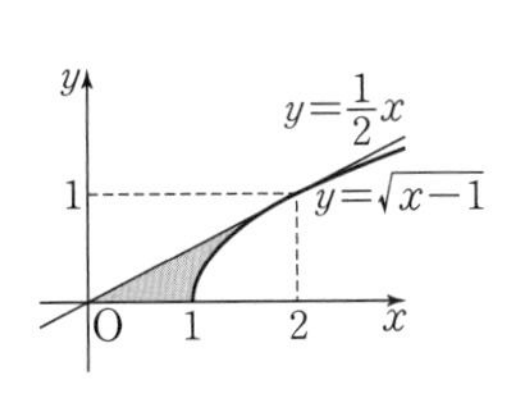

$y=\sqrt{x-1}$에서 $y'=\frac{1}{2\sqrt{x-1}}$이므로 이 곡선 위의 점 $(2,\ 1)$에서의 접선의 기울기는 $\frac{1}{2\sqrt{2-1}}=\frac{1}{2}$이고 접선의 방정식은

$y-1=\frac{1}{2}(x-2)$ $\therefore y=\frac{1}{2}x$

따라서 구하는 넓이는

$\frac{1}{2}\cdot 2\cdot 1-\int_1^2\sqrt{x-1}\,dx=1-\Big[\frac{2}{3}(x-1)\sqrt{x-1}\Big]_1^2$

$=1-\left(\frac{2}{3}-0\right)=\frac{1}{3}$ 정답_④

689

$y=e^{2x}$에서 $y'=2e^{2x}$이므로 접점의 좌표를 $(a,\ e^{2a})$이라고 하면 이 점에서의 접선의 방정식은 $y-e^{2a}=2e^{2a}(x-a)$

이 직선이 원점을 지나므로

$-e^{2a}=2e^{2a}\cdot(-a)$, $(2a-1)e^{2a}=0$

$2a-1=0$ $\therefore a=\frac{1}{2}$

즉, 접점의 좌표가 $\left(\frac{1}{2},\ e\right)$이므로 원점에서 곡선 $y=e^{2x}$에 그은 접선의 방정식은 $y-e=2e\left(x-\frac{1}{2}\right)$

$\therefore y=2ex$

따라서 구하는 넓이는

$\int_0^{\frac{1}{2}}e^{2x}dx-\frac{1}{2}\cdot\frac{1}{2}\cdot e=\Big[\frac{1}{2}e^{2x}\Big]_0^{\frac{1}{2}}-\frac{e}{4}=\frac{e}{4}-\frac{1}{2}$ 정답_①

690

$y=\sin x$에서 $y'=\cos x$이므로 곡선 위의 점 $\left(\frac{\pi}{3},\ \frac{\sqrt{3}}{2}\right)$에서의 접선의 방정식은

$y-\frac{\sqrt{3}}{2}=\frac{1}{2}\left(x-\frac{\pi}{3}\right)$ $\therefore y=\frac{1}{2}x+\frac{\sqrt{3}}{2}-\frac{\pi}{6}$

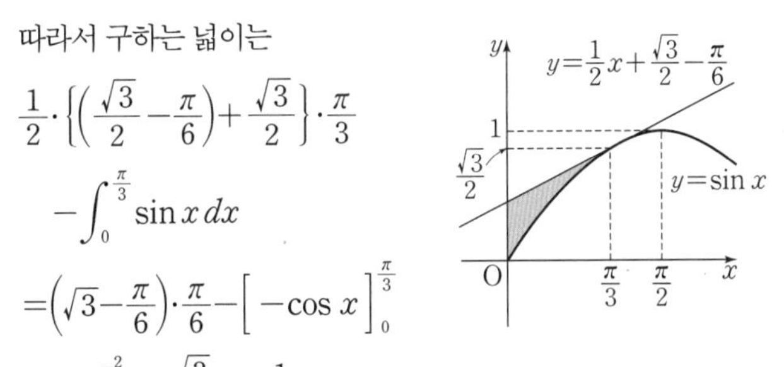

따라서 구하는 넓이는

$\frac{1}{2}\cdot\left\{\left(\frac{\sqrt{3}}{2}-\frac{\pi}{6}\right)+\frac{\sqrt{3}}{2}\right\}\cdot\frac{\pi}{3}-\int_0^{\frac{\pi}{3}}\sin x\,dx$

$=\left(\sqrt{3}-\frac{\pi}{6}\right)\cdot\frac{\pi}{6}-\Big[-\cos x\Big]_0^{\frac{\pi}{3}}$

$=-\frac{\pi^2}{36}+\frac{\sqrt{3}}{6}\pi-\frac{1}{2}$ 정답_①

691

함수 $f(x)=\sqrt{x}\ (x\geq 0)$의 역함수를 $g(x)$라고 하면

$g(x)=x^2\ (x\geq 0)$

두 곡선 $y=f(x)$와 $y=g(x)$는 직선 $y=x$에 대하여 대칭이므로 두 곡선 $y=f(x)$, $y=g(x)$의 교점의 x좌표는 곡선 $y=f(x)$와 직선 $y=x$의 교점의 x좌표와 같다. 즉, $\sqrt{x}=x$에서 $x=x^2$

$x^2-x=0$, $x(x-1)=0$ $\therefore x=0$ 또는 $x=1$

이때, 구하는 넓이는 오른쪽 그림과 같이 직선 $y=x$와 곡선 $y=g(x)$로 둘러싸인 도형의 넓이의 2배와 같으므로

$2\int_0^1(x-x^2)dx=2\Big[\frac{1}{2}x^2-\frac{1}{3}x^3\Big]_0^1$

$$=2\left\{\left(\frac{1}{2}-\frac{1}{3}\right)-0\right\}=\frac{1}{3}$$

정답_ ④

692

두 함수 $y=f(x)$와 $y=g(x)$는 서로 역함수이므로 오른쪽 그림과 같이 두 곡선 $y=f(x)$, $y=g(x)$는 직선 $y=x$에 대하여 대칭이다. 따라서 두 함수의 그래프의 교점의 x좌표는 곡선 $y=f(x)$와 직선 $y=x$의 교점의 x좌표와 같으므로

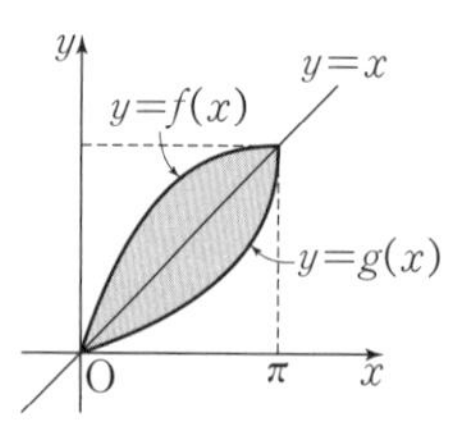

$x+\sin x=x$, $\sin x=0$ $\quad\therefore x=0$ 또는 $x=\pi$ ($\because 0\le x\le\pi$)

따라서 구하는 넓이는

$$2\int_0^{\pi}(x+\sin x-x)dx=2\int_0^{\pi}\sin x\,dx=2\Big[-\cos x\Big]_0^{\pi}$$
$$=2(1+1)=4$$

정답_ ④

693

두 함수 $y=f(x)$와 $y=g(x)$는 서로 역함수이므로 오른쪽 그림과 같이 두 곡선 $y=f(x)$, $y=g(x)$는 직선 $y=x$에 대하여 대칭이다. 이때, $\int_0^e g(x)dx$는 색칠한 도형의 넓이와 같으므로 가로, 세로가 각각 1, e인 직사각형에서 $\int_0^1 f(x)dx$를 뺀 것과 같다.

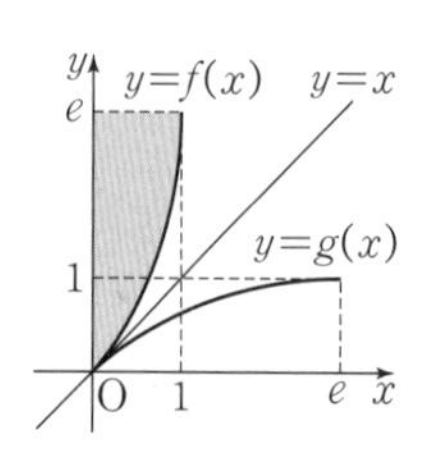

따라서 구하는 넓이는

$$1\cdot e-\int_0^1 xe^x dx=e-\left\{\Big[xe^x\Big]_0^1-\int_0^1 e^x dx\right\}$$
$$=e-\left(e-\Big[e^x\Big]_0^1\right)$$
$$=e-\{e-(e-1)\}=e-1$$

정답_ ①

694

점 P의 좌표가 $(x,\ 0)$이므로 점 Q의 좌표는 $\mathrm{Q}(x,\ -x^2+x)$

$\overline{\mathrm{PQ}}=-x^2+x$

이때, $\overline{\mathrm{PQ}}$를 한 변으로 하는 정사각형의 넓이는

$(-x^2+x)^2=x^4-2x^3+x^2$

따라서 구하는 입체도형의 부피는

$$\int_0^1(x^4-2x^3+x^2)dx=\left[\frac{1}{5}x^5-\frac{1}{2}x^4+\frac{1}{3}x^3\right]_0^1$$
$$=\frac{1}{5}-\frac{1}{2}+\frac{1}{3}=\frac{1}{30}$$

정답_ $\frac{1}{30}$

695

한 변의 길이가 $\sqrt{x}+1$인 정사각형의 넓이는

$(\sqrt{x}+1)^2=x+2\sqrt{x}+1$

따라서 구하는 입체도형의 부피는

$$\int_0^1(x+2\sqrt{x}+1)dx=\left[\frac{1}{2}x^2+\frac{4}{3}x^{\frac{3}{2}}+x\right]_0^1$$
$$=\left(\frac{1}{2}+\frac{4}{3}+1\right)-0=\frac{17}{6}$$

정답_ ④

696

구하는 입체도형의 부피는

$$\int_0^6\ln(x+1)dx=\Big[x\ln(x+1)\Big]_0^6-\int_0^6\frac{x}{x+1}dx$$
$$=6\ln 7-\int_0^6\left(1-\frac{1}{x+1}\right)dx$$
$$=6\ln 7-\Big[x-\ln|x+1|\Big]_0^6$$
$$=6\ln 7-\{(6-\ln 7)-(0-0)\}=7\ln 7-6$$

정답_ ①

697

수면의 넓이가 $1\ \mathrm{m}^2$일 때의 수면의 높이를 구하면

$1-\cos\frac{\pi}{4}x=1$, $\cos\frac{\pi}{4}x=0$

$\frac{\pi}{4}x=\frac{\pi}{2}$ $\quad\therefore x=2$ ($\because 0\le x\le 3$)

따라서 구하는 물의 부피는

$$\int_0^2\left(1-\cos\frac{\pi}{4}x\right)dx=\left[x-\frac{4}{\pi}\sin\frac{\pi}{4}x\right]_0^2$$
$$=\left(2-\frac{4}{\pi}\right)-(0-0)$$
$$=2-\frac{4}{\pi}(\mathrm{m}^3)$$

정답_ ②

698

물의 깊이가 x일 때의 수면의 넓이를 $S(x)$라고 하면

$$V=\int_0^x S(x)dx=\{\ln(x+1)\}^2+kx$$

양변을 x에 대하여 미분하면 $\quad S(x)=\frac{2\ln(x+1)}{x+1}+k$

물의 깊이가 $e-1$일 때, 수면의 넓이가 $\frac{12}{e}$이므로

$S(e-1)=\frac{2}{e}+k=\frac{12}{e}$ $\quad\therefore k=\frac{10}{e}$

정답_ $\frac{10}{e}$

699

다음 그림과 같이 원기둥의 밑면의 중심을 원점으로 하고, 지름을 x축으로 정하면 작은 쪽의 입체도형의 밑면은 반지름의 길이가 4인 반원이다.

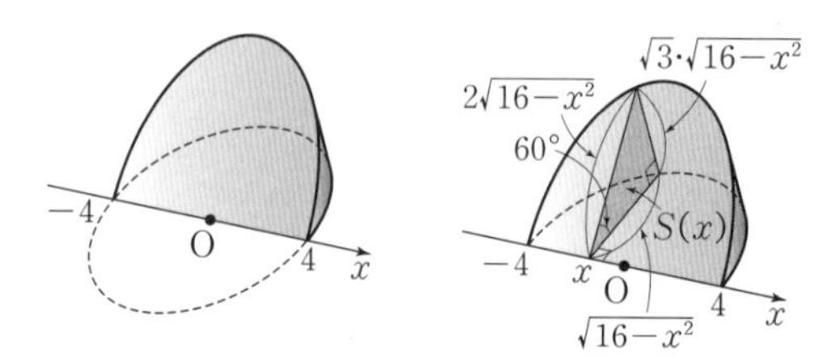

이때, x좌표가 x인 점을 지나고 밑면에 수직인 평면으로 이 입체도형을 자를 때 생기는 단면의 넓이를 $S(x)$라고 하면

$$S(x)=\frac{1}{2}\cdot\sqrt{16-x^2}\cdot(\sqrt{3}\cdot\sqrt{16-x^2})=\frac{\sqrt{3}}{2}(16-x^2)$$

따라서 구하는 부피는

$$\int_{-4}^{4}\frac{\sqrt{3}}{2}(16-x^2)dx=\sqrt{3}\int_{0}^{4}(16-x^2)dx$$
$$=\sqrt{3}\left[16x-\frac{1}{3}x^3\right]_0^4$$
$$=\sqrt{3}\left(64-\frac{64}{3}\right)=\frac{128\sqrt{3}}{3}$$

정답_ ④

700

$v(t)=\sin 2t$에서 $v\left(\frac{\pi}{2}\right)=\sin\pi=0$이므로

$$\int_0^{\frac{\pi}{2}}\sin 2t\,dt=\left[-\frac{1}{2}\cos 2t\right]_0^{\frac{\pi}{2}}=\frac{1}{2}-\left(-\frac{1}{2}\right)=1$$

점 P가 움직인 거리는 양수이므로 함수 $y=|\sin 2t|$를 생각하면

이 함수의 주기는 $\frac{\pi}{2}$이고, $\frac{13}{4}=3+\frac{1}{4}$이다.

$\int_0^u \sin 2t\,dt=\frac{1}{4}$인 $u\left(0<u<\frac{\pi}{2}\right)$의 값을 구하면

$\left[-\frac{1}{2}\cos 2t\right]_0^u=\frac{1}{4}$, $-\frac{1}{2}\cos 2u+\frac{1}{2}=\frac{1}{4}$

$\cos 2u=\frac{1}{2}$, $2u=\frac{\pi}{3}$ $\quad\therefore u=\frac{\pi}{6}$

$\therefore a=3\cdot\frac{\pi}{2}+\frac{\pi}{6}=\frac{5}{3}\pi$

정답_ ④

701

$t=0$에서의 위치가 0이므로 $t=a$ $(0<a\le 100)$일 때 점 P의 위치는

$$0+\int_0^a\cos\frac{\pi}{3}t\,dt=\left[\frac{3}{\pi}\sin\frac{\pi}{3}t\right]_0^a=\frac{3}{\pi}\sin\frac{a}{3}\pi$$

점 P가 원점을 지나려면 $\frac{3}{\pi}\sin\frac{a}{3}\pi=0$에서

$a=3k$ (단, k는 자연수이다.)

따라서 $0<3k\le 100$에서 $0<k\le\frac{100}{3}=33.333\cdots$이므로 원점을 통과하는 횟수는 33이다.

정답_ ③

702

$x=\frac{4}{3}t\sqrt{t}=\frac{4}{3}t^{\frac{3}{2}}$, $y=t\left(1-\frac{1}{2}t\right)=-\frac{1}{2}t^2+t$에서

$\frac{dx}{dt}=2t^{\frac{1}{2}}=2\sqrt{t}$, $\frac{dy}{dt}=-t+1$

이므로 구하는 거리는

$$\int_1^5\sqrt{\left(\frac{dx}{dt}\right)^2+\left(\frac{dy}{dt}\right)^2}dt=\int_1^5\sqrt{4t+(-t+1)^2}dt$$
$$=\int_1^5\sqrt{(t+1)^2}dt$$
$$=\int_1^5(t+1)dt$$
$$=\left[\frac{1}{2}t^2+t\right]_1^5$$
$$=\left(\frac{25}{2}+5\right)-\left(\frac{1}{2}+1\right)$$
$$=16$$

정답_ ③

703

$x=t^2$, $y=\frac{2}{3}t^3$에서 $\frac{dx}{dt}=2t$, $\frac{dy}{dt}=2t^2$

구하는 거리는

$$\int_0^{\sqrt{3}}\sqrt{\left(\frac{dx}{dt}\right)^2+\left(\frac{dy}{dt}\right)^2}dt=\int_0^{\sqrt{3}}\sqrt{(2t)^2+(2t^2)^2}dt$$
$$=\int_0^{\sqrt{3}}2t\sqrt{1+t^2}dt$$

$1+t^2=u$로 놓으면 $\frac{du}{dt}=2t$이고,

$t=0$일 때 $u=1$, $t=\sqrt{3}$일 때 $u=4$이므로

$$\int_0^{\sqrt{3}}2t\sqrt{1+t^2}dt=\int_1^4\sqrt{u}\,du$$
$$=\left[\frac{2}{3}u^{\frac{3}{2}}\right]_1^4=\frac{14}{3}$$

정답_ ⑤

704

$x=e^t-t$, $y=4e^{\frac{t}{2}}$에서

$\frac{dx}{dt}=e^t-1$, $\frac{dy}{dt}=2e^{\frac{t}{2}}$

이므로 구하는 거리는

$$\int_0^a\sqrt{\left(\frac{dx}{dt}\right)^2+\left(\frac{dy}{dt}\right)^2}dt=\int_0^a\sqrt{(e^t-1)^2+(2e^{\frac{t}{2}})^2}dt$$
$$=\int_0^a\sqrt{e^{2t}+2e^t+1}dt$$
$$=\int_0^a\sqrt{(e^t+1)^2}dt$$
$$=\int_0^a(e^t+1)dt$$
$$=\left[e^t+t\right]_0^a$$
$$=(e^a+a)-(1+0)$$
$$=e^a+a-1$$

$e^a+a-1=e^2+1$에서

$a=2$

정답_ 2

705

$y=\frac{1}{3}(x^2+2)^{\frac{3}{2}}$에서

$\frac{dy}{dx}=\frac{1}{3}\cdot\frac{3}{2}(x^2+2)^{\frac{1}{2}}\cdot 2x=x\sqrt{x^2+2}$

따라서 구하는 곡선의 길이는

$$\int_0^6\sqrt{1+\left(\frac{dy}{dx}\right)^2}dx=\int_0^6\sqrt{1+x^2(x^2+2)}dx$$
$$=\int_0^6\sqrt{x^4+2x^2+1}\,dx$$
$$=\int_0^6\sqrt{(x^2+1)^2}dx$$
$$=\int_0^6(x^2+1)dx$$
$$=\left[\frac{1}{3}x^3+x\right]_0^6$$
$$=(72+6)-0=78$$

정답_ ④

706

$y=\int_0^x \sqrt{\sec^4 t-1}\,dt$에서 양변을 x에 대하여 미분하면

$\frac{dy}{dx}=\sqrt{\sec^4 x-1}$

따라서 구하는 곡선의 길이는

$$\int_{-\frac{\pi}{4}}^{\frac{\pi}{4}} \sqrt{1+\left(\frac{dy}{dx}\right)^2}\,dx=\int_{-\frac{\pi}{4}}^{\frac{\pi}{4}} \sqrt{1+(\sec^4 x-1)}\,dx$$
$$=\int_{-\frac{\pi}{4}}^{\frac{\pi}{4}} \sec^2 x\,dx=\Big[\tan x\Big]_{-\frac{\pi}{4}}^{\frac{\pi}{4}}$$
$$=1-(-1)=2$$

정답_ ③

707

$0\le x\le t$에서 곡선 $y=f(x)$의 길이는

$\int_0^t \sqrt{1+\{f'(x)\}^2}\,dx=\frac{1}{2}(e^t-e^{-t})$

위의 식의 양변을 t에 대하여 미분하면

$\sqrt{1+\{f'(t)\}^2}=\frac{1}{2}(e^t+e^{-t})$

양변을 제곱하면

$1+\{f'(t)\}^2=\frac{1}{4}(e^t+e^{-t})^2, \{f'(t)\}^2=\frac{1}{4}(e^t-e^{-t})^2$

그런데 $f'(t)\ge 0$이므로 $f'(t)=\frac{1}{2}(e^t-e^{-t})$

$f(t)=\frac{1}{2}\int (e^t-e^{-t})\,dt=\frac{1}{2}(e^t+e^{-t})+C$

이때, $f(0)=1+C=1$이므로 $C=0$

따라서 $f(t)=\frac{1}{2}(e^t+e^{-t})$이므로

$f(\ln 2)=\frac{1}{2}\left(2+\frac{1}{2}\right)=\frac{5}{4}$

정답_ ⑤

708

$x=e^t\cos t, y=e^t\sin t$에서

$\frac{dx}{dt}=e^t(\cos t-\sin t), \frac{dy}{dt}=e^t(\sin t+\cos t)$

이므로 구하는 곡선의 길이는

$$\int_0^{3\pi} \sqrt{\left(\frac{dx}{dt}\right)^2+\left(\frac{dy}{dt}\right)^2}\,dt$$
$$=\int_0^{3\pi} \sqrt{e^{2t}(\cos t-\sin t)^2+e^{2t}(\sin t+\cos t)^2}\,dt$$
$$=\int_0^{3\pi} \sqrt{e^{2t}(1-2\sin t\cos t+1+2\sin t\cos t)}\,dt$$
$$=\sqrt{2}\int_0^{3\pi} e^t\,dt=\sqrt{2}\Big[e^t\Big]_0^{3\pi}$$
$$=\sqrt{2}(e^{3\pi}-1)$$

정답_ ④

709

$x=\ln t^2=2\ln|t|=2\ln t\,(1\le t\le a), y=t+\frac{1}{t}$에서

$\frac{dx}{dt}=\frac{2}{t}, \frac{dy}{dt}=1-\frac{1}{t^2}$

이므로 구하는 곡선의 길이는

$$\int_1^a \sqrt{\left(\frac{dx}{dt}\right)^2+\left(\frac{dy}{dt}\right)^2}\,dt=\int_1^a \sqrt{\left(\frac{2}{t}\right)^2+\left(1-\frac{1}{t^2}\right)^2}\,dt$$
$$=\int_1^a \sqrt{\frac{4}{t^2}+1-\frac{2}{t^2}+\frac{1}{t^4}}\,dt$$
$$=\int_1^a \sqrt{\left(1+\frac{1}{t^2}\right)^2}\,dt$$
$$=\int_1^a \left(1+\frac{1}{t^2}\right)dt$$
$$=\left[t-\frac{1}{t}\right]_1^a$$
$$=\left(a-\frac{1}{a}\right)-(1-1)$$
$$=a-\frac{1}{a}$$

$a-\frac{1}{a}=\frac{3}{2}$에서 $2a^2-3a-2=0, (2a+1)(a-2)=0$

$a\ge 1$이므로 $a=2$

정답_ ②

710

$$\lim_{n\to\infty} \frac{\pi}{n^2}\left(\cos\frac{\pi}{n}+2\cos\frac{2\pi}{n}+3\cos\frac{3\pi}{n}+\cdots+n\cos\frac{n\pi}{n}\right)$$
$$=\lim_{n\to\infty} \frac{\pi}{n^2}\sum_{k=1}^{n} k\cos\frac{k\pi}{n}$$
$$=\pi\lim_{n\to\infty} \sum_{k=1}^{n} \frac{k}{n}\cdot\left(\cos\frac{k\pi}{n}\right)\cdot\frac{1}{n}$$
$$=\pi\int_0^1 x\cos\pi x\,dx \quad\cdots\cdots❶$$

이때, $f'(x)=\cos\pi x$, $g(x)=x$로 놓으면

$f(x)=\frac{1}{\pi}\sin\pi x, g'(x)=1$이므로

$$(\text{주어진 식})=\pi\left[\frac{x}{\pi}\sin\pi x\right]_0^1-\pi\int_0^1 \frac{1}{\pi}\sin\pi x\,dx$$
$$=-\int_0^1 \sin\pi x\,dx$$
$$=-\left[-\frac{\cos\pi x}{\pi}\right]_0^1$$
$$=-\left(\frac{1}{\pi}+\frac{1}{\pi}\right)=-\frac{2}{\pi} \quad\cdots\cdots❷$$

정답_ $-\frac{2}{\pi}$

단계	채점 기준	비율
❶	주어진 급수를 정적분으로 나타내기	50%
❷	부분적분법을 이용하여 정적분의 값 구하기	50%

711

두 곡선 $y=\tan x, y=\sin x$의 교점의 x좌표는

$\tan x=\sin x, \frac{\sin x}{\cos x}=\sin x, \sin x(1-\cos x)=0$

$\sin x=0$ 또는 $\cos x=1$ $\quad\therefore x=0$ ……❶

주어진 조건을 그림으로 나타내면 오른쪽 그림과 같다.

한편, $0\le x\le\frac{\pi}{4}$에서 $\sin x<\tan x$이므로 구하는 넓이는

$\int_0^{\frac{\pi}{4}}(\tan x-\sin x)dx$

$=\int_0^{\frac{\pi}{4}}\left(\frac{\sin x}{\cos x}-\sin x\right)dx$

$=\left[-\ln|\cos x|+\cos x\right]_0^{\frac{\pi}{4}}$

$=\left\{-\ln\left(\cos\frac{\pi}{4}\right)+\cos\frac{\pi}{4}\right\}-\{-\ln(\cos 0)+\cos 0\}$

$=-\ln\frac{\sqrt{2}}{2}+\frac{\sqrt{2}}{2}-1$

$=\frac{1}{2}\ln 2+\frac{\sqrt{2}}{2}-1$ ❷

정답_ $\frac{1}{2}\ln 2+\frac{\sqrt{2}}{2}-1$

단계	채점 기준	비율
❶	두 곡선 $y=\tan x$, $y=\sin x$의 교점의 x좌표 구하기	50%
❷	넓이 구하기	50%

712

곡선 $y=\frac{1}{x}$과 x축 및 두 직선 $x=a$, $x=b$로 둘러싸인 도형의 넓이는 $\int_a^b\frac{1}{x}dx=\left[\ln|x|\right]_a^b=\ln b-\ln a$ ……㉠ ❶

한편, $y=\frac{1}{x}$에서 $y'=-\frac{1}{x^2}$이므로 이 곡선 위의 점 $\mathrm{P}\left(a,\ \frac{1}{a}\right)$에서의 접선의 방정식은 $y-\frac{1}{a}=-\frac{1}{a^2}(x-a)$

이 직선의 x절편은 $-\frac{1}{a}=-\frac{1}{a^2}(x-a)$

$x-a=a$ $\quad\therefore x=2a$

따라서 곡선 위의 점 $\mathrm{P}\left(a,\ \frac{1}{a}\right)$에서의 접선과 x축 및 직선 $x=a$로 둘러싸인 도형의 넓이는 $\frac{1}{2}\cdot(2a-a)\cdot\frac{1}{a}=\frac{1}{2}$ ……㉡ ❷

㉠이 ㉡의 4배이므로 $\ln b-\ln a=4\cdot\frac{1}{2}=2$, $\ln\frac{b}{a}=2$

$\frac{b}{a}=e^2$ $\quad\therefore b=ae^2$ ❸

정답_ $b=ae^2$

단계	채점 기준	비율
❶	곡선 $y=\frac{1}{x}$과 x축 및 두 직선 $x=a$, $x=b$로 둘러싸인 도형의 넓이 구하기	30%
❷	곡선 $y=\frac{1}{x}$ 위의 점에서의 접선과 x축 및 직선 $x=a$로 둘러싸인 도형의 넓이 구하기	40%
❸	b를 a에 대한 식으로 나타내기	30%

713

$f(x)=\int_0^x(a-t)e^t\,dt$의 양변을 x에 대하여 미분하면

$f'(x)=(a-x)e^x$

$f'(x)=0$에서 $\quad x=a\ (\because e^x>0)$

즉, 함수 $f(x)$는 $x=a$에서 극대인 동시에 최댓값을 갖는다.

$f(x)=\int_0^x(a-t)e^t\,dt=\left[(a-t)e^t\right]_0^x+\int_0^x e^t\,dt$

$=\{(a-x)e^x-a\}+\left[e^t\right]_0^x=(a-x)e^x-a+(e^x-1)$

$=(a+1-x)e^x-a-1$

최댓값이 32이므로

$f(a)=e^a-a-1=32$ $\quad\therefore e^a-a=33$ ❶

한편, 곡선 $y=3e^x$과 직선 $y=3$이 만나는 점의 x좌표는

$3e^x=3,\ e^x=1$ $\quad\therefore x=0$ ❷

따라서 구하는 넓이는

$\int_0^a(3e^x-3)dx=\left[3e^x-3x\right]_0^a=(3e^a-3a)-(3-0)$

$=3(e^a-a)-3=3\cdot33-3=96$ ❸

정답_ 96

단계	채점 기준	비율
❶	e^a-a의 값 구하기	50%
❷	곡선 $y=e^{3x}$과 직선 $y=3$이 만나는 점의 x좌표 구하기	30%
❸	넓이 구하기	20%

714

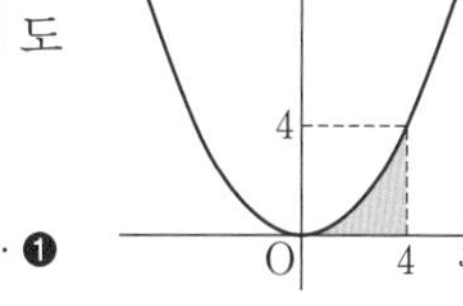

오른쪽 그림과 같이 닫힌구간 $[0,\ 4]$에서 포물선 $y=\frac{1}{4}x^2$과 x축으로 둘러싸인 도형의 넓이는

$\int_0^4\frac{1}{4}x^2\,dx=\left[\frac{1}{12}x^3\right]_0^4=\frac{16}{3}$ ❶

블록에서 포물선을 이루는 단면의 넓이는

$8\cdot4-2\cdot\frac{16}{3}=\frac{64}{3}$ ❷

따라서 구하는 블록의 부피는

$12\cdot12\cdot5-\int_0^{12}\frac{64}{3}dx=720-\left[\frac{64}{3}x\right]_0^{12}$

$=720-256=464\ (\mathrm{cm}^3)$ ❸

정답_ $464\ \mathrm{cm}^3$

단계	채점 기준	비율
❶	닫힌구간 $[0,\ 4]$에서 곡선 $y=\frac{1}{4}x^2$과 x축으로 둘러싸인 도형의 넓이 구하기	20%
❷	블록에서 포물선을 이루는 단면의 넓이 구하기	40%
❸	블록의 부피 구하기	40%

715

두 점 P, Q의 시각 t에서의 위치를 각각 S_P, S_Q라고 하면

$S_P=\int_0^t\cos t\,dt=\left[\sin t\right]_0^t=\sin t$

$S_Q=\int_0^t \sin t\,dt=\left[-\cos t\right]_0^t=-\cos t+1$ ❶

$\sin t=-\cos t+1$ $(0<t\le 6\pi)$에서

$\sin t+\cos t=1$, $\sin\left(t+\frac{\pi}{4}\right)=\frac{1}{\sqrt{2}}$

이때, 두 함수 $y=\sin\left(t+\frac{\pi}{4}\right)$와 $y=\frac{1}{\sqrt{2}}$의 그래프의 교점의 개수를 구해 보면

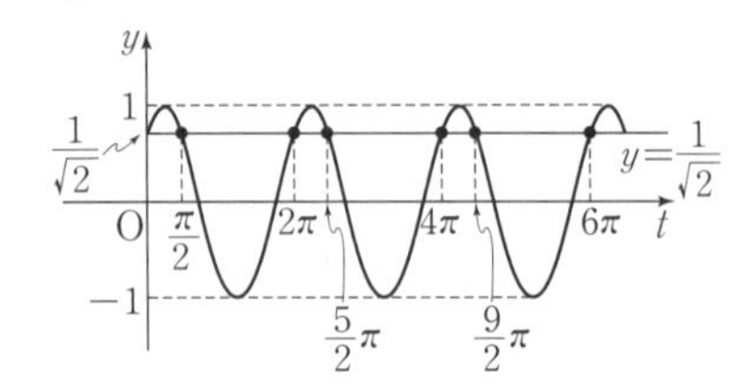

위의 그림과 같이 $0<t\le 6\pi$에서 두 점 P, Q는 6회 만난다.

따라서 구하는 횟수는 6이다. ❷

정답_ 6

단계	채점 기준	비율
❶	두 점 P, Q의 시각 t에서의 위치 각각 구하기	40%
❷	두 점이 만나는 횟수 구하기	60%

716

다음 그림과 같이 [그림 1]의 각 직사각형에서 [그림 2]의 대응하는 직사각형을 지우고 나면 색칠한 부분만 남으므로 $A-B$의 값은 [그림 1]의 가장 큰 직사각형의 넓이와 [그림 2]의 가장 작은 직사각형의 넓이의 차와 같다.

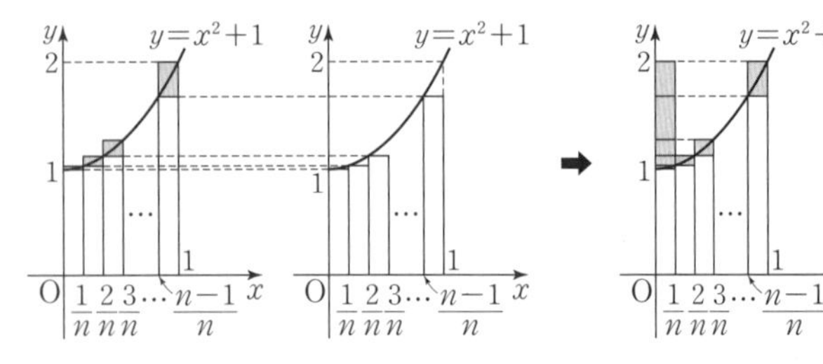

$f(x)=x^2+1$로 놓으면 위의 그림에서

$A-B=\frac{1}{n}f(1)-\frac{1}{n}f(0)=\frac{2}{n}-\frac{1}{n}=\frac{1}{n}$

$A-B\le 0.15$에서 $\frac{1}{n}\le 0.15$ $\therefore n\ge 6.66\cdots$

따라서 구하는 자연수 n의 최솟값은 7이다.

정답_ ②

717

$\int_1^n f(x)dx=\int_1^2 f(x)dx+\int_2^3 f(x)dx+\cdots+\int_{n-1}^n f(x)dx$

$=1^2+2^2+3^2+\cdots+(n-1)^2$

$=\frac{(n-1)n(2n-1)}{6}$

$\therefore \lim_{n\to\infty}\frac{1}{n^3}\int_1^n f(x)dx=\lim_{n\to\infty}\frac{(n-1)n(2n-1)}{6n^3}$

$=\frac{2}{6}=\frac{1}{3}$

정답_ ③

718

$F(t)=\lim_{n\to\infty}\sum_{k=1}^{n}\left(a+\frac{t+1}{n}k\right)\cdot\frac{t+1}{n}$

$=\int_a^{a+t+1}x\,dx$

$=\left[\frac{1}{2}x^2\right]_a^{a+t+1}$

$=\frac{1}{2}\{(a+t+1)^2-a^2\}$

$=\frac{1}{2}(t+1)(t+2a+1)$

이때, $F(t)=0$에서 $t=-1$ 또는 $t=-2a-1$

$F(t)=0$이 양의 실근을 가지려면

$-2a-1>0$ $\therefore a<-\frac{1}{2}$

따라서 정수 a의 최댓값은 -1이다.

정답_ ②

719

$f(x)=a\sin x$, $g(x)=e^{x-b}$으로 놓으면

$f'(x)=a\cos x$, $g'(x)=e^{x-b}$

두 곡선이 $x=b$에서 접하므로

$f(b)=g(b)$에서 $a\sin b=1$ ……㉠

$f'(b)=g'(b)$에서 $a\cos b=1$ ……㉡

㉠, ㉡에서 $a\sin b=a\cos b$, $\sin b=\cos b$

$\therefore b=\frac{\pi}{4}\left(\because a>0, 0<b<\frac{\pi}{2}\right)$

$b=\frac{\pi}{4}$를 ㉠에 대입하면

$a\sin\frac{\pi}{4}=1$, $\frac{\sqrt{2}}{2}a=1$ $\therefore a=\sqrt{2}$

따라서 $f(x)=\sqrt{2}\sin x$,

$g(x)=e^{x-\frac{\pi}{4}}$이고, 접점의 좌표는

$\left(\frac{\pi}{4}, 1\right)$이므로 구하는 넓이는

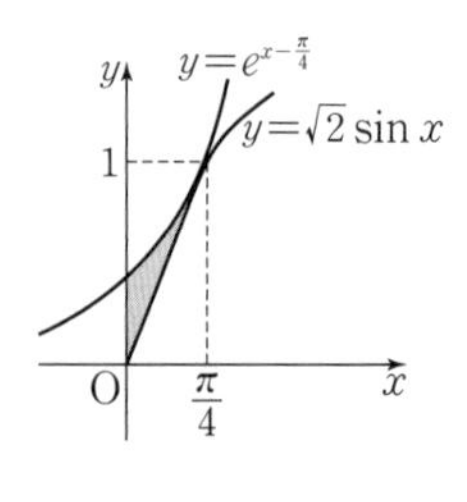

$\int_0^{\frac{\pi}{4}}\left(e^{x-\frac{\pi}{4}}-\sqrt{2}\sin x\right)dx$

$=\left[e^{x-\frac{\pi}{4}}+\sqrt{2}\cos x\right]_0^{\frac{\pi}{4}}$

$=(1+1)-(e^{-\frac{\pi}{4}}+\sqrt{2})$

$=2-\sqrt{2}-e^{-\frac{\pi}{4}}$

정답_ ②

720

$f(x)=k\ln x$라 하고, 곡선 $y=k\ln x$와 직선 $y=x$가 접할 때 접점의 좌표를 P(t, t)라고 하면

$f(t)=k\ln t=t$ ……㉠

또, $f'(x)=\frac{k}{x}$이고 $x=t$에서의 접선의 기울기가 1이므로

$f'(t)=\frac{k}{t}=1$ $\therefore t=k$ ……㉡

ⓒ을 ㉠에 대입하면 $k\ln k=k$에서 $k=e$이므로 $t=e$

따라서 $f(x)=e\ln x$이고 접점 P의 좌표는 $\mathrm{P}(e,\ e)$이다.

한편, 점 P에서 x축에 내린 수선의 발을 Q라고 하면 $\mathrm{Q}(e,\ 0)$이고 곡선 $y=e\ln x$와 직선 $y=x$ 및 x축으로 둘러싸인 도형의 넓이는 삼각형 OQP의 넓이에서 곡선 $y=f(x)$와 직선 $x=e$ 및 x축으로 둘러싸인 도형의 넓이를 빼면 되므로 구하는 도형의 넓이는

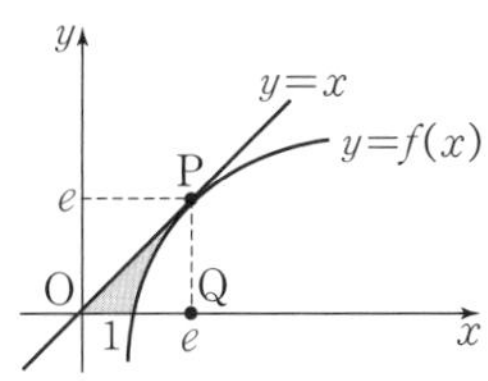

$$\triangle\mathrm{OQP}-\int_1^e f(x)dx=\frac{1}{2}\cdot e\cdot e-\int_1^e e\ln x\,dx$$
$$=\frac{1}{2}e^2-e\Big[x\ln x-x\Big]_1^e$$
$$=\frac{1}{2}e^2-e(e\ln e-e+1)$$
$$=\frac{1}{2}e^2-e$$

따라서 $a=\frac{1}{2}$, $b=1$이므로

$100ab=100\cdot\frac{1}{2}\cdot1=50$ 정답_ 50

721

$f(x)=\frac{xe^{x^2}}{e^{x^2}+1}$, $g(x)=\frac{2}{3}x$로 놓으면

$$f(-x)=-\frac{xe^{x^2}}{e^{x^2}+1}=-f(x)$$
$$g(-x)=-\frac{2}{3}x=-g(x)$$

곡선 $y=\frac{xe^{x^2}}{e^{x^2}+1}$과 직선 $y=\frac{2}{3}x$는 모두 오른쪽 그림과 같이 원점에 대하여 대칭이다. 따라서 구하는 넓이는 $x\geq0$인 범위에서 곡선 $y=\frac{xe^{x^2}}{e^{x^2}+1}$과 직선 $y=\frac{2}{3}x$로 둘러싸인 도형의 넓이의 2배와 같다.

$x\geq0$일 때, 곡선 $y=\frac{xe^{x^2}}{e^{x^2}+1}$과 직선 $y=\frac{2}{3}x$의 교점의 x좌표는

$\frac{xe^{x^2}}{e^{x^2}+1}=\frac{2}{3}x$, $3xe^{x^2}=2x(e^{x^2}+1)$, $x(e^{x^2}-2)=0$

$x=0$ 또는 $e^{x^2}=2$ $\quad\therefore x=0$ 또는 $x=\sqrt{\ln2}$

$0\leq x\leq\sqrt{\ln2}$에서 $\frac{xe^{x^2}}{e^{x^2}+1}\leq\frac{2}{3}x$이므로 구하는 넓이는

$$2\int_0^{\sqrt{\ln2}}\left(\frac{2}{3}x-\frac{xe^{x^2}}{e^{x^2}+1}\right)dx=\frac{2}{3}\ln2-2\int_0^{\sqrt{\ln2}}\frac{xe^{x^2}}{e^{x^2}+1}dx$$

이때, $x^2=t$로 놓으면 $\frac{dt}{dx}=2x$이고,

$x=0$일 때 $t=0$, $x=\sqrt{\ln2}$일 때 $t=\ln2$이므로

$$\frac{2}{3}\ln2-2\int_0^{\sqrt{\ln2}}\frac{xe^{x^2}}{e^{x^2}+1}dx=\frac{2}{3}\ln2-\int_0^{\ln2}\frac{e^t}{e^t+1}dt$$
$$=\frac{2}{3}\ln2-\Big[\ln(e^t+1)\Big]_0^{\ln2}$$
$$=\frac{2}{3}\ln2-(\ln3-\ln2)$$
$$=\frac{5}{3}\ln2-\ln3$$

정답_ ①

722

ㄱ은 옳다.

$1\leq x\leq e$일 때,

$0\leq\ln x\leq1$이므로

$(\ln x)^n\geq(\ln x)^{n+1}$

ㄴ도 옳다.

$$S_n=e\cdot1-\int_1^e(\ln x)^n dx$$
$$S_{n+1}=e\cdot1-\int_1^e(\ln x)^{n+1}dx$$

그런데 $1<x<e$이면 $0<\ln x<1$에서

$(\ln x)^n>(\ln x)^{n+1}$이므로

$$\int_1^e(\ln x)^n dx>\int_1^e(\ln x)^{n+1}dx$$

$\therefore S_n<S_{n+1}$

ㄷ도 옳다.

함수 $f(x)=(\ln x)^n$의 역함수 $g(x)$에 대하여 두 함수 $f(x)$와 $g(x)$는 직선 $y=x$에 대하여 대칭이므로

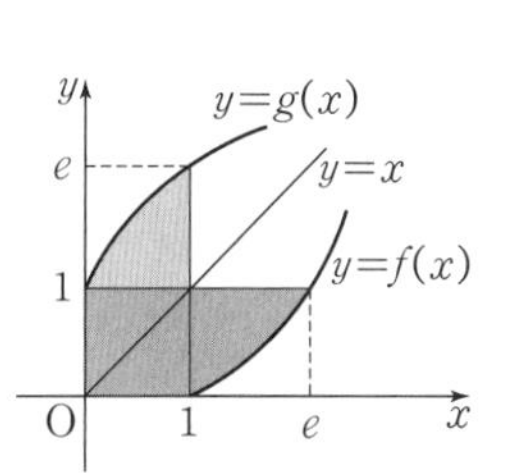

$$S_n=\int_0^1 g(x)dx$$

따라서 옳은 것은 ㄱ, ㄴ, ㄷ이다. 정답_ ⑤

723

선분 PQ를 지나고 x축에 수직인 평면으로 입체도형을 자른 단면은 선분 PQ를 한 변으로 하는 정삼각형이고

$\overline{\mathrm{PQ}}=\sqrt{x(x^2+1)\sin x^2}$이므로 단면인 정삼각형의 넓이는

$$\frac{\sqrt{3}}{4}\{\sqrt{x(x^2+1)\sin x^2}\}^2=\frac{\sqrt{3}}{4}x(x^2+1)\sin x^2$$

$x^2=t$라고 하면 $\frac{dt}{dx}=2x$이고,

$x=0$일 때 $t=0$, $x=\sqrt{\pi}$일 때 $t=\pi$

따라서 구하는 입체도형의 부피는

$$\int_0^{\sqrt{\pi}}\frac{\sqrt{3}}{4}x(x^2+1)\sin x^2dx$$
$$=\frac{\sqrt{3}}{8}\int_0^{\pi}(t+1)\sin t\,dt$$

$= \frac{\sqrt{3}}{8}\Big[-(t+1)\cos t\Big]_0^{\pi} - \frac{\sqrt{3}}{8}\int_0^{\pi}(-\cos t)dt$

$= \frac{\sqrt{3}}{8}(\pi+2) - \frac{\sqrt{3}}{8}\Big[-\sin t\Big]_0^{\pi}$

$= \frac{(\pi+2)\sqrt{3}}{8}$ 정답_①

724

속도 $v(t)=2\sin\left(t-\frac{\pi}{3}\right)+\sqrt{3}$의 그래프는 다음 그림과 같다.

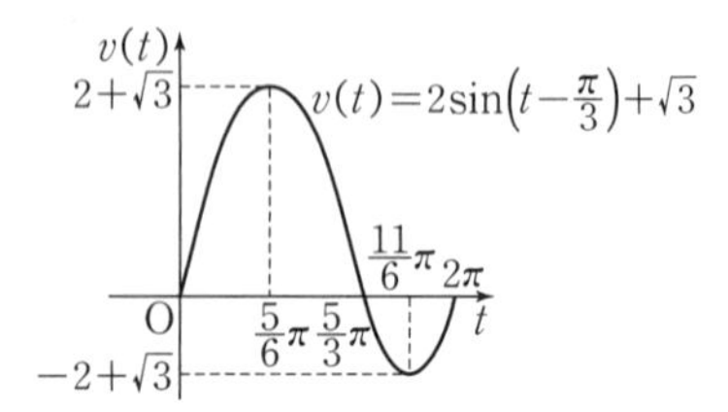

ㄱ은 옳다.

$0 \le t \le 2\pi$에서 점 P는 $t=\frac{5}{3}\pi$일 때 양에서 음이 되므로 운동 방향을 한 번 바꾼다.

ㄴ도 옳다.

점 P는 $t=\frac{5}{3}\pi$일 때 운동 방향을 바꾸므로 $t=\frac{5}{3}\pi$일 때 원점에서 가장 멀리 떨어져 있다.

ㄷ도 옳다.

$t=2\pi$일 때 점 P의 위치는

$\int_0^{2\pi}\left\{2\sin\left(t-\frac{\pi}{3}\right)+\sqrt{3}\right\}dt$

$=\left[-2\cos\left(t-\frac{\pi}{3}\right)+\sqrt{3}t\right]_0^{2\pi}$

$=(-1+2\sqrt{3}\pi)-(-1)=2\sqrt{3}\pi$

따라서 옳은 것은 ㄱ, ㄴ, ㄷ이다. 정답_⑤